LES CHEMINS DE LA LIBERTÉ

II
LE SURSIS
(roman)

JEAN-PAUL SARTRE

Les chemins de la liberté

II

Le sursis

roman

GALLIMARD

VENDREDI 23 SEPTEMBRE

Seize heures trente à Berlin, quinze heures trente à Londres. L'hôtel s'ennuyait sur sa colline, désert et solennel, avec un vieillard dedans. A Angoulême, à Marseille, à Gand, à Douvres, ils pensaient : « Que fait-il? Il est plus de trois heures, pourquoi ne descend-il pas? » Il était assis dans le salon aux persiennes demi-closes, les yeux fixes sous ses épais sourcils, la bouche légèrement ouverte, comme s'il se rappelait un souvenir très ancien. Il ne lisait plus, sa vieille main tavelée, qui tenait encore les feuillets, pendait le long de ses genoux. Il se tourna vers Horace Wilson et demanda : « Quelle heure est-il? » et Horace Wilson dit : « Quatre heures et demie, à peu près. » Le vieillard leva ses gros yeux, eut un petit rire aimable et dit : « Il fait chaud. » Une chaleur rousse, crépitante, pailletée s'était affalée sur l'Europe; les gens avaient de la chaleur sur les mains, au fond des yeux, dans les bronches; ils attendaient, écœurés de chaleur, de poussière et d'angoisse. Dans le hall de l'hôtel, les journalistes attendaient. Dans la cour, trois chauffeurs attendaient, immobiles au volant de leurs autos; de l'autre côté du Rhin, immobiles dans le hall de l'hôtel Dreesen, de longs Prussiens vêtus de noir attendaient. Milan Hlinka n'attendait plus. Il n'attendait plus depuis l'avant-veille. Il y avait eu cette lourde journée noire, traversée par une certitude fulgurante : « Ils nous ont lâchés! » Et puis le temps s'était remis à couler, au petit bonheur, les jours ne se vivaient plus pour eux-mêmes, ça n'était plus que des lendemains, il n'y aurait plus jamais que des lendemains.

A quinze heures trente, Mathieu attendait encore, au bord d'un horrible avenir; au même instant, à seize heures trente, Milan n'avait plus d'avenir. Le vieillard se leva, il traversa la pièce, les genoux raides, d'un pas noble et sautillant. Il dit : « Messieurs! » et il sourit affablement; il posa le document sur la table et en lissa les feuillets de son poing fermé; Milan s'était planté devant la table; le journal déplié couvrait toute la largeur de la toile cirée. Milan lut pour la septième fois :

« Le Président de la République, et avec lui le Gouvernement n'ont rien pu faire qu'accepter les propositions des deux grandes puissances, au sujet de la base d'une attitude future. Il ne nous restait rien d'autre à faire, puisque nous sommes restés seuls. » Neville Henderson et Horace Wilson s'étaient approchés de la table, le vieillard se tourna vers eux, il avait l'air inoffensif et périmé, il dit : « Messieurs, voici ce qui nous reste à faire. » Milan pensait : « Il n'y avait rien d'autre à faire. » Une rumeur confuse entrait par la fenêtre et Milan pensait : « Nous sommes restés seuls. »

Une petite voix de souris monta de la rue : « Vive Hitler! »

Milan courut à la fenêtre :

— Attends un peu, cria-t-il. Attends que je descende!

Il y eut une fuite éperdue, des claquements de galoches; au bout de la rue le gamin se retourna, fouilla dans son tablier et se mit à faire des moulinets avec son bras. Deux chocs secs contre le mur.

— C'est le petit Liebknecht, dit Milan, il fait sa tournée.

Il se pencha : la rue était déserte, comme les dimanches. A leur balcon les Schœnhof avaient attaché des drapeaux rouges et blancs avec des croix gammées. Tous les volets de la maison verte étaient fermés. Milan pensa : « Nous n'avons pas de volets. »

— Il faut ouvrir toutes les fenêtres, dit-il.

— Pourquoi? demanda Anna.

— Quand les fenêtres sont fermées, ils visent les carreaux.

Anna haussa les épaules :

— De toute façon..., dit-elle.

Leurs chants et leurs cris arrivaient par grandes rafales vagues.

— Ils sont toujours sur la place, dit Milan.

Il avait posé les mains sur la barre d'appui, il pensait : « Tout est fini. » Un gros homme apparut au coin de la rue. Il portait un rücksack et s'appuyait sur un bâton. Il avait l'air las, deux femmes le suivaient, courbées sous d'énormes ballots.

— Les Jägerschmitt rentrent, dit Milan sans se retourner.

Ils s'étaient enfuis le lundi soir, ils avaient dû passer la frontière dans la nuit du mardi au mercredi. A présent ils s'en revenaient, la tête haute. Jägerschmitt s'approcha de la maison verte et gravit les marches du perron. Il avait le visage gris de poussière, avec un drôle de sourire. Il se mit à fouiller dans les poches de sa veste et sortit une clé. Les femmes avaient posé leurs ballots par terre et le regardaient faire.

— Tu rentres quand il n'y a plus de danger! lui cria Milan.

Anna dit vivement :

— Milan!

Jägerschmitt avait levé la tête. Il vit Milan et ses yeux clairs brillèrent.

— Tu rentres quand il n'y a plus de danger.

— Oui, je rentre, cria Jägerschmitt. Et toi, tu vas t'en aller!

Il tourna la clé dans la serrure et poussa la porte; les deux femmes entrèrent derrière lui. Milan se retourna :

— Sales couards! dit-il.

— Tu les provoques, dit Anna.

— Ce sont des couards, dit Milan, de la sale race d'Allemands. Ils nous léchaient les bottes, il y a deux ans.

— N'empêche. Tu ne dois pas les provoquer.

Le vieillard cessa de parler; sa bouche demeurait entrouverte comme si elle continuait en silence à émettre des avis sur la situation. Ses gros yeux ronds s'étaient embués de larmes, il avait levé les sourcils, il regardait Horace et Neville d'un air interrogateur. Ils se turent, Horace fit un mouvement brusque et détourna la tête; Neville marcha jusqu'à la table, prit le document, le considéra un instant et le repoussa avec mécontentement. Le vieillard eut l'air perplexe; il écarta les bras en signe d'impuissance et de bonne foi. Il dit pour la cinquième fois : « Je me suis trouvé en face d'une situation tout à fait inattendue; je pensais que nous discuterions tranquillement les propositions dont j'étais le porteur... » Horace pensa : « Vieux renard! Où va-t-il chercher cette voix de grand-père? » Il dit : « C'est bien, Excellence : dans dix minutes nous serons à l'hôtel Dreesen. »

— Lerchen est venue, dit Anna. Son mari est à Prague; elle n'est pas tranquille.

— Elle n'a qu'à venir chez nous.

— Si tu crois qu'elle sera plus tranquille, dit Anna avec un petit rire. Avec un fou comme toi, qui se met à la fenêtre pour insulter les gens dans la rue...

Il regarda sa petite tête fine et calme, aux traits tirés, ses épaules étroites, son ventre énorme.

— Assieds-toi, dit-il. Je n'aime pas te voir debout.

Elle s'assit, elle croisa les mains sur son ventre; le type brandissait des journaux en murmurant : « *Paris-Soir*, dernière. Il m'en reste

deux, achetez-les. » Il avait tant crié qu'il s'était égosillé. Maurice
prit le journal. Il lut : « Le premier ministre Chamberlain a adressé
au chancelier Hitler une lettre à laquelle, comme on l'admet dans
les milieux britanniques, ce dernier répondra. La rencontre avec
M. Hitler, qui devait avoir lieu ce matin, est, en conséquence, ren-
voyée à une heure ultérieure. »

Zézette regardait le journal par-dessus l'épaule de Maurice. Elle
demanda :

— Il y a du nouveau?

— Non. C'est toujours pareil.

Il tourna la page et ils virent une photo sombre qui représentait
une espèce de château, un truc comme au moyen âge, au sommet
d'une colline, avec des tours, des clochetons et des centaines de
fenêtres.

— C'est Godesberg, dit Maurice.

— C'est là qu'il est, Chamberlain? demanda Zézette.

— Il paraît qu'on a envoyé des renforts de police.

— Oui, dit Milan. Deux gendarmes. Ça fait six gendarmes en tout.
Ils se sont barricadés dans la gendarmerie.

Un tombereau de cris se déversa dans la chambre. Anna frissonna;
mais son visage restait calme.

— Si on téléphonait? dit-elle.

— Téléphoner?

— Oui. A Prisecnice.

Milan lui montra le journal sans répondre : « D'après une dépêche
du D. N. B. datée de jeudi, les populations allemandes des régions
des Sudètes auraient pris en main le service d'ordre jusqu'à la frontière linguistique. »

— Ça n'est peut-être pas vrai, dit Anna. On m'a dit que ça ne
s'est fait qu'à Eger.

Milan donna un coup de poing sur la table :

— Nom de Dieu! encore demander du secours.

Il étendit les mains; elles étaient énormes et noueuses, avec des
taches brunes et des cicatrices : il avait été bûcheron avant son
accident. Il les regardait en écartant les doigts. Il dit :

— Ils peuvent s'amener. A deux, à trois. On rigolera cinq minutes,
je te le dis.

— Ils s'amèneront à six cents, dit Anna.

Milan baissa la tête; il se sentait seul.

— Écoute! dit Anna.

Il écouta : on les entendait plus distinctement, ils devaient s'être mis en marche. La rage le fit trembler; il n'y voyait plus très clair et son crâne lui faisait mal. Il s'approcha de la commode et se mit à souffler.

— Qu'est-ce que tu fais? demanda Anna.

Il s'était penché sur le tiroir de la commode, il soufflait. Il se courba un peu plus et grogna sans répondre.

— Il ne faut pas, lui dit-elle.

— Quoi?

— Il ne faut pas. Donne-moi ça.

Il se retourna : Anna s'était levée, elle s'appuyait contre la chaise, elle avait l'air juste. Il pensa à son ventre; il lui tendit le revolver.

— Ça va, dit-il. Je vais téléphoner à Prisecnice.

Il descendit au rez-de-chaussée, dans la salle d'école, il ouvrit les fenêtres, puis il prit le téléphone.

— Donnez-moi la préfecture, à Prisecnice. Allô?

Son oreille droite entendait un grésillement sec, en zigzag. Son oreille gauche *les* entendait. Odette eut un rire confus : « Je n'ai jamais très bien su où c'était, la Tchécoslovaquie », dit-elle en plongeant ses doigts dans le sable. Au bout d'un moment il y eut un déclic.

— Na? fit une voix.

Milan pensa : « Je demande du secours! » Il serrait l'écouteur de toutes ses forces.

— Ici Pravnitz, dit-il, je suis l'instituteur. Nous sommes vingt Tchèques, il y a trois démocrates allemands qui se cachent au fond d'une cave, le reste est à Henlein; ils sont encadrés par cinquante types du Corps franc qui ont passé la frontière hier soir et qui les ont massés sur la place. Le maire est avec eux.

Il y eut un silence, puis la voix dit avec insolence :

— Bitte! Deutsch sprechen.

— Schweinkopf! cria Milan.

Il raccrocha et remonta l'escalier en boitant bas. Sa jambe lui faisait mal. Il entra dans la chambre et s'assit.

— Ils sont là-bas, dit-il.

Anna vint vers lui, elle posa les mains sur ses épaules :

— Mon cher amour, dit-elle.

— Les salauds! dit Milan. Ils comprenaient tout, ils rigolaient au bout du fil.

Il l'attira entre ses genoux. Le ventre énorme touchait son ventre :

— A présent nous sommes tout seuls, dit-il.

— Je ne peux pas le croire.

Il leva lentement la tête et la regarda de bas en haut; elle était sérieuse et dure à l'ouvrage, mais elle avait ça des femmes : il fallait toujours qu'elle fît confiance à quelqu'un.

— Les voilà! dit Anna.

Les voix semblaient plus proches : ils devaient défiler dans la Grand-Rue. De loin les cris joyeux des foules ressemblent à des cris d'horreur.

— La porte est barricadée?

— Oui, dit Milan. Mais ils peuvent toujours entrer par les fenêtres ou faire le tour par le jardin.

— S'ils montent... dit Anna.

— Tu n'as pas besoin d'avoir peur. Ils pourront tout casser sans que je lève un doigt.

Il sentit tout d'un coup les lèvres chaudes d'Anna contre sa joue :

— Mon cher amour. Je sais que c'est pour moi que tu feras ça.

— Ça n'est pas pour toi. Toi c'est moi. C'est pour le gosse.

Ils sursautèrent : on avait sonné.

— Ne va pas à la fenêtre, cria Anna.

Il se leva, il alla à la fenêtre. Les Jägerschmitt avaient ouvert tous leurs volets; le drapeau hitlérien pendait au-dessus de la porte. En se penchant il vit une ombre minuscule.

— Je descends, cria-t-il.

Il traversa la pièce :

— C'est Marikka, dit-il.

Il descendit l'escalier, il alla ouvrir. Pétards, cris, musique par-dessus les toits : c'était un jour de fête. Il regarda la rue vide et son cœur se serra.

— Qu'est-ce que tu viens faire ici? demanda-t-il. Il n'y a pas classe.

— C'est maman qui m'envoie, dit Marikka. Elle portait un petit panier avec des pommes et des tartines de margarine.

— Ta mère est folle; tu vas rentrer chez toi.

— Elle dit que vous ne me renvoyiez pas.

Elle lui tendit une feuille pliée en quatre. Il la déplia et lut : « Le père et Georg ont perdu la tête. Je vous en prie, gardez Marikka jusqu'à ce soir. »

— Où est-il, ton père? demanda Milan.

— Il s'est mis derrière la porte, avec Georg. Ils ont des haches et des fusils. Elle ajouta avec un peu d'importance : « Maman m'a fait sortir par la cour, elle dit que je serai mieux chez vous parce que vous êtes raisonnable.

— Oui, dit Milan. Oui. Je suis raisonnable. Allez, monte. »

Dix-sept heures trente à Berlin, seize heures trente à Paris. Légère dépression au nord de l'Écosse. M. von Dörnberg parut sur l'escalier du Grand-Hôtel, les journalistes l'entourèrent et Pierryl demanda : « Est-ce qu'il va descendre? » M. von Dörnberg tenait un papier dans la main droite; il leva la main gauche et dit : « On n'a pas encore décidé si M. Chamberlain verrait le Führer dans la soirée. »

— C'est ici, dit Zézette. Je vendais des fleurs ici, dans une petite voiture verte.

— Tu te mettais bien, dit Maurice.

Il regardait docilement le trottoir et la chaussée, puisque c'était ça qu'ils étaient venus voir, depuis le temps qu'elle en parlait. Mais ça ne lui disait rien. Zézette avait lâché son bras, elle riait toute seule, sans bruit, en regardant filer les voitures. Maurice demanda :

— Tu avais une chaise?

— Des fois; un pliant, dit Zézette.

— Ça ne devait pas être bien marrant.

— Au printemps c'était bien, dit Zézette.

Elle lui parlait à mi-voix, sans se retourner vers lui, comme dans une chambre de malade; depuis un moment elle s'était mise à faire des mouvements distingués avec les épaules et le dos, elle n'avait pas l'air naturel. Maurice s'embêtait; il y avait au moins vingt personnes devant une vitrine, il s'approcha et se mit à regarder par-dessus leurs têtes. Zézette demeura en extase sur le bord du trottoir; au bout d'un instant, elle le rejoignit et lui reprit le bras. Sur une plaque de verre biseautée, il y avait deux bouts de cuir rouge avec une mousse rouge, tout autour, pareille à une houppette à poudre. Maurice se mit à rire.

— Tu rigoles? chuchota Zézette.

— C'est des souliers, dit Maurice en rigolant.

Deux ou trois têtes se retournèrent. Zézette lui fit : « Chut » et l'entraîna.

— Ben quoi? dit Maurice, on est pas à la messe.

Mais il avait tout de même baissé la voix : les gens s'avançaient à pas de loup les uns derrière les autres, ils avaient tous l'air de se connaître mais personne ne parlait.

— Il y a bien cinq ans que j'étais pas venu ici, chuchota-t-il.

Zézette lui montra le Maxim's avec fierté.

— C'est le Maxim's, lui dit-elle au creux de l'oreille.

Maurice regarda le Maxim's et détourna vivement la tête : on lui en avait causé, c'était une belle saloperie, c'était là que les bourgeois

sablaient le champagne, en 1914, pendant que les ouvriers se faisaient casser la gueule. Il dit entre ses dents :

— Pourriture!

Mais il se sentait gêné, sans savoir pourquoi. Il marchait à petits
pas, en se dandinant; les gens lui semblaient fragiles et il avait peur
de les heurter.

— Ça se peut, dit Zézette. Mais c'est quand même une belle rue,
tu trouves pas?

— Ça m'épate pas, dit Maurice. Ça manque d'air.

Zézette haussa les épaules et Maurice se mit à penser à l'avenue
de Saint-Ouen : quand il quittait l'hôtel, le matin, des types le
dépassaient en sifflant, une musette sur le dos, courbés sur le guidon
de leurs vélos. Il se sentait heureux : les uns s'arrêtaient à Saint-
Denis et d'autres continuaient leur chemin, tout le monde allait
dans le même sens, la classe ouvrière était en marche. Il dit à
Zézette :

— Ici, on est chez les bourgeois.

Ils firent quelques pas dans une odeur de papier d'Arménie et
puis Maurice s'arrêta et demanda pardon.

— Qu'est-ce que tu dis? demanda Zézette.

— C'est rien, dit Maurice gêné. Je dis rien.

Il avait encore heurté quelqu'un; les autres avaient beau marcher
les yeux baissés, ils s'arrangeaient toujours pour s'éviter au dernier
moment; ça devait être une affaire d'habitude.

— Tu t'amènes?

Mais il n'avait plus envie de reprendre sa marche, il avait peur de
casser quelque chose et puis cette rue ne menait nulle part, elle
n'avait pas de direction, il y avait des gens qui remontaient vers les
Boulevards, d'autres qui descendaient vers la Seine et d'autres qui
restaient collés par le nez aux vitrines, ça faisait des remous locaux,
mais pas de mouvements d'ensemble, on se sentait seul. Il allongea
la main et la posa sur l'épaule de Zézette; il serrait fortement la
chair grasse à travers l'étoffe. Zézette lui sourit, elle s'amusait, elle
regardait tout avec avidité sans perdre son air averti, elle remuait
gentiment ses petites fesses. Il lui chatouilla le cou et elle rit.

— Maurice, dit-elle, finis!

Il aimait bien les fortes couleurs qu'elle se mettait sur le visage,
le blanc qui ressemblait à du sucre et le beau rouge des pommettes.
De près, elle sentait la gaufre. Il lui demanda à voix basse :

— Tu t'amuses?

— Je reconnais tout, dit Zézette les yeux brillants.

Il lui lâcha l'épaule et ils se remirent à marcher en silence : elle avait connu des bourgeois, ils venaient lui acheter des fleurs, elle leur souriait et il y en avait même qui essayaient de la tripoter. Il regardait sa nuque blanche et il se sentait drôle, il avait envie de rire et de se fâcher.

— *Paris-Soir*, cria une voix.

— On l'achète? demanda Zézette.

— C'est le même que tout à l'heure.

Les gens entouraient le vendeur et s'arrachaient les journaux en silence. Une femme sortit de la foule, elle avait de hauts talons et un chapeau de quoi se marrer perché sur le haut du crâne. Elle déplia le journal et se mit à lire en trottinant. Tous ses traits s'affaissèrent et elle poussa un grand soupir.

— Vise la bonne femme, dit Maurice.

Zézette la regarda :

— Son homme est peut-être pour partir, dit-elle.

Maurice haussa les épaules : ça semblait si drôle qu'on pût être vraiment malheureuse avec ce chapeau et ces souliers de morue.

— Ben quoi? dit-il, il est officemar, son homme.

— Même qu'il serait officemar, dit Zézette, il peut y laisser sa peau comme les copains.

Maurice la regarda de travers :

— Tu me fais marrer avec les officemars. T'as qu'à voir en 14, s'ils y ont laissé leur peau.

— Eh ben justement, dit Zézette. Je croyais qu'il y en avait eu beaucoup de morts.

— C'est les culs-terreux qui sont morts et puis nous autres, dit Maurice.

Zézette se serra contre lui :

— Oh! Maurice, dit-elle, tu crois vraiment qu'il y aura la guerre?

— Qu'est-ce que j'en sais, moi? dit Maurice.

Le matin encore, il en était sûr et les copains en étaient sûrs comme lui. Ils étaient au bord de la Seine, ils regardaient la file de grues et la drague, il y avait des gars en bras de chemise, des durs de Gennevilliers qui creusaient une tranchée pour un câble électrique et c'était évident que la guerre allait éclater. Finalement, ça ne les changerait pas tant, les gars de Gennevilliers : ils seraient quelque part dans le Nord à creuser des tranchées, sous le soleil, menacés par les balles, les obus et les grenades comme aujourd'hui par les éboulis, les chutes et tous les accidents du travail; ils attendraient la fin de la guerre comme ils attendaient la fin de leur misère. Et

Sandre avait dit : « On la fera, les gars. Mais quand on reviendra, on gardera nos fusils. »

A présent, il n'était plus sûr de rien : à Saint-Ouen, c'était la guerre en permanence, mais pas ici. Ici, c'était la paix : il y avait des vitrines, des objets de luxe à l'étalage, des étoffes de couleur, des glaces pour se regarder, tout le confort. Les gens avaient l'air triste mais c'était de naissance. Pourquoi se battraient-ils? Ils n'attendaient plus rien, ils avaient tout. Ça devait être sinistre de ne rien espérer sauf que la vie continuât indéfiniment comme elle avait commencé!

— La bourgeoisie ne veut pas la guerre, expliqua Maurice tout à coup. Elle a peur de la victoire, parce que ce serait la victoire du prolétariat.

Le vieillard se leva, il conduisit Neville Henderson et Horace Wilson jusqu'à la porte. Il les regarda un instant d'un air ému, il ressemblait à tous les vieillards au visage usé qui entouraient le vendeur de journaux de la rue Royale, les kiosques à journaux de Pall Mall Street et qui ne demandaient plus rien sauf que leur vie se terminât comme elle avait commencé. Il pensait à ces vieillards et aux enfants de ces vieillards et il dit :

— Vous demanderez en outre à M. von Ribbentrop si le chancelier Hitler juge utile que nous ayons une dernière conversation avant mon départ, en attirant son attention sur ce point qu'une acceptation de principe entraînerait pour M. Hitler la nécessité de nous faire connaître de nouvelles propositions. Vous insisterez particulièrement sur le fait que je suis décidé à faire tout ce qui est humainement possible pour régler le litige par voie de négociations, car il me semble incroyable que les peuples de l'Europe, qui ne veulent pas la guerre, soient plongés dans un conflit sanglant pour une question sur laquelle l'accord est en grande partie réalisé. Bonne chance.

Horace et Neville s'inclinèrent, ils descendirent l'escalier, la voix cérémonieuse, craintive, cassée, civilisée résonnait encore à leurs oreilles et Maurice regardait les chairs douces, usées, civilisées des vieillards et des femmes et il pensait avec dégoût qu'il faudrait les saigner.

Il faudrait les saigner, ce serait plus écœurant que d'écraser des limaces, mais il faudrait en venir là. Les mitrailleuses prendraient la rue Royale en enfilade, puis elle resterait quelques jours à l'abandon, avec des carreaux cassés, des glaces trouées en étoile, des tables renversées aux terrasses des cafés, parmi les éclats de verre; des avions tourneraient dans le ciel au-dessus des cadavres. Et puis on enlèverait les morts, on redresserait les tables, on remplacerait les carreaux et la vie reprendrait, des hommes drus avec de fortes nuques rouges, des blousons de cuir et des casquettes repeupleraient la rue. En Russie, c'était pourtant comme ça, Maurice avait vu des photos de la perspective Newski; les prolétaires avaient pris possession de cette avenue de luxe, ils s'y promenaient, les palais et les grands ponts de pierre ne les épataient plus.

— Pardon! dit Maurice avec confusion.

Il avait balancé un grand coup de coude dans le dos d'une vieille dame qui le regarda d'un air indigné. Il se sentit las et découragé : sous les grands panneaux-réclames, sous les lettres d'or noirci accrochées au balcon, entre les pâtisseries et les magasins de chaussures, devant les colonnes de la Madeleine, on ne pouvait imaginer d'autre foule que celle-ci, avec beaucoup de vieilles dames trottinantes et d'enfants en costume marin. La lumière triste et dorée, l'odeur d'encens, les immeubles écrasants, les voix de miel, les visages anxieux et endormis, le frôlement sans espoir des semelles contre le bitume, tout allait ensemble, tout était réel; la Révolution n'était qu'un rêve. « Je n'aurais pas dû venir, pensa Maurice en jetant un coup d'œil rancuneux à Zézette. La place d'un prolétaire n'est pas ici. »

Une main lui toucha l'épaule; il rougit de plaisir en reconnaissant Brunet.

— Bonjour, mon petit gars, dit Brunet en souriant.

— Salut, camarade, dit Maurice.

La poigne de Brunet était dure et calleuse comme la sienne et elle serrait fort. Maurice regarda Brunet et se mit à rire d'aise. Il se réveillait : il sentait les copains autour de lui, à Saint-Ouen, à Ivry, à Montreuil, dans Paris même, à Belleville, à Montrouge, à La Villette, qui se serraient les coudes et se préparaient au coup dur.

— Qu'est-ce que tu fous ici? demanda Brunet. Tu es en chômage?

— C'est mon congé payé, expliqua Maurice un peu gêné. Zézette a voulu venir parce qu'elle travaillait ici, autrefois.

— Et voilà Zézette, dit Brunet. Salut, camarade Zézette.

— C'est Brunet, dit Maurice. Tu as lu son article, ce matin, dans l'*Huma*.

Zézette regarda Brunet hardiment et lui tendit la main. Elle n'avait pas peur des hommes, celle-là, même que ce soit des bourgeois ou des huiles du Parti.

— Je l'ai connu, il était haut comme ça, dit Brunet en désignant Maurice, il était aux Faucons rouges, à la chorale, je n'ai jamais vu personne avoir la voix si fausse. Finalement, on avait convenu qu'il ferait seulement semblant de chanter pendant les défilés.

Ils rirent.

— Et alors? dit Zézette. Est-ce qu'il va y avoir la guerre? Vous devez le savoir, vous; vous êtes bien placé pour ça.

C'était une question idiote, une question de femme, mais Maurice lui fut reconnaissant de l'avoir posée. Brunet était devenu sérieux.

— Je ne sais pas s'il y aura la guerre, dit-il. Mais il ne faut surtout pas en avoir peur : la classe ouvrière doit savoir que ça n'est pas en faisant des concessions qu'on pourra l'éviter.

Il causait bien. Zézette avait levé vers lui des yeux remplis de confiance et elle souriait doucement en l'écoutant. Maurice fut agacé : Brunet causait comme le journal et il ne disait rien de plus que le journal.

— Vous croyez qu'Hitler se dégonflerait si on lui montrait les dents? demanda Zézette.

Brunet avait pris un air officiel, il ne paraissait pas comprendre qu'on lui demandait son avis personnel.

— C'est tout à fait possible, dit-il. Et puis, quoi qu'il arrive, l'U. R. S. S. est avec nous.

« Évidemment, pensa Maurice, les grosses légumes du Parti ne vont pas se mettre comme ça, sur commande, à faire part de leurs opinions à un petit mécano de Saint-Ouen. » Mais il était déçu tout de même. Il regarda Brunet et sa joie tomba tout à fait : Brunet avait de fortes mains paysannes, une dure mâchoire, des yeux qui savaient ce qu'ils voulaient; mais il portait un col et une cravate, un complet de flanelle, il semblait à l'aise au milieu des bourgeois.

Une vitrine sombre renvoyait leur image : Maurice vit une femme en cheveux et un grand costaud, la casquette en arrière, éclatant dans son blouson, qui parlaient avec un monsieur. Pourtant, il restait là, les mains dans les poches, il ne se décidait pas à quitter Brunet.

— Tu es toujours à Saint-Mandé? demanda Brunet.

— Non, dit Maurice, à Saint-Ouen. Je travaille chez le Flaive.

— Ah? Je te croyais à Saint-Mandé! Ajusteur?

— Mécano.

— Bon, dit Brunet. Bon, bon, bon. Eh bien!... Salut, camarade.

— Salut, camarade, dit Maurice. Il se sentait mal à l'aise, et vaguement déçu.

— Salut, camarade, dit Zézette, en souriant de toutes ses dents.

Brunet les regarda s'éloigner. La foule s'était refermée sur eux, mais les épaules énormes de Maurice émergeaient au-dessus des chapeaux. Il devait tenir Zézette par la taille : sa casquette lui frôlait le chignon et ils chaloupaient, tête contre tête, entre les passants.

« C'est un bon petit gars, pensa Brunet. Mais je n'aime pas sa pouf-
fiasse. » Il reprit sa marche, il était grave, avec un remords à fleur
de peau. « Qu'est-ce que je pouvais lui répondre ? » pensa-t-il. A Saint-
Denis, à Saint-Ouen, à Sochaux, au Creusot, par centaines de milliers, ils attendaient avec le même regard anxieux et confiant. Des
centaines de milliers de têtes comme celle-là, de bonnes têtes rondes
et dures, maladroitement taillées, des têtes grosse coupe, de vraies
têtes d'homme qui se tournaient vers l'Est, vers Godesberg, vers
Prague, vers Moscou. Et qu'est-ce qu'on pouvait leur répondre? Les
défendre : pour le moment, c'est tout ce qu'on pouvait faire. Défendre
leur pensée lente et tenace contre tous les salauds qui tentaient
de la faire dérailler. Aujourd'hui la mère Boningue, demain Dottin,
le secrétaire du syndicat des Instituteurs, après-demain les Piver-
tistes : c'était son lot; il irait des uns aux autres, il essaierait de les
faire taire. La mère Boningue le regarderait d'un air velouté, elle
lui parlerait de « l'horreur de verser le sang » en agitant ses mains
idéalistes. C'était une grosse femme d'une cinquantaine d'années,
rougeaude, avec un duvet blanc sur les joues, des cheveux courts
et un regard douillet de prêtre derrière ses lunettes; elle portait
un veston d'homme au revers barré par le ruban de la légion d'honneur. « Je lui dirai : les femmes ne vont pas commencer leurs conneries; en 14, elles poussaient leurs mâles dans les wagons par les
épaules, alors qu'il aurait fallu se coucher sur les rails pour empêcher le train de partir et aujourd'hui que ça peut avoir un sens de
se battre, vous allez faire des ligues pour la paix, vous vous arran-
gez pour saboter le moral des hommes. » Le visage de Maurice
réapparut et Brunet secoua les épaules avec agacement : « Un mot,
un seul mot, quelquefois ça les éclaire et je n'ai pas su le trouver. »
Il pensa avec rancune : « C'est la faute de sa bonne femme, elles
ont l'art de poser des questions idiotes. » Les joues farineuses de
Zézette, ses petits yeux obscènes, son ignoble parfum; elles iraient
recueillir des signatures et des signatures, insistantes et douces,
les grosses colombes radicales, les Juives trotzkystes, les opposition-
nelles S. F. I. O., elles entreraient partout, avec leur sacré culot,
une vieille paysanne en train de traire, elles lui fondraient dessus,
elles lui colleraient un stylo dans sa large patte mouillée : « Signez là
si vous êtes contre la guerre. » *Plus de guerre, jamais. Des négociations,
toujours. La Paix d'abord.* Et qu'est-ce qu'elle ferait, la Zézette,
si on lui tendait un stylo, tout d'un coup? Est-ce qu'elle avait gardé
des réflexes de classe assez sains pour rire au nez de ces grosses
dames bienveillantes? Elle l'a traîné dans les beaux quartiers. Elle

regardait les boutiques avec animation, elle se colle un pied de fard sur les joues... Pauvre petit gars, ça ne serait pas beau si elle s'accrochait à son cou pour l'empêcher de partir; ils n'ont pas besoin de ça... *Intellectuel. Bourgeois.* « Je ne peux pas la blairer parce qu'elle a du plâtre sur la figure et les mains rongées. » Tous les camarades ne peuvent pourtant pas être célibataires. Il se sentait las et pesant; tout à coup, il pensa : « Je la blâme de se farder parce que je n'aime pas les fards à bon marché. » *Intellectuel. Bourgeois.* Les aimer. Les aimer tous et toutes, chacun et chacune, sans distinction. Il pensa : « Je ne devrais même pas vouloir les aimer, ça devrait se trouver comme ça, par nécessité, comme on respire. » *Intellectuel. Bourgeois. Séparé pour toujours.* « J'aurai beau faire, nous n'aurons jamais les mêmes souvenirs. » Joseph Mercier, âgé de trente-trois ans, hérédo-syphilitique, professeur d'histoire naturelle au lycée Buffon et au collège Sévigné, remontait la rue Royale en reniflant et en tordant périodiquement la bouche avec un petit claquement humide; il avait sa douleur au côté gauche, il se sentait misérable et il pensait par à-coups : « Est-ce qu'ils paieront le traitement des fonctionnaires mobilisés? » Il regardait à ses pieds pour ne pas voir tous ces visages impitoyables et il heurta un grand homme roux en costume de flanelle grise qui l'envoya dinguer contre une vitrine; Joseph Mercier leva les yeux et pensa : « Quelle armoire! » C'était une armoire, un mur, une de ces brutes insensibles et cruelles, comme le grand Chamerlier de mathématiques élémentaires qui le narguait en pleine classe, un de ces types qui ne doutent jamais de rien ni d'eux-mêmes qui n'ont jamais été malades, qui n'ont pas de tics, qui prennent les femmes et la vie à pleines mains et qui marchent droit vers leur but en vous envoyant dinguer contre les vitrines. La rue Royale coulait doucement vers la Seine et Brunet coulait avec elle, quelqu'un l'avait heurté, il avait vu s'enfuir une larve maigre au nez rongé, avec un melon et un grand faux col de porcelaine, il pensait à Zézette et à Maurice et il avait retrouvé sa vieille angoisse familière, sa honte devant ces souvenirs inexpiables, la maison blanche au bord de la Marne, la bibliothèque du père, les longues mains parfumées de la mère, qui le séparaient d'eux pour toujours.

C'était un beau soir doré, un fruit de septembre. Stephen Hartley, penché au balcon, murmurait : « Les vastes et lents remous de la foule vespérale. » Tous ces chapeaux, cette mer de feutre, quelques têtes nues flottaient entre les vagues, il pensa : « comme des mouettes ». Il pensa qu'il écrirait : « comme des mouettes », deux têtes blondes et une tête grise, un beau crâne roux, au-dessus des autres, déjà touché par la calvitie; Stephen pensait « la foule française » et il était ému. Petite foule de petits hommes héroïques et vieillots. Il écrirait : « La foule française attend les événements dans le calme et la dignité. » A la une du *New York Herald*, en caractères gras, « J'ai ausculté la foule française. » Petits hommes, ils n'avaient jamais l'air très bien lavés, grands chapeaux des femmes, foule silencieuse, sereine et sale, dorée par l'heure calme d'un soir de Paris entre la Madeleine et la Concorde, au soleil couchant. Il écrirait « le visage de la France », il écrirait : « le visage éternel de la France ». Des glissements, des chuchotements qu'on aurait dit respectueux et émerveillés, ce serait exagéré de mettre « émerveillés »; un grand Français roux, un peu chauve, calme comme un coucher de soleil, quelques éclats de soleil aux vitres des autos, quelques éclats de voix; des scintillements de voix, pensa Stephen. Il pensa : « Mon article est fait. »

— Stephen! dit Sylvia dans son dos.

— Je travaille, dit Stephen sèchement et sans se retourner.

— Mais il faut me répondre, cher, dit Sylvia, il n'y a plus que des premières sur le *Lafayette*.

— Prends des premières, prends des cabines de luxe, dit Stephen, le *Lafayette* est peut-être le dernier bateau qui part pour l'Amérique d'ici longtemps.

Brunet marchait tout doucement, il respirait une odeur de papier d'Arménie, il leva la tête, regarda des lettres d'or noirci accrochées à un balcon; la guerre éclata : elle était là, au fond de cette inconsistance lumineuse, inscrite comme une évidence sur les murs de la belle ville cassable; c'était une explosion fixe qui déchirait en deux la rue Royale; les gens lui passaient au travers sans la voir; Brunet la voyait. Elle avait toujours été là, mais les gens ne le savaient pas encore. Brunet avait pensé : « Le ciel nous tombera sur la tête. » Et tout s'était mis à tomber, il avait vu les maisons comme elles étaient pour de vrai : des chutes arrêtées. Ce gracieux magasin supportait des tonnes de pierre et chaque pierre, scellée avec les autres, tombait à la même place, obstinément, depuis cinquante ans; quelques kilos de plus et la chute recommencerait; les colonnes s'arrondiraient en flageolant et elles se feraient de sales fractures avec des esquilles; la vitrine éclaterait; des tombereaux de pierres s'effondreraient dans la cave en écrasant les ballots de marchandises. Ils ont des bombes de quatre mille kilos. Brunet eut le cœur serré : tout à l'heure encore sur ces façades bien alignées, il y avait un sourire humain, mélangé à la poudre d'or du soir. Ça s'était éteint : cent

mille kilos de pierre; des hommes erraient entre des avalanches
stabilisées. Des soldats entre des ruines, il sera tué, peut-être. Il
vit des sillons noirâtres sur les joues plâtrées de Zézette. Des murs
poussiéreux, des pans de murs avec de grandes ouvertures béantes
et des carrés de papier bleus ou jaunes, par endroit, et des plaques
de lèpre; des carrelages rouges, parmi les éboulis, des dalles disjointes
par la mauvaise herbe. Ensuite, des baraques de planches, des campe-
ments. Et puis après on construirait de grandes casernes monotones
comme sur les boulevards extérieurs. Le cœur de Brunet se serra :
« J'aime Paris », pensa-t-il avec angoisse. L'évidence s'éteignit d'un
seul coup et la ville se reforma autour de lui. Brunet s'arrêta; il
se sentit sucré par une lâche douceur et pensa : « S'il n'y avait pas
de guerre! S'il pouvait n'y avoir pas de guerre! » Et il regardait
avidement les grandes portes cochères, la vitrine étincelante de
Driscoll, les tentures bleu roi de la brasserie Weber. Au bout d'un
moment, il eut honte; il reprit sa marche, il pensa : « J'aime trop
Paris. » Comme Pilniak, à Moscou, qui aimait trop les vieilles églises.
Le Parti a bien raison de se méfier des intellectuels. La mort est
inscrite dans les hommes, la ruine est inscrite dans les choses; d'autres
hommes viendront qui rebâtiront Paris, qui rebâtiront le monde.
Je lui dirai : « Alors vous voulez la paix à n'importe quel prix? »
Je lui parlerai avec douceur en la regardant fixement et je lui dirai :
« Il faut que les femmes nous laissent tranquilles. Ce n'est pas le
moment de venir embêter les hommes avec leurs conneries. »
    — Je voudrais être un homme, dit Odette.
    Mathieu se souleva sur un coude. Il était tout brun, à présent.
Il demanda en souriant :
    — Pour jouer au petit soldat?
    Odette rougit :
    — Oh non! dit-elle vivement. Mais je trouve idiot d'être une
femme en ce moment.
    — Ça ne doit pas être très commode, admit-il.
    Elle avait eu l'air d'une perruche, une fois de plus; les mots qu'elle
employait se retournaient toujours contre elle. Il lui semblait pourtant que Mathieu n'aurait pas pu la blâmer, si elle avait su se faire
comprendre; il aurait fallu lui dire que les hommes la mettaient toujours mal à l'aise quand ils parlaient de la guerre devant elle. Ils
n'étaient pas naturels, ils montraient trop d'assurance, comme s'ils
avaient voulu lui faire entendre que c'était une affaire d'homme et
cependant ils avaient toujours l'air d'attendre quelque chose d'elle :
une sorte d'arbitrage, parce qu'elle était femme et ne partirait pas

et qu'elle restait au-dessus de la mêlée. Et que pouvait-elle leur dire?
Restez? Partez? Elle n'avait pas à décider, justement parce qu'elle
ne partait pas. Ou alors il aurait fallu leur dire : « Faites ce que vous
voulez. » Mais s'ils ne voulaient rien? Elle s'effaçait, elle faisait semblant de ne pas les entendre, elle leur servait le café ou les liqueurs,
entourée de leurs éclats de voix décidés. Elle soupira, prit un peu
de sable dans sa main et le fit couler, chaud et blanc, sur sa jambe
brune. La plage était déserte, la mer scintillait et bruissait. Sur le
ponton de bois du *Provençal*, trois jeunes femmes en pantalon de
plage prenaient le thé. Odette ferma les yeux. Elle gisait sur le sable
au fond d'une chaleur sans date, sans âge : la chaleur de son enfance,
quand elle fermait les yeux, couchée sur ce même sable et qu'elle
jouait à être une salamandre au fond d'une grande flamme rouge
et bleue. Même chaleur, même caresse humide du maillot; on croyait
le sentir fumer doucement au soleil, même brûlure du sable sous
sa nuque, les autres années, elle se fondait avec le ciel, la mer et le
sable, elle ne distinguait plus le présent du passé. Elle se redressa,
les yeux grands ouverts : aujourd'hui, il y avait un vrai présent;
il y avait cette angoisse au creux de son estomac; il y avait Mathieu,
brun et nu, assis en tailleur sur son peignoir blanc. Mathieu se
taisait. Elle n'aurait pas demandé mieux que de se taire aussi. Mais
quand elle ne le forçait pas à lui adresser directement la parole, elle
le perdait : il se prêtait obligeamment, le temps de faire un petit
discours de sa voix nette et un peu rauque, et puis il s'en allait, en
laissant son corps en gage, un corps bien poli, bien stylé. Si du moins
on avait pu supposer qu'il s'absorbait dans des pensées agréables :
mais il regardait droit devant lui, d'un air à fendre le cœur, pendant
que ses grandes mains s'occupaient sagement à faire un pâté de
sable. Le pâté s'effondrait, les mains le reconstruisaient inlassable-
ment; Mathieu ne regardait jamais ses mains; c'était énervant à la fin.
— On ne fait pas des pâtés avec du sable sec, dit Odette. Les
tout petits enfants savent déjà ça.
Mathieu se mit à rire.
— A quoi pensez-vous? demanda Odette.
— Il faut que j'écrive à Ivich, répondit-il. Ça m'embarrasse.
— Je n'aurais pas cru que ça vous embarrassait, répondit-elle
avec un petit rire. Vous lui envoyez des volumes.
— Ben oui. Mais il y a des imbéciles qui lui ont fait peur. Elle
s'est mise à lire les journaux et elle n'y comprend rien : elle veut
que je lui explique. Ça va être commode : elle confond les Tchèques
et les Albanais, elle croit que Prague est au bord de la mer.

— C'est très russe, dit Odette sèchement.

Mathieu fit la moue sans répondre et Odette se sentit antipathique. Il ajouta en souriant :

— Ce qui complique tout, c'est qu'elle est folle de colère contre moi.

— Pourquoi? demanda-t-elle.

— Parce que je suis Français. Elle vivait tranquillement chez les Français et voilà qu'ils se mettent tout d'un coup à vouloir se battre. Elle trouve ça scandaleux.

— C'est charmant, dit Odette indignée.

Mathieu prit un air bonasse :

— Il faut se mettre à sa place, dit-il doucement. Elle nous en veut parce que nous nous mettons dans le cas d'être tués ou blessés! Elle trouve que les blessés manquent de tact parce qu'on est bien obligé de penser à leur corps. Du physiologique, elle appelle ça. Elle a horreur du physiologique, chez elle et chez les autres.

— Petite chérie, murmura Odette.

— C'est sincère, dit Mathieu. Elle reste des jours entiers sans se nourrir, parce que ça la dégoûte de manger. Quand elle a sommeil, la nuit, elle prend du café pour se réveiller.

Odette ne répondit pas; elle pensait : « Une bonne fessée, voilà ce qu'il lui faudrait. » Mathieu remuait ses mains dans le sable d'un air poétique et idiot : « Elle ne mange jamais, mais je suis sûre qu'elle cache dans sa chambre d'énormes pots de confiture. Les hommes sont trop bêtes. » Mathieu s'était remis à faire ses pâtés; il était reparti, Dieu savait où et pour combien de temps : « Moi, je mange de la viande rouge et je dors quand j'ai sommeil », pensa-t-elle avec amertume. Sur le ponton du *Provençal*, les musiciens jouaient la *Sérénade portugaise*. Ils étaient trois. Des Italiens. Le violoniste n'était pas trop mauvais; il fermait les yeux quand il jouait. Odette se sentit émue : c'était toujours si drôle la musique en plein air, si ténu, si futile. Surtout en ce moment : des tonnes de chaleur et de guerre pesaient sur la mer, sur le sable, et il y avait ce cri de souris qui montait tout droit vers le ciel. Elle se tourna vers Mathieu, elle voulait lui dire : « J'aime bien cette musique. » Mais elle se tut : peut-être qu'Ivich détestait la *Sérénade portugaise*.

Les mains de Mathieu s'immobilisèrent et le pâté de sable s'écroula.

— J'aime bien cette musique, dit-il en relevant la tête. Qu'est-ce que c'est?

— C'est la *Sérénade portugaise*, dit Odette.

Dix-huit heures dix à Godesberg. Le vieillard attendait. A Angou-

lême, à Marseille, à Gand, à Douvres, ils pensaient : « Que fait-il?
Est-il descendu? Est-ce qu'il parle avec Hitler? Ça se pourrait
qu'ils soient, en ce moment même, en train de tout arranger à eux
deux. » Et ils attendaient. Le vieillard attendait, lui aussi, dans le
salon aux persiennes demi-closes. Il était seul, il rota et s'approcha
de la fenêtre. La colline descendait vers le fleuve, verte et blanche.
Le Rhin était tout noir, il avait l'air d'une route bitumée après la
pluie. Le vieillard rota encore une fois, il avait un goût aigre dans
la bouche. Il se mit à tambouriner contre la vitre et les mouches
effrayées voletèrent autour de lui. C'était une chaleur blanche et
poussiéreuse, pompeuse, sceptique, surannée, une chaleur à colle-
rette, du temps de Frédéric II; au fond de cette chaleur, un vieil
Anglais s'ennuyait, un vieil Anglais du temps d'Édouard VII et tout
le reste du monde était en 1938. A Juan-les-Pins, le 23 septembre
1938 à dix-sept heures dix, une grosse femme en robe de toile blanche
s'assit sur un pliant, ôta ses lunettes bleues et se mit à lire le journal.
C'était *le Petit Niçois*, Odette Delorme voyait la manchette en gros
caractères : « Du sang-froid », et, en s'appliquant, elle put déchiffrer
le sous-titre : « M. Chamberlain adresse un message à Hitler. » Elle
se demanda : « Est-ce que j'ai *vraiment* horreur de la guerre? » et
elle pensa : « Non. Non : pas jusqu'au bout. » Si elle en avait eu
horreur jusqu'au bout, elle se serait levée d'un bond, elle aurait
couru jusqu'à la gare, elle aurait crié : « Ne partez pas! Restez
chez vous! » en étendant les bras. Elle se vit, un instant, toute droite,
les bras en croix et criant, et elle eut le vertige. Et puis elle sentit
avec soulagement qu'elle était incapable d'une indiscrétion si gros-
sière. Pas jusqu'au bout. Une femme bien, une Française, raisonnable
et discrète, avec des tas de consignes, avec la consigne de ne rien penser jusqu'au bout. A Laon, dans une chambre sombre, une petite fille
haineuse et scandalisée refusait la guerre de toutes ses forces, aveu-
glément, obstinément. Odette disait : « La guerre est une chose
horrible! »; elle disait : « Je pense tout le temps aux pauvres types
qui partent. » Mais elle ne pensait rien encore, elle attendait, sans
impatience : elle savait qu'on lui dirait bientôt tout ce qu'il fallait
penser, dire et faire. Quand son père avait été tué, en 1918, on lui
avait dit : « C'est très bien, il faut être courageuse », elle avait très
vite appris à porter ses voiles de deuil avec une tristesse crâne, à
planter dans les yeux des gens un clair regard d'orpheline de guerre.
En 1924, son frère avait été blessé au Maroc, il était revenu boiteux
et on avait dit à Odette : « C'est très bien, il ne faut surtout pas le
plaindre »; et Jacques lui avait dit, quelques années plus tard :

« C'est curieux, j'aurais cru Étienne plus fort, il n'a jamais accepté son infirmité, il s'est aigri. » Jacques partirait, Mathieu partirait et ce serait très bien, elle en était sûre. Pour le moment les journaux hésitaient encore; Jacques disait : « Ce serait une guerre idiote » et *Candide* disait : « Nous n'allons pas nous battre parce que les Allemands des Sudètes veulent porter des bas blancs. » Mais bientôt le pays ne serait plus qu'une immense approbation; les Chambres approuveraient à l'unanimité la politique du gouvernement, *le Jour* célébrerait nos poilus héroïques. Jacques, lui, dirait : « Les ouvriers sont admirables »; les passants s'adresseraient dans la rue des sourires pieux et complices : ce serait la guerre, Odette approuverait aussi, en tricotant des passe-montagnes. Il était là, il avait l'air d'écouter la musique, il savait ce qu'il fallait penser pour de vrai mais il ne le disait pas. Il écrivait à Ivich des lettres de vingt pages pour lui expliquer la situation. A Odette, il n'expliquait rien du tout.

— A quoi pensez-vous?

Odette sursauta :

— Je... je ne pensais à rien.

— Vous n'êtes pas régulière, dit Mathieu. Moi, je vous ai répondu.

Elle inclina la tête en souriant; mais elle n'avait pas envie de parler. Il paraissait tout à fait réveillé à présent; il la regardait.

— Qu'est-ce qu'il y a? demanda-t-elle, gênée.

Il ne répondit pas. Il riait d'un air étonné.

— Vous vous êtes aperçu que j'existais? dit Odette. Et ça vous a porté un coup. C'est ça?

Quand Mathieu riait, ses yeux se plissaient, il ressemblait à un enfant chinois.

— Vous vous imaginez que vous pouvez passer inaperçue? demanda-t-il.

— Je ne suis pas très remuante, dit Odette.

— Non. Pas très causante, non plus. En plus de ça vous faites ce que vous pouvez pour qu'on vous oublie. Eh bien, c'est raté : même quand vous êtes toute sage et décente et que vous regardez la mer sans faire plus de bruit qu'une souris, on sait que vous êtes là. C'est comme ça. Au théâtre, ils appellent ça de la présence; il y a des acteurs qui en ont, et d'autres qui n'en ont pas. Vous, vous en avez.

Odette eut chaud aux joues :

— Vous êtes gâté par les Russes, dit-elle vivement. La présence, ça doit être une qualité très slave. Mais je ne crois pas que ce soit mon genre.

Mathieu la considéra gravement.

— Et qu'est-ce qui est votre genre? demanda-t-il.

Odette sentit ses yeux qui s'affolaient un peu et papillonnaient dans ses orbites. Elle maîtrisa son regard et le ramena sur ses pieds nus aux ongles laqués. Elle n'aimait pas qu'on lui parlât d'elle.

— Je suis une bourgeoise, dit-elle gaîment, une bourgeoise française, rien de bien intéressant.

Elle n'avait pas dû lui paraître assez convaincue; elle ajouta avec force, pour clore la discussion :

— N'importe qui.

Mathieu ne répondit pas. Elle le regarda du coin de l'œil : ses mains s'étaient remises à racler le sable. Odette se demanda quelle gaffe elle avait bien pu faire. De toute façon il aurait bien pu protester un peu, ne fût-ce que par politesse.

Au bout d'un moment elle entendit sa voix douce et rauque :

— C'est dur, hein, de se sentir n'importe qui ?

— On s'y fait, dit Odette.

— Je suppose. Moi, je ne m'y suis pas encore fait.

— Mais, vous, vous n'êtes pas n'importe qui, dit-elle vivement.

Mathieu considérait le pâté qu'il avait édifié. Cette fois c'était un beau pâté qui tenait en l'air tout seul. Il le balaya d'un coup de main.

— On est toujours n'importe qui, dit-il.

Il rit :

— C'est idiot.

— Comme vous êtes triste, dit Odette.

— Pas plus que les autres. Nous sommes tous un peu énervés par ces menaces de guerre.

Elle leva les yeux et voulut parler, mais elle rencontra son regard, un beau regard calme et tendre. Elle se tut. N'importe qui : un homme et une femme qui se regardaient sur une plage; et la guerre était là, autour d'eux; elle était descendue en eux et les rendait semblables aux autres, à tous les autres. « Il se sent n'importe qui, il me regarde, il sourit, mais ce n'est pas à moi qu'il sourit, c'est à n'importe qui. » Il ne lui demandait rien, sauf de se taire et d'être anonyme, comme d'habitude. Il fallait se taire : si elle lui avait dit : « Vous n'êtes pas n'importe qui, vous êtes beau, vous êtes fort, vous êtes romanesque, vous ne ressemblez à personne » et s'il l'avait crue, alors il lui aurait glissé entre les doigts, il serait reparti dans ses rêves, il aurait osé, peut-être, en aimer une autre, cette Russe par exemple qui buvait du café quand elle avait sommeil.

Elle eut un sursaut d'orgueil et se mit à parler. Elle dit, très vite :

— Ça sera terrible, cette fois-ci.

— Ça sera surtout con, dit Mathieu. Ils vont détruire tout ce qu'ils pourront atteindre. Paris, Londres, Rome... Ça sera joli, après!

Paris, Rome, Londres. Et la villa de Jacques, blanche et bourgeoise au bord de l'eau. Odette frissonna; elle regarda la mer. La mer n'était plus qu'une vapeur scintillante; nu et brun, courbé en avant, un skieur nautique tiré par un canot automobile glissait sur cette vapeur. Aucun homme ne pourrait détruire ce scintillement lumineux.

— Il restera au moins ça, dit-elle.

— Quoi?

— Ça, la mer.

Mathieu secoua la tête.

— Même pas, dit-il, même pas ça.

Elle le regarda avec surprise : elle ne comprenait pas toujours très bien ce qu'il voulait dire. Elle songea à l'interroger mais, tout à coup, il lui fallut partir. Elle sauta sur ses pieds, mit ses sandales et s'entoura de son peignoir.

— Qu'est-ce que vous faites? demanda Mathieu.

— Il faut que je parte, dit-elle.

— Et ça vous a prise tout d'un coup?

— Je viens de me rappeler que j'ai promis à Jacques un aïlloli pour ce soir. Madeleine ne s'en tirera pas toute seule.

— Et puis surtout c'est rare que vous restiez longtemps à la même place, dit Mathieu. Eh bien, je vais me remettre à l'eau.

Elle gravit les marches sableuses et, quand elle fut sur la terrasse, elle se retourna. Elle vit Mathieu qui courait vers la mer. « Il a raison, pensa-t-elle, j'ai la bougeotte. » Toujours partir, toujours se reprendre, toujours s'enfuir. Dès qu'elle se plaisait un peu quelque part, elle se troublait, elle se sentait coupable. Elle regardait la mer, elle pensa : « J'ai toujours peur. » Derrière elle, à cent mètres, il y avait la villa de Jacques, la grosse Madeleine, l'aïlloli à préparer, les justifications, le repas : elle se remit en marche. Elle demanderait à Madeleine : « Comment va votre maman? » et Madeleine répondrait : « C'est toujours pareil » en reniflant un peu, et Odette lui dirait : « Il faut lui faire un peu de bouillon et puis vous lui porterez du blanc de poulet, vous lèverez une aile, avant de servir, vous verrez bien si elle la mange » et Madeleine répondrait : « Ah! ma pauvre madame, elle ne touche à rien. » Odette dirait : « Donnez-moi ça. » Elle prendrait le poulet, elle découperait une aile de

— Je ne veux pas, dit-il, je ne veux pas!

Elle dégagea sa main sans répondre, passa derrière le chariot et se mit à le pousser. Charles se redressa à moitié et se mit à tortiller entre ses doigts un coin de la couverture.

— Mais où vont-ils nous envoyer? Quand partira-t-on? Est-ce que les infirmières partent avec nous? Dites quelque chose.

Elle ne répondait toujours pas et il l'entendait soupirer au-dessus de sa tête. Il se laissa retomber en arrière et dit d'une voix rageuse :

— Ils m'auront eu jusqu'au bout.

Je ne veux pas regarder dans la rue. Milan s'est mis à la fenêtre, il regarde; il est sombre. Ils ne sont pas encore là, mais ils traînent les pieds tout autour du pâté de maisons. Je les entends. Je me penche sur Marikka, je lui dis :

— Mets-toi là.

— Où ça?

— Contre le mur, entre les fenêtres.

Elle me dit :

— Pourquoi qu'on m'a envoyée chez toi?

Je ne réponds pas; elle me dit :

— Qui c'est qui crie?

Je ne réponds pas. Les pieds qui traînent. Ça fait chuchuchuchu-ou-ou-chu. Je m'assieds par terre, près d'elle. Je suis lourde. Je la prends dans mes bras. Milan est à la fenêtre, il se mord les ongles d'un air vide. Je lui dis :

— Milan! viens près de nous; ne reste pas à la fenêtre.

Il grogne, il se penche par-dessus la barre d'appui, il fait exprès de se pencher. Les pieds qui traînent. Dans cinq minutes ils seront là. Marikka fronce ses petits sourcils.

— Qui c'est qui marche?

— Les Allemands.

Elle fait « Ha? » et son visage redevient pur. Elle écoute docilement les pieds qui traînent, comme elle écoute ma voix en classe ou la pluie ou le vent dans les arbres : parce que c'est là. Je la regarde et elle me rend un regard pur. Tout juste ce regard, n'être plus que ce regard qui ne comprend pas, qui ne prévoit pas. Je voudrais être sourde, me fasciner sur ces yeux, lire le bruit dans ces yeux. Un doux bruit dénué de sens, comme le bruit des feuillages. Moi je sais que ce sont des pieds qui traînent. C'est mou, ils viendront mollement et ils le battront jusqu'à ce qu'il soit tout mou au bout de leurs bras. Il est là, costaud et dur, il regarde par la fenêtre : ils le tiendront à bout de bras, il sera flasque avec un air bête sur sa face écrasée; ils le battront, ils le jetteront par terre et demain il aura honte devant moi. Marikka frissonne dans mes bras, je lui demande :

— Tu as peur?

Elle fait non de la tête. Elle n'a pas peur. Elle est grave, comme lorsque j'écris au tableau noir et qu'elle suit mon bras des yeux en entrouvrant la bouche. Elle s'applique : elle a déjà compris les arbres et l'eau et puis les bêtes qui marchent toutes seules, et puis les gens et puis les lettres de l'alphabet. A présent il y a ça : le silence des grandes personnes et ces pieds qui traînent dans la rue; c'est ça qu'il faut comprendre. Parce que nous sommes un petit pays. Ils viendront, ils feront passer leurs tanks à travers nos champs, ils tireront sur nos hommes. Parce que nous sommes un petit pays. Mon Dieu! faites que les Français viennent à notre aide, mon Dieu, empêchez-les de nous abandonner.

— Les voilà, dit Milan.

Je ne veux pas regarder son visage. Seulement celui de Marikka parce qu'elle ne comprend pas. Dans notre rue : ils avancent, ils traînent leurs pieds dans notre rue, ils crient notre nom, je les entends. Je suis là, assise par terre, lourde et immobile; le revolver de Milan est dans la poche de mon tablier. Il regarde le visage de Marikka : elle entrouvre la bouche; ses yeux sont purs et elle ne comprend pas.

Il marchait le long des rails, il regardait les boutiques et il riait d'aise. Il regardait les rails, il regardait les boutiques, il regardait droit devant lui la rue blanche, en clignant des yeux, et il pensait : « Je suis à Marseille. » Les boutiques étaient fermées, les rideaux de fer étaient baissés, la rue était déserte mais il était à Marseille. Il s'arrêta, posa son sac, ôta son blouson de cuir et le mit sur son bras, puis il s'épongea le front et remit le sac sur son dos. Il avait envie de faire un bout de causette avec quelqu'un. Il dit : « J'ai douze mégots et un mégot de cigare dans mon mouchoir. » Les rails brillaient, la longue rue blanche l'éblouissait, il dit : « J'ai un kil de rouge dans mon sac. » Il faisait soif et il l'aurait bien bu, mais il aurait mieux aimé boire une mominette dans un bistrot, si seulement ils n'avaient pas tous été fermés. « J'aurais pas cru ça », dit-il. Il se mit à marcher entre les rails, la rue miroitait comme une rivière, entre de petites maisons noires. A gauche, il y avait des tas de boutiques mais on ne pouvait pas savoir ce qu'on y vendait, vu que les rideaux de fer étaient baissés; à droite il y avait des maisons ouvertes en plein vent et désertes qui ressemblaient à des gares et

puis, de temps en temps, un mur de briques. Mais c'était Marseille.
Gros-Louis demanda :

— Où c'est qu'ils peuvent être?

— Rentrez vite, cria une voix.

Au coin d'une ruelle, il y avait un bistrot ouvert. Un gars costaud
avec des bacchantes toutes raides se tenait sur le seuil, il criait :
« Rentrez vite » et des gens que Gros-Louis n'avait pas vus sortirent
de terre tout d'un coup et se mirent à courir vers le bistrot. Gros-
Louis se mit à courir aussi; les autres gars rentraient en se bous-
culant, il voulut rentrer derrière eux, mais le type aux bacchantes
lui donna un petit coup sec sur la poitrine avec le plat de la main
et lui dit :

— Fous-moi le camp.

Il y avait un môme en salopette qui portait dans ses bras une
table ronde plus grosse que lui et qui essayait de la rentrer dans le
café.

— Ça va, gros père, dit Gros-Louis, je m'en vais. T'aurais pas des
fois une mominette?

— Je t'ai dit de caleter.

— Je m'en vais, dit Gros-Louis. T'as pas besoin d'avoir peur;
c'est pas moi qui resterais dans une compagnie où je ne suis pas
désiré.

Le type lui tourna le dos, ôta d'une secousse le loquet extérieur
de la porte et entra dans le café en la refermant sur lui. Gros-Louis
regarda la porte : à la place de la poignée, il restait un petit trou
rond avec des bords en relief. Il se gratta la nuque et répéta : « Je
m'en vais, il n'a pas besoin d'avoir peur. » Il s'approcha tout de
même de la vitre et tenta de jeter un coup d'œil dans le café, mais
quelqu'un tira les rideaux à l'intérieur et il ne vit plus rien. Il pensa :
« J'aurais pas cru ça. » Il voyait la rue à droite et à gauche à perte
de vue, les rails brillaient, sur les rails il y avait un wagonnet tout
noir, abandonné. « Je voudrais bien rentrer quelque part », dit Gros-
Louis. Il aurait aimé boire une mominette dans un bistrot, en faisant un bout de causette avec le patron. Il expliqua, en se grattant
le crâne : « C'est pas que j'aie pas l'habitude d'être dehors. » Seulement quand il était dehors, d'ordinaire, les autres étaient dehors
aussi, il y avait les moutons et les autres bergers, ça faisait tout de
même de la compagnie et puis, quand il n'y avait personne, il n'y
avait personne, voilà tout. Tandis qu'à présent il était dehors et
tous les autres étaient dedans, derrière leurs murs et leurs portes
sans poignées. Il était tout seul dehors avec le wagonnet. Il tapa

à la vitre du café et attendit. Personne ne répondit : s'il ne les avait pas vus entrer de ses propres yeux, il aurait juré que le café était vide. Il dit : « Je m'en vais » et il s'en alla; il commençait à faire drôlement soif; il n'aurait pas imaginé Marseille comme ça. Il marchait, il pensait que la rue sentait le renfermé. Il dit : « Où c'est que je vais m'asseoir? » et il entendit derrière lui une rumeur, comme un troupeau de moutons qui transhume. Il se retourna et vit au loin une bande de types avec des drapeaux. « Ah! ben, je vais les regarder passer », dit-il. Et il se sentit tout content. Justement, de l'autre côté des rails, il y avait une espèce de place, un champ de foire, avec deux petites bicoques vertes adossées à un grand mur : il dit : « Je vais m'asseoir là pour les regarder passer. » L'une des bicoques était une boutique, ça sentait la saucisse et les frites tout autour d'elle. Gros-Louis vit un vieux type en tablier blanc qui remuait une poêle à l'intérieur de la boutique. Il lui dit :

— Papa, donne-moi des frites.

Le vieux se retourna :

— Ben merde alors! dit-il.

— J'ai de l'argent, dit Gros-Louis.

— Ben merde alors! Je me fous de ton argent, je ferme la boutique.

Il sortit et se mit à tourner une manivelle. Un rideau de fer descendit avec fracas.

— C'est pas sept heures, dit Gros-Louis en criant pour dominer le fracas.

Le vieux ne répondit pas.

— Je croyais que tu fermais parce que c'était sept heures, cria Gros-Louis.

Le rideau de fer était baissé. Le vieux ôta la manivelle, se redressa et cracha.

— Dis donc, fada, tu les as pas vus venir, non? Je tiens pas à donner mes frites gratis, dit-il en rentrant dans sa maisonnette.

Gros-Louis regarda un moment encore la porte verte, puis il s'assit par terre au milieu du champ de foire, il se cala le dos avec son sac et se chauffa au soleil. Il pensa qu'il avait une miche de pain, un kil de rouge, douze mégots de cigarettes et un mégot de cigare, il dit : « Eh bien! je vais casser la croûte. » De l'autre côté des rails les types commençaient à défiler, ils agitaient leurs drapeaux, ils chantaient et criaient; Gros-Louis avait tiré son couteau de sa poche et il les regardait passer en cassant la croûte. Il y en avait qui

levaient le poing et d'autres qui lui criaient : « Viens avec nous! »
et il riait, il les saluait au passage, il aimait bien le bruit et le mouvement, ça faisait une petite distraction.

Il entendit des pas et se retourna. Un grand nègre venait vers
lui, il avait les bras nus et une chemisette d'un rose passé; son pantalon de toile bleue s'élargissait et s'aplatissait sur ses longs mollets
maigres à chaque enjambée. Il n'avait pas l'air pressé. Il s'arrêta et
tordit un maillot de bain entre ses mains brunes et roses. L'eau
dégouttait sur la poussière et faisait de petits ronds. Le nègre roula
le maillot dans une serviette, puis il se mit à regarder nonchalamment le défilé, il sifflotait.

— Hé! fit Gros-Louis.

Le nègre le regarda et lui sourit.

— Qu'est-ce qu'ils font?

Le nègre vint vers lui en balançant les épaules : il n'avait pas
l'air pressé.

— C'est les dockers, dit-il.

— Ils font la grève?

— La grève est finie, dit le nègre. Mais ceux-là veulent qu'on la
recommence.

— Ah! c'est pour ça! dit Gros-Louis.

Le nègre le regarda un moment sans rien dire, il avait l'air de
chercher ses idées. Pour finir il s'assit par terre, posa son maillot
sur ses genoux et se mit à rouler une cigarette. Il sifflotait.

— D'où c'est que ti viens comme ça? demanda-t-il.

— Je viens de Prades, dit Gros-Louis.

— Je sais pas où c'est, dit le nègre.

— Ah! tu ne sais pas où c'est! dit Gros-Louis en riant. Ils rirent
tous les deux et puis Gros-Louis expliqua : « Je ne m'y plaisais
plus.

— Ti viens chercher du travail? dit le nègre.

— J'étais berger, expliqua Gros-Louis. Je gardais les moutons sur
le Canigou. Mais je ne m'y plaisais plus. »

Le nègre hocha la tête.

— Y a plus de travail, dit-il sévèrement.

— Oh! j'en trouverai bien, dit Gros-Louis. Il montra ses mains :
« Je peux tout faire.

— Y a plus de travail », répéta le nègre.

Ils se turent. Gros-Louis regardait les gens qui défilaient en criant.
Ils criaient : « Au poteau! Sabiani au poteau! » Il y avait des femmes
avec eux; elles étaient rouges et échevelées, elles ouvraient la bouche

comme si elles allaient tout bouffer mais on n'entendait pas ce qu'elles racontaient, les hommes gueulaient plus fort qu'elles. Gros-Louis était content, il avait de la compagnie. Il pensa : « C'est rigolo. » Une grosse femme passa, là-bas, avec les autres, ses nénés ballottaient. Gros-Louis pensa qu'il n'aurait pas détesté lui faire une plaisanterie entre deux repas, il en aurait eu plein les mains. Le nègre se mit à rire. Il riait si fort qu'il s'étrangla avec la fumée de sa cigarette. Il riait et toussait à la fois. Gros-Louis lui tapa dans le dos :

— Pourquoi que tu ris? lui demanda-t-il en riant.

Le nègre avait repris son sérieux :

— Comme ça, dit-il.

— Bois un coup, dit Gros-Louis.

Le nègre prit la bouteille et but au goulot. Gros-Louis but aussi. La rue était redevenue déserte.

— Où as-tu couché? demanda le nègre.

— Je ne sais pas, dit Gros-Louis. C'était une place, avec des wagons sous une bâche. Ça sentait le charbon.

— T'as de l'argent?

— Peut-être qu'oui, dit Gros-Louis.

La porte du café s'ouvrit et un groupe d'hommes sortit. Ils restèrent un moment dans la rue; ils regardaient du côté où allaient les grévistes en s'abritant les yeux avec les mains. Et puis les uns s'en allèrent à pas lents en allumant des cigarettes et les autres restèrent dans la rue, par petits paquets. Il y avait un type, tout rouge avec un petit ventre, qui gesticulait. Il dit avec colère à un jeune gars qui n'avait pas l'air bien costaud :

— Nous avons la guerre au cul et tu viens nous parler de syndicalisme!

Il suait, il ne portait pas de veste, sa chemise était ouverte avec deux larges taches humides aux aisselles. Gros-Louis se tourna vers le nègre :

— La guerre? demanda-t-il. Quelle guerre?

— Un banc! dit Daniel. Voilà ce qu'il nous faut!

C'était un banc vert, adossé au mur de la ferme, sous la fenêtre ouverte. Daniel poussa la barrière et entra dans la cour. Un chien aboya et se jeta en avant, en tirant sur sa chaîne; une vieille parut sur le seuil de la maison, elle tenait une casserole.

— Là! là! dit-elle en brandissant la casserole. Brr! Veux-tu!

Le chien gronda un peu et se coucha sur le ventre.

— Ma femme est un peu fatiguée, dit Daniel en ôtant son chapeau. Est-ce que vous lui permettriez de s'asseoir sur ce banc?

La vieille plissait les yeux avec méfiance : elle ne savait peut-être pas le français. Daniel répéta d'une voix forte :

— Ma femme est un peu fatiguée.

La vieille se tourna vers Marcelle, qui s'était appuyée contre la barrière, et sa méfiance fondit.

— Bien sûr qu'elle peut s'asseoir votre dame. Les bancs sont faits pour ça. Et c'est pas elle qui usera le nôtre, depuis le temps qu'il est là. Vous venez de Peyrehorade?

Marcelle entra à son tour et vint s'asseoir en souriant :

— Oui, dit-elle. Nous voulions pousser jusqu'à la falaise; mais c'est un peu loin pour moi, à présent.

La vieille fit un clignement d'œil complice.

— Eh bien! dit-elle. Ah! c'est qu'il faut être prudente, dans votre état.

Marcelle se laissa aller contre le mur, les yeux mi-clos, avec un petit rire heureux. La vieille lui regardait le ventre en connaisseuse, puis elle se tourna vers Daniel, hocha la tête et lui sourit d'un air d'estime. Daniel crispa la main sur le pommeau de sa canne et il sourit aussi. Tout le monde souriait et le ventre était là, en confiance. Un enfant sortit en trébuchant de la ferme, il s'arrêta net et fixa sur Marcelle un regard perplexe. Il ne portait pas de culotte; ses petites fesses étaient rougeaudes et croûteuses.

— Je voulais voir la falaise, dit Marcelle d'un air mutin.

— Mais il y a un taxi à Peyrehorade, dit la vieille. Il est au fils Lamblin, la dernière maison sur la route de Bidasse.

— Je sais, dit Marcelle.

La vieille se tourna vers Daniel et le menaça du doigt :

— Ah! monsieur, il faut être bien gentil avec votre dame; c'est le moment de tout lui passer.

Marcelle sourit :

— Il est gentil, dit-elle. C'est moi qui ai voulu marcher.

Elle étendit le bras et caressa la tête du gosse. Elle s'intéressait aux enfants depuis une quinzaine; ça lui était venu tout d'un coup. Elle les flairait et les tâtait quand ils passaient à portée de sa main.

— C'est votre petit-fils?

— C'est le petit de ma nièce. Il va sur ses quatre ans.

— Il est joli, dit Marcelle.

— Quand il est sage. La vieille baissa la voix : « Ça sera-t-il un garçon?

— Ah! dit Marcelle, je le voudrais bien. »

La vieille se mit à rire :

— Il faut répéter tous les matins la prière à sainte Marguerite.

Il y eut un silence tout rond, peuplé d'anges. Tous les yeux s'étaient tournés vers Daniel. Il se pencha sur sa canne et baissa les paupières d'un air modeste et viril.

— Je vais encore vous déranger, madame, dit-il doucement. Est-ce que je peux vous demander un bol de lait pour ma femme? Il se tourna vers Marcelle : « Vous prendrez bien un bol de lait?

— Je vas vous donner ça », dit la vieille. Elle disparut dans sa cuisine.

— Venez vous asseoir près de moi, dit Marcelle.

Il s'assit.

— Comme vous êtes prévenant! dit-elle en lui prenant la main.

Il sourit. Elle le regardait d'un air éperdu et il continua à sourire en étouffant un bâillement qui lui tira les lèvres jusqu'aux oreilles. Il pensait : « Ça ne devrait pas être permis d'avoir l'air enceinte à ce point-là. » L'air était moite, un peu fiévreux, des odeurs y flottaient par paquets chevelus, comme des algues; Daniel fixait le clignotement vert et roux d'un buisson, de l'autre côté de la barrière; il avait du feuillage plein les narines et plein la bouche. Encore quinze jours. Quinze jours verts et clignotants, quinze jours de campagne. Il détestait la campagne. Un doigt timide se promenait sur sa main, avec l'hésitation d'une branche balancée par le vent. Il baissa les yeux et regarda le doigt. Il était blanc, un peu gras, il portait une alliance. « Elle m'adore », pensa Daniel. Adoré. Nuit et jour cette adoration humble et insinuante se coulait en lui comme les odeurs vivantes des champs. Il ferma les yeux à demi et l'adoration de Marcelle se fondit avec le feuillage bruissant, avec l'odeur de purin et de sainfoin.

— A quoi pensez-vous? demanda Marcelle.

— A la guerre, répondit Daniel.

La vieille rapportait un bol de lait mousseux. Marcelle le lui prit des mains et but à longs traits. Sa lèvre supérieure allait chercher le liquide très loin dans la tasse et l'aspirait avec un bruit léger. Le lait chantait en lui passant dans la gorge.

— Ça fait du bien, dit-elle avec un soupir. Elle s'était fait une moustache blanche.

La vieille la regardait d'un air bon.

— Un lait bourru, voilà ce qu'il faut pour le petit, dit-elle. Elles rirent toutes deux, entre femmes, et Marcelle se leva en s'appuyant contre le mur :

— Je me sens toute reposée, dit-elle à Daniel. Nous partirons quand vous voudrez.

— Au revoir, madame, dit Daniel en glissant un billet dans la main de la vieille. Nous vous remercions de votre aimable hospitalité.

— Merci, madame, dit Marcelle avec un sourire intime.

— Allons, au revoir, dit la vieille. Et allez doucement, pour le retour.

Daniel ouvrit la barrière et s'effaça devant Marcelle : elle buta contre une grosse pierre et trébucha.

— Haï! fit la vieille de loin.

— Prenez mon bras, dit Daniel.

— Je suis si maladroite, dit Marcelle confuse.

Elle lui prit le bras; il la sentit contre lui, chaude et difforme; il pensa : « Mathieu a pu désirer ça. »

— Surtout, dit-il, marchez à petits pas.

Des haies sombres. Le silence. Les champs. La ligne noire des pins à l'horizon. A pas lourds et lents, des hommes rentraient dans les fermes; ils s'assiéraient à la longue table et avaleraient leur soupe sans dire un mot. Un troupeau de vaches traversa le chemin. Une d'elles prit peur et se mit à trotter en sautant. Marcelle se serra contre Daniel.

— Figurez-vous : j'ai peur des vaches, dit-elle en baissant la voix.

Daniel lui serra le bras tendrement : « Va-t'en au Diable », pensa-t-il. Elle respira profondément et se tut. Il la regarda du coin de l'œil et vit ses yeux vagues, son sourire endormi, son air de béatitude : « Ça y est! pensa-t-il avec satisfaction. Elle est repartie. » Ça la prenait de temps en temps, quand le môme lui remuait dans le ventre ou qu'une sensation inconnue la traversait; elle devait se sentir innombrable et fourmillante, une voie lactée. De toute façon ça faisait cinq bonnes minutes de gagnées. Il pensa : « Je me promène à la campagne, il y a des vaches qui passent, cette grosse bonne femme est ma femme. » Il eut envie de rire : de sa vie il n'avait vu autant de vaches. « Tu l'as voulu! Tu l'as voulu! Tu souhaitais une catastrophe à la petite semaine, eh bien! tu es servi. » Ils allaient doucement, comme deux amoureux, bras dessus bras dessous, et les mouches bourdonnaient autour d'eux. Un vieil homme qui s'appuyait sur une bêche, immobile au bord de son champ, les regarda passer et leur sourit. Daniel sentit qu'il rougissait violemment. A ce moment, Marcelle sortit de sa torpeur.

— Vous y croyez, vous, à la guerre! demanda-t-elle brusquement.

Ses gestes avaient perdu leur raideur agressive, ils s'étaient empâtés et alanguis. Mais elle avait gardé sa voix abrupte et positive. Daniel regarda les champs. Des champs de quoi? Il ne savait pas reconnaître un champ de maïs d'un champ de betteraves. Il entendit Marcelle qui répétait :

— Est-ce que vous y croyez?

Et il pensa : « S'il pouvait y avoir la guerre! » Elle serait veuve. Veuve avec l'enfant et six cent mille francs d'argent liquide. Sans compter quelques souvenirs d'un mari incomparable : que pouvait-elle demander de plus? Il s'arrêta brusquement, bouleversé de désir; il serra sa canne de toutes ses forces, il pensa : « Mon Dieu, pourvu qu'il y ait la guerre! » Une foudre sauvage qui ferait éclater cette douceur, qui labourerait horriblement ces campagnes, qui creuserait ces champs en entonnoir, qui façonnerait ces terres plates et monotones à l'image d'une mer démontée, la guerre, l'hécatombe des hommes de bonne volonté, le massacre des innocents. « Ce ciel pur, ils vont le déchirer de leurs propres mains. Comme ils vont se haïr! Comme ils vont avoir peur! Et moi, comme je frétillerai dans cette mer de haine. » Marcelle le regardait avec surprise. Il eut envie de rire.

— Non. Je n'y crois pas.

Des enfants sur le chemin, leurs petites voix aigres et inoffensives et leurs rires. La paix. Le soleil papillote dans les haies comme hier, comme demain; le clocher de Peyrehorade apparaît au détour du chemin. Chaque chose du monde a son odeur, son ombre du soir, pâle et longue, et son avenir particulier. Et la somme de tous ces avenirs, c'est la paix : on peut la toucher sur le bois vermoulu de cette barrière, sur le cou frais de ce petit garçon, on peut la lire dans ses yeux avides, elle monte des orties chauffées par le jour, on l'entend dans le tintement de ces cloches. Partout des hommes se sont assemblés autour de soupières fumantes, ils rompent le pain, ils versent du vin dans les verres, ils essuient leur couteau, et leurs gestes quotidiens font la paix. Elle est là, tissée avec tous ces avenirs, elle a l'obstination hésitante de la Nature, elle est le retour éternel du soleil, l'immobilité frissonnante des campagnes, le sens des travaux des hommes. Pas un geste qui ne l'appelle et ne la réalise, même le trottinement pesant de Marcelle à mes côtés, même la tendre pression de mes doigts sur le bras de Marcelle. Une grêle de pierres par la fenêtre : « Hors d'ici! Hors d'ici! » Milan n'eut que le temps de se rejeter en arrière. Une voix aiguë criait son nom : « Hlinka! Milan Hlinka, hors d'ici. » Quelqu'un chanta : « Les Tchèques sont comme le pou dans la fourrure allemande! » Les pierres avaient roulé sur le plancher. Un pavé brisa la glace de la cheminée, un autre tomba sur la table et pulvérisa un bol plein de café. Le café coula sur la toile cirée et se mit à goutter doucement sur le plancher. Milan s'adossa au mur, il regarda la glace, la table, le plancher, pendant qu'ils vociféraient en allemand, sous la fenêtre. Il pensa : « Ils ont renversé mon café! » et saisit une chaise par le dossier. Il transpirait. Il souleva la chaise au-dessus de sa tête.

— Qu'est-ce que tu fais? cria Anna.

— Je vais la leur balancer sur la gueule.

— Milan! Tu n'as pas le droit. Tu n'es pas seul.

Il reposa la chaise et regarda les murs avec étonnement. Ça n'était plus sa chambre. Ils l'avaient éventrée; une brume rouge lui monta dans les yeux; il enfonça ses mains dans ses poches et il se répéta : « Je ne suis pas seul. Je ne suis pas seul. » Daniel pensait : « Je suis seul. » Seul avec ses rêves sanglants dans cette paix à perte de vue. Les tanks et les canons, les avions, les trous boueux crevant les champs, ça n'était qu'un petit sabbat dans sa tête. Jamais ce ciel ne se fendrait; l'avenir était là, posé sur ces campagnes; Daniel était dedans, comme un ver dans une pomme. Un seul avenir. L'avenir de tous les hommes : ils l'ont fait de leurs propres mains, lentement, depuis des années et ils ne m'y ont pas laissé la moindre place, la plus humble chance. Des larmes de rage montèrent aux yeux de Milan, et Daniel se retourna vers Marcelle :« Ma femme, mon avenir, le seul qui me reste, puisque le monde a décidé de sa Paix. »

Fait comme un rat! Il s'était redressé sur les avant-bras et regardait défiler les boutiques.

— Recouchez-vous! dit la voix éplorée de Jeannine. Et puis ne vous retournez pas tout le temps comme ça, à droite et à gauche : vous me donnez le tournis.

— Où vont-ils nous envoyer?

— Puisque je vous dis que je ne le sais pas.

— Vous savez qu'on va nous évacuer et vous ne savez pas où ils vont nous envoyer? Ah! je vous crois bien!

— Mais je vous jure qu'on ne me l'a pas dit. Ne me torturez pas!

— D'abord qui vous l'a dit? Ça n'est pas un bobard? On peut vous faire avaler n'importe quoi.

— C'est le médecin-chef de la clinique, dit Jeannine à regret.

— Et il n'a pas dit où nous irons?

Le chariot roulait le long de la poissonnerie Cusier; il entra, les pieds les premiers, dans une odeur fade et coupante de fraîchin.

— Plus vite! Ça sent la petite fille qui se néglige!

— Je... je ne peux pas aller plus vite. Ma petite poupée, je vous en supplie, ne vous agitez pas, vous allez encore faire du 39. Elle soupira et dit comme pour elle-même : « Je n'aurais jamais dû vous le dire.

— Naturellement! Et le jour du départ on m'aurait chloroformé ou bien on m'aurait raconté qu'on m'emmenait faire un pique-nique? »

Il s'étendit de nouveau parce qu'on allait passer devant la librairie Nattier. Il détestait la librairie Nattier, avec sa devanture d'un jaune sale. Et puis la vieille était toujours sur le pas de la porte et elle joignait les mains quand elle le voyait passer.

— Vous me secouez! Faites donc attention!

« Comme un rat! Il y en a qui pourraient se lever, courir se cacher dans la cave ou au grenier. Moi, je suis un paquet; ils n'auront qu'à venir me prendre. »

— C'est vous qui collerez les étiquettes, Jeannine?

— Quelles étiquettes?

— Les étiquettes pour l'expédition : haut et bas, fragile, prière de manier l'objet avec précaution. Vous m'en mettrez une sur le ventre et une au derrière.

— Méchant! dit-elle. Méchant, méchant!

— Ça va! Ils nous feront voyager en train, naturellement?

— Eh bien oui. Comment voulez-vous qu'on fasse?

— En train sanitaire?

— Mais je ne sais pas, cria Jeannine. Je ne peux pas inventer, je vous dis que je ne sais pas!

— Ne criez pas. Je ne suis pas sourd.

Le chariot s'arrêta net et il entendit qu'elle se mouchait.

— Qu'est-ce qui vous prend? Vous m'arrêtez en pleine rue?...

Les roues se remirent à rouler sur les pavés inégaux. Il reprit :

— Ils nous l'ont assez dit, pourtant, qu'il fallait éviter les voyages en train...

Il y eut des reniflements inquiétants au-dessus de sa tête et il se tut : il avait peur qu'elle ne se mît à chialer. Les rues grouillaient de malades, à cette heure-ci : ça serait joli, ce grand garçon poussé par une infirmière en larmes. Mais une idée le traversa et il ne put s'empêcher de dire entre ses dents :

— J'ai horreur des villes nouvelles.

« Ils ont tout décidé, ils ont voulu se charger de tout, ils avaient la santé, la force, le loisir; ils ont voté, ils ont choisi leurs chefs, ils

étaient debout, ils couraient par toute la terre avec leurs airs impor-
tants et soucieux, ils arrangeaient entre eux le destin du monde et,
en particulier, celui des pauvres malades qui sont de grands enfants.
Et voilà le résultat : la guerre; c'est du propre. Pourquoi faut-il
que je paye pour leurs sottises? J'étais malade, moi, personne ne
m'a demandé mon avis! A présent, ils se rappellent que j'existe et
ils veulent m'entraîner dans leur merde. Ils vont me prendre sous
les aisselles et sous les jarrets, ils me diront : « Pardon, excuse, nous
faisons la guerre » et ils me déposeront dans un coin comme une
crotte, pour que je ne risque pas de gêner leur jeu de massacre. »
La question qu'il retenait depuis une demi-heure lui remonta soudain aux lèvres. Elle serait trop heureuse, mais tant pis : cette fois,
il fallait que ça sorte :

— Vous... est-ce que les infirmières nous accompagnent?
— Oui, dit Jeannine. Quelques-unes.
— Et... et vous?
— Non, dit Jeannine. Pas moi.
Il se mit à trembler et dit d'une voix rauque :
— Vous nous plaquez?
— Je suis désignée pour l'hôpital de Dunkerque.
— Bon, bon! dit Charles. Toutes les infirmières se valent, hein?
Jeannine ne répondit pas. Il se redressa et regarda autour de lui,
Sa tête virait d'elle-même de gauche à droite et de droite à gauche,
c'était très fatigant et il avait des chatouillements secs au fond des
yeux. Un chariot roulait à leur rencontre, poussé par un grand vieillard élégant. Sur la gouttière il y avait une jeune femme au visage
creux avec des cheveux d'or; on lui avait jeté sur les jambes un
magnifique manteau de fourrures. Elle le regarda à peine, renversa
la tête en arrière et murmura quelques mots qui montèrent tout
droit, vers le visage penché du vieux monsieur.

— Qui est-ce? demanda Charles. Ça fait longtemps que je la vois.
— Je ne sais pas. Je crois que c'est une artiste de music-hall.
Elle a fait une jambe et puis un bras.
— Est-ce qu'elle sait?
— Quoi?
— Les malades, je veux dire, est-ce qu'ils savent?
— Personne ne sait, le docteur a défendu de le répéter.
— C'est dommage, dit-il en ricanant. Elle serait peut-être moins
fière.
— Donnez donc un coup de Fly-tox là-dessus, dit Pierre avant
de monter dans le fiacre. Ça sent l'insecte.

L'Arabe vaporisa docilement un peu d'insecticide sur les housses blanches et les coussins de la banquette.

— Voilà, dit-il.

Pierre fronça les sourcils :

— Hum!

Maud lui mit la main sur la bouche :

— Chut, dit-elle d'un air implorant. Chut, chut! C'est bien comme ça.

— Soit. Mais si tu attrapes des poux, ne viens pas te plaindre à moi.

Il lui tendit la main pour l'aider à monter, puis il s'assit près d'elle. Les doigts maigres de Maud lui laissèrent une chaleur sèche et vivante au creux de la paume : elle avait toujours un peu la fièvre.

— Vous nous promènerez autour des remparts, dit-il sèchement.

On a beau dire, la pauvreté rend vulgaire. Maud était vulgaire, il haïssait la franc-maçonnerie qui l'unissait aux cochers, aux porteurs, aux guides, aux garçons de café : elle leur donnait toujours raison et, si on les prenait en flagrant délit, elle s'arrangeait pour leur trouver des excuses.

Le cocher fouetta son cheval et la voiture s'ébranla en grinçant :

— Quelles guimbardes! dit Pierre en riant. J'ai toujours peur qu'un essieu ne casse.

Maud se penchait au dehors et regardait tout de ses grands yeux graves et scrupuleux.

— C'est notre dernière promenade.

— Eh oui! dit-il. Eh oui!

Elle se sent poétique parce que c'est le dernier jour et que nous prenons le bateau demain. C'était agaçant, mais il supportait encore mieux son recueillement que sa gaîté. Elle n'était pas très jolie et quand elle voulait montrer de la grâce ou de l'animation, ça tournait tout de suite au désastre. « Ça suffit largement comme ça », pensa-t-il. Il y aurait la journée de demain et les trois jours de traversée; et puis, à Marseille, bonsoir, chacun s'en irait de son côté. Il se félicita d'avoir retenu une couchette de première : les quatre femmes voyageaient en troisième classe; il l'inviterait dans sa cabine quand il aurait envie d'elle, mais elle n'oserait jamais, timide comme elle était, monter en première sans qu'il aille la chercher.

— Vous avez retenu vos places dans l'autocar? demanda-t-il.

Maud eut l'air un peu gêné :

— Finalement nous ne prendrons pas l'autocar. On nous emmène en voiture à Casa.

— Qui ça?

— Une connaissance de Ruby, un vieux monsieur tout à fait charmant qui nous fera faire un détour par Fez.

— Dommage, dit-il poliment.

Le fiacre avait quitté Marrakech et passait au milieu de la ville européenne. Devant eux l'immense terrain vague pourrissait à sec, avec ses bidons éventrés et ses boîtes de conserves vides. La voiture roulait entre de grands cubes blancs aux vitres étincelantes; Maud mit ses lunettes noires, Pierre grimaçait un peu à cause du soleil. Les cubes, sagement posés côte à côte, ne pesaient pas sur le désert; si le vent soufflait, ils s'envoleraient. Sur l'un d'eux, on avait accroché une plaque indicatrice : « Rue du Maréchal-Lyautey. » Mais il n'y avait pas de rue : tout juste un petit bras de désert goudronné entre des immeubles. Trois indigènes regardaient passer la voiture; le plus jeune avait un œil blanc. Pierre se redressa un peu et leur jeta un regard ferme. Montrer sa force pour n'avoir pas à s'en servir, la phrase ne valait pas seulement pour les autorités militaires, elle dictait leur tenue aux colons et même aux simples touristes. Il n'était pas nécessaire de faire grand étalage de puissance : ne pas s'abandonner, simplement, se tenir droit. L'angoisse qui l'oppressait depuis le matin disparut. Sous les yeux stupides de ces Arabes, il sentit qu'il représentait la France.

— Qu'allons-nous trouver en rentrant? dit Maud tout à coup.

Il serra les poings sans répondre. L'imbécile : elle lui avait rendu d'un seul coup son angoisse. Elle insistait :

— Ce sera peut-être la guerre. Pour toi le départ; pour moi le chômage.

Il avait horreur de l'entendre parler de chômage avec cet air sérieux, comme un ouvrier. Pourtant elle était second violon dans l'Orchestre féminin Baby's qui faisait des tournées en Méditerranée et dans le Proche-Orient : ça pouvait passer pour un métier artistique. Il eut un geste agacé :

— Je t'en prie, Maud, si on ne parlait pas des événements? Pour une fois, veux-tu? C'est notre dernière soirée à Marrakech.

Elle se serra contre lui :

— C'est vrai, c'est notre dernière soirée.

Il lui caressa les cheveux; mais il gardait ce goût amer dans la bouche. Ce n'était pas de la peur, oh! non; il avait de qui tenir, il savait qu'il n'aurait jamais peur. C'était plutôt... du désenchantement.

Le fiacre longeait les remparts à présent. Maud lui montra une porte rouge, au-dessus de laquelle on voyait des têtes vertes de palmier.

— Oh! Pierre, tu te rappelles?

— Quoi?

— Il y a un mois, jour pour jour. C'est là qu'on s'est rencontrés.

— Ah! oui...

— Tu m'aimes?

Elle avait une petite figure maigre, un peu osseuse, avec deux yeux mmenses et une belle bouche.

— Oui, je t'aime.

— Dis-le mieux que ça!

Il se pencha sur elle et l'embrassa.

Le vieillard avait l'air furieux, il les regardait droit dans les yeux en fronçant ses gros sourcils. Il dit d'une voix brève : « Un mémorandum! Voilà toutes ses concessions! » Horace Wilson hocha la tête, il pensait : « Pourquoi joue-t-il la comédie? » Est-ce que Chamberlain ne savait pas qu'il y aurait un mémorandum? Est-ce que tout n'avait pas été décidé la veille? Est-ce qu'ils n'avaient pas convenu de toute cette mise en scène quand ils étaient restés seuls en face l'un de l'autre, avec ce faux jeton de docteur Schmitt?

— Prends-la dans tes bras, ta petite Maud; elle a le cafard, ce soir.

Il l'entoura de ses bras et elle se mit à parler d'une toute petite voix enfantine.

— Tu n'as pas peur de la guerre, toi?

Il sentit un frisson déplaisant courir le long de sa nuque :

— Ma pauvre petite fille, non, je n'ai pas peur. Un homme n'a pas peur de la guerre.

— Eh bien je te garantis que Lucien en avait peur! dit-elle. C'est même ce qui m'a dégoûté de lui : il était vraiment trop froussard.

Il se pencha et l'embrassa dans les cheveux : il se demandait pourquoi il avait eu, tout à coup, envie de la gifler.

— D'abord, poursuivit-elle, comment un homme pourrait-il protéger une femme, s'il passe son temps à avoir la trouille?

— Ça n'était pas un homme, dit-il doucement. Moi, je suis un homme.

Elle lui prit le visage dans ses mains et se mit à parler en le flairant :

— Oui vous étiez un homme, monsieur, oui vous étiez un homme. Avec vos cheveux noirs et votre barbe noire, vous aviez l'air d'avoir vingt-huit ans.

Il se dégagea; il se sentait doux et fade, une nausée lui remontait de l'estomac à la gorge et il ne savait pas ce qui l'écœurait le plus de ce désert miroitant, de ces murs de terre rouge ou de cette femme qui se blottissait dans ses bras. « Ce que j'en ai marre du Maroc! » Il aurait voulu être déjà à Tours, dans la maison de ses parents, et que ce fût le matin et que sa mère vînt lui porter son petit déjeuner au lit! « Eh bien, vous descendrez dans le salon des journalistes, dit-il à Neville Henderson, et vous voudrez bien faire savoir que, déférant à la demande du chancelier Hitler, je me rendrai à l'hôtel Dreesen aux environs de vingt-deux heures trente. »

— Cocher! dit-il. Cocher! rentrez en ville par cette porte.

— Qu'est-ce qui te prend? demanda Maud étonnée.

— J'en ai marre des remparts, lui dit-il avec violence; j'en ai marre du désert et j'en ai marre du Maroc. »

Mais il se maîtrisa aussitôt et lui prenant le menton entre deux doigts :

— Si tu es sage, lui dit-il, nous allons t'acheter des babouches.

La guerre n'était pas dans la musique des manèges, n'était pas dans les bistrots grouillants de la rue Rochechouart. Pas un souffle de vent. Maurice transpirait, il sentait la cuisse chaude de Nénette contre sa cuisse, on fait une petite belote et puis ça va, n'était pas dans les champs, dans le tremblement immobile de l'air chauffé au-dessus de la haie, dans le pépiement rond et blanc des oiseaux, dans le rire de Marcelle, elle s'était levée dans le désert autour des murs de Marrakech. Un vent rouge et chaud s'était levé, il tourbillonnait autour du fiacre, il courait sur les vagues de la Méditerranée, il frappait Mathieu au visage; Mathieu se séchait sur la plage déserte, il pensait : « Même pas ça » et le vent de la guerre soufflait sur lui.

Même pas ça! Il faisait un peu froid mais il n'avait pas envie de rentrer tout de suite. L'un après l'autre, les gens avaient quitté la plage; c'était l'heure du dîner. La mer elle-même s'était dépeuplée, elle gisait, déserte et solaire, une grande lumière écroulée, et le tremplin noir du ski nautique la trouait comme une tête de récif.

« Même pas ça », pensait Mathieu. Elle tricotait, la fenêtre ouverte, en attendant les lettres de Jacques. De temps en temps elle lèverait le nez, avec un vague espoir; elle chercherait sa mer du regard. Sa mer : une bouée, un plongeoir, un peu d'eau clapotant contre le sable chaud. Un calme petit jardin à la mesure des hommes, avec quelques larges avenues et d'innombrables sentiers. Et chaque fois elle reprendrait son tricot avec la même déception : on lui aurait changé sa mer. L'arrière-pays, hérissé de baïonnettes et surchargé de canons, aurait tiré à soi le littoral; l'eau et le sable se seraient rétractés et poursuivraient une vie morne chacun de son côté. Des barbelés striant les perrons blancs de leurs ombres étoilées; des canons sur la promenade, entre les pins; des sentinelles devant les villas; des officiers arpenteraient en aveugles cette ville d'eau désolée. La mer retournerait à sa solitude. Impossible de se baigner : l'eau, gardée militairement, prendrait, au bord de la plage, un aspect administratif; le plongeoir, la bouée ne seraient plus à aucune distance appréciable de la terre; tous les chemins qu'Odette avait tracés sur les vagues depuis son enfance se seraient effacés. Mais le large, par contre, le large houleux, inhumain, avec ses batailles navales à cinquante milles de Malte, avec ses grappes de bateaux coulés près de Palerme, avec ses profondeurs labourées par des poissons de fer, le large serait tout contre elle, elle découvrirait partout sur les flots sa présence glaciale et la haute mer se lèverait à l'horizon comme un mur sans espoir. Mathieu se redressa : il était sec; il se mit à brosser son maillot du plat de la main. « Ce que ça doit être emmerdant, la guerre! » pensa-t-il. Et après la guerre? Ça serait encore une autre mer. Mer de vaincus? Mer de vainqueurs? Dans cinq ans, dans dix ans, il serait peut-être, ici, un soir de septembre, à la même heure, assis sur ce même sable, devant cette énorme masse de gélatine, et les mêmes rayons roux raseraient la surface de l'eau. Mais que verrait-il?

Il se leva et s'enveloppa dans son peignoir. Déjà les pins, sur la terrasse, étaient tout noirs contre le ciel. Il jeta un dernier coup d'œil à la mer : la guerre n'avait pas encore éclaté; les gens dînaient tranquillement dans les villas; pas un canon, pas un soldat, pas de barbelés, la flotte était en rade, à Bizerte, à Toulon; il était encore permis de voir la mer en fleur, la mer d'un des derniers soirs de la paix. Mais elle resta inerte et neutre : une grande étendue d'eau salée qui s'agitait un peu, ça ne disait rien. Il haussa les épaules et gravit les marches de pierre : depuis quelques jours les choses le quittaient une à une. Il avait perdu les odeurs, toutes les odeurs du midi, et puis les goûts. A présent la mer. « Comme les rats quittent le bateau qui va sombrer. » Quand viendrait le jour du départ il serait tout sec, il ne lui resterait plus rien à regretter. Il revint à pas lents vers la villa, et Pierre sauta hors du fiacre :

— Viens, dit-il, tu auras ta paire de babouches.

Ils entrèrent dans les souks. Il était tard; les Arabes se hâtaient de gagner la place Djemaa-el-Fnâ avant le coucher du soleil. Pierre se sentait plus gaillard; le va-et-vient de la foule avait sur lui un effet réconfortant. Il regardait les femmes voilées et, quand elles lui rendaient son regard, il goûtait sa beauté dans leurs yeux.

— Regarde, dit-il. En voilà des babouches.

Il y avait de tout à l'étalage, c'était un bric-à-brac d'étoffes, de colliers, de chaussures brodées :

— Que c'est joli, dit Maud. Arrêtons-nous.

Elle plongea les mains dans ce fouillis hétéroclite et Pierre s'écarta un peu : il ne voulait pas offrir aux Arabes le spectacle d'un Européen absorbé dans la contemplation de parures féminines.

— Choisis, dit-il distraitement, choisis ce que tu voudras.

A l'éventaire voisin on vendait des livres français; il s'amusa à les feuilleter. Il y avait un pêle-mêle de romans policiers et de films romancés. Il entendait, à sa droite, anneaux et bracelets cliqueter sous les doigts de Maud.

— Trouves-tu ta vie? lui demanda-t-il par-dessus son épaule.

— Je cherche, je cherche, répondit-elle. Il faut réfléchir.

Il retourna à sa lecture. Sous une pile de *Texas Jack* et de *Buffalo Bill,* il découvrit un livre avec des photos. C'était un ouvrage du colonel Picot sur les blessés de la face; les premières pages manquaient, les autres étaient cornées. Il voulut le reposer très vite, mais il était trop tard : le livre s'était ouvert de lui-même; Pierre vit une tête horrible, du nez au menton ce n'était qu'un trou, sans lèvres ni dents; l'œil droit était arraché, une large cicatrice couturait la joue droite. Le visage torturé gardait un sens humain, un air ignoblement rigolard. Pierre sentait des picotements glacés sur toute la peau de son crâne et il se demandait : mais comment cet ouvrage a-t-il échoué ici?

— Y en a beau livre, dit le marchand. Ti vas t'amuser.

Pierre se mit à tourner les pages. Il vit des types sans nez ou sans yeux ou sans paupières avec des globes oculaires saillants comme dans les planches anatomiques. Il était fasciné, il regardait les photos une à une et il se répétait en lui-même : « Mais comment a-t-il échoué ici? » Le plus affreux ce fut une tête sans mâchoire inférieure; la mâchoire supérieure avait perdu sa lèvre, on voyait une gencive et quatre dents. « Il vit, pensa-t-il. Ce type-là est vivant. » Il leva les yeux : une glace piquetée dans un cadre doré lui renvoya son image; il la regarda avec horreur...

— Pierre, dit Maud, viens voir, j'ai trouvé.

Il hésita : le livre lui brûlait les mains mais il ne pouvait se résoudre à le rejeter au milieu des autres, à s'éloigner de lui, à lui tourner le dos.

— J'arrive, dit-il.

Il montra du doigt le volume au marchand et demanda :

— Combien?

Le gosse se promenait comme un fauve dans le petit bureau. Irène tapait un article intéressant sur les méfaits du militarisme. Elle s'arrêta et leva la tête :

— Vous me donnez le tournis.

— Je ne m'en irai pas, dit Philippe. Je ne m'en irai pas avant qu'il ait reçu...

Elle se mit à rire :

— Que d'histoires! Vous voulez le voir? Eh bien il est là, derrière la porte; vous n'avez qu'à entrer et vous le verrez.

— Parfaitement! dit Philippe.

Il fit un pas en avant et s'arrêta :

— Je... ça serait maladroit, je l'indisposerais. Oh! Irène, vous ne voulez pas retourner lui demander. Une dernière fois, je vous jure que c'est la dernière fois.

— Ce que vous êtes empoisonnant, dit-elle. Laissez donc tomber. Pitteaux est un sale type : vous ne comprenez donc pas que c'est une chance pour vous qu'il ne veuille plus vous voir? Cela ne vous ferait que du mal.

— Ah! du mal! dit-il ironiquement. Est-ce qu'on peut me nuire? On voit que vous ne connaissez pas mes parents : ils ont toutes les vertus, ils ne m'ont laissé que le parti du Mal.

Irène le regarda dans les yeux :

— Est-ce que vous vous figurez que je ne sais pas ce qu'il vous veut?

Le gosse rougit mais ne répondit pas.

— Oh! et puis après tout, dit-elle en haussant les épaules.

— Allez lui redemander, Irène, dit Philippe d'une voix implorante. Allez lui redemander. Dites-lui que je suis à la veille de prendre une décision capitale.

— Il s'en fout.

— Allez le lui dire tout de même.

Elle poussa la porte et entra sans frapper. Pitteaux leva la tête et fit la moue :

— Qu'est-ce qu'il y a? demanda-t-il d'une voix tonnante.

Il ne l'intimidait pas.

— Ça va, dit-elle. Pas besoin de crier. C'est le môme : j'en ai marre de l'avoir sur les bras. Ça vous gênerait que je vous le passe une minute?

— J'ai dit non, dit Pitteaux.

— Il dit qu'il va prendre une décision capitale.

— Qu'est-ce que ça peut me foutre, à moi?

— Ah! débrouillez-vous, dit-elle avec impatience. Je suis votre secrétaire, je ne suis pas sa nourrice.

— C'est bon, dit-il, les yeux étincelants. Qu'il entre! Ah! il va prendre une décision capitale! Ah! il va prendre une décision capitale! Eh bien, moi, c'est une exécution capitale que je vais faire.

Elle lui rit au nez et se retourna vers Philippe.

— Allez-y.

Le gosse se précipita, mais, sur le seuil du bureau, il s'arrêta religieusement et elle dut le pousser pour le faire entrer. Elle ferma la porte sur lui et revint s'asseoir à sa table. Presque aussitôt ça se mit à gueuler dur de l'autre côté de la cloison. Elle se mit à taper avec indifférence : elle savait que la partie était perdue pour Philippe. Il jouait aux affranchis, il était bouche bée devant Pitteaux; Pitteaux avait voulu profiter de ça pour se l'envoyer, par vice pur : il n'était même pas pédéraste. Au dernier moment, le môme avait eu la frousse. Il était comme tous les mômes, il voulait tout avoir sans rien donner. A présent, il suppliait Pitteaux de lui garder son amitié mais Pitteaux l'avait envoyé bondir. Elle l'entendit qui criait : « Fous-moi le camp. Tu es un petit lâche, un petit bourgeois, un gosse de riche qui se prend pour un truand. » Elle se mit à rire et elle tapa quelques lignes de l'article. « Peut-on concevoir brutes plus sinistres que les officiers supérieurs qui condamnèrent Dreyfus? » « Qu'est-ce qu'il leur met », pensa-t-elle, égayée.

La porte s'ouvrit et se referma avec fracas. Philippe était devant elle. Il avait pleuré. Il se pencha sur le bureau en pointant l'index vers la poitrine d'Irène :

— Il m'a poussé à bout, dit-il d'un air farouche. On n'a pas le droit de pousser les gens à bout. Il rejeta la tête en arrière et se mit à rire : « Vous entendrez parler de moi.

— Te casse pas la tête », dit Irène en soupirant.

L'infirmière rabattit le couvercle de la malle : vingt-deux paires de souliers, il ne devait pas donner beaucoup de travail aux cordonniers, quand une paire était usée, il la jetait dans la malle et il en achetait une autre, plus de cent paires de chaussettes trouées au talon et à la place du gros orteil, six costumes fatigués dans l'armoire et c'est sale, chez lui, un vrai taudis de célibataire. Elle pouvait bien le quitter cinq minutes, elle se glissa dans le corridor,

entra au petit endroit et releva ses jupes en laissant la porte grande
ouverte à tout hasard. Elle se soulagea rapidement, l'oreille tendue,
attentive au moindre bruit : mais Armand Viguier restait bien sagement étendu, tout seul dans sa chambre, ses mains jaunes repo-
saient sur le drap, il avait renversé sa tête maigre à la dure barbe
grise, aux yeux caves, il souriait d'un air distant. Ses petites jambes
s'allongeaient sous les draps, ses pieds faisaient l'un avec l'autre
un angle de quatre-vingts degrés et ses ongles pointaient — les terribles ongles de ses gros orteils, qu'il coupait au canif tous les trois
mois et qui, depuis vingt-cinq ans, lui trouaient toutes ses paires
de chaussettes. Il avait des escarres aux fesses, bien qu'on lui eût
glissé un rond de caoutchouc sous les reins, mais elles ne saignaient
plus : il était mort. Sur la table de nuit on avait posé son lorgnon
et son râtelier dans un verre d'eau.

Mort. Et sa vie était là, partout, impalpable, achevée, dure et
pleine comme un œuf, si remplie que toutes les forces du monde
n'eussent pas pu y faire entrer un atome, si poreuse que Paris et
le monde lui passaient au travers, éparpillée aux quatre coins de
la France et condensée tout entière en chaque point de l'espace,
une grande foire immobile et criarde; les cris étaient là, les rires,
le sifflement des locomotives et l'éclatement des shrapnells, le 6 mai
1917, ce bourdonnement sanglant dans sa tête, quand il tombe entre
les deux tranchées, les bruits étaient là, glacés, et l'infirmière aux
aguets n'entendait qu'un susurrement sous ses jupes. Elle se releva,
elle ne tira pas la chasse d'eau, par respect pour la mort, elle revint
s'asseoir au chevet d'Armand, traversant ce grand soleil immobile
qui éclaire pour toujours un visage de femme, à la Grande Jatte,
le 20 juillet 1900, dans le canot. Armand Viguier était mort, sa
vie flottait, enfermant des douleurs immobiles, une grande zébrure
qui traverse de part en part le mois de mars 1922, sa douleur inter-
costale, d'indestructibles petits joyaux, l'arc-en-ciel au-dessus du
quai de Bercy un samedi soir, il a plu, les pavés glissent, deux cyclistes
passent en riant, le bruit de la pluie sur le balcon, par une étouffante
après-midi de mars, un air de tzigane qui lui fait venir les larmes
aux yeux, des gouttes de rosée brillant dans l'herbe, un envol de
pigeons sur la place Saint-Marc. Elle déplia le journal, ajusta ses
lunettes sur son nez et se mit à lire : « Dernière heure : M. Chamberlain n'a pas conféré, cet après-midi, avec le chancelier Hitler. »
Elle pensa à son neveu qui allait sûrement partir, elle posa le journal
à côté d'elle, elle soupira. La paix était là, comme l'arc-en-ciel,
comme le soleil de la Grande Jatte, comme le bras blond frisé par la

lumière. La paix de 1939 et de 1940 et de 1980, la grande paix des
hommes ; l'infirmière serrait les lèvres, elle pensait : « C'est la guerre »,
elle regardait au loin, les yeux fixes, et son regard passait au travers
de la paix. Chamberlain hocha la tête, il dit : « Je ferai ce que je
pourrai, naturellement, mais je n'ai pas grand espoir. » Horace
Wilson sentit qu'un frisson déplaisant lui coulait dans le dos, il se
dit : « S'il était sincère ? » et l'infirmière pensa : « Mon mari en 14,
en 38 mon neveu : j'aurai vécu entre deux guerres. » Mais Armand
Viguier sait que la paix vient de naître, Chantal lui demande :
« Pourquoi t'es-tu battu, avec tes idées ? » et il répond : « Pour que ce
soit la dernière guerre. » Le 27 mai 1919. Pour toujours. Il écoute
Briand qui parle, tout petit à la tribune, sous un ciel léger ; il est
perdu dans la foule des pèlerins, la paix est descendue sur eux, ils la
touchent, ils la voient, ils crient : « Vive la paix. » Pour toujours. Il est
assis au Luxembourg, sur une chaise de fer, il regarde pour toujours
les marronniers en fleurs, la guerre s'est enfoncée dans le passé,
il étend ses petites jambes, il regarde les enfants qui courent, il
pense qu'ils ne connaîtront jamais les horreurs de la guerre. Les
années futures sont une voie royale et tranquille, le temps s'épanouit en éventail. Il regarde ses vieilles mains chauffées par le soleil,
il sourit, il pense : « C'est grâce à nous. Il n'y aura plus de guerre.
Ni dans ma vie, ni après moi. » Le 22 mai 1938. Pour toujours.
Charles Viguier était mort et personne ne pouvait plus lui donner
raison, ni tort. Personne ne pouvait changer l'avenir indestructible
de sa vie morte. Un jour de plus, un seul jour, et tous ses espoirs
s'écroulaient peut-être, il découvrait tout à coup que sa vie s'était
écrasée entre deux guerres, comme entre le marteau et l'enclume.
Mais il était mort le 23 septembre 1938, à quatre heures du matin,
après sept jours de coma. Il avait emporté la paix avec lui. La paix,
toute la paix, la paix du monde, implacable, hors de prise. On sonna
à la porte d'entrée, elle sursauta, ça devait être la cousine d'Angers,
sa seule parente, on l'avait prévenue la veille par un télégramme.
Elle ouvrit à une petite femme noire, qui avait un museau de rat et
des cheveux dans la figure.

— Je suis Mme Verchoux.

— Ah ! très bien, madame !

— Est-ce qu'on peut encore le voir ?

— Mais oui. Il est là.

Mme Verchoux s'approcha du lit, elle regarda les joues creuses,
les yeux caves.

— Il a beaucoup changé, dit-elle.

Vingt heures trente à Juan-les-Pins, vingt et une heures trente à Prague.

— Ne quittez pas l'écoute. Une communication très importante va suivre immédiatement. Ne quittez pas l'écoute. Une communication...

— C'est fini, dit Milan.

Il se tenait dans l'embrasure de la fenêtre. Anna ne répondit pas. Elle se baissa, elle commença à ramasser les débris de verre, elle mit les plus grosses pierres dans son tablier et les rejeta par la fenêtre. La lampe était brisée, la chambre était sombre et bleue.

— A présent, dit-elle, je vais donner un bon coup de balai.

Elle répéta : « Un bon coup de balai », et se mit à trembler :

— Ils nous prendront tout, dit-elle en pleurant, ils casseront tout, ils vont nous chasser.

— Tais-toi, dit Milan. Pour l'amour de Dieu, ne pleure pas!

Il marcha jusqu'à l'appareil de T. S. F., il tourna les boutons et les lampes s'allumèrent.

— Il n'a rien, dit-il d'un ton satisfait.

La voix aigrelette et mécanique remplit soudain la pièce :

— Ne quittez pas l'écoute. Une communication très importante va suivre immédiatement. Ne quittez pas l'écoute. Une communication très importante...

— Écoute, dit Milan d'une voix changée, écoute!

Pierre marchait à grands pas. Maud courait à ses côtés en serrant ses babouches sous son bras. Elle était heureuse :

— Ce qu'elles sont belles, lui dit-elle. Ruby sera folle de jalousie; elle s'en est acheté à Fez qui ne sont pas la moitié aussi bien. Et puis c'est tellement commode, tu enfiles ça au saut du lit et tu n'as même pas besoin d'y mettre les mains, tandis que les pantoufles c'est toute une histoire. Seulement, il y a un coup à prendre pour ne pas les perdre, il faut cambrer les pieds, je crois, en mettant les orteils comme ça; je demanderai à la bonne de l'hôtel qui est Arabe.

Pierre ne répondait toujours pas. Elle lui jeta un coup d'œil inquiet et reprit :

— Tu aurais dû t'en acheter aussi, toi qui cours toujours pieds nus à travers ta chambre; tu sais que ça va aussi bien aux hommes qu'aux femmes?

Pierre s'arrêta au beau milieu de la rue.

— Assez! lui dit-il d'une voix formidable.

Elle s'arrêta aussi, interdite.

— Qu'est-ce qu'il y a?

— Ça va aussi bien aux hommes qu'aux femmes! dit Pierre en la singeant. Allons! Allons! Tu sais très bien à quoi je pensais pendant tes bavardages! Et tu y pensais comme moi, ajouta-t-il avec force. Il se passa la langue sur les lèvres et sourit ironiquement. Maud voulut parler, mais elle regarda et se tut, glacée.

— Seulement on ne veut pas regarder la réalité en face, reprit-il. Les femmes surtout : quand elles pensent à une chose, il faut vite qu'elles parlent d'une autre. N'est-ce pas?

— Mais Pierre, dit Maud affolée, tu deviens fou! Je ne comprends rien à ce que tu dis. A quoi crois-tu que je pense? A quoi est-ce que tu penses?

Pierre sortit un livre de sa poche, l'ouvrit et le lui mit sous le nez :

— A ça, dit-il.

C'était une photo de gueule cassée. Le type n'avait plus de nez, il portait un bandeau sur l'œil.

— Tu... tu as acheté ça? demanda-t-elle avec stupeur.

— Eh bien! oui, dit Pierre. Après? Je suis un homme, moi, je n'ai pas peur : je veux connaître la gueule que j'aurai l'an prochain.

Il agitait la photo devant les yeux de Maud :

— M'aimeras-tu quand je serai comme ça?

Elle craignait de comprendre, elle aurait tout donné pour qu'il se tût.

— Réponds! M'aimeras-tu?

— Tais-toi, dit-elle, je t'en supplie, tais-toi.

— Ces hommes-là, dit Pierre, vivent à demeure au Val-de-Grâce. Ils ne sortent que la nuit et encore, avec un masque sur la figure.

Elle voulut lui prendre le livre des mains, mais il le lui arracha et le mit dans sa poche. Elle le regarda, les lèvres tremblantes, elle avait peur d'éclater en sanglots.

— Oh, Pierre! dit-elle doucement. Tu as donc peur?

Il se tut brusquement et fixa sur elle des yeux stupides. Ils restèrent un moment immobiles, puis il dit d'une voix pâteuse :

— Tous les hommes ont peur. Tous. Celui qui n'a pas peur n'est pas normal; ça n'a rien à voir avec le courage. Et toi, tu n'as pas le droit de me juger, puisque tu n'iras pas te battre.

Ils reprirent leur marche en silence. Elle pensait : « C'est un lâche! » Elle regardait son grand front hâlé, son nez florentin, sa belle bouche, et elle pensait : « C'est un lâche. Comme Lucien. Je n'ai pas de veine. »

Le buste d'Odette émergeait dans la lumière et son corps s'achevait dans l'ombre de la salle à manger, elle s'accoudait au balcon,

elle regardait la mer, Gros-Louis pensait : « Quelle guerre! » Il mar
chait et la lumière rouge du couchant dansait sur ses mains, sur
sa barbe, Odette sentait dans son dos la bonne chambre sombre,
le bon refuge, la nappe blanche qui luisait faiblement dans le noir,
mais elle se dressait dans la lumière, la lumière, le savoir et la guerre
lui entraient par les yeux, elle pensait qu'il allait partir, la lumière
électrique se coagulait par paquets dans la fluidité du jour finissant,
des paquets de jaune d'œuf, Jeannine avait tourné le commutateur,
les mains de Marcelle s'agitaient dans le jaune sous la lampe, elle
demanda du sel et ses mains firent des ombres sur la nappe, Daniel
dit : « C'est du bluff, il n'y a qu'à tenir sec, il abattra son jeu. » La
dure lumière qui râpe les yeux comme du papier de verre, c'est
comme ça, dans le Sud, jusqu'à la dernière minute. C'est midi et
puis la nuit dégringole brusquement, Pierre babillait, il voulait lui
faire croire qu'il avait retrouvé son calme mais elle marchait à son
côté en silence et fixait sur lui un regard aussi dur que la lumière.
Quand ils arrivèrent sur la place, elle eut peur qu'il ne lui proposât
de passer la nuit avec lui, mais il ôta son chapeau et dit froidement :
« Puisque nous nous levons tôt demain et que tu as encore les bagages
à faire, je pense qu'il vaut mieux que tu rentres coucher avec tes
compagnes. » Elle répondit : « Je pense aussi que c'est mieux. »
Et il lui dit : « A demain. » « A demain, dit-elle; à demain sur le
bateau. »

   « Ne quittez pas l'écoute, une communication très importante va
suivre. » Il était étendu, les mains sous la nuque, il se sentait tout
gris, il dit : « On l'aime bien sa petite poupée. » Et elle tressaillit, elle
dit : « Oui... » Comme chaque soir, elle avait peur. « Oui, je vous
aime bien! » Des fois elle acceptait, des fois elle disait non, mais ce
soir elle n'oserait pas. « Alors on lui fait sa petite caresse, sa petite
caresse du soir? » Elle soupira, elle était toute honteuse, c'était amusant. Elle dit : « Pas ce soir. » Il souffla un peu, il dit : « Pauvre petite
poupée, elle est si agitée, ça lui ferait tant de bien. Pour la faire
dormir, vous ne voulez pas? Non, vous ne voulez pas? Tu sais bien,
ça me calme toujours... » Elle prit son visage d'infirmière-major,
comme lorsqu'elle le mettait sur le bassin, sa tête devint toute raide
sur ses épaules, elle ne fermait pas les yeux, mais c'était tout comme
si elle s'arrangeait pour ne rien voir et ses mains, par-en dessous, le
déboutonnèrent prestement, des mains de spécialiste, et son visage
qui était triste, c'était très amusant, la main entra, si douce, une
pâte d'amandes, Odette sursauta et dit : « Vous m'avez fait peur :
est-ce que Jacques est avec vous? » Charles soupira, Mathieu dit

non. « Non, dit Maurice, il faut ce qu'il faut. » Il avait pris la clé sur
le tableau : « Ça pue encore les chiottes, c'est dégueulasse. — C'est
le petit de Mme Salvador, dit Zézette, elle le fout dehors quand elle
reçoit des types, alors il pose culotte partout pour se distraire. »

Ils montèrent l'escalier : « Ne quittez pas l'écoute, une communication... » Milan et Anna se penchaient sur l'appareil, des rumeurs
de victoire entraient par les fenêtres, « Baisse-le un peu, dit Anna,
il ne faut pas les provoquer », la main douce, douce comme une pâte
d'amandes, Charles bourgeonna, fleurit, l'énorme fruit s'épanouit,
la cosse allait éclater, un fruit tout droit vers le ciel, un fruit juteux,
tout un printemps d'une suffocante douceur; le silence, le cliquetis
des fourchettes, et les longues déchirures d'étoffe dans l'appareil,
la caresse du vent sur le gros fruit velouté, velu, Anna sursauta
et serra le bras de Milan :

« Citoyens,

« Le gouvernement tchécoslovaque décide de proclamer la mobilisation générale; tous les hommes âgés de moins de quarante ans et
les spécialistes de tout âge doivent rejoindre immédiatement. Tous
les officiers, sous-officiers et soldats de la réserve et de la seconde
réserve de tous grades, tous les permissionnaires doivent rejoindre
sans délai leurs centres d'équipement. Tous doivent être habillés de
vêtements civils usagés, munis de leurs papiers militaires et de vivres
pour deux jours. La date limite pour rejoindre leurs postes respec-
tifs est de quatre heures trente du matin.

« Tous les véhicules, les automobiles et les avions sont mobilisés.
La vente de l'essence est autorisée avec un permis délivré par l'autorité militaire.

« Citoyens! Le moment décisif arrive. Le succès dépend de chacun.
Que chacun mette toutes ses forces au service de la patrie. Soyez
braves et fidèles. Notre lutte est une lutte pour la justice et la liberté!

« Vive la Tchécoslovaquie! »

Milan se redressa, il était en feu, il posa les mains sur les épaules
d'Anna, il lui dit :

— Enfin! Anna, ça y est! ça y est.

Une voix de femme répéta le décret en slovaque, ils ne comprenaient plus rien, sauf quelques mots, de-ci de-là, mais c'était comme
une musique militaire. Anna répéta : « Enfin! Enfin! » et des larmes
lui coulèrent sur les joues. Et puis ils comprirent de nouveau : « Die
Regierung hat entschlossen », c'était de l'allemand, Milan tourna
le bouton à fond et la radio se mit à hurler, la voix écrasait contre
les murs leurs odieuses chansons, leurs bruits de fête, elle sortirait

par les fenêtres, elle casserait les carreaux des Jägerschmitt, elle irait les trouver dans leur salon munichois, dans leur petite réunion de famille et elle leur glacerait les os. L'odeur de chiottes et de lait aigre l'avait attendu, il l'aspira largement, elle entra en lui, comme un coup de balai, elle le purifiait des parfums blonds et proprets de la rue Royale, c'était l'odeur de la misère, c'était son odeur. Maurice se planta devant la porte de sa chambre, pendant que Zézette mettait la clé dans la serrure et qu'Odette disait joyeusement : « A table, alors! A table. Jacques, tu auras une surprise »; il se sentait fort et dur, il avait retrouvé le monde de la colère et de la révolte; au deuxième étage, les gosses hurlaient parce que leur père était rentré saoul; dans la chambre voisine, on entendait les pas menus de Maria Pranzini dont le mari, un couvreur, était tombé d'un toit, le mois dernier, les bruits, les couleurs, les odeurs, tout avait l'air vrai, il s'était réveillé, il avait retrouvé le monde de la guerre.

Le vieillard se tourna vers Hitler, il regardait ce mauvais visage enfantin, ce visage de mouche et il se sentait choqué jusqu'au fond de l'âme. Ribbentrop était entré, il dit quelques mots en allemand et Hitler fit un signe au docteur Schmitt : « Nous apprenons, dit le docteur Schmitt en anglais, que le gouvernement de M. Benès vient de décréter la mobilisation générale. » Hitler écarta les bras en silence comme un homme qui déplore que l'événement vienne lui donner raison. Le vieillard sourit aimablement et une lueur rouge s'alluma dans ses yeux. Une lueur de guerre. Il n'avait qu'à se mettre à bouder, comme le Führer, il n'avait qu'à écarter les bras avec l'air de dire : « Eh bien? C'est comme ça! » et la pile d'assiettes qu'il tenait en équilibre depuis dix-sept jours s'écroulerait sur le parquet. Le docteur Schmitt le regardait avec curiosité, il pensait que ça devait être tentant d'ouvrir les bras, quand on portait une pile d'assiettes depuis dix-sept jours, il pensait : « Voilà l'instant historique », il pensait qu'on en était arrivé au dernier recours, à la liberté toute nue d'un vieux commerçant de Londres. A présent le Führer et le vieillard se regardaient en silence et aucun interprète n'était plus nécessaire. Le docteur Schmitt fit un pas en arrière.

Il s'assit sur un banc de la place Gélu et posa le banjo à côté de lui. Il faisait sombre et bleu sous les platanes, il y avait des musiques et c'était le soir, les mâts des bateaux de pêche sortaient de terre, tout droits, tout noirs et, de l'autre côté du port, les fenêtres scintillaient par centaines. Un gosse faisait couler l'eau de la fontaine; sur le banc voisin, d'autres nègres vinrent s'asseoir et le saluèrent.

Il n'avait pas faim, il n'avait pas soif, il s'était baigné derrière la jetée, il avait rencontré un grand type hirsute qui paraissait tomber de la lune et qui lui avait offert à boire, tout cela, c'était bon. Il sortit le banjo de son étui, il avait envie de chanter. Un instant, un seul instant, il tousse, il se racle la gorge, il va chanter dans un instant, Chamberlain, Hitler et Schmitt attendaient la guerre en silence, elle allait entrer dans un instant, le pied avait gonflé mais ça venait, dans un instant il allait le sortir du soulier, Maurice, assis sur le lit tirait de toutes ses forces, dans un instant Jacques aurait achevé de boire son potage, Odette n'entendrait plus ce petit susurrement agaçant, le feu d'artifices, le fourmillement des fusées prêtes à partir, dans un instant les soleils filtreraient en tourbillonnant vers le plafond, sa poupée, dans un instant ça sentirait l'absinthe et une colle chaude et abondante inonderait ses cuisses paralysées, et la voix monterait, riche et tendre, à travers le feuillage des platanes; un instant, Mathieu mangeait, Marcelle mangeait, Daniel mangeait, Boris mangeait, Brunet mangeait, ils avaient des âmes instantanées qu'emplissaient jusqu'aux bords de pâteuses petites voluptés, un instant et elle entrerait, bardée d'acier, redoutée par Pierre, acceptée par Boris, désirée par Daniel, la guerre, la grande guerre des debout, la folle guerre des blancs. Un instant : elle avait éclaté dans la chambre de Milan, elle s'échappait par toutes les fenêtres, elle se déversait avec fracas chez les Jägerschmitt, elle rôdait autour des remparts de Marrakech, elle soufflait sur la mer, elle écrasait les bâtiments de la rue Royale, elle remplissait les narines de Maurice avec son odeur de chiottes et de lait suri, dans les champs, dans les étables, dans les cours de ferme elle n'existait pas, elle se jouait à pile ou face, entre deux glaces à trumeaux, dans les salons lambrissés de l'hôtel Dreesen. Le vieillard se passa la main sur le front et dit d'une voix blanche : « Eh bien, si vous voulez, nous allons discuter un à un les articles de votre mémorandum. » Et le docteur Schmitt comprit que le temps des interprètes était revenu.

Hitler s'approcha de la table et la belle voix grave monta dans l'air pur; au cinquième étage de l'hôtel Massilia, une femme qui prenait le frais à son balcon l'entendit, elle dit : « Gomez! viens écouter le nègre, c'est charmant! » Milan pensa à sa jambe et sa joie s'éteignit, il serra fortement l'épaule d'Anna et dit : « Ils ne voudront pas de moi, je ne suis plus bon à rien. » Et le nègre chantait. Charles Viguier était mort, ses deux mains pâles s'allongeaient sur le drap, les deux femmes le veillaient en causant des événements, elles avaient sympathisé tout de suite, Jeannine prit une serviette éponge et s'essuya les mains, puis elle se mit à lui frotter les cuisses, Chamberlain disait : « En ce qui concerne le premier paragraphe, je présenterai deux objections » et le nègre chantait : « Bei mir, bist du schön »; cela signifie : « Vous êtes pour moi la plus jolie. »

Deux femmes s'arrêtèrent, il les connaissait, Anina et Dolorès, deux putains de la rue du Lacydon, Anina lui dit : « Té! tu chantes? » et il ne répondit pas, il chantait et les femmes lui sourirent et Sarah appela avec impatience : « Gomez, Pablo, venez donc! qu'est-ce que vous faites? Il y a un nègre qui chante, c'est charmant. »

SAMEDI 24 SEPTEMBRE

A Crevilly, sur le coup de six heures, le père Croulard entra dans la gendarmerie et frappa à la porte du bureau. Il pensait : « Ils m'ont réveillé. » Il pensait qu'il leur dirait : « Pourquoi qu'on m'a réveillé? » Hitler dormait, Chamberlain dormait, son nez faisait une petite musique de fifre, Daniel s'était assis sur son lit, ruisselant de sueur, il pensait : « Ça n'était qu'un cauchemar! »

— Entrez! dit le lieutenant de gendarmerie. Ah! c'est vous, père Croulard? Eh bien il va falloir en mettre un coup.

Ivich gémit un peu et se retourna sur le côté.

— C'est le petit qui m'a réveillé, dit le père Croulard. Il regarda le lieutenant avec rancune et dit : « Faut que ça soye important...

— Ah! père Croulard, dit le lieutenant, il faut graisser vos bottes! »

Le père Croulard n'aimait pas le lieutenant. Il dit :

— Je ne connais pas ça, moi, des bottes. J'ai pas de bottes, j'ai que des sabots.

— Il faut graisser vos bottes, répéta le lieutenant, il faut graisser vos bottes : on est bons comme la romaine!

Sans sa moustache, il aurait ressemblé à une fille. Il avait des lorgnons et les joues roses, comme l'institutrice. Il était penché en avant, les bras écartés, et il s'appuyait à la table du bout des doigts. Le père Croulard le regardait et pensait : « C'est lui qui m'a fait réveiller. »

— Il vous a bien dit d'apporter le pot de colle? dit le lieutenant.

Le père Croulard tenait le pot de colle derrière son dos; il le montra en silence.

— Et les pinceaux? demanda le lieutenant. Il faut faire vite! Vous n'avez pas le temps de rentrer chez vous.

— Les pinceaux sont dans ma blouse, dit le père Croulard avec dignité. On m'a réveillé en sursaut mais j'aurais tout de même pas oublié les pinceaux.

Le lieutenant lui tendit le rouleau :

— Vous en mettrez une sur la façade de la mairie, deux sur la grande place et une sur la maison du notaire.

— De maître Belhomme? C'est défendu d'y afficher, dit le père Croulard.

— Je m'en fous! dit le lieutenant. Il avait l'air nerveux et gai, il dit : « Je prends ça sur moi, je prends tout sur moi.

— C'est-il la mobilisation pour de bon?

— Je veux! dit le lieutenant. On en découdrrra, père Croulard, on en découdrrra!

— Oh! dit le père Croulard. Vous et moi, je pense que nous resterons ici. »

On frappa à la porte et le lieutenant alla ouvrir, prestement. C'était le maire. Il était en sabots, il avait mis son écharpe sur sa blouse. Il dit :

— Qu'est-ce que m'a dit le petit?

— Voilà les affiches, dit le lieutenant.

Le maire mit ses lunettes et déroula les affiches. Il lut à mi-voix : « Mobilisation générale » et posa vivement les affiches sur la table comme s'il avait peur de se brûler. Il dit :

— J'étais aux champs, je suis passé prendre mon écharpe.

Le père Croulard allongea la main, enroula les affiches et mit le rouleau sous sa blouse. Il dit au maire :

— Je me disais : c'est pas ordinaire, aussi, qu'ils me réveillent si matin.

— Je suis passé prendre mon écharpe, dit le maire. Il regarda le lieutenant avec inquiétude, il dit : « Ils ne parlent pas de réquisition.

— Il y a une autre affiche, dit le lieutenant.

— Bon dieu! dit le maire. Bon dieu de bon dieu! Et voilà que ça recommence!

— J'ai fait la guerre, moi, dit le père Croulard. Cinquante-deux mois sans blessures. » Il plissa les yeux, égayé par ce souvenir.

— Ça va, dit le maire. Vous avez fait l'autre, vous ne ferez pas celle-ci. Et puis vous vous en foutez, vous, des réquisitions.

Le lieutenant frappa sur la table avec autorité :

— Il faut faire quelque chose, dit-il. Il faut marquer le coup.

Le maire avait l'air égaré. Il avait passé les mains dans son écharpe et il faisait le gros dos :

— Le tambourinaire est malade, expliqua-t-il.

— Je sais jouer du tambour, dit le père Croulard. Je peux le remplacer. Il sourit : voilà dix ans que c'était son rêve, d'être tambourinaire.

— Le tambourinaire? dit le lieutenant. Vous allez me faire sonner le tocsin. Voilà ce que vous allez faire!

Chamberlain dormait, Mathieu dormait, le Kabyle posa l'échelle contre l'autocar, chargea la malle sur son épaule et se mit à grimper sans se tenir aux barreaux, Ivich dormait, Daniel sortit ses jambes du lit, une cloche sonnait à toute volée dans sa tête, Pierre regardait la plante des pieds, rose et noire, du Kabyle, il pensait : « C'est la malle de Maud. » Mais Maud n'était pas là, elle partirait un peu plus tard avec Doucette, France et Ruby dans la voiture d'un vieux très riche qui était amoureux de Ruby; à Paris, à Nantes, à Mâcon des hommes collaient sur les murs des affiches blanches, le tocsin sonnait à Crevilly, Hitler dormait, Hitler était un petit enfant, il avait quatre ans, on lui avait mis sa belle robe, un chien noir passa, il voulut l'attraper dans son filet à papillons; le tocsin sonnait, Mme Reboulier s'éveilla en sursaut et dit :

— C'est quelque chose qui brûle.

Hitler dormait, il découpait le pantalon de son père en menues lanières avec des ciseaux à ongles, Leni von Riefenstahl entra, ramassa les lanières de flanelle et dit : « Je te les ferai manger en salade. »

Le tocsin sonnait, sonnait, sonnait, Maublanc dit à sa femme :
— Je parie que c'est la scierie qui a pris feu.

Il sortit dans la rue. Mme Reboulier, en chemise rose derrière ses volets, le vit passer, le vit héler le facteur qui courait. Maublanc cria :

— Hé! Anselme!

— C'est la mobilisation, cria le facteur.

— Quoi? qu'est-ce qu'il a dit? demanda Mme Reboulier à son mari qui était venu la rejoindre. Ça n'est pas quelque chose qui brûle?

Maublanc regarda les deux affiches et les lut à mi-voix, puis il fit demi-tour et revint chez lui. Sa femme était sur le pas de la porte, il lui dit : « Dis à Paul qu'il attelle la carriole. » Il entendit du bruit et se retourna : c'était Chapin, sur sa charrette; il lui dit : « Eh ben! tu as fait vinaigre, t'es donc si pressé? » Chapin le regarda sans répondre. Maublanc regarda derrière la charrette : il y avait deux bœufs qui suivaient lentement, attachés à l'arrière par des licols. Il dit à mi-voix : « Les sacrées belles bêtes! — Tu peux le

dire, dit Chapin avec colère, tu peux dire que c'est des belles bêtes. »
Le tocsin sonnait, Hitler dormait, le vieux Fraigneau disait à son
fils : « S'ils me prennent les deux chevaux et toi, comment que je
vais travailler? » Nanette frappait à la porte et Mme Reboulier lui
dit : « C'est vous, Nanette? Voyez donc sur la place pourquoi on
sonne le tocsin » et Nanette répondit : « Mais madame ne sait pas?
C'est la mobilisation générale. »

Comme tous les matins. Mathieu pensait : « Comme tous les
matins. » Pierre s'était poussé contre la vitre : il regardait, par la
fenêtre, les Arabes assis par terre ou sur des coffres multicolores
qui attendaient le car d'Ouarzazat; Mathieu avait ouvert les yeux,
des yeux de nouveau-né, encore aveugles, il pensait : « A quoi bon? »
comme tous les matins. Un matin de terreur, une flèche de feu tirée
sur Casablanca, sur Marseille, l'autocar trépidait sous ses pieds, le
moteur tournait, au dehors le chauffeur, un grand type avec une
casquette de drap beige à la visière de cuir, achevait posément sa
cigarette. Il pensait : « Maud me méprise. » Un matin comme tous
les matins, stagnant et vide, une pompeuse cérémonie quotidienne
avec cuivres et fanfare et lever public du soleil. Autrefois il y avait
eu d'autres matins : des commencements; le réveil sonnait, Mathieu
se levait d'un coup, les yeux durs, tout frais, comme à la sonnerie
d'un clairon. Il n'y avait plus de commencement, plus rien à entre-
prendre. Et pourtant il allait falloir se lever, prendre part à la cérémonie, tracer dans cette chaleur des chemins et des sentiers, faire
tous les gestes du culte, comme un prêtre qui a perdu la foi. Il
sortit les jambes du lit, se redressa, ôta son pyjama. « A quoi bon? »
Et il se laissa retomber sur le dos, tout nu, les mains sous la nuque,
il commençait à distinguer le plafond, à travers une brume blanche.
« Foutu. Complètement foutu. Autrefois je portais les journées sur
mon dos, je les faisais passer d'une rive à l'autre; à présent c'est
elles qui me portent. » L'autocar trépidait, ça battait, ça tapait sous
ses pieds, le plancher brûlait, il lui semblait que ses semelles se
fendillaient, le gros cœur lâche de Pierre battait, tapait, tapait contre
les coussins tièdes, la vitre était brûlante et pourtant il se sentait
glacé, il pensait : « Ça commence. » Ça finirait dans un trou, près
de Sedan ou de Verdun, et ça venait de commencer. Elle lui avait
dit : « Tu es donc un lâche », en le regardant d'un air de mépris.
Il revit le petit visage sérieux et fiévreux, aux yeux sombres, aux
lèvres minces, il eut un coup au cœur et l'autocar démarra. Il faisait encore très frais; Louison Corneille, la sœur de la garde-barr-
rière, qui était venue de Lisieux pour aider sa sœur malade à tenir

son ménage, sortit sur la route pour aller relever les barrières du passage à niveau et dit : « C'est que ça pique. » Elle était de bonne humeur parce qu'elle était fiancée. Il y avait deux ans qu'elle était fiancée, mais chaque fois qu'elle y pensait ça la mettait de bonne humeur. Elle se mit à tourner la manivelle et, tout à coup, elle s'arrêta. Elle était sûre qu'il y avait quelqu'un sur la route, derrière son dos. Elle n'avait pas songé à regarder, en sortant de la maison, mais elle en était sûre. Elle se retourna et elle eut le souffle coupé : il y avait plus de cent charrettes, carrioles, chars à bœuf, vieilles calèches qui attendaient, immobiles, à la queue leu leu. Les gars étaient assis tout raides sur les banquettes, le fouet à la main, l'air mauvais, en silence. Il y en avait d'autres qui étaient à cheval et d'autres étaient venus à pied en tirant derrière eux un bœuf au bout d'une corde. C'était si drôle qu'elle prit peur. Elle tourna rapidement la manivelle et se rejeta sur le côté de la route. Les gars fouettèrent leurs chevaux et les carrioles se mirent à défiler devant elle, le car roulait entre de longues steppes rouges, les Arabes grouillaient dans leurs dos. Pierre dit : « Sacrés bicots, je ne suis pas tranquille quand je les sens derrière moi, je me demande toujours ce qu'ils fabriquent. » Pierre jeta un coup d'œil dans le fond de la voiture : ils étaient entassés, en silence, déjà verts et gris, les yeux clos. Une femme voilée s'était laissé aller, entre les sacs et les colis, à la renverse, on voyait ses paupières closes au-dessus de son voile. « C'est quand même malheureux, pensa-t-il. Dans cinq minutes, ils vont se mettre à dégueuler, ces gens-là n'ont pas d'estomac. » Louison les reconnaissait au passage, c'étaient les gars de Crevilly, tous les gars de Crevilly, elle aurait pu mettre un nom sur chacun d'eux mais ils n'avaient pas leurs visages familiers, le gros rouge c'était le fils Chapin, elle avait dansé avec lui à la Saint-Martin, elle lui cria : « Hé! Marcel, tu es bien fier! » Il se retourna et la regarda d'un air intimidant. Elle dit : « C'est-il que vous allez à la noce? » Il dit : « Sacré nom de Dieu, oui. T'as raison : à la noce. » La charrette traversa les rails en cahotant, il y avait deux bœufs qui la suivaient, deux belles bêtes. D'autres charrettes passèrent, elle les regardait en s'abritant les yeux avec la main. Elle reconnut Maublanc, Tournus, Cauchois, ils ne faisaient pas attention à elle, ils passaient, tout droits sur leur siège, portant leurs fouets comme des sceptres, ils avaient l'air de mauvais rois. Son cœur se serra et elle leur cria : « C'est-il la guerre? » Mais personne ne lui répondit. Ils passèrent, dans leurs guimbardes cahotantes et bringuebalantes, les bœufs suivaient avec une noblesse comique, les voitures disparurent, l'une après l'autre, derrière le tournant, elle resta un moment, la main en visière au-dessus des yeux, à regarder dans le soleil levant, l'autocar filait comme le vent, tournait, virait en ronflant, elle pensait à Jean Matrat, son fiancé, qui faisait son service à Angoulême, dans un régiment de pionniers, les charrettes réapparurent, des mouches sur la route blanche, collées au flanc de la colline, l'autocar fonça entre les roches brunes, tourna, tourna, à chaque virage les Arabes étaient projetés les uns contre les autres et faisaient « Houeech » d'une voix pathétique. La femme voilée se dressa subitement et sa bouche, invisible sous la mousseline blanche, déversa d'affreuses imprécations; elle brandit au-dessus de sa tête des bras gros comme des cuisses, au bout des bras les mains légères et potelées, avec des ongles teints, dansaient; pour finir elle arracha son voile, se pencha par la portière et se mit à vomir en gémissant. « Ça y est, se dit Pierre, ça y est; ils vont nous dégueuler dessus. » Les charrettes n'avançaient pas, elles avaient l'air engluées sur la route. Louison les regarda longtemps : elles bougeaient, elles bougeaient tout de même, elles arrivaient une à une au sommet de la colline et puis on ne les voyait plus. Louison laissa retomber sa main et ses yeux éblouis clignotèrent, puis elle rentra pour s'occuper des petits. Pierre pensait à Maud, Mathieu pensait à Odette, il avait rêvé d'elle, ils se tenaient par la taille et ils chantaient la barcarolle des *Contes d'Hoffmann* sur le ponton du *Provençal*. A présent il était nu et suant sur son lit, il regardait le plafond et Odette lui tenait compagnie. « Si je ne suis pas mort d'ennui, c'est bien à elle que je le dois. » Une humeur blanchâtre tremblotait encore dans ses yeux, un peu de tendresse tremblotait encore dans son cœur. Une tendresse blanche, une triste petite tendresse de réveil, un prétexte à rester couché sur le dos quelques instants de plus. Dans cinq minutes l'eau froide coulerait sur sa nuque et dans ses yeux, la mousse de savon crépiterait dans ses oreilles, le dentifrice empâterait ses gencives, il n'aurait plus de tendresse pour personne. Des couleurs, des lumières, des odeurs, des sons. Et puis des mots, des mots courtois, des mots sérieux, des mots sincères, des mots drôles, des mots jusqu'au soir. Mathieu... pfftt! Mathieu, c'était un avenir. Il n'y a plus d'avenir. Il n'y a plus de Mathieu qu'en songe, entre minuit et cinq heures du matin. Chapin pensait : « Deux si belles bêtes! » La guerre, il s'en foutait : il faudrait voir. Mais ces bêtes-là, il les soignait depuis cinq ans, il les avait châtrées lui-même, ça lui crevait le cœur. Il donna un coup de fouet à son cheval et le fit obliquer vers la gauche; sa carriole passa lentement le

long de la charrette à Simenon. « Qu'est-ce que tu fous? dit Simenon. — J'en ai marre, dit Chapin, je voudrais être arrivé! — Tu
vas fatiguer tes bêtes, dit Simenon. — Je m'en fous bien, à présent »,
dit Chapin. Il avait envie de les gratter tous; il s'était mis debout,
il faisait claquer sa langue et criait : « Hue! Hue! », il glissa le long
de la charrette à Popaul, il glissa le long du char à Poulaille. « Tu
fais la course? » demanda Poulaille. Chapin ne répondit pas et Poulaille cria derrière lui : « Attention aux bêtes! Tu les esquintes! »
et Chapin pensa : « Je voudrais qu'elles crèvent. » On frappait; Chapin était en tête à présent et les autres le suivaient et frappaient
leurs chevaux, par émulation; on frappait, Mathieu s'était levé, il
se frottait les yeux; on frappait; l'autocar fit une embardée pour
éviter un Arabe à bicyclette qui portait une grosse musulmane voilée sur le cadre de son vélo; ON FRAPPAIT et Chamberlain sursauta,
il dit : « Holà! qu'est-ce que c'est? Qui frappe? » et une voix répondit : « Il est sept heures, Votre Excellence. » A l'entrée de la caserne,
il y avait une barrière de bois. Une sentinelle montait la garde
devant la barrière. Chapin tira sur les rênes et cria : « Ho! Ho! nom
de Dieu! » « Ah ben! dit la sentinelle. Ah ben! Et d'où c'est que vous
venez, comme ça? — Allez, lève ça, dit Chapin en montrant la
barrière. J'ai pas d'ordres, dit le soldat. D'où c'est que vous venez?
— Je te dis de lever ça. » Un adjudant sortit du poste de garde.
Toutes les charrettes s'étaient arrêtées; il les considéra un instant
et puis il siffla : « Qu'est-ce que vous venez foutre ici? demanda-t-il.
— Eh ben! on est mobilisé, dit Chapin. C'est-il que vous ne voulez
plus de nous, à cette heure? — T'as le fascicule? » demanda l'adjudant. Chapin se mit à fouiller dans ses poches, l'adjudant regarda
tous ces gars silencieux et sombres, immobiles sur leurs sièges, qui
avaient l'air de présenter les armes, et il se sentit fier sans savoir
pourquoi. Il avança d'un pas et cria : « Et les autres? Ils ont aussi
le fascicule? Sortez vos livrets. » Chapin avait retrouvé son livret
militaire. L'adjudant le prit et le feuilleta : « Eh bien? dit-il, t'as
le fascicule 3, couillon. Tu t'es trop pressé, ça sera pour la prochaine
fois. — Je vous dis que je suis mobilisé, dit Chapin. — Tu le sais
peut-être mieux que moi? dit l'adjudant. — Oui, je le sais, dit Chapin en colère. Je l'ai lu sur l'affiche. » Derrière eux les gars s'impa-
tientaient, Poulaille criait : « Alors? c'est-il fini? Est-ce qu'on entre? »
« Sur l'affiche? dit l'adjudant. Tiens, la voilà, ton affiche. Tu n'as
qu'à la regarder, si tu sais lire. » Chapin posa son fouet, sauta sur
le sol et s'approcha du mur. Il y avait trois affiches. Deux en couleurs : « Engagez-vous, rengagez-vous dans l'armée coloniale » et

une troisième toute blanche : « Rappel immédiat de certaines caté-
gories de réservistes. » Il lut lentement, à mi-voix, et dit en secouant
la tête : « C'est pas celle-là qu'on a mise chez nous. » Maublanc,
Poulaille, Fraigneau étaient descendus de voiture, ils regardaient
l'affiche et ils dirent : « C'est pas la nôtre, d'affiche. — D'où c'est
que vous êtes? demanda l'adjudant. — De Crevilly, dit Poulaille.
— Eh ben, je sais pas, dit l'adjudant, mais j'ai idée qu'il y a un
fameux con, à la gendarmerie de Crevilly. Enfin! donnez-moi vos
livrets et suivez-moi chez le lieutenant. » Sur la grand-place de Crevilly, devant l'église, les femmes entouraient Mᵐᵉ Reboulier, qui
faisait tant de bien au pays, il y avait la Marie et Stéphanie et la
femme du buraliste et la Jeanne Fraigneau. La Marie pleurait doucement, Mᵐᵉ Reboulier avait mis son grand chapeau noir, elle parlait en agitant son ombrelle : « Il ne faut pas pleurer, la Marie, il
faut serrer les dents. Ah! Ah! il faut serrer les dents. On vous le
rendra votre mari, vous verrez, avec des citations et des médailles.
Et ça n'est peut-être pas lui qui sera le plus malheureux, vous
savez! Parce que, cette fois-ci, tout le monde est mobilisé, les femmes
comme les hommes. »

Elle pointa son ombrelle vers l'est et se sentit rajeunie de vingt
ans. « Vous verrez, dit-elle, vous verrez! C'est peut-être les civils
qui gagneront la guerre. » Mais la Marie avait pris son air de bêtise
crasseuse, ses sanglots lui faisaient sauter les épaules et elle regardait le monument aux morts, à travers ses larmes, en gardant un
silence irritant. « A vos ordres », dit le lieutenant. Il pressait l'écouteur contre son oreille et disait : « A vos ordres. » Et la voix molle
et furieuse coulait intarissablement : « Et vous dites qu'ils sont partis? Ah! mon pauvre ami, vous avez fait du propre. Je ne vous le
cache pas, c'est un coup à vous faire casser! » Le père Croulard
traversait la place avec son pot de colle et ses pinceaux, un rouleau
blanc sous le bras. La Marie lui cria : « Qu'est-ce que c'est? Qu'est-ce
que c'est? » et Mᵐᵉ Reboulier nota avec impatience que ses yeux
brillaient d'un espoir stupide. Le père Croulard riait d'aise, il montra le rouleau blanc et il dit : « C'est rien. C'est le lieutenant qui
s'est trompé d'affiches! » Le lieutenant raccrocha l'écouteur et s'assit, les jambes molles. La voix résonnait encore à ses oreilles : « C'est
un coup à vous faire casser. » Il se releva et s'approcha de la fenêtre
ouverte : sur le mur d'en face, toute fraîche, encore humide, blanche
comme la neige, l'affiche s'épanouissait : « Mobilisation générale. »
La colère le prit à la gorge; il pensait : « Je lui avais bien dit d'enlever celle-là d'abord, mais il fera exprès de l'ôter en dernier. » Il

enjamba soudain le rebord de la fenêtre, courut à l'affiche et se mit
à la lacérer. Le père Croulard trempa son pinceau dans la colle,
Mme Reboulier le regardait faire avec regret, le lieutenant grattait,
grattait le mur, il avait des boulettes de pâte blanche sous les ongles;
Blomart et Cormier étaient restés dans la caserne; les autres étaient
revenus à leurs chevaux et se regardaient avec incertitude; ils avaient
envie de rire et de se mettre en colère, ils se sentaient vides comme
au lendemain de la foire. Chapin s'approcha de ses bœufs et les
flatta de la main. Ils avaient le mufle et le poitrail pleins de bave,
il pensa tristement : « Si j'avais su, je les aurais pas tant fatigués. »
« Qu'est-ce qu'on fait? demanda Poulaille, derrière son dos. — On
peut pas rentrer tout de suite, dit Chapin. Faut laisser reposer les
bêtes. » Fraigneau regardait la caserne et ça lui rappelait des souvenirs, il donna un coup de coude à Chapin et dit en riant sournoisement : « Dis donc! Si on y allait? — Où ça que tu veux aller,
mon gars? demanda Chapin. — Eh ben! dit Fraigneau, au bordel! »
Les gars de Crevilly l'entourèrent et lui donnèrent des claques sur
les épaules, ils rigolaient, ils disaient : « Sacré Fraigneau! Il a toujours de bonnes idées! » Chapin lui-même se dérida, il dit : « Je sais
où c'est, les gars; vous n'avez qu'à remonter en carriole, je vas
vous conduire. »

8 h. 30. Un skieur tournait déjà autour du tremplin, traîné par
un canot automobile; de temps à autre Mathieu entendait le ron-
flement du moteur et puis le canot s'éloignait, le skieur devenait
un point noir et l'on n'entendait plus rien. La mer, plate, dure et
blanche semblait une piste de patinage déserte. Tout à l'heure, elle
bleuirait, clapoterait, deviendrait liquide et profonde et ça serait
la mer de tout le monde, pleine de cris, piquetée de petites têtes
noires. Mathieu traversa la terrasse, suivit un moment la promenade.
Les cafés étaient encore fermés, deux autos passèrent. Il était sorti
sans but précis : pour acheter le journal, pour respirer l'épaisse odeur
de varech et d'eucalyptus qui traînait dans le port et puis pour
tuer le temps. Odette dormait encore, Jacques travaillait jusqu'à
dix heures. Il tourna dans une rue commerçante qui montait vers
la gare, deux jeunes Anglaises le croisèrent en riant; quatre personnes s'étaient assemblées autour d'une affiche. Mathieu s'approcha : ça ferait toujours passer un moment. Un petit monsieur à
barbiche hochait la tête. Mathieu lut :

« Par ordre du ministre de la Défense nationale et de la Guerre et
du ministre de l'Air, les officiers, sous-officiers et hommes de troupes
des réserves, porteurs d'un ordre ou fascicule de mobilisation de

couleur blanche, portant en surcharge le chiffre « 2 », se mettront en
route immédiatement et sans délai, sans attendre une notification
individuelle.

« Ils rejoindront le lieu de convocation indiqué sur leur ordre ou
fascicule de mobilisation dans les conditions précisées par ce document.

« Le samedi 24 septembre 1938 à 9 heures.

« Le ministre de la Défense nationale, de la Guerre et de l'Air. »

« Tt, tt, tt », fit le monsieur d'un air de blâme. Mathieu lui sourit et relut l'affiche avec attention : c'était un de ces documents
ennuyeux mais utiles à connaître qui, depuis quelque temps, remplissaient les journaux sous le nom de « Déclaration du Foreign
Office » ou « Communication du Quai d'Orsay ». Il fallait toujours
s'y mettre à deux fois pour en venir à bout. Mathieu lut : « Ils
rejoindront le lieu de convocation indiqué » et il pensa : « Mais j'ai
le fascicule 2, moi! » Tout d'un coup l'affiche se mit à le viser; c'était
comme si on avait écrit son nom à la craie sur le mur, avec des
insultes et des menaces. Mobilisé : c'était là, sur le mur — peut-être
aussi que ça pouvait déjà se lire sur sa figure. Il rougit et s'éloigna
précipitamment. « Fascicule 2. Ça y est. Je suis en train de devenir
intéressant. » Odette le regarderait avec une émotion contenue.
Jacques prendrait son air du dimanche et lui dirait : « Mon vieux,
je n'ai rien à te dire. » Mais Mathieu se sentait modeste et n'avait
pas envie de devenir intéressant. Il tourna sur la gauche dans la
première rue qui se présenta et hâta le pas : sur le trottoir de droite
il y avait un petit groupe sombre qui bruissait devant une affiche.
Dans toute la France. Deux par deux. Quatre par quatre. Devant
des milliers d'affiches. Et dans chaque groupe il y a bien au moins
un type qui tâte son portefeuille et son livret militaire à travers
l'étoffe de son veston et qui se sent devenir intéressant. Rue de la
Poste. Deux affiches, deux groupes. On parlait encore de lui. Il s'engagea dans une longue ruelle sombre. Celle-là, du moins, il en était
sûr, les colleurs d'affiches l'avaient épargnée. Il était seul, il pouvait
penser à lui. Il pensa : « Ça y est. » Ça y était : cette journée ronde
et pleine, qui devait mourir de vieillesse, paisiblement, sur place,
elle s'allongeait subitement, en flèche, elle fonçait dans la nuit avec
fracas, elle filait dans le noir, dans la fumée, dans les campagnes
désertes, à travers un tumulte d'essieux et de bogies et il glissait
dedans, comme dans un toboggan, il ne s'arrêterait qu'au bout de
la nuit, à Paris, sur le quai de la gare de Lyon. Déjà des lumières
fausses hantaient le plein jour : les futures lumières des gares noc-

turnes. Déjà une vague douleur hantait le fond de ses yeux : la
future douleur sèche des insomnies. Ça ne l'ennuyait pas : ça ou
autre chose... Ça ne l'amusait pas non plus : de toute façon, c'était
de l'anecdote, du pittoresque. « Il faudra que je demande l'heure
du train de Marseille », pensa-t-il. La ruelle le reconduisit insensi-
blement sur la Corniche. Il déboucha tout à coup, en pleine lumière,
et s'assit à la terrasse d'une brasserie qui venait d'ouvrir. « Un café
et l'indicateur. » Un monsieur à moustache argentée vint s'asseoir
près de lui. Une femme mûre l'accompagnait. Le monsieur ouvrit
l'*Éclaireur de Nice*, la dame se tourna vers la mer. Mathieu la regarda
un instant et devint triste. Il pensa : « Il faudra mettre de l'ordre
dans mes affaires. Installer Ivich à Paris, dans mon appartement,
lui donner une procuration pour qu'elle puisse toucher mon traitement. » La tête du monsieur réapparut au-dessus de son journal :
« C'est la guerre », dit-il. La dame soupira sans répondre; Mathieu
regarda les joues brillantes et polies du monsieur, sa veste de tweed,
sa chemise à rayures violettes et il pensa : « C'est la guerre. »

C'est la guerre. Quelque chose qui ne tenait plus à lui que par un
fil se détacha, se tassa et retomba en arrière. C'était sa vie; elle était
morte. Morte. Il se retourna, il la regarda. Viguier était mort, il
allongeait les mains sur le drap blanc, une mouche vivait sur son
front et son avenir s'étendait à perte de vue, illimité, hors de jeu,
fixe comme son regard fixe sous ses paupières mortes. Son avenir :
la paix, l'avenir du monde, l'avenir de Mathieu. L'avenir de Mathieu
était là, à découvert, fixe et vitreux, hors de jeu. Mathieu était
assis à une table de café, il buvait, il était par delà son avenir, il le
regardait et il pensait : « La paix. » Mme Verchoux montra Viguier
à l'infirmière, elle avait le torticolis et ses yeux la picotaient, elle
dit : « C'était un brave homme. » Et elle chercha un mot, un mot
un peu plus cérémonieux pour le qualifier; elle était sa plus proche
parente et c'était à elle de conclure. Le mot de « paisible » vint sur
sa langue, mais il n'était pas assez concluant. Elle dit : « C'était
un homme pacifique » et se tut. Mathieu pensa : « J'ai eu un avenir
pacifique. » Un avenir pacifique : il avait aimé, haï, souffert et
l'avenir était là, autour de lui, au-dessus de sa tête, partout, comme
un océan et chacune de ses rages, chacun de ses malheurs, chacun
de ses rires s'alimentait à cet avenir invisible et présent. Un sourire,
un simple sourire, c'était une hypothèque sur la paix du lendemain,
de l'année suivante, du siècle; sinon je n'aurais jamais osé sourire.
Des années et des années de paix future s'étaient déposées par
avance sur les choses et les avaient mûries, dorées; prendre sa montre,

la poignée d'une porte, une main de femme, c'était prendre la paix
entre ses mains. L'après-guerre était un commencement. Le commencement de la paix. On la vivait sans se presser, comme on vit
un matin. « Le jazz était un commencement, et le cinéma, que j'ai
tant aimé, était un commencement. Et le surréalisme. Et le communisme. J'hésitais, je choisissais longuement, j'avais le temps. Le
temps, la paix, c'était la même chose. A présent cet avenir est là,
à mes pieds, mort. C'était un faux avenir, une imposture. » Il regardait ces vingt années qu'il avait vécues étales, ensoleillées, une plaine
marine et il les voyait à présent comme elles avaient été : un nombre
fini de journées comprimées entre deux hauts murs sans espoir, une
période cataloguée, avec un début et une fin, qui figurerait dans les
manuels d'histoire sous le nom d'Entre-deux-guerres. « Vingt ans :
1918-1938. Seulement vingt ans! Hier ça semblait à la fois plus court
et plus long : de toute façon on n'aurait pas eu l'idée de compter,
puisque ça n'était pas terminé. A présent, c'est terminé. C'était un
faux avenir. Tout ce qu'on a vécu depuis vingt ans, on l'a vécu à
faux. Nous étions appliqués et sérieux, nous essayions de comprendre
et voilà : ces belles journées avaient un avenir secret et noir, elles
nous trompaient, la guerre d'aujourd'hui, la nouvelle Grande Guerre
nous les volait par-en dessous. Nous étions cocus sans le savoir. A
présent la guerre est là, ma vie est morte; c'était ça, ma vie : il
faut tout reprendre du début. » Il chercha un souvenir, n'importe
lequel, celui qui renaîtrait le premier, cette soirée qu'il avait passée
à Pérouse, assis sur la terrasse, mangeant une granite à l'abricot et
regardant au loin, dans la poussière, la calme colline d'Assise. Eh!
bien, c'était la guerre qu'il aurait fallu lire dans le rougeoiement du
couchant. « Si j'avais pu, dans les lueurs rousses qui doraient la
table et le parapet, soupçonner une promesse d'orage et de sang,
elles m'appartiendraient à présent, du moins aurais-je sauvé ça.
Mais j'étais sans méfiance, la glace fondait sur ma langue, je pensais : « Vieux ors, amour, gloire mystique. » Et j'ai tout perdu. »
Le garçon passait entre les tables, Mathieu le héla, paya et se leva
sans trop savoir ce qu'il faisait. Il laissait sa vie derrière lui, j'ai
mué. Il traversa la chaussée et alla s'accouder à la balustrade,
face à la mer.

Il se sentait sinistre et léger : il était nu, on lui avait tout volé.
« Je n'ai plus rien à moi, pas même mon passé. Mais c'était un faux
passé et je ne le regrette pas. » Il pensa : « Ils m'ont débarrassé de
ma vie. C'était une vie minable et ratée, Marcelle, Ivich, Daniel,
une sale vie, mais ça m'est égal, à présent, puisqu'elle est morte. A

partir de ce matin, depuis qu'ils ont collé ces affiches blanches sur
les murs, toutes les vies sont ratées, toutes les vies sont mortes. Si
j'avais fait ce que je voulais, si j'avais pu, une fois, une seule fois,
être libre, eh bien ça serait tout de même une sale duperie, puisque
j'aurais été libre pour la paix, dans cette paix trompeuse, et qu'à
présent je serais tout de même ici, face à la mer, appuyé à cette
balustrade, avec toutes les affiches blanches derrière mon dos; toutes
ces affiches qui parlent de moi, sur tous les murs de France, et qui
disent que ma vie est morte et qu'il n'y a jamais eu de paix : ça
n'était pas la peine de me donner tant de mal, pas la peine d'avoir
tant de remords. » La mer, la plage, les tentes, la balustrade : froides,
exsangues. Elles avaient perdu leur vieil avenir, on ne leur en avait
pas encore donné de neuf; elles flottaient dans le présent. Mathurin
flottait. Un survivant, nu sur une plage, au milieu de hardes gonflées d'eau, au milieu des caisses défoncées, des objets sans usage
défini que la mer a rejetés. Un jeune homme brun sortit d'une tente,
il avait l'air calme et vide, il regardait la mer en hésitant : « Un
survivant, nous sommes tous des survivants », les officiers allemands
souriaient et saluaient, le moteur tournait, l'hélice tournait, Chamberlain salua, sourit, fit volte-face et posa le pied sur l'échelle.

L'exil à Babylone, la malédiction sur Israël et le mur des lamenta-
tions, rien n'avait changé pour le peuple juif depuis le temps où ses
fils passaient enchaînés entre les tours rouges d'Assyrie, sous l'œil
cruel des conquérants à la barbe annelée. Schalom trottinait au
milieu de ces hommes aux cheveux noirs, aux boucles nettes et
cruelles. Il pensait que rien n'avait changé. Schalom pensait à Georges
Lévy. Il pensait : « Nous n'avons plus le sens de la solidarité entre
Juifs, voilà la véritable malédiction divine! » et il se sentait pathétique mais pas de trop mauvaise humeur, parce qu'il avait vu, sur
les murs, ces affiches blanches. Il avait demandé un secours à Georges
Lévy mais Georges Lévy était un homme dur, un Juif alsacien; il
avait refusé. Il n'avait pas exactement refusé, il avait gémi et s'était
tordu les bras, il avait parlé de sa vieille mère, de la crise. Mais tout
le monde savait qu'il détestait sa mère et qu'il n'y avait pas de crise
dans la fourrure. Schalom s'était mis, lui aussi, à gémir et il avait
levé ses bras tremblants vers le ciel, il avait parlé du nouvel exode
et des pauvres Juifs émigrés qui avaient souffert pour tous les autres
et dans leur chair. Lévy était un homme dur, un mauvais riche, il
avait gémi plus fort et il poussait Schalom vers la porte, de sa grosse
bedaine, en lui soufflant dans le nez. Schalom gémissait et reculait,
les bras en l'air, et il avait envie de sourire parce qu'il pensait à la

rigolade que devaient s'offrir les employés de l'autre côté de la porte. Au coin de la rue du Quatre-Septembre, il y avait une charcuterie miroitante et cossue; Schalom s'arrêta émerveillé, il regardait les andouillettes en gelée, les pâtés en croûte, les chapelets de saucisse en cuir verni, les cervelas pansus et ridés, avec leurs petits anus roses, et il songeait aux charcuteries de Vienne. Il évitait dans la mesure du possible de manger du porc, mais les pauvres émigrés sont obligés de se nourrir avec ce qu'ils trouvent. Quand il ressortit de la charcuterie, il portait au doigt, par une ficelle rose, un petit paquet si blanc, si délicat qu'on eût dit un paquet de gâteaux et il était scandalisé. Il pensait : « Tous les Français sont de mauvais riches. » Le peuple le plus riche de toute l'Europe. Schalom s'engagea dans la rue du Quatre-Septembre en appelant la malédiction du ciel sur les mauvais riches et, comme si le ciel l'avait exaucé, il vit du coin de l'œil un groupe de Français immobiles et muets devant une affiche blanche. Il passa tout contre eux, en baissant les yeux et en pinçant les lèvres, parce qu'il n'était pas bon en ce moment qu'un pauvre Juif fût surpris à sourire dans les rues de Paris. Birnenschatz, diamantaire : c'était là. Il hésita un instant, puis, avant de passer sous la porte cochère, il glissa son paquet de cervelas dans sa serviette. Les moteurs tournaient, tournaient, grondaient, les planches tremblaient, ça sentait l'éther et la benzine, l'autocar s'enfonçait dans les flammes, *oh! Pierre, tu es donc un lâche*, l'avion nageait dans le soleil, Daniel tapotait l'affiche du bout de sa canne, il disait : « Je suis très tranquille, nous ne sommes pas si bêtes que d'aller nous battre sans avions. » L'avion passait au-dessus des arbres, juste au-dessus, le docteur Schmitt leva la tête, le moteur grondait, il vit l'avion entre les feuilles, un éclat de mica dans le ciel, il pensa : « Bon voyage! Bon voyage! » et il sourit; les Arabes vaincus, résignés, livides, gisaient pêle-mêle au fond de la voiture, un négrillon sortit de la case, agita la main et regarda longtemps l'autocar qui s'en allait : « Vous avez vu le petit youtre, une livre de cervelas qu'il m'a achetée, rien que ça, je croyais qu'ils ne mangeaient pas de cochon! » Le négrillon et l'interprète rentraient à pas lents, la tête encore pleine du bruissement des moteurs. C'était une table de fer ronde, peinte en vert, avec un trou au milieu pour le manche du parasol, elle était tavelée de brun par endroits comme une poire, le journal était sur la table, *le Petit Niçois*, il n'était pas déplié. Mathieu toussa, elle était assise près de la table, elle avait pris le petit déjeuner au jardin, comment vais-je lui annoncer ça? Pas d'histoires, surtout pas d'histoires, si elle pouvait se taire, non, se taire c'est encore trop, se lever et dire : « Eh bien, je vais vous faire préparer des sandwiches pour le voyage. » Simplement. Elle était en robe de chambre, elle lisait son courrier. « Jacques n'est pas descendu, lui dit-elle. Il a travaillé tard cette nuit. » Ses premiers mots, chaque fois qu'ils se revoyaient, étaient toujours pour lui parler de Jacques, après ça il n'était plus question de lui. Mathieu sourit et toussa. « Asseyez-vous, dit-elle, il y a deux lettres pour vous. » Il prit les lettres, il demanda :

— Vous avez vu le journal ?

— Pas encore, Mariette l'a apporté avec le courrier et je ne me suis pas encore décidée à l'ouvrir. Je n'ai jamais été bien forte pour lire les journaux, mais, à présent, je les ai pris en grippe.

Mathieu souriait et approuvait de la tête, mais ses dents restaient serrées. C'était redevenu entre eux comme autrefois. Il avait suffi d'une affiche sur un mur et c'était redevenu entre eux comme autrefois : elle était redevenue la femme de Jacques, il ne trouvait plus rien à lui dire. « Du jambon cru, pensa-t-il. C'est ça que j'aimerais pour le voyage. »

— Lisez, lisez vos lettres, dit Odette vivement. Ne vous occupez pas de moi; d'ailleurs, il va falloir que je monte m'habiller.

Mathieu prit la première lettre qui était timbrée de Biarritz, c'était toujours un petit moment de gagné. Quand elle se serait levée il lui dirait : « A propos, je pars... » Non, ça aurait l'air trop dégagé. « Je pars. » Plutôt comme ça : « Je pars... » Il reconnut l'écriture de Boris et pensa avec remords : « Il y a plus d'un mois que je ne lui ai pas écrit. » L'enveloppe contenait une carte-lettre. Boris avait écrit sa propre adresse et mis un timbre sur la moitié gauche de la carte. Sur la droite, il avait tracé quelques lignes :

« Mon cher Boris,

« Je me porte { bien (1)
                mal

« Voici la raison de mon silence : irritation légitime, illégitime, mauvaise volonté, conversion brusque, folie, maladie, paresse, ignominie pure et simple (2).

« Je vous écrirai une longue lettre d'ici... jours.

« Veuillez accepter mes profondes excuses et l'expression de ma repentante amitié. »

Signature :

_____

(1) Biffer la mention inutile.
(2) *Id.*

— Vous riez tout seul, dit Odette.

— C'est Boris, dit Mathieu. Il est à Biarritz avec Lola. Il lui tendit la lettre et elle se mit à rire aussi :

— Celui-là est charmant, dit-elle. Est-ce qu'il a... est-ce qu'il a l'âge de?...

— Il a dix-neuf ans, dit Mathieu. Ça dépendra de la durée de la guerre.

Odette le regarda tendrement :

— Vos élèves vous mangent la soupe sur la tête, lui dit-elle.

Ça devenait de plus en plus difficile de lui parler. Mathieu décacheta l'autre lettre. Elle était de Gomez, le mari de Sarah. Mathieu ne l'avait pas revu depuis son départ pour l'Espagne. Il était colonel, à présent, dans l'armée régulière.

« Mon cher Mathieu,

« Je suis venu en mission à Marseille, où Sarah m'a rejoint avec le petit. Je repars mardi, mais pas sans vous avoir vu. Attendez-moi au train de quatre heures dimanche et retenez-moi une chambre n'importe où, je vais m'arranger pour faire un saut à Juan-les-Pins. Nous avons beaucoup de choses à nous dire.

« Amicalement.

GOMEZ. »

Mathieu mit la lettre dans sa poche, il pensait avec humeur : « Samedi c'est demain, je serai parti. » Il avait envie de revoir Gomez; en cet instant, c'était le seul de ses amis qu'il eût envie de revoir : celui-là savait un peu ce que c'était que la guerre. « Je pourrais peut-être le retrouver à Marseille, entre deux trains... » Il tira la lettre de sa poche, toute froissée : Gomez n'avait pas donné son adresse. Mathieu haussa les épaules avec agacement et rejeta la lettre sur la table; Gomez était resté pareil à lui-même, bien qu'il fût colonel : impérieux et impotent. Odette s'était décidée à déplier le journal, elle le tenait en l'air, au bout de ses beaux bras écartés, et elle le parcourait avec application.

— Oh! fit-elle.

Elle se tourna vers Mathieu et lui demanda sur un ton léger :

— Mais vous, vous n'avez pas le fascicule 2?

Mathieu se sentit rougir, il cligna des yeux :

— Si, dit-il, confus.

Odette le regardait avec dureté, comme s'il était coupable. Il ajouta précipitamment :

— Mais je ne pars pas aujourd'hui, je reste encore quarante-huit heures : j'ai un ami qui vient me voir.

Il se sentit soulagé par cette décision brusque : ça reculait les effusions presque au surlendemain : « Il y a un bout de chemin de Juan-les-Pins à Nancy, ils n'iront pas me faire des histoires pour quelques heures de retard. » Mais le regard d'Odette ne s'adoucissait pas et il se débattait sous ce regard, il répétait : « Je reste encore quarante-huit heures, je reste encore quarante-huit heures », pendant qu'Ella Birnenschatz nouait ses bras maigres et bruns autour du cou de son père.

— Ce que tu es chou, mon petit papa, dit Ella Birnenschatz.

Odette se leva brusquement :

— Eh bien, je vous laisse, dit-elle. Il faut tout de même que je m'habille, je pense que Jacques va bientôt descendre vous tenir compagnie.

Elle s'en fut en serrant sa robe de chambre sur ses hanches rondes et minces, Mathieu pensa : « Elle a été correcte. Pour ça, elle a été correcte » et il se sentit pénétré de reconnaissance. Quelle belle fille, quelle belle petite garce, il la repoussa en faisant les gros yeux, Weiss se tenait près de la porte, il avait l'air endimanché :

— Tu me mouilles, dit M. Birnenschatz en s'essuyant la joue. Et tu me mets du rouge. Quelle fricassée de museaux.

Ella se mit à rire :

— Tu as peur de ce que penseront tes dactylos. Tiens! dit-elle en l'embrassant sur le nez, tiens, tiens! Et il sentit des lèvres chaudes sur son crâne. Il l'attrapa par les épaules et l'écarta de toute la longueur de ses grands bras. Elle riait et se débattait, il pensait : « La belle fille, la belle petite fille. » La mère était grasse et molle avec de larges yeux apeurés et résignés qui le mettaient mal à l'aise, mais Ella tenait de lui et puis surtout elle ne tenait de personne, elle s'était faite elle-même et à Paris; « Je leur dis toujours : la race, qu'est-ce que c'est que ça la race, est-ce que vous prendriez Ella pour une Juive, si vous la rencontriez dans la rue? Mince comme une Parisienne, avec le teint chaud des filles du Midi et un petit visage raisonnable et passionné, un visage équilibré, reposant, sans tare, sans race, sans destin, un vrai visage *français*. » Il la lâcha, prit l'écrin sur le bureau et le lui tendit :

— Tiens, dit-il. Il ajouta, pendant qu'elle regardait les perles : « L'an prochain, elles seront deux fois plus grosses mais ce seront les dernières : le collier sera fini. »

Elle voulut encore l'embrasser, mais il lui dit : «Allez! bonne fête, bonne fête! Sauve-toi vite, tu vas être en retard pour ton cours. »

Elle s'en alla en jetant un sourire à Weiss; une jeune fille ferma la porte, traversa le bureau des secrétaires, s'en alla et Schalom, assis sur le bout des fesses, son chapeau sur ses genoux, pensa : « La belle petite Juive »; elle avait une petite tête de singe, toute ramassée en avant, qui aurait tenue dans le creux d'une main, avec de grands yeux myopes, fort beaux, ça devait être la fille de Birnenschatz. Schalom se souleva et fit un petit salut qu'elle ne parut pas remarquer. Il se rassit et pensa : « Elle a l'air trop intelligente; nous sommes comme ça, nous autres, nos expressions sont marquées au fer rouge sur nos visages; on dirait que nous les endurons comme un martyre. » M. Birnenschatz pensait aux perles, il se disait : « Ça n'est pas un mauvais placement. » Elles valaient cent billets, il pensa qu'Ella les avait acceptées sans transports excessifs et sans indifférence : elle connaissait le prix des choses mais elle trouvait naturel d'avoir de l'argent, de recevoir de beaux cadeaux, d'être heureuse. « Bon Dieu, quand je n'aurai fait que ça, moi, avec la femme que j'ai et tous les vieux de Cracovie derrière moi, si je n'ai réussi que ça, une petite gosse, fille de Juifs polonais, qui ne se casse pas trop la tête, qui ne s'amuse pas à se faire souffrir, qui trouve naturel d'être heureuse, je crois que je n'aurai pas perdu mon temps. » Il se tourna vers Weiss :

— Tu sais où elle va? demanda-t-il. Je te le donne en mille. A un cours en Sorbonne! C'est un phénomène.

Weiss sourit vaguement sans quitter son air emprunté.

— Patron, dit-il, je viens vous faire mes adieux.

M. Birnenschatz le considéra par-dessus ses lunettes.

— Tu t'en vas?

Weiss acquiesça de la tête et M. Birnenschatz lui fit les gros yeux :

— J'en étais sûr! Tu es assez bête pour avoir le fascicule 2, toi?

— C'est un fait, dit Weiss en souriant, je suis assez bête pour ça.

— Eh bien! dit M. Birnenschatz en croisant les bras, tu me mets dans de beaux draps! Qu'est-ce que je vais faire sans toi?

Il répéta distraitement : « Qu'est-ce que je vais faire sans toi? Qu'est-ce que je vais faire sans toi? » Il cherchait à se rappeler combien Weiss avait de gosses. Weiss le regardait de côté d'un air inquiet :

— Bah! Vous trouverez bien à me remplacer, dit-il.

— Ah non! Il va falloir déjà que je te paye à ne rien foutre; tu ne voudrais pas que je m'en mette un autre sur les bras par-dessus le marché. Ta place t'attendra, mon garçon.

Weiss avait l'air ému, il se frottait le nez en louchant, il était horriblement laid.

— Patron..., dit-il.

M. Birnenschatz l'interrompit : les remerciements, c'est obscène et puis il n'avait pas tellement de sympathie pour Weiss, parce que lui, alors, c'en était un qui portait son destin sur sa figure, avec ses yeux furtifs et cette grosse lèvre inférieure qui tremblait de bonté et d'amertume.

— Ça va, dit-il, ça va. Tu ne quittes pas la maison, tu la représentes auprès de messieurs les officiers de terre. Tu es lieutenant?

— Je suis capitaine, dit Weiss.

« Foutu capitaine », pensa M. Birnenschatz. Weiss avait l'air heureux, ses larges oreilles étaient cramoisies. Foutu capitaine — et c'est ça la guerre, la hiérarchie militaire.

— Quelle sacrée connerie, hein? dit-il.

— Hum! fit Weiss.

— Ça n'est pas une connerie?

— Bien sûr, dit Weiss. Mais je voulais dire : pour nous, ça n'est pas tellement une connerie.

— Pour nous? demanda M. Birnenschatz étonné. Pour nous? De qui parles-tu?

Weiss baissa les yeux :

— Pour nous, Juifs, dit-il. Après ce qu'ils ont fait aux Juifs d'Allemagne, nous avons une raison de nous battre.

M. Birnenschatz fit quelques pas, il était agacé :

— Qu'est-ce que c'est que ça : nous, Juifs? demanda-t-il. Connais pas. Je suis Français, moi. Tu te sens Juif?

— Mon cousin de Gratz est chez moi depuis mardi, dit Weiss. Il m'a montré ses bras. Ils l'ont brûlé du coude à l'aisselle avec leurs cigares.

M. Birnenschatz s'arrêta net, il saisit le dossier d'une chaise entre ses fortes mains et une rage sombre l'incendia jusqu'aux yeux :

— Ceux qui ont fait ça, dit-il, ceux qui ont fait ça...

Weiss souriait; M. Birnenschatz se calma :

— Ça n'est pas parce que ton cousin est Juif, Weiss. C'est parce que c'est un homme. Je ne peux pas supporter qu'on fasse violence à un homme. Mais qu'est-ce que c'est, un Juif? C'est un homme que les autres hommes prennent pour un Juif. Tiens, regarde Ella. Est-ce que tu la prendrais pour une Juive, si tu ne la connaissais pas?

Weiss n'avait pas l'air convaincu. M. Birnenschatz marcha sur lui et lui toucha la poitrine de son index tendu :

— Écoute, mon petit Weiss, voilà ce que je peux te dire : j'ai quitté
la Pologne en 1910, je suis venu en France. On m'y a bien reçu,
je m'y suis trouvé bien, je me suis dit : « C'est bon, à présent c'est
la France qui est mon pays. » En 1914 est venue la guerre. Bon :
j'ai dit : « Je fais la guerre, puisque c'est mon pays. » Et je sais ce
que c'est, la guerre, j'étais au Chemin des Dames, moi. Seulement
à présent, je vais te dire : je suis Français. Pas Juif, pas Juif français : Français. Les Juifs de Berlin et de Vienne, ceux des camps de
concentration, je les plains et puis ça me fait rager de penser qu'il
y a des hommes qu'on martyrise. Mais, écoute-moi bien, tout ce
que je pourrai faire pour empêcher qu'un Français, un seul Français, se fasse casser la gueule pour eux, je le ferai. Je me sens plus
proche du premier type que je rencontrerai tout à l'heure dans la
rue que de mes oncles de Lenz ou de mes neveux de Cracovie. Les
histoires de Juifs allemands, ça ne nous regarde pas.

Weiss avait l'air sournois et têtu. Il dit avec un sourire lamen-
table :

— Même si c'était vrai, patron, vous feriez mieux de ne pas le
dire. Il faut bien que ceux qui partent se trouvent des raisons de
partir.

M. Birnenschatz sentit le rouge de la confusion lui monter aux
pommettes. « Pauvre type », pensa-t-il avec remords.

— Tu as raison, lui dit-il, brusquement, je ne suis qu'un vieil
emplâtre et je n'ai rien à dire sur cette guerre, puisque je ne la fais
pas. Quand pars-tu?

— Par le train de 16 h. 30, dit Weiss.

— Le train d'aujourd'hui? Et alors? Qu'est-ce que tu fais ici?
Va vite, va vite chez ta femme. As-tu besoin d'argent?

— Pas pour l'instant, je vous remercie.

— Va-t'en. Tu m'enverras ta femme, je réglerai tout avec elle.
Allez, allez. Adieu.

Il ouvrit la porte et le poussa dehors. Weiss saluait et marmot-
tait d'inintelligibles remerciements. M. Birnenschatz aperçut, par-
dessus l'épaule de Weiss, un homme assis dans l'antichambre, son
chapeau sur les genoux. Il reconnut Schalom et fronça les sourcils :
il n'aimait pas qu'on fît poser les solliciteurs.

— Entrez, dit-il. Il y a longtemps que vous attendez?

— Une petite demi-heure, dit Schalom en souriant d'un air résigné. Mais qu'est-ce que c'est, une demi-heure? Vous êtes si occupé.
Moi, j'ai tout mon temps. Qu'est-ce que je fais, du matin au soir?
j'attends. La vie en exil n'est qu'une attente, vous le savez.

— Entrez, dit vivement M. Birnenschatz. Entrez. On aurait dû me prévenir.

Schalom entra; il souriait et saluait. M. Birnenschatz entra derrière lui et referma la porte. Il reconnaissait parfaitement Schalom : « Il a été quelque chose dans le mouvement syndicaliste bavarois. » Schalom s'amenait de temps en temps, le tapait de deux ou trois mille francs et disparaissait pour quelques semaines.

— Prenez un cigare.

— Je ne fume pas, dit Schalom avec un petit plongeon en avant. M. Birnenschatz prit un cigare, le tourna distraitement entre ses doigts et puis le remit dans l'étui.

— Alors? dit-il. Ça s'arrange pour vous?

Schalom cherchait une chaise.

— Asseyez-vous! Asseyez-vous, dit M. Birnenschatz avec empressement.

Non. Schalom n'avait pas envie de s'asseoir. Il s'approcha de la chaise et déposa sa serviette sur le siège, pour être plus à l'aise, puis, se retournant vers M. Birnenschatz, il émit un long gémissement mélodieux.

— Ah! ça ne s'arrange guère, dit Schalom. Il n'est pas bon que l'homme vive sur la terre des autres, on l'y supporte malaisément; on lui reproche le pain qu'il mange. Et cette méfiance qu'ils ont de nous, cette méfiance française. Quand je serai de retour à Vienne, voilà l'image que je garderai de la France : un escalier sombre qu'on monte péniblement, un bouton qu'on presse, une porte qui s'ouvre à demi : « Qu'est-ce que vous voulez? » et qui se referme. La police des garnis, la mairie, la queue à la préfecture de police. Au fond, c'est naturel, nous sommes chez eux. Seulement regardez un peu : on pourrait nous faire travailler; moi je ne demande qu'à me rendre utile. Mais pour trouver un emploi, il faut la carte de travail et pour avoir la carte de travail, il faut être employé quelque part. Avec la meilleure volonté du monde, je ne peux pas gagner ma vie. C'est peut-être ce que je supporte le moins facilement : être une charge pour les autres. Surtout quand ils vous le font sentir si cruellement. Et que de temps perdu : j'avais commencé à écrire mes mémoires, cela m'aurait procuré un peu d'argent. Mais il y a tant de démarches à faire dans une journée : j'ai dû tout abandonner.

Il était tout petit, tout vif, il avait posé sa serviette sur la chaise et ses mains libérées voletaient autour de ses oreilles rouges : « Ce qu'il peut avoir l'air juif, celui-là. » M. Birnenschatz se rapprocha nonchalamment de la glace et y jeta un coup d'œil rapide : un mètre quatre-vingts, le nez cassé, la tête d'un boxeur américain sous les grosses lunettes; non, nous ne sommes pas de la même espèce. Mais il n'osait pas regarder Schalom, il se sentait compromis. « Qu'il s'en aille. S'il pouvait s'en aller tout de suite. » Il n'y fallait pas compter. C'était seulement par la longueur de sa visite et l'animation enjouée de sa conversation que Schalom se distinguait à ses propres yeux d'un simple mendiant. « Il faut que je cause », pensa M. Birnenschatz. Schalom y avait droit. Il avait droit à ses trois billets et à son petit quart d'heure d'entretien. M. Birnenschatz s'assit sur le bord de son bureau. Sa main droite, qu'il avait plongée dans la poche de son veston, taquinait son étui à cigares.

— Les Français sont des hommes durs, dit Schalom. Sa voix montait et dégringolait prophétiquement, mais une flamme d'amusement tremblait dans ses yeux délavés. Des hommes durs. A leurs yeux un étranger est par principe un suspect, quand ce n'est pas un coupable.

« Il me parle comme si je n'étais pas Français. Parbleu : je suis Juif, Juif de Pologne, arrivé en France le 19 juillet 1910, personne ne s'en souvient ici, mais lui, il ne l'a pas oublié. Un Juif qui a eu de la chance. » Il se tourna vers Schalom et le considéra avec irritation. Schalom baissait un peu la tête et lui présentait son front, par déférence, mais il le regardait en face, sous ses sourcils arqués. Il le regardait, ses gros yeux pâles le voyaient Juif. Deux Juifs, bien à l'abri, bien isolés dans un bureau de la rue du Quatre-Septembre, deux Juifs, deux complices; et, tout autour d'eux, dans les rues, dans les autres maisons, rien que des Français. Deux Juifs, le gros youtre qui a réussi et puis le petit youpin mal nourri qui n'a pas eu de chance. Laurel et Hardy.

— Ce sont des hommes durs! dit Schalom. Des hommes impitoyables!

M. Birnenschatz haussa brusquement les épaules. « Il faut se mettre à... à leur place, dit-il sèchement — il n'avait pas pu dire : à notre place — savez-vous combien il y a d'étrangers en France depuis 1934?

— Je sais, dit Schalom, je sais. Et je trouve que c'est un grand honneur pour la France. Mais que fait-elle pour le mériter? Voyez : ses jeunes gens parcourent le Quartier latin et, si quelqu'un ressemble à un Juif, ils lui tombent dessus à coups de poing.

— Le ministère Blum nous a fait beaucoup de tort », observa M. Birnenschatz.

Il avait dit : nous; il avait accepté la complicité de ce petit métèque. Nous. Nous les Juifs. Mais c'était par charité. Les yeux de Schalom

le considéraient avec une insistance respectueuse. Il était maigre
et petit, ils l'avaient battu et chassé de Bavière, à présent il était
là, il devait coucher dans un hôtel sordide et passer ses journées au
café. « Et le cousin de Weiss, ils l'ont brûlé avec leurs cigares. »
M. Birnenschatz regardait Schalom et il se sentait poisseux. Ça
n'était pas de la sympathie qu'il avait pour lui, oh non : C'était...
c'était...

*Elle le regardait, elle pensait : « C'est un homme de proie. Ils sont
marqués et c'est par eux que les guerres arrivent. » Mais elle sentait
que son vieil amour n'était pas mort.*

M. Birnenschatz tâtait son portefeuille.

— Enfin, dit-il d'une voix bienveillante, espérons que tout cela
ne va pas durer trop longtemps.

Schalom pinça les lèvres et releva vivement sa petite tête. « J'ai
fait le geste trop tôt », pensa M. Birnenschatz.

*Un homme de proie. Il prend les femmes, il tue les hommes. Il
pense qu'il est un fort. Mais ça n'est pas vrai, il est marqué, voilà
tout.*

— Ça dépend des Français, dit Schalom. Si les Français recouvrent
le sens de leur mission historique...

— Quelle mission? demanda froidement M. Birnenschatz. Les
yeux de Schalom brillèrent de haine :

— L'Allemagne les provoque et les outrage de toutes les façons,
dit-il d'une voix dure et aiguë. Qu'est-ce qu'ils attendent? Est-ce
qu'ils croient désarmer la colère de Hitler? Chaque nouvelle démis-
sion de la France prolonge le régime nazi de dix ans. Et pendant ce
temps-là, nous sommes là, nous les victimes, nous attendons en
nous rongeant les poings. Aujourd'hui, j'ai vu les affiches blanches
sur les murs et j'ai un peu d'espoir. Mais hier encore je pensais :
« Les Français n'ont plus de sang dans les veines et je mourrai en
exil. »

Deux Juifs dans un bureau de la rue du Quatre-Septembre. Le
point de vue des Juifs sur les événements internationaux. *Je suis
Partout* écrira demain : « Ce sont les Juifs qui poussent la France à
la guerre. » M. Birnenschatz ôta ses lunettes et les essuya avec son
mouchoir : il était ivre de colère. Il demanda doucement :

— Et s'il y a la guerre, vous la ferez?

— Beaucoup d'émigrés s'engageront, j'en suis sûr, dit Schalom.
Mais regardez-moi, ajouta-t-il en désignant son petit corps malingre.
Quel conseil de revision voudrait de moi?

— Alors est-ce que vous allez nous foutre la paix? dit M. Birnen-

schatz d'une voix tonnante. Est-ce que vous allez nous foutre la paix?
Qu'est-ce que vous venez nous emmerder chez nous? Je suis Français, moi, je ne suis pas Juif allemand, je me fous des Juifs allemands. Allez la faire ailleurs, votre guerre.

Schalom le considéra un instant avec stupeur, puis il reprit son
sourire humble, allongea la main, s'empara de sa serviette et se
rapprocha de la porte à reculons. M. Birnenschatz tira son portefeuille de sa poche :

— Attendez, dit-il.

Schalom avait gagné la porte.

— Je n'ai besoin de rien, lui dit-il. Je demande quelquefois des
secours aux Juifs. Mais vous avez raison : vous n'êtes pas un Juif
et je me suis trompé d'adresse.

Il sortit et M. Birnenschatz regarda longtemps la porte sans faire
un geste. *C'est un homme dur, un homme de proie, ils ont une étoile et
tout leur réussit. Mais la guerre arrive par eux; et la mort et la douleur
par eux. Ils sont la flamme et l'incendie, ils font mal, il m'a fait mal,
je le porte comme une esquille de bois sous mes ongles, comme une
escarbille brûlante sous mes paupières, comme une écharde dans mon
cœur.* « C'est ça qu'elle pense de moi. » Il n'avait pas besoin d'aller le
lui demander, il la connaissait, s'il pouvait entrer dans cette tête
noire et crépue, il y trouverait à toute heure cette pensée fixe et
inexorable, c'est une dure, à sa façon, elle n'oublie jamais. Il se
penchait, en pyjama, au-dessus de la place Gélu, il faisait encore
frais, le ciel était bleu pâle, gris sur les bords, c'était l'heure où l'eau
ruisselle sur les carrelages, sur l'étal de bois des poissonniers, ça
sentait le départ et le matin. Le matin, le grand large et, là-bas, la
vie sans remords, les petites fumées rondes des grenades sur le sol
gercé de Catalogne. Mais derrière son dos, derrière la fenêtre entrebâillée, dans la chambre pleine de sommeil et de nuit, il y avait cette
pensée morte qui le guettait, qui le jugeait, il y avait son remords.
Il partirait demain, il les embrasserait sur le quai de la gare et elle
retournerait à l'hôtel avec le petit, elle descendrait en sautillant
l'escalier monumental, elle penserait : il est reparti pour l'Espagne.
Elle ne lui pardonnerait jamais d'être parti pour l'Espagne; c'était
une peau morte sur son cœur. Il se penchait au-dessus de la place
Gélu pour retarder le moment de rentrer dans la chambre : il avait
besoin de cris, de chants amers, de douleurs violentes et brèves, pas
de cette douceur affreuse. L'eau ruisselait sur la place. L'eau, les
odeurs mouillées du matin, les cris campagnards du matin. Sous les
platanes, la place était glissante, liquide, blanche et preste comme

un poisson dans la mer. Et, cette nuit, un nègre avait chanté et la nuit avait semblé lourde et sèche, une nuit espagnole. Gomez ferma les yeux, il se sentit traversé par l'âpre désir de l'Espagne et de la guerre. Elle ne comprend pas ça. Ni la nuit, ni le matin, ni la guerre.

— Pan, pan! Pan, pan, pan, pan, pan! criait Pablo à tue-tête.

Gomez se retourna et rentra dans la chambre. Pablo avait mis son casque, il avait pris sa carabine par le canon et s'en servait comme d'une masse d'armes. Il courait à travers la chambre d'hôtel en donnant dans le vide des coups énormes qui le déséquilibraient. Sarah le suivait de son regard mort.

— C'est un massacre, dit Gomez.

— Je les tue tous, répondit Pablo sans s'arrêter.

— Qui, tous?

Sarah était assise au bord du lit, en robe de chambre. Elle reprisait un bas.

— Tous les fascistes, dit Pablo.

Gomez se rejeta en arrière et se mit à rire :

— Tue-les! dit-il. N'en laisse pas un. Et celui-là, là-bas, tu l'oublies.

Pablo courut dans la direction que Gomez indiquait et zébra l'air de sa carabine.

— Pan, pan! fit-il. Pan, pan, pan. Pas de quartier!

Il s'arrêta et se tourna vers Gomez, haletant, l'air sérieux et passionné.

— Oh! Gomez, dit Sarah, tu vois! Comment as-tu pu?

Gomez avait acheté la veille une panoplie à Pablo.

— Il faut qu'il apprenne à se battre, dit Gomez en flattant la tête du petit. Sinon, il deviendra un capon, comme les Français.

Sarah leva les yeux sur lui et il vit qu'il l'avait profondément blessée.

— Je ne comprends pas, dit-elle, qu'on appelle les gens capons parce qu'ils n'ont pas envie de se battre.

— Il y a des moments où il faut avoir envie de se battre, dit Gomez.

— Jamais, dit Sarah. En aucun cas. Il n'y a rien qui vaille la peine que je me retrouve un jour sur une route avec ma maison en morceaux à côté de moi et mon petit écrasé dans mes bras.

Gomez ne répondit pas. Il n'y avait rien à répondre. Sarah avait raison. De son point de vue, elle avait raison. Mais le point de vue de Sarah était de ceux qu'il fallait négliger par principe, sinon on n'arriverait jamais à rien. Sarah eut un rire léger et amer :

— Quand je t'ai connu, tu étais pacifiste, Gomez.

— C'est qu'à ce moment-là il fallait être pacifiste. Le but n'a pas changé. Mais les moyens pour l'atteindre sont différents.

Sarah se tut, décontenancée. Elle gardait la bouche entrouverte et sa lèvre pendante découvrait ses dents cariées. Pablo fit un mouli-net avec sa carabine en criant :

— Attends un peu, sale Français, capon de Français.

— Tu vois, dit Sarah.

— Pablo, dit vivement Gomez, il ne faut pas taper sur les Fran-çais. Les Français ne sont pas fascistes.

— Les Français sont des capons, cria Pablo. Et il battit à coups de crosse les rideaux de la fenêtre qui s'envolèrent lourdement. Sarah ne dit rien, mais Gomez eût préféré ne pas voir le regard qu'elle jeta à Pablo. Ça n'était pas un regard dur, non : un regard étonné, plutôt, hésitant, elle avait l'air de voir son fils pour la première fois. Elle avait posé à côté d'elle le bas qu'elle reprisait et elle regardait ce petit étranger, cette saine petite brute qui faisait sauter les têtes et fracassait les crânes, et elle devait penser avec stupeur : « C'est moi qui l'ai fait. » Gomez eut honte : « Huit jours, pensa-t-il. Il a suffi de huit jours. »

— Gomez, dit brusquement Sarah, est-ce que tu crois vraiment qu'il va y avoir la guerre?

— J'espère bien, dit Gomez. J'espère que Hitler finira par forcer les Français à se battre.

— Gomez, dit Sarah, sais-tu ce que j'ai compris, ces derniers temps : c'est que les hommes sont méchants.

Gomez haussa les épaules :

— Ils ne sont ni bons ni méchants. Chacun suit son intérêt.

— Non, non, dit Sarah. Ils sont méchants. Elle ne quittait pas des yeux le petit Pablo, elle avait l'air de lui prédire son destin : « Méchants et acharnés à se nuire, ajouta-t-elle.

— Je ne suis pas méchant, dit Gomez.

— Si, dit Sarah sans le regarder. Tu es méchant, mon pauvre Gomez, tu es très méchant. Et tu n'as pas d'excuses : les autres sont malheureux. Mais toi tu es méchant et heureux. »

Il y eut un long silence. Gomez regardait cette nuque courte et grasse, ce corps disgracié qu'il avait tenu dans ses bras toutes les nuits, il pensait : « Elle n'a pas d'amitié pour moi. Ni de tendresse. Ni d'estime. Elle m'aime, tout simplement : lequel de nous deux est le plus méchant? »

Mais, tout d'un coup, le remords le reprit : il était arrivé, un soir,

de Barcelone, heureux, c'était vrai, profondément heureux. Il s'était
prêté huit jours. Il repartait demain. « Je ne suis pas bon », pensa-
t-il.

— Est-ce qu'il y a de l'eau chaude?

— Tiède, dit Sarah. Le robinet de gauche.

— Bon, dit Gomez. Eh bien, je vais me raser. Il entra dans le
cabinet de toilette, en laissant la porte grande ouverte, fit couler
de l'eau et choisit une lame : « Quand je serai parti, pensa-t-il, la
panoplie ne fera pas long feu. » Sans doute Sarah, à son retour, l'en-
fermerait-elle dans sa grande armoire à médicaments; à moins qu'elle
ne trouvât plus simple de l'oublier ici : « Elle ne lui enseigne que des
jeux de fille », pensa-t-il. Dans combien de temps reverrait-il Pablo
et qu'aurait-elle fait de lui? Pourtant le petit a l'air résistant! Il s'approcha du lavabo et les vit tous deux dans la glace. Pablo se tenait
au milieu de la chambre, essoufflé, cramoisi, les jambes écartées, les
mains dans les poches. Sarah s'était agenouillée devant lui et le regardait sans mot dire. « Elle veut savoir s'il me ressemble », pensa
Gomez. Il se sentit mal à l'aise et ferma la porte sans bruit.

« ... M'a rejoint avec le petit. Attendez-moi au train de quatre
heures dimanche et retenez-moi une... » une main se posa fortement
sur son épaule gauche, une autre main sur son épaule droite. Une
pression chaude et amicale. Ça y est : il remit la lettre dans sa poche
et leva les yeux.

— Salut.

— Odette vient de me dire... dit Jacques en plongeant son regard
dans les yeux de Mathieu : Mon pauvre vieux!

Il s'assit, sans quitter son frère des yeux, dans le fauteuil qu'Odette
venait d'abandonner; une main qui lui appartenait à peine remonta
habilement son pantalon; ses jambes se croisèrent toutes seules. Il
ignorait ces menus incidents locaux : il n'était plus qu'un regard.

— Tu sais, je ne pars pas aujourd'hui, dit Mathieu.

— Je sais. Tu ne crains pas qu'on te fasse des ennuis?

— Oh... à quelques heures près...

Jacques respira profondément :

— Qu'est-ce que tu veux que je te dise? En d'autres temps, quand
un type partait, on pouvait lui dire : défends tes enfants, défends ta
liberté ou ton domaine, défends la France, enfin on pouvait lui trouver des raisons pour risquer sa peau. Mais aujourd'hui...

Il haussa les épaules. Mathieu avait baissé la tête et raclait la terre
avec son talon.

— Tu ne réponds pas, dit Jacques d'une voix pénétrante. Tu aimes mieux ne pas parler, de peur d'en dire trop. Mais je sais ce que tu penses, va.

Mathieu frottait toujours son soulier contre le sol. Il dit sans lever la tête :

— Mais non, tu ne le sais pas.

Il y eut un bref silence, puis il entendit la voix incertaine de son frère :

— Qu'est-ce que tu veux dire?

— Eh bien, je ne pense rien du tout.

— Si tu veux, dit Jacques avec un agacement imperceptible. Tu ne penses rien mais tu es désespéré, c'est la même chose.

Mathieu se força à relever la tête et à sourire :

— Je ne suis pas désespéré non plus.

— Enfin, dit Jacques, tu ne vas pas me faire croire que tu pars résigné, comme un mouton qu'on mène à l'abattoir?

— Ben, dit Mathieu, je lui ressemble tout de même un peu, au mouton, tu ne trouves pas? Je pars parce que je ne peux pas faire autrement. Après ça, que cette guerre soit juste ou injuste, pour moi, c'est très secondaire.

Jacques renversa la tête en arrière et considéra Mathieu entre ses yeux mi-clos :

— Mathieu, tu m'étonnes. Tu m'étonnes énormément, je ne te reconnais plus. Comment? J'avais un frère révolté, cynique, mordant, qui ne voulait jamais être dupe, qui ne pouvait pas lever le petit doigt sans chercher à comprendre pourquoi il levait le petit doigt plutôt que l'index, le petit doigt de la main droite plutôt que celui de la main gauche. Là-dessus, voilà la guerre, on l'envoie en première ligne, et mon révolté, mon casseur d'assiettes part gentiment, sans s'interroger, en disant : « Je pars parce que je ne peux pas faire autrement. »

— Ça n'est pas ma faute, dit Mathieu. Je n'ai jamais pu arriver à me faire une opinion sur ce genre de questions.

— Enfin voyons, dit Jacques, c'est pourtant clair : nous sommes en présence d'un monsieur — je parle de Benès — qui s'est formellement engagé à faire de la Tchécoslovaquie une fédération sur le modèle helvétique. Il s'y est engagé, répéta-t-il avec force, je l'ai lu sur les procès-verbaux de la conférence de la Paix, tu vois que je te cite mes sources. Et cette promesse équivalait à donner aux Allemands des Sudètes une véritable autonomie ethnographique. Bon. Là-dessus ce monsieur oublie complètement ses engagements et fait administrer, juger, surveiller des Allemands par des Tchèques. Les

Allemands n'aiment pas ça : c'est leur droit strict. D'autant plus que je les connais, moi, ces fonctionnaires tchèques, j'y ai été en Tchécoslovaquie : ce qu'ils peuvent être enquiquinants! Eh bien, on voudrait que la France, pays, qu'ils disent, de la liberté, verse son sang pour que les fonctionnaires tchèques continuent à exercer leurs petites vexations sur des populations allemandes, et voilà pourquoi toi, professeur de philosophie au lycée Pasteur, tu vas aller passer tes dernières années de jeunesse à dix pieds sous terre, entre Bitche et Wissembourg. Alors, tu comprends, quand tu viens me dire que tu pars résigné et que tu te fous pas mal que cette guerre soit juste ou injuste, ça m'échauffe un peu les oreilles.

Mathieu regardait son frère avec perplexité; il pensait : « Autonomie ethnographique, j'aurais jamais trouvé ça. » Il dit tout de même, par acquit de conscience :

— Ce n'est pas l'autonomie ethnographique qu'ils veulent à présent, les Sudètes : c'est le rattachement à l'Allemagne.

Jacques fit une grimace de souffrance :

— S'il te plaît, Mathieu, ne parle pas comme mon concierge, ne les appelle pas les Sudètes. Les Sudètes, ce sont des montagnes. Dis : « Les Allemands des Sudètes si tu veux ou les Allemands tout court. » Alors? Ils veulent le rattachement à l'Allemagne? Eh bien, c'est qu'on les a poussés à bout. Si on leur avait donné au début ce qu'ils demandaient, nous n'en serions pas là. Mais Benès a rusé, finassé, parce que de gros bonnets de chez nous ont eu le tort immense de lui laisser croire qu'il avait la France derrière lui : et voilà le résultat.

Il regarda Mathieu avec tristesse :

— Tout cela, dit-il, je le supporterais à la rigueur : il y a beau temps que je sais ce que valent les politiciens. Mais que toi, un homme sensé, un universitaire, tu aies perdu les réflexes les plus élémentaires, au point de me soutenir tranquillement que tu t'en vas à la boucherie parce que tu ne peux pas faire autrement, cela je ne peux pas le supporter. Si vous êtes beaucoup à penser de cette façon, la France est foutue, mon pauvre vieux.

— Mais qu'est-ce que tu veux que nous fassions? demanda Mathieu.

— Comment? Mais nous sommes encore en démocratie, Thieu! Il y a encore une opinion publique en France, je suppose.

— Et après?

— Eh bien! si des millions de Français, au lieu de s'épuiser en vaines querelles, s'étaient dressés tous ensemble, s'ils avaient dit à nos gouvernants : « Les Allemands des Sudètes veulent rentrer dans le sein de la Germania? Qu'ils y rentrent : c'est eux que ça regarde! » Il ne se serait pas trouvé un homme politique pour risquer une guerre à propos de cette vétille.

Il posa une main sur le genou de Mathieu et reprit sur un ton conciliant :

— Je sais que tu n'aimes pas le régime hitlérien. Mais enfin, on peut bien ne pas partager tes préventions contre lui : c'est un régime jeune, allant, qui a fait ses preuves et qui exerce sur les nations d'Europe centrale une indiscutable attraction. Et puis, de toute façon, c'est leur affaire : nous n'avons pas à nous en mêler.

Mathieu étouffa un bâillement et ramena ses jambes sous sa chaise; il jeta un regard sournois sur le visage un peu bouffi de son frère et pensa qu'il vieillissait.

— Peut-être, dit-il docilement, peut-être as-tu raison.

Odette descendit l'escalier et s'assit auprès d'eux en silence. Elle avait la grâce et la tranquillité d'une bête familière : elle s'asseyait, repartait, revenait s'asseoir, sûre de passer inaperçue. Mathieu se tourna vers elle avec agacement : il n'aimait pas les voir ensemble. Quand Jacques était là, le visage d'Odette ne changeait pas, il restait lisse et fuyant, comme celui d'une statue aux yeux sans prunelles. Mais on était obligé de le lire autrement.

— Jacques trouve que je ne suis pas assez triste de partir, dit-il en souriant. Il cherche à me mettre la mort dans l'âme en m'expliquant que je vais me faire tuer pour rien.

Odette lui rendit un sourire. Ce ne fut pas le sourire mondain qu'il attendait, mais un sourire pour lui tout seul; en un instant la mer fut de nouveau là, et le balancement léger de la mer et les ombres chinoises qui couraient sur les flots et la coulée de soleil qui palpitait dans la mer, et les agaves verts et les aiguilles vertes qui tapissaient le sol et l'ombre pointilliste des grands pins et la chaleur ronde et blanche et l'odeur de résine, toute l'épaisseur d'un matin de septembre à Juan-les-Pins. « Chère Odette. Mal mariée, mal aimée »; mais avait-on le droit de dire qu'elle avait perdu sa vie, quand elle pouvait, d'un sourire, faire renaître un jardin au bord de l'eau et la chaleur de l'été sur la mer? Il regarda Jacques, jaune et gras; ses mains tremblaient, il frappait sur le journal avec emportement : « De quoi a-t-il peur? » pensa Mathieu. Le samedi 24 septembre à onze heures du matin, Pascal Montastruc, né à Nîmes le 6 février 1899 et surnommé le Borgne parce qu'il s'était planté un couteau dans l'œil gauche le 6 août 1907 en essayant de couper les cordes de la balan-

çoire de son petit camarade Julot Truffier pour voir ce que ça donnerait, vendait, comme tous les samedis, des iris et des boutons-d'or
sur le quai de Passy, un peu en avant de la station de métro; il avait
sa technique personnelle, il prenait les bouquets, les beaux bouquets
dans son panier d'osier posé sur un pliant, et descendait sur la chaussée, les autos filaient en klaxonnant, il criait : « Les bouquets, les
beaux bouquets pour vot' dame » en brandissant le bouquet jaune,
la voiture fonçait sur lui, comme le taureau dans l'arène, et il ne
bougeait pas, il rentrait le buffet, il rejetait la tête en arrière, il laissait filer l'auto contre lui comme une grosse bête stupide et criait par
la portière ouverte : « Les bouquets, les beaux bouquets! » et d'ordinaire les automobilistes s'arrêtaient, il grimpait sur le marchepied
et l'auto venait se ranger contre le trottoir, parce que c'était le oui-
quinde et qu'ils aimaient bien rentrer dans leurs beaux immeubles
de la rue des Vignes ou de la rue du Ranelagh avec des bouquets
pour leurs dames. « Les beaux bouquets », il sauta en arrière pour
éviter l'auto, la centième qui passait sans s'arrêter : « Va donc! »
Je ne sais pas ce qu'ils ont ce matin. Ils conduisaient vite et brutal,
penchés sur leurs volants, sourds comme des pots. Ils ne tournaient
pas dans la rue Charles-Dickens ou dans l'avenue de Lamballe, ils
enfilaient les quais à toute pompe, comme s'ils voulaient pousser
jusqu'à Pontoise, Pascal le Borgne n'y comprenait plus rien : « Mais
où c'est-il qu'ils vont? où c'est-il qu'ils vont? » qu'il s'en allait en
regardant son panier plein de fleurs jaunes et roses, que c'en était
une pitié.

— C'est de la pure folie, dit-il. Le plus beau suicide de l'histoire.
Comment? La France a subi deux terribles saignées en cent ans,
une au temps des guerres de l'Empire, l'autre en 1914; en plus de
ça le taux des naissances décroît chaque jour. Et c'est le moment
qu'on choisirait pour déchaîner une nouvelle guerre qui nous coûte-
rait trois à quatre millions d'hommes? Trois ou quatre millions
d'hommes que nous ne pourrions plus refaire, dit-il en martelant
les mots. Vainqueur ou vaincu, le pays passe au rang de nation
de second ordre : voilà une certitude. Et puis il y en a une autre
que je vais te dire : la Tchécoslovaquie sera bouffée avant que nous
ayons eu le temps de dire ouf. Il n'y a qu'à regarder une carte : elle
a l'air d'un quartier de viande entre les mâchoires du loup allemand.
Que le loup serre un peu les mâchoires...

— Mais, dit Odette, ça ne serait que provisoire, on reconstituerait
l'État tchécoslovaque après la guerre.

— Ah oui? dit Jacques en riant insolemment. Ah! je te crois bien!

Il y a toute apparence en effet que les Anglais laissent reconstituer le foyer d'incendie. Quinze millions d'habitants, neuf nationalités différentes, c'est un défi au bon sens. Il ne faut pas que les Tchèques s'y trompent, ajouta-t-il avec sévérité, leur intérêt vital est d'éviter cette guerre coûte que coûte.

De quoi a-t-il peur? Il regardait filer les voitures, serrant dans sa main son bouquet inutile, ça ressemblait à la route de Chantilly, un soir de courses, il y en avait qui portaient des malles, des matelas, des voitures d'enfants, des machines à coudre sur leurs toits; et toutes étaient pleines à craquer de valises, de colis, de paniers. « Sans blague! » dit Pascal le Borgne. Elles filaient, si lourdement chargées qu'à chaque ressaut les garde-boue raclaient les pneus. « Ils foutent le camp, pensa-t-il, ils foutent le camp. » Il fit un léger saut en arrière pour éviter une Salmson, mais il ne songeait pas à remonter sur le trottoir. Ils foutaient le camp, les messieurs aux visages poncés, massés, les enfants gras, les belles madames, ils avaient le feu au cul, ils foutaient le camp devant les Boches, devant les bombardements, devant le communisme. Il y perdait tous ses clients. Mais il trouvait ça si farce, ce défilé de voitures, cette fuite éperdue vers la Normandie, ça le payait de tant de choses, qu'il resta sur la chaussée, frôlé au passage par les voitures fuyardes et qu'il se mit à rigoler de tout son cœur.

— Et par où, je te prie, pourrons-nous les secourir? Parce qu'enfin il nous faudrait tout de même attaquer l'Allemagne. Alors? Par où? Dans l'Est, il y a la ligne Siegfried, nous nous casserions le nez. Au Nord, il y a la Belgique. Allons-nous violer la neutralité belge? Mais dites, dites : par où? Faudra-t-il faire le tour par la Turquie? C'est du pur roman. Tout ce que nous pourrions faire, c'est attendre, l'arme au pied, que l'Allemagne ait réglé le compte de la Tchécoslovaquie. Après quoi, elle viendrait nous régler le nôtre...

— Eh bien, dit Odette, c'est à ce moment-là que...

Jacques tourna vers elle un regard de mari :

— De quoi? demanda-t-il froidement. Il se pencha vers Mathieu : « Je t'ai parlé de Laurent, qui a été grand manitou à Air-France et qui est resté le conseiller de Cot et de Guy La Chambre? Eh bien, je te livre sans commentaires ce qu'il m'a dit en juillet dernier : l'armée française dispose en tout et pour tout de quarante bombardiers et de soixante-dix chasseurs. Si tout est à l'avenant, les Allemands seront à Paris pour le Jour de l'An.

— Jacques! » dit Odette furieuse.

De quoi a-t-il peur? Pascal riait, riait, il avait laissé tomber son

bouquet pour rire à son aise, il fit un saut en arrière, une roue de
l'auto passa sur les tiges du bouquet. « De quoi a-t-il peur? Elle est
furieuse parce qu'on s'est permis d'envisager la défaite de la France.
Elle n'est pas tout à fait sympathique : les mots lui font peur. Ils ont
peur des zeppelins et des taubes, je les ai vus moi en 1916, ils n'en
menaient pas large et ça recommence »; les autos passaient à toute
vitesse sur les tiges broyées, et Pascal avait les larmes aux yeux,
tant il trouvait ça farce. Maurice ne trouvait pas ça drôle du tout.
Il avait payé la tournée aux copains et les omoplates lui cuisaient
encore des larges tapes qu'il avait reçues. A présent, il était seul et
tout à l'heure il faudrait annoncer ça à Zézette. Il vit l'affiche
blanche sur le haut mur gris des usines Penhoët et il s'approcha, il
avait besoin de la relire seul et lentement :

« Par ordre du ministre de la Défense nationale et de la Guerre
et du ministre de l'Air. » La mort, ça n'était pas bien terrible, c'était
un accident de travail, Zézette était dure, elle était assez jeune pour
refaire sa vie, c'est toujours tellement simple quand on n'a pas de
gosses. Pour le reste, eh bien, il allait partir et puis, à la fin, il garde-
rait son fusil, c'était une affaire entendue. Mais quand la fin vien-
drait-elle? Dans deux ans? Dans cinq ans? La dernière avait duré
cinquante-deux mois. Pendant cinquante-deux mois, il faudrait
obéir aux sergents, aux juteux, à toutes ces gueules de vaches qu'il
avait tant haïes. Leur obéir au doigt et à l'œil, les saluer dans la rue
alors qu'il était obligé d'enfoncer ses mains dans ses poches, quand il
en rencontrait un, pour s'empêcher d'aller lui taper dans la figure.
En secteur, ils doivent se tenir à peu près pénards, ils ont la frousse
de la balle dans le dos; mais au repos, ils font chier le bonhomme
comme à la caserne. « Oh! vienne le jour de la première attaque,
comment que je le descendrai, moi, le juteux qui marchera devant
moi. » Il reprit sa marche, il se sentait triste et doux comme au
temps où il faisait de la boxe et qu'il se déshabillait au vestiaire, un
quart d'heure avant le match. La guerre était une longue, longue
route, il ne fallait pas trop y penser, sinon on finissait par trouver
que rien n'avait de sens, même pas la fin, même pas le retour avec
le fusil au poing. Une longue, longue route. Et peut-être qu'il crève-
rait à moitié chemin, comme s'il n'avait eu d'autre but que de se
faire trouer la peau pour défendre les usines Schneider ou le coffre
de M. de Wendel. Il marchait dans la poussière noire entre le mur
des usines Penhoët et celui des chantiers Germain; il voyait, assez
loin sur sa droite, les toits inclinés des ateliers des chemins de fer
du Nord, et puis, plus loin encore, la grande cheminée rouge de la

brûlerie et il pensait : « Une longue, longue route. » Le Borgne riait
entre les autos, Maurice marchait dans la poussière et Mathieu était
assis au bord de la mer, il écoutait Jacques, il se disait : « Peut-être
a-t-il raison », il pensait qu'il allait dépouiller ses vêtements, sa pro-
fession, son identité, partir nu pour la plus absurde des guerres, pour
une guerre perdue d'avance, et il se sentait couler au fond de l'anony-
mat; il n'était plus rien, ni le vieux professeur de Boris, ni le vieil
amant de la vieille Marcelle, ni le trop vieil amoureux d'Ivich; plus
rien qu'un anonyme, sans âge, dont on avait volé l'avenir et qui avait
devant lui des journées imprévisibles. A onze heures trente, l'autocar
s'arrêta à Safi et Pierre en sortit pour se dérouiller les jambes. Des
cases plates et jaunes sur le bord de la route bitumée; par derrière,
Safi, invisible, dégringolait vers la mer. Des Arabes cuisaient, accroupis sur une large bande de terre ocre, l'avion volait au-dessus d'un
damier jaune et gris, c'était la France. « Ce qu'ils peuvent s'en foutre
ceux-là », pensa Pierre avec envie; il marchait entre les Arabes, il
pouvait les toucher et pourtant il n'était pas présent parmi eux :
ils fumaient tranquillement leur kif au soleil et lui, il allait se faire
casser la gueule en Alsace; il buta contre une motte de terre, l'avion
tomba dans un trou d'air et le vieillard pensa : « Je n'aime pas
l'avion. » Hitler se penchait sur la table, le général désignait la carte
et disait : « Cinq brigades de chars. Mille avions partiront de Dresde,
de Tempelhof, de Munich » et Chamberlain pressait son mouchoir
sur sa bouche et pensait : « C'est mon deuxième voyage en avion. Je
n'aime pas les voyages en avion. » « Ils ne peuvent pas m'aider; ils
sont accroupis, sous le soleil, semblables à de petites casseroles d'eau
fumante, ils sont contents, ils sont seuls sur la terre; ah! pensa-t-il
avec désespoir, mon Dieu! mon Dieu! si je pouvais être Arabe! »
    A onze heures quarante-cinq, François Hannequin, pharmacien
de première classe à Saint-Flour, 1 m. 70, nez droit, front moyen,
strabisme léger, barbe en collier, forte odeur de la bouche et des
poils du sexe, entérite chronique jusqu'à sept ans, complexe d'Œdipe
liquidé aux environs de la treizième année, baccalauréat à dix-sept
ans, masturbation jusqu'au service militaire à raison de deux ou
trois pollutions par semaine, lecteur du *Temps* et du *Matin* (par
abonnement), époux sans enfants de Dieulafoy, Espérance, catho-
lique pratiquant à raison de deux ou trois communions par trimestre,
monta au premier étage, entra dans la chambre nuptiale où sa
femme essayait un chapeau et dit : « C'est bien ce que je te disais,
ils appellent les fascicules 2. » Sa femme posa le chapeau sur la coiffeuse, ôta les épingles de sa bouche et dit : « Alors, tu pars cet

après-midi? » Il dit : « Oui, par le train de cinq heures. — Bon sang!
dit sa femme, je suis toute retournée, je n'aurai jamais le temps de
tout te préparer. Qu'est-ce que tu emporteras, dit-elle, des chemises,
naturellement, et des caleçons longs, tu en as en laine, en mousseline et en coton, il vaut mieux la laine. Oh, et puis des ceintures
de flanelle, si tu pouvais en prendre cinq ou six, en les roulant.
— Pas de ceinture, dit Hannequin, c'est des nids à poux. — Quelle
horreur, mais tu n'auras pas de poux. Emporte-les, je t'en prie,
pour me faire plaisir; une fois là-bas tu verras bien que tu peux
en faire. Heureusement que j'ai encore des conserves, tu vois, c'est
celles que j'ai achetées en 36, au moment des grèves, tu te moquais
de moi, j'ai une boîte de choucroute au vin blanc, mais tu n'aime-
ras pas ça... — Ça me donne des aigreurs. Mais, dit-il en se frottant
les mains, si tu avais une petite boîte de cassoulet... — Une boîte
de cassoulet, dit Espérance, ah! mon pauvre ami, et comment feras-tu
pour la réchauffer? — Bah! dit Hannequin. — Comment bah? Mais
ça se chauffe au bain-marie. — Eh bien, il y a du poulet en gelée,
non? — Ah! c'est ça, du poulet en gelée et puis une belle morta-
delle que les cousins de Clermont ont envoyée. » Il rêva un instant
et dit : « J'emporterai mon couteau suisse. — Oui. Et où est-ce que
je vais avoir mis la bouteille thermos pour ton café? — Ah oui! du
café, il faut quelque chose de chaud pour tenir au ventre; c'est la
première fois, depuis que je suis marié, que je mangerai sans soupe,
dit-il en souriant mélancoliquement. Mets-moi quelques prunes, pendant que tu y es, et puis une fiole de cognac. — Tu prends la valise
jaune? » Il sursauta : « La valise? Jamais de la vie, c'est incommode
et puis je ne tiens pas à la perdre; on vole tout là-bas, je vais prendre
ma musette. — Quelle musette? — Eh bien, celle que je prenais
pour aller à la pêche, avant notre mariage. Qu'est-ce que tu en as
fait? — Ce que j'en ai fait? Ah! je ne sais pas, mon pauvre ami,
tu me fais perdre la tête, je l'ai mise au grenier, je pense. — Au
grenier! Bon dieu, avec les souris! Ça va être du propre. — Tu ferais
tellement mieux d'emporter la valise, elle n'est pas grande, tu pourras très bien la surveiller. Ah! je sais où elle est : chez Mathilde, je
la lui ai prêtée pour son pique-nique. — Tu as prêté ma musette à
Mathilde? — Mais non, qu'est-ce que tu me parles de musette? La
bouteille thermos, je te dis. — Enfin, je veux ma musette —, dit
Hannequin fermement. — Ah! mon chéri, qu'est-ce que tu veux que
je te dise, vois tout ce que j'ai à faire, aide-moi un peu, cherche-la
toi-même, ta musette, tu pourrais regarder au grenier. » Il monta
l'escalier et poussa la porte du grenier, ça sentait la poussière, on

n'y voyait goutte, une souris lui détala entre les jambes : « Sacré nom de Dieu, les rats vont l'avoir bouffée », pensa-t-il.

Il y avait des malles, un mannequin d'osier, une mappemonde, un vieux four, un fauteuil de dentiste, un harmonium, il fallait déranger tout ça. Si au moins elle avait eu l'idée de la mettre dans une malle, à l'abri. Il ouvrit les malles l'une après l'autre et il les refermait avec colère. Elle était si commode, en cuir, avec une fermeture éclair, c'est fou ce qu'on pouvait y faire entrer et elle avait deux compartiments. Ce sont précisément ces choses-là qui vous aident à passer les mauvais moments; on ne se doute pas comme c'est précieux : « En tout cas je ne partirai pas avec la valise, pensa-t-il avec colère, j'aimerais mieux ne rien emporter. »

Il s'assit sur une malle, il avait les mains noires de poussière, il sentait la poussière comme une colle sèche et rêche sur tout son corps, il tenait les mains en l'air pour ne pas tacher son veston noir, il lui semblait qu'il n'aurait jamais le courage de sortir du grenier, je n'ai plus de goût à rien, et cette nuit qu'il allait passer sans même une soupe chaude pour lui tenir au ventre, tout était si vain, il se sentait seul et perdu, là-haut, tout en haut, sur sa malle, avec cette gare bruyante et sombre qui l'attendait, à deux cents mètres au-dessous de lui, mais le cri vibrant d'Espérance le fit sursauter; c'était un cri de triomphe : « Je l'ai! Je l'ai! » Il ouvrit la porte et courut à l'escalier : « Où était-elle? — J'ai ta musette, elle était en bas dans le placard du cellier. » Il descendit l'escalier, prit la musette des mains de sa femme, l'ouvrit, la regarda et la brossa du plat de la main, puis, la posant sur le lit, il dit : « Dis donc, ma chérie, je me demandais si je ne ferais pas bien de m'acheter une bonne paire de souliers? »

A table! A table! ils s'étaient engagés dans le tunnel aveuglant de midi; dehors, le ciel blanc de chaleur, dehors les rues mortes et blanches, le no man's land, dehors la guerre; derrière les volets clos, ils cuisaient à l'étouffée, Daniel mit sa serviette sur ses genoux, Hannequin noua sa serviette autour de son cou, Brunet prit la serviette en papier sur la table, la froissa et s'essuya les lèvres, Jeannine poussa Charles dans la grande salle à manger presque déserte, aux vitres striées de lueurs crayeuses, et elle lui étala sa serviette sur la poitrine; c'était la trêve : la guerre, eh bien, oui, la guerre, mais la chaleur! le beurre dans l'eau, la grosse motte au fond, aux contours flous et huileux, l'eau grasse et grise par-dessus et les petits bouts de beurre morts qui flottaient le ventre en l'air, Daniel regardait fondre les coquillettes de beurre dans le ravier, Brunet s'épon-

gea le front, le fromage suait dans son assiette comme un brave
homme au travail, la bière de Maurice était tiède, il repoussa son
verre : « Pouah! On dirait de la pisse! » Un glaçon nageait dans le
vin rouge de Mathieu, il but, il eut d'abord de l'eau froide dans la
bouche, puis une petite mare de vin éventé encore un peu chaud
qui fondit tout aussitôt en eau; Charles tourna un peu la tête et
dit : « Encore de la soupe! Il faut être cinglé pour servir de la soupe
en plein été. » On lui posa son assiette sur la poitrine, elle lui chauffait la peau à travers la serviette et la chemise, il voyait tout juste
le rebord de faïence, il plongea sa cuiller au jugé, l'éleva verticale-
ment, mais quand on est sur le dos on n'est jamais très sûr de la
verticale, une partie du liquide retomba dans l'assiette en clapotant, Charles ramena lentement la cuiller au-dessus de ses lèvres, il
l'abaissa par côté et merde! C'est toujours pareil, le liquide brûlant
coula sur sa joue et inonda son col de chemise. La guerre, ah oui!
la guerre. « Non, non, dit Zézette, pas la radio, je ne veux plus, je
ne veux plus y penser. — Mais si, un peu de musique », dit Maurice. Chersau, goodb, ch chrrr, mon étoile, informations, les som-
breros et les mantilles, *J'attendrai* demandé par Huguette Arnal,
par Pierre Ducroc, sa femme et ses deux filles à la Roche-Canillac,
par Mlle Éliane à Calvi et Jean-François Roquette pour sa petite
Marie-Madeleine et par un groupe de dactylos de Tulle pour leurs
soldats, j'attendrai, le jour et la nuit, reprenez donc un peu de bouil-
labaisse, non merci, dit Mathieu, ça ne peut pas ne pas s'arranger,
la radio crépitait, filait au-dessus des places blanches et mortes,
crevait les vitres, entrait en ville dans les étuves sombres, Odette
pensait : ça ne peut pas ne pas s'arranger, c'était une évidence,
il faisait si chaud. Mlle Éliane, Zézette, Jean-François Roquette et
la famille Ducroc de la Roche-Canillac pensaient : ça ne peut pas
ne pas s'arranger; il faisait si chaud. Qu'est-ce que vous voulez
qu'ils fassent, demanda Daniel, c'était une fausse alerte, pensait
Charles, ils vont nous laisser là. Ella Birnenschatz posa sa fourchette, rejeta la tête en arrière, elle dit : Eh bien moi, la guerre,
je n'y crois pas. J'attendrai toujours ton retour; l'avion volait
au-dessus d'une vitre poussiéreuse, posée à plat; au bout de la vitre,
très loin, on voyait un peu de mastic, Henry se pencha vers Chamberlain et lui cria à l'oreille : c'est l'Angleterre, l'Angleterre et
la foule qui s'écrasait contre les barrières de l'aérodrome, attendant
son retour, mon amour, toujours, il eut une brève défaillance, il
faisait si chaud, il avait envie d'oublier le conquérant à tête de
mouche et l'hôtel Dreesen et le mémorandum, envie de croire, mon

Dieu, de croire que ça pouvait encore s'arranger, il ferma les yeux, *Ma poupée chérie*, demandée par Mme Duranty et sa petite nièce, de Decazeville, la guerre mon Dieu oui, la guerre et la chaleur et le triste sommeil résigné d'après-midi; Casa, voilà Casa, l'autocar s'arrêta sur une place blanche et déserte, Pierre sortit le premier et des larmes brûlantes lui entrèrent dans les yeux; il restait encore un peu de matin dans l'autocar, mais dehors, au grand soleil, c'était la mort du matin. Fini le matin, ma poupée chérie, finie la jeunesse, finis les espoirs, voilà la grande catastrophe de midi. Jean Servin avait repoussé son assiette, il lisait la page sportive de *Paris-Soir*, il n'avait pas eu connaissance du décret de mobilisation partielle, il avait été à son travail, il en était revenu pour déjeuner, il y retournerait vers les deux heures; Lucien Rénier cassait des noix, entre ses paumes, il avait lu les affiches blanches, il pensait : c'est du bluff; François Destutt, garçon de laboratoire à l'Institut Derrien, torchait son assiette avec du pain et ne pensait rien, sa femme ne pensait rien, René Malleville, Pierre Charnier ne pensaient rien. Le matin, la guerre était un glaçon aigu et coupant dans leur tête et puis elle avait fondu, c'était une petite mare tiède. Ma poupée chérie, le goût épais et sombre du bœuf bourguignon, l'odeur de poisson, le chicot de viande entre les deux molaires, les fumées du vin rouge et la chaleur, la chaleur! Chers auditeurs, la France, inébranlable mais pacifique, fait résolument face à son destin.

Il était las, il était étourdi, il passa trois fois sa main devant ses yeux, le jour lui faisait mal et Dawburn qui suçait la pointe de son crayon dit à son confrère du *Morning Post :* « Il a reçu le coup de bambou. » Il leva la main et dit faiblement :

— Mon premier devoir, maintenant que je suis de retour, est de faire un rapport aux gouvernements français et anglais sur les résultats de ma mission et jusqu'à ce que je l'aie fait, il me sera difficile d'en rien dire.

Midi l'enveloppait de son linceul blanc, Dawburn le regardait et pensait à de longues routes désertes entre des roches grises et rouillées sous le feu du ciel. Le vieillard ajouta d'une voix encore plus faible :

— Je me bornerai à ceci : j'ai confiance que tous les intéressés continueront leurs efforts pour résoudre pacifiquement le problème de la Tchécoslovaquie, parce que sur lui repose la paix de l'Europe en notre temps.

Elle picore des miettes de pain sur la nappe d'un air précis. Elle est un peu oppressée, comme quand elle a son rhume des foins, elle

m'a dit : « J'ai une boule d'air dans l'estomac », elle a versé quelques
larmes, par désarroi : « Ça va déranger toutes ses habitudes. » Je
lui ai dit : « Les premiers temps. Les premiers temps seulement. »
Elle pense qu'elle est malheureuse, ce petit froid sombre dans sa
tête, elle croit que c'est du malheur. Elle se tient droite, elle pense
qu'elle n'a pas le droit de se laisser aller, que toutes les femmes de
France sont aussi malheureuses qu'elle. Digne, calme, intimidante,
ses beaux bras posés sur la nappe, elle a l'air de trôner à la caisse
d'un grand magasin. Elle ne pense pas, elle ne veut pas penser qu'elle
sera beaucoup plus tranquille, après mon départ. Qu'est-ce qu'elle
pense? Qu'il y a une tache de rouille sur son porte-couteau. Elle
fronce les sourcils, elle gratte la tache du bout de son ongle rouge.
Elle sera beaucoup plus tranquille. Sa mère, ses amies, l'ouvroir, le
grand lit pour elle toute seule, elle mange à peine, elle se fera des
œufs au plat sur un coin de fourneau, la petite n'est pas difficile à
nourrir, des bouillies, toujours des bouillies, je lui disais : « Mais
donne-moi n'importe quoi, toujours la même chose, ne cherche pas
à composer des menus, je ne fais jamais attention à ce que je mange »,
elle s'entêtait : c'était son devoir.

— Georges?
— Ma chérie?
— Tu veux de la tisane?
— Non merci.

Elle boit sa tisane en soupirant, elle a les yeux rouges. Mais elle
ne me regarde pas, elle regarde le buffet, parce qu'il est là, juste
en face d'elle. Elle n'a rien à me dire ou bien elle me dira : « Ne
prends pas froid. » Elle ira peut-être jusqu'à m'imaginer, ce soir,
dans le train, une petite forme maigre tassée au fond du compartiment, mais ça s'arrête là, après c'est trop difficile; elle pense à sa
vie d'ici. Que ça va faire un vide. Un tout petit vide, Andrée : je
fais si peu de bruit. J'étais dans le fauteuil avec un livre, elle reprisait des bas, nous n'avions rien à nous dire. Le fauteuil sera toujours
là. L'important, c'est le fauteuil. Elle m'écrira. Trois fois par semaine.
Scrupuleusement. Elle deviendra toute sérieuse, elle cherchera longtemps l'encre, la plume, ses lunettes blondes et puis elle s'installera
d'un air intimidant devant ce secrétaire incommode qu'elle tient de
sa grand-mère Vasseur : « La petite fait ses dents, ma mère viendra
pour la Noël, Mme Ancelin est morte, Émilienne se marie en septembre, le fiancé est très bien, d'un certain âge, il est dans les Assu-
rances. » Si la petite a la coqueluche, elle me le cachera, pour ne
pas me donner d'inquiétude. « Pauvre Georges, il n'en a pas besoin,

il se fait du souci pour rien. » Elle m'enverra des colis, le saucisson, le sucre, le paquet de café, le paquet de tabac, la paire de chaussettes de laine, la boîte de sardines, les comprimés de méta, le beurre salé. Un colis entre dix mille, identique aux dix mille autres; si on me donne par erreur celui du voisin, je ne m'en apercevrai pas, les colis, les lettres, les bouillies de Jeannette, les taches sur le porte-couteau, la poussière sur le buffet, ça lui suffira; le soir, elle dira : « Je suis lasse, je ne peux plus y suffire. » Elle ne lira pas les journaux. Pas plus qu'à présent : elle les hait, parce que ça fait du papier qui traîne et qu'on ne peut pas s'en servir avant quarante-huit heures pour la cuisine ou les cabinets; Mme Hébertot viendra lui apprendre les nouvelles, nous avons remporté une grande victoire ou bien ça ne va pas, ma petite amie, ça ne va pas, ça piétine. Henri et Pascal ont déjà convenu avec leurs femmes d'un langage chiffré pour faire savoir où ils seront : on souligne certaines lettres. Mais avec Andrée c'est inutile. Il essaya tout de même, pour voir :

— Je peux te faire savoir où je serai.

— Mais ça n'est pas défendu? demanda-t-elle avec surprise.

— Eh bien oui, mais on s'arrange, tu sais comme pendant la guerre de 14, tu relies toutes les majuscules, par exemple.

— C'est bien compliqué, dit-elle en soupirant.

— Mais non tu verras, c'est simple comme tout.

— Oui et puis tu te feras prendre, on mettra tes lettres au panier et je serai inquiète.

— Ça vaut la peine de risquer le coup.

— Oh! si tu veux, mon ami, mais tu sais, la géographie et moi... Je regarderai sur une carte, je verrai un rond avec un nom dessous, je serai bien avancée.

Et voilà. En un sens, c'est mieux, c'est beaucoup mieux comme ça; elle touchera mon traitement...

— Est-ce que je t'ai donné la procuration?

— Oui, mon chéri, je l'ai mise dans le secrétaire.

C'est beaucoup mieux. Ça doit être embêtant de laisser quelqu'un qui se fait du mauvais sang, on doit se sentir vulnérable. Je repousse ma chaise.

— Oh! non, mon pauvre chéri, ça n'est pas la peine de plier ta serviette.

— C'est vrai.

Elle ne me demande pas où je vais. Elle ne me demande jamais où je vais. Je lui dis :

— Je vais voir la petite.

— Ne la réveille pas.

« Je ne la réveillerai pas; quand je le voudrais, je n'arriverais pas à faire assez de bruit pour la réveiller, je suis trop léger. » Il poussa la porte, un volet s'était ouvert, une après-midi éblouissante et crayeuse était entrée; toute une moitié de la chambre était encore dans l'ombre, mais l'autre moitié étincelait sous une lumière poussiéreuse; la petite dormait dans son berceau, Georges s'assit près d'elle. Ses cheveux blonds, sa petite bouche pure et ces grosses joues un peu tombantes qui lui donnent l'air d'un magistrat anglais. Elle commençait à m'aimer. Le soleil gagnait du terrain, il poussa doucement le berceau en arrière. « Là! là! comme ça! Elle ne sera pas jolie, elle me ressemble. Pauvre gosse, il vaudrait mieux qu'elle ressemble à sa mère. Encore toute molle; sans os, on dirait. Et déjà elle porte en elle cette loi rigide qui a été ma loi; les cellules pulluleront selon ma loi, les cartilages durciront selon ma loi, le crâne s'ossifiera selon ma loi. Une petite maigrichonne, aux dehors insignifiants, aux cheveux ternes, scoliose de l'épaule droite, forte myopie, elle glissera sans bruit, sans toucher terre, évitant les gens et les choses par d'énormes détours, parce qu'elle sera trop légère et trop faible pour les changer de place. Mon Dieu! toutes ces années qui vont lui venir, les unes après les autres, impitoyablement et c'est si vain, tellement inutile, tout est écrit là, dans sa chair, et il faudra qu'elle vive son destin minute par minute et qu'elle croie l'inventer et il est là, tout entier, écœurant à force d'être prévisible, je l'ai contaminée et pourquoi faut-il qu'elle vive goutte à goutte tout ce que j'ai déjà vécu, pourquoi faut-il toujours que tout se répète, indéfiniment? Une petite maigrichonne, une petite âme clairvoyante et timorée, tout ce qu'il faut pour bien souffrir. Moi, je m'en vais, je suis appelé à d'autres fonctions; elle va grandir, ici, obstinément, imprudemment, elle va me représenter. Et la coqueluche, et les longues convalescences, et cette passion malheureuse pour ses belles grasses camarades aux chairs roses et les miroirs où elle se regardera en pensant : « Est-ce que je suis trop laide pour qu'on m'aime? » Tout ça, jour après jour, avec ce goût de déjà vu, est-ce la peine, grand Dieu, est-ce bien la peine? » Elle s'éveilla un instant et le regarda avec une curiosité grave, pour elle c'était un instant tout neuf, elle croit qu'il est tout neuf. Il la sortit du berceau et la serra dans ses bras de toutes ses forces : « Ma petite! Mon petit bébé! Ma pauvre petite! » Mais elle prit peur et commença à crier.

— Georges, dit derrière la porte une voix pleine de reproches. Il reposa doucement la petite dans son berceau. Elle le regarda un instant encore, d'un air sévère et morose, et puis ses yeux se fermèrent, se rouvrirent en clignotant, se fermèrent tout à fait. « Elle commençait à m'aimer. Il aurait fallu être là à toute heure, l'habituer si profondément à ma présence qu'elle ne puisse plus me voir. Combien de temps cela va-t-il durer? Cinq ans, six ans? Je retrouverai une vraie petite fille qui me regardera avec stupeur, qui pensera : « C'est ça, mon papa! » et qui aura honte de moi devant ses petites amies. Ça aussi je l'ai vécu. « Quand papa est revenu de la guerre, j'avais douze ans. » L'après-midi avait envahi presque toute la chambre. L'après-midi, la guerre. La guerre, ça devait ressembler à une interminable après-midi. Il se leva sans bruit, ouvrit doucement la fenêtre et tira la persienne.

Cabine 19, c'est là. Elle n'osait pas entrer, elle restait devant la porte, sa valise à la main, en s'efforçant de se persuader qu'elle conservait un peu d'espoir. Et si, par hasard, ça se trouvait être une vraiment jolie petite cabine, avec une descente de lit et, par exemple, des fleurs dans un verre à dents sur la planchette du lavabo? Ce sont des choses qui arrivent, on rencontre souvent des gens qui vous disent : « A bord de tel ou tel bateau, ça n'est pas la peine de prendre des secondes, les troisièmes sont aussi luxueuses que des premières. » A ce moment-là, peut-être que France serait désarmée, peut-être qu'elle dirait : « Ah! bien voilà! Voilà une cabine qui n'est pas comme les autres. Si les troisièmes étaient toujours comme ça... » Maud s'imagina qu'elle était France. Une France conciliante et veule, qui disait : « Oh! ben ma foi... on va pouvoir s'arranger comme ça. » Mais elle restait gelée, au fond d'elle-même, gelée et déjà résignée. Elle entendit des pas, elle n'aimait pas qu'on la surprît à traîner dans les couloirs, une fois il y avait eu un vol et on l'avait interrogée d'une façon assez déplaisante, quand on est pauvre, il faut faire attention aux petites choses, parce que les gens sont impitoyables : elle se trouva soudain au beau milieu de la cabine et elle n'eut même pas de déception, elle s'y attendait. Six places : trois couchettes superposées, à sa droite, trois autres à sa gauche : « Eh bien, voilà... voilà! » Pas de fleurs sur le lavabo, ni de descente de lit; ça, elle n'y avait jamais cru. Pas de chaises non plus, ni de table. Quatre personnes s'y sentiraient un peu à l'étroit, mais le lavabo était propre. Elle avait envie de pleurer, mais ça n'était même pas la peine : puisque c'était prévu. France ne pouvait pas voyager en troisième classe, voilà le fait dont il fallait partir, ça ne se discutait pas. Pas plus qu'on ne discutait le fait que Ruby ne pouvait pas voyager en chemin de fer, le dos tourné à la locomotive. On pouvait être tenté de se demander alors pourquoi

France s'obstinait à prendre des billets de troisième. Mais, sur ce
point comme sur l'autre, France ne méritait aucun reproche : elle
prenait des billets de troisième parce qu'elle avait le goût de l'écono-
mie et qu'elle gérait sagement les finances de l'orchestre Baby's; qui
donc eût pu lui en faire grief? Maud posa sa mallette sur le sol, elle
essaya, pendant une seconde, de s'enraciner dans la cabine, de faire
semblant d'y être depuis deux jours. Alors les couchettes, le hublot,
les têtes d'écrou peintes en jaune qui hérissaient les parois, tout lui
serait familier, intime. Elle murmura avec force : « Mais elle est très
bien, cette cabine. » Et puis elle se sentit lasse, elle reprit sa mallette
et resta debout entre les couchettes sans savoir que faire, « si on
reste, il faut que je déballe mes affaires mais on ne restera sûrement
pas et si France voit que j'ai commencé à m'installer, elle a l'esprit
de contradiction, ça sera une raison de plus pour qu'elle décide de
s'en aller ». Elle se sentait provisoire dans la cabine, sur ce bateau,
sur terre. Le capitaine était grand et gros avec des cheveux blancs.
Elle frissonna, elle pensa : « On y serait pourtant bien, toutes les
quatre, si seulement on pouvait y rester seules. » Mais il lui suffit d'un
coup d'œil pour perdre cet espoir : sur la couchette de droite, on avait
déposé des bagages; un panier d'osier fermé par une tringle rouillée
et une valise de fibre — non, pas même, de carton — aux coins
éraillés. Et puis, pour comble de malchance, elle entendit un bruit
léger, elle leva les yeux et vit qu'une femme d'une trentaine d'années
était étendue, très pâle, les narines pincées et les yeux clos, sur la
couchette supérieure de droite. Allons, c'était fini. Il avait regardé
ses jambes, quand elle passait sur le pont; il fumait un cigare, elle
connaissait bien ce genre d'hommes, qui sentent le cigare et l'eau de
Cologne. Et voilà, elles s'amèneraient demain, bruyantes et fardées,
sur le pont des deuxièmes classes, les gens seraient déjà installés, ils
auraient fait connaissance entre eux et choisi leurs transatlantiques,
Ruby marcherait très droite, la tête haute, rieuse et myope, avec
l'arrière-train baladeur et Doucette dirait d'une voix de tête : « Mais
non, mon loup, viens donc, puisque c'est le capitaine qui le veut. »
Les messieurs bien, assis sur le pont avec des couvertures sur les
genoux, les suivraient d'un regard froid, les femmes lâcheraient des
réflexions malhonnêtes sur leur passage et le soir, dans les couloirs,
elles rencontreraient quelques gentlemen trop aimables, avec des
mains partout. « Rester, mon Dieu! rester ici, entre ces quatre tôles
peintes en jaune, on serait si bien, mon Dieu, on serait entre nous. »
   France poussa la porte, Ruby entra derrière elle. « On n'a pas
descendu les bagages? » demanda France de sa voix la plus forte.

Maud lui fit signe de se taire, en désignant la malade. France leva ses gros yeux clairs, sans cils, vers la couchette supérieure; son visage demeurait impérieux et inexpressif, comme à l'ordinaire, mais Maud comprit que la partie était perdue.

— On ne sera pas trop mal, dit Maud avec entrain, la cabine est presque au milieu : le tangage se sent moins.

Ruby ne répondit que par un haussement d'épaules. France demanda d'une voix détachée :

— Comment s'installe-t-on?

— Comme vous voudrez. Voulez-vous que je prenne la couchette d'en dessous? demanda Maud avec empressement.

France ne pouvait pas dormir si elle sentait deux personnes au-dessus d'elle.

— Nous verrons, dit-elle, nous verrons...

Le capitaine avait des yeux clairs et glacés dans un visage rouge. La porte s'ouvrit et une dame en noir apparut. Elle marmotta quelques mots et alla s'asseoir sur sa couchette, entre la valise et le panier. Elle pouvait avoir cinquante ans, elle était très pauvrement vêtue, avec une grosse peau terreuse et ravinée et des yeux qui paraissaient lui sortir de la tête. Maud la regarda et pensa : « C'est fini. » Elle sortit un bâton de rouge de son sac et commença à se refaire les lèvres. Mais France la regarda du coin de l'œil, avec un tel air de satisfaction majestueuse que Maud, agacée, laissa retomber le bâton de rouge au fond de son sac. Il y eut un long silence, que Maud reconnut : il avait déjà régné, dans une cabine toute semblable, quand le *Saint-Georges* les emmenait à Tanger et un an plus tôt, sur le *Théophile-Gautier*, lorsqu'elles s'en allaient jouer au Polythéion de Corinthe. Il fut troublé soudain par un étrange petit nasillement : la dame en noir avait tiré son mouchoir et l'avait posé, tout déployé, contre sa figure : elle pleurait, sans violence mais sans retenue, comme une personne qui prend ses aises en prévision d'une crise qui durera longtemps. Au bout d'un moment, elle ouvrit son panier et elle en retira un morceau de pain beurré, une tranche d'agneau grillé et une bouteille thermos enveloppée dans une serviette. Elle se mit à manger en pleurant, elle déboucha la bouteille et versa du café chaud dans le gobelet, la bouche pleine, avec de grosses larmes étincelantes qui lui roulaient le long des joues. Maud regarda la cabine avec des yeux neufs : c'était une salle d'attente, rien de plus qu'une salle d'attente dans une petite gare triste de province. « Pourvu qu'il ne soit pas vicieux. » Elle renifla et rejeta la tête en arrière à cause du rimmel. France la regardait froidement, par côté.

bouche d'égout. Sous l'azur, une revendication amère, une suppli-
cation vaine, « Eli, Eli, lamma sabacthani », ce furent les derniers
mots qu'il rencontra, ils montaient comme des bulles légères, le foisonnement vert de la plate-bande était là, ni vu ni nommé, une
plénitude de présence contre ses yeux, ça vient, ça vient. Ça le fendit comme une faux, c'était extraordinaire, désespérant, délicieux.
Ouvert, ouvert, la cosse éclate, ouvert, ouvert, comblé, moi-même
pour l'éternité, pédéraste, méchant, lâche. On me voit; non. Même
pas : ça me voit. Il était l'objet d'un regard. Un regard qui le fouil-
lait jusqu'au fond, qui le pénétrait à coups de couteau et qui n'était
pas son regard; un regard opaque, la nuit en personne, qui l'attendait là, au fond de lui, et qui le condamnait à être lui-même, lâche,
hypocrite, pédéraste pour l'éternité. Lui-même, palpitant sous ce
regard et défiant ce regard. Le regard. La nuit. Comme si la nuit
était regard. Je suis vu. Transparent, transparent, transpercé. Mais
par qui? Je ne suis pas seul, dit Daniel à haute voix. Émile se
redressa.

— Qu'est-ce qu'il y a, m'sieur Sereno? demanda-t-il.
— Je vous demandais si vous aviez bientôt fini, dit Daniel.
— Ça avance, dit Émile, dans une paire de minutes.

Il ne se pressait pas de se remettre à bêcher, il regardait Daniel
avec une curiosité insolente. Mais ça, c'était un regard humain,
un regard qu'on pouvait regarder. Daniel se leva, il tremblait de
peur :

— Ça ne vous fatigue pas de bêcher au gros soleil?
— J'ai l'habitude, dit Émile.

Il avait une poitrine charmante, un peu grasse, avec deux minuscules pointes roses; il s'appuyait sur sa bêche, d'un air provocant;
en trois enjambées... Mais il y avait cette étrange, étrange jouis-
sance plus âpre que toutes les voluptés, il y avait ce regard.

— Il fait trop chaud pour moi, dit Daniel, je crois que je vais
monter me reposer un instant.

Il inclina légèrement la tête et gravit le perron. Il avait la bouche
sèche mais il était décidé : dans sa chambre, rideaux tirés, persiennes
closes, il recommencerait l'expérience.

Dix-sept heures quinze à Saint-Flour. Mme Hannequin accompagnait son mari à la gare; ils avaient pris le raidillon. M. Hannequin
portait son complet sport, avec sa musette en bandoulière; il avait
chaussé des souliers neufs dont les empeignes le blessaient. A mi-che-
min, ils rencontrèrent Mme Calvé. Elle s'était arrêtée devant la maison du notaire, pour souffler un peu.

— Ah! pauvres jambes, dit-elle en les apercevant. Je deviens une vieille bonne femme.

— Vous êtes plus fraîche que jamais, dit Mme Hannequin, et je ne connais pas grand monde pour remonter le raidillon sans reprendre haleine.

— Et où courez-vous comme ça? demanda Mme Calvé.

— Ah! ma pauvre Jeanne, dit Mme Hannequin, mais j'accompagne mon mari. Il part, il est rappelé!

— Pas possible, dit Mme Calvé. Mais je ne savais pas! Eh bien! Eh bien! Il sembla à M. Hannequin qu'elle le regardait avec un intérêt particulier : « Ça doit être dur, ajouta-t-elle, de partir par une si belle journée.

— Bah! Bah! dit M. Hannequin.

— Il est très courageux, dit Mme Hannequin.

— A la bonne heure, dit Mme Calvé en souriant à Mme Hannequin. C'est ce que je disais hier à mon mari : les Français partiront tous avec courage. »

M. Hannequin se sentit jeune et courageux.

— Excusez-nous, dit-il, il est temps de partir.

— Alors à bientôt, dit Mme Calvé.

— Oh... à bientôt... fit Mme Hannequin en hochant la tête.

— Mais si, à bientôt! à bientôt! dit fortement M. Hannequin. Ils reprirent leur marche, M. Hannequin marchait d'un pas vif, Mme Hannequin lui dit :

— Doucement, François, je ne peux pas te suivre, à cause de mon cœur.

Ils rencontrèrent la Marie dont le fils faisait son service. M. Hannequin lui cria :

— Rien à faire dire à votre fils, la Marie? Je le rencontrerai peut-être : je redeviens soldat.

La Marie parut frappée :

— Jésus! dit-elle en joignant les mains.

M. Hannequin lui fit un petit signe et ils entrèrent dans la gare.

C'était Charlot qui poinçonnait les billets.

— Alors, monsieur Hannequin, demanda-t-il, c'est le grand boum-boum, cette fois-ci?

— Le zim-badaboum, la rumba d'amour, répondit M. Hannequin en lui tendant son billet.

M. Pineau, le notaire, était sur le quai. Il leur cria de loin :

— Alors on va faire la bombe à Paris?

— Oui! dit M. Hannequin, ou recevoir des bombes à Nancy. Il ajouta sobrement : « Je suis rappelé.

— Ah! comme ça! dit le notaire. Comme ça! Mais dites donc, vous aviez le fascicule 2, vous?

— Mais oui!

— Allez! dit-il. Vous nous reviendrez bientôt : c'est de la frime, tout ça.

— Je n'en suis pas si sûr, répondit sèchement M. Hannequin. Dans la diplomatie, vous savez, vous avez de ces conjonctures qui commencent en farce et qui finissent dans le sang.

— Et... ça vous dit, de vous battre pour les Tchèques?

— Tchèques ou pas Tchèques, on se bat toujours pour le roi de Prusse », répondit M. Hannequin.

Ils rirent et se saluèrent. Le train de Paris entrait en gare, mais M. Pineau prit le temps de baiser la main de Mme Hannequin.

M. Hannequin monta dans son compartiment sans s'aider des mains. Il jeta à la volée sa musette dans le coin qu'il avait retenu, revint dans le couloir, baissa la glace et sourit à sa femme.

— Coucou, le voilà! Je suis très bien, dit-il. Il y a beaucoup de place. Si ça continue, je pourrai étendre mes jambes pour dormir.

— Oh! il montera du monde à Clermont.

— J'en ai peur.

— Tu m'écriras, lui dit-elle. Un petit mot tous les jours; ça n'a pas besoin d'être long.

— Entendu.

— N'oublie pas de mettre tes ceintures de flanelle, fais-moi ce plaisir.

— Je le jure, dit-il avec une solennité rieuse.

Il se redressa, traversa le couloir et descendit sur le marchepied.

— Embrasse-moi, ma vieille, dit-il.

Il l'embrassa sur ses joues grasses. Elle versa deux larmes.

— Mon Dieu! dit-elle, tout ce... tout ce tracas! On avait bien besoin de ça.

— Allons, allons! dit-il. Chut! chut! Veux-tu bien...

Ils se turent. Il lui souriait, elle le regardait en souriant et en pleurant un peu, ils n'avaient plus rien à se dire. M. Hannequin souhaitait que le train partît le plus vite possible.

Dix-sept heures cinquante-deux à Niort. La grande aiguille de l'horloge se déplace par secousses toutes les minutes, oscille un peu et s'arrête. Le train est noir, la gare est noire. La suie. Elle a tenu à venir. Par devoir. Je lui ai dit : « Ça n'est pas la peine que tu viennes. »

Elle m'a regardé d'un air scandalisé : « Mais comment, Georges? Tu n'y penses pas. » Je lui ai dit : « Ne reste pas trop longtemps, tu ne peux pas laisser la petite toute seule. » Elle a dit : « Je vais demander à la mère Cornu de la garder. Je te mettrai au train et puis je m'en retournerai. » A présent, elle est là, je me penche à la fenêtre de mon compartiment et je la regarde. J'ai envie de fumer mais je n'ose pas, je pense que ça ne serait pas décent. Elle regarde au bout du quai, en s'abritant les yeux de la main, à cause du soleil. Et puis de temps en temps, elle se rappelle que je suis là et qu'il faut me regarder. Elle lève la tête, elle reporte les yeux sur moi, elle me sourit, elle n'a rien à me dire. Au fond, je suis déjà parti.

— Oreillers, couvertures, oranges, limonades, sandwiches.

— Georges!

— Ma chérie?

— Veux-tu des oranges?

Ma musette est pleine à craquer. Mais elle a envie de me donner quelque chose. Parce que je pars. Si je refuse, elle aura des remords. Je n'aime pas les oranges.

— Non, merci.

— Oh? non?

— Non vraiment. Tu es très gentille.

Pâle sourire. J'ai embrassé tout à l'heure ces belles joues froides et pleines et le coin de ce sourire. Elle m'a embrassé, ça m'a fait un peu honte : pourquoi tant d'histoires, mon Dieu? Parce que je pars? Il y en a d'autres qui partent. Il est vrai qu'on les embrasse aussi. Que de belles femmes ainsi, debout, au soleil déclinant, dans la fumée et la suie, levant un sourire peint vers un homme penché à la fenêtre de son wagon. Et puis après? Nous, nous devons être un peu ridicules : elle est trop belle, trop froide, je suis trop laid.

— Écris-moi, dit-elle — elle l'a déjà dit, mais il faut remplir le temps — aussi souvent que tu peux. Ça n'a pas besoin d'être bien long...

Ça ne sera pas long. Je n'aurai rien à dire, il ne m'arrivera rien, il ne m'arrive jamais rien. Et puis je l'ai déjà vue lire des lettres. Son air appliqué, important, ennuyé; elle met ses lunettes sur le bout de son nez, elle lit à mi-voix, pour elle-même, et elle trouve le moyen de sauter des lignes.

— Eh bien, alors, mon pauvre chéri, je vais te dire au revoir. Tâche de dormir un peu, cette nuit.

Eh oui, il faut bien dire quelque chose. Mais elle sait que je ne dors jamais dans les trains. Elle répétera ça tout à l'heure à la mère

Cornu : « Il est parti, le train était bondé. Pauvre Georges, j'espère qu'il pourra tout de même dormir. »

Elle regarde autour d'elle, d'un air malheureux; son grand chapeau de paille remue sur sa tête. Un jeune homme et une jeune femme se sont arrêtés près d'elle.

— Il faut que je m'en aille. A cause de la petite. Elle dit ça d'une voix un peu forte, à cause d'eux. Ils sont intimidants parce qu'ils sont beaux. Mais ils ne font pas attention à elle.

— C'est ça, ma chérie. Au revoir. Rentre vite. J'écrirai dès que ce sera possible.

Une petite larme, tout de même. Pourquoi, mon Dieu, pourquoi? Elle hésite. Et si, tout d'un coup, elle me tendait les bras, si elle me disait : « Tout ça n'est qu'un malentendu, je t'aime, je t'aime! »

— Ne prends pas froid.

— Non, non. Au revoir.

Elle s'en va. Un petit signe de la main, un regard clair et la voilà qui s'en va, lentement, en balançant un peu sa belle croupe dure, dix-sept heures cinquante-cinq. Je n'ai plus envie de fumer. Le jeune homme et la jeune femme sont restés sur le quai. Je les regarde. Il porte une musette et ils ont parlé de Nancy : c'est un rappelé, lui aussi. Ils ne disent plus rien; ils se regardent. Et moi je regarde leurs mains, leurs belles mains qui n'ont pas d'alliance. La femme est pâle, toute longue et mince, avec des cheveux noirs ébouriffés; lui, il est grand et blond, avec la peau toute dorée, ses bras nus sortent d'une chemisette de soie bleue. Les portières claquent, ils ne les entendent pas; ils ne se regardent même plus, ils n'ont plus besoin de se regarder, c'est par le dedans qu'ils sont ensemble.

— En voiture pour Paris.

Elle frissonne, sans rien dire. Il ne l'embrasse pas, il enferme dans ses mains les beaux bras nus, à hauteur des épaules, et il descend lentement ses mains le long des bras. Il s'arrête aux poignets. Des poignets maigres et frêles. Il a l'air de les serrer de toutes ses forces. Elle le laisse faire, ses bras pendent inertes, son visage est endormi.

— En voiture.

Le train s'ébranle, il saute sur le marchepied, il reste là accroché aux barres de cuivre. Elle s'est tournée vers lui, le soleil lui blanchit le visage, elle cligne des yeux, elle sourit. C'est un sourire large et chaud, si confiant, si tranquille et si tendre : ça n'est pas possible qu'un homme, si beau, si fort soit-il, emporte pour lui tout seul un pareil sourire. Elle ne me voit pas, elle ne voit que lui, elle cligne des yeux, elle se bat contre le soleil pour le voir encore un moment. Moi je

lui souris, je lui rends son sourire. Dix-huit heures. Le train a quitté
la gare, il entre dans le soleil, toutes ses vitres brillent. Elle est restée
sur le quai, toute petite et sombre. Il y a des mouchoirs qui s'agitent,
autour d'elle. Elle ne bouge pas, elle n'agite pas de mouchoir, ses bras
tombent le long de son corps, mais elle sourit, on dirait qu'elle s'épuise
à sourire. A présent, elle sourit encore, sans doute, mais on ne voit
plus son sourire. On la voit. Elle est là, pour lui, pour tous ceux qui
partent, pour moi. Ma femme est dans notre calme maison, assise
auprès de la petite, le silence et la paix se reforment autour d'elle.
Moi, je pars, pauvre Georges, il est parti, j'espère qu'il pourra dormir,
je pars, je m'évade dans le soleil et je souris de toutes mes forces à
une petite forme sombre qui est restée sur le quai de la gare.

Dix-huit heures dix. Pitteaux faisait les cent pas dans la rue
Cassette, il avait rendez-vous à dix-huit heures, il regarda sa montre
bracelet, dix-huit heures dix, je monterai dans cinq minutes. A cinq
cent vingt-huit kilomètres au sud-ouest de Paris, Georges, accoudé à
la barre d'appui, glissait entre les pâturages, regardait les poteaux
télégraphiques, suait et souriait, Pitteaux se disait : « Quelle connerie
peut-il avoir encore faite, ce petit emmerdeur? » Il fut traversé d'un
violent désir, monter, sonner, crier : « Alors, qu'est-ce qu'il a encore
fait? Moi, je n'y suis pour rien. » Mais il se contraignit à faire demi-
tour, j'irai jusqu'à ce bec de gaz, là-bas, il marcha, avant tout ne
pas paraître empressé, il se reprochait même d'être venu, il aurait
fallu répondre, sur du papier à en-tête, Madame, si vous désirez me
parler, je suis à mon bureau tous les jours de dix heures à midi. Il
tourna le dos au réverbère, il hâta le pas, malgré lui. Paris : cinq cent
dix-huit kilomètres, Georges s'essuya le front, il glissait de côté vers
Paris, comme un crabe, Pitteaux pensait : « C'est une sale affaire », il
courait presque, avec le train derrière lui, il tourna dans la rue de
Rennes, entra au soixante et onze, monta au troisième étage et
sonna; à six cent trente-huit kilomètres de Paris, Hannequin regardait les jambes de sa voisine, c'étaient de grosses jambes bien galbées,
dans des bas rayonne un peu velus; Pitteaux avait sonné, il attendait
sur le palier en s'épongeant le front, Georges s'essuyait le front, dans
le fracas des bogies, quelle connerie a-t-il pu faire, c'est une sale
histoire, Pitteaux avait de la peine à avaler, et l'estomac, surtout,
l'estomac qui était vague et gargouilleur, mais il se tenait très droit,
avec la tête roidement levée, en dilatant un peu les narines, et il
faisait sa moue, sa terrible moue, la porte s'ouvrit, le train d'Hannequin plongea dans un tunnel, Pitteaux plongea dans une obscurité
fraîche, ça sentait la poussière sacrée, la bonne lui dit : « Donnez-vous

la peine d'entrer! » une femme rondelette et parfumée, les bras nus
et mous, la douce mollesse fraîche des chairs quadragénaires, avec
une mèche blanche au milieu de ses cheveux noirs, se précipita sur
lui, il sentit son odeur mûre.

— Où est-il?

Il s'inclina, elle avait pleuré. La voisine d'Hannequin décroisa les
jambes et il vit un bout de cuisse au-dessus de la jarretelle, il fit sa
terrible moue et dit :

— De qui parlez-vous, madame?

Elle dit :

— Où est Philippe?

Et il se sentit tout attendri, peut-être qu'elle allait pleurer devant
lui, en tordant ses beaux bras, une femme de son milieu devait sûrement se raser les aisselles.

Une voix d'homme le fit sursauter, elle venait du fond de l'antichambre.

« Ma chère amie, nous perdons notre temps. Si M. Pitteaux veut
entrer dans mon bureau, nous allons le mettre au courant. »

Pris au piège! Il entra, tremblant de rage, il plongea dans la
chaleur blanche, le train sortait du tunnel, une flèche de lumière
blanche entra dans le compartiment. Ils se sont assis, le dos au jour
naturellement, et moi je suis en pleine lumière. Ils étaient deux.

— Je suis le général Lacaze, dit le gros homme en uniforme. Il
désigna son voisin, un géant mélancolique, et ajouta :

— Voici M. Jardies, médecin aliéniste, qui a bien voulu examiner
Philippe et le suivre un peu, ces derniers temps.

Georges rentra dans son compartiment et s'assit, un petit brun se
penchait en avant, il parlait, il avait le type espagnol : « Votre patron
vous aidera, c'est très joli, c'est bon pour les employés ou les fonctionnaires. Moi, j'ai pas de fixe, je suis garçon de café, j'ai mes pourboires, voilà ce que j'ai. Vous me dites que ça ne va pas durer, que
c'est pour leur faire peur, je veux bien vous croire, mais admettez
que ça dure deux mois, comment qu'elle va manger, ma femme? »

— Philippe, mon beau-fils, dit le général, a quitté la maison sans
nous prévenir, dans les premières heures de la matinée. Vers dix
heures sa mère a trouvé cette lettre sur la table de la salle à manger.
Il la lui tendit par-dessus le bureau en ajoutant d'un air autoritaire :
« Prenez-en connaissance, je vous prie. »

Pitteaux saisit la lettre avec répugnance, cette sale petite écriture
irrégulière, pointue, avec des ratures et des taches, il venait, il attendait des heures entières, je l'entendais marcher de long en large, il

LES CHEMINS DE LA LIBERTÉ

repartait en laissant n'importe où, par terre, sur une chaise, sous la porte, des petits bouts de papier froissés, couverts de ses pattes de mouche, Pitteaux regardait l'écriture sans la lire, comme une suite de dessins absurdes et trop connus, qui lui donnaient des haut-le-cœur, je voudrais ne l'avoir jamais rencontré.

« Ma petite maman, voici le temps des assassins, moi, je choisis le martyre. Tu auras peut-être un peu de peine : je me le souhaite. Philippe. »

Il déposa la lettre sur le bureau et sourit :

— Le temps des assassins! dit-il. L'influence de Rimbaud a fait des ravages effrayants.

Le général le regarda :

— Nous reviendrons tout à l'heure sur la question des influences, dit-il. Savez-vous où est mon beau-fils?

— Comment le saurais-je?

— Quand l'avez-vous vu pour la dernière fois?

« Ah! ça, pensa Pitteaux, ils m'interrogent! » Il se tourna vers Mᵐᵉ Lacaze et dit sur un ton de bonne compagnie :

— Je ne sais pas, ma foi! Il y a huit jours, peut-être.

La voix du général le frappait par côté, à présent.

— Vous a-t-il fait part de ses intentions?

— Mais non, dit Pitteaux en souriant à la mère. Vous connaissez Philippe, il agit par coups de tête. Je suis persuadé qu'il ne savait pas hier soir ce qu'il ferait ce matin.

— Et depuis, reprit le général, vous a-t-il écrit ou téléphoné?

Pitteaux hésita mais la main était déjà partie, une main docile, servile qui plongea dans la poche intérieure du vêtement, la décision suivit, la main tendit le bout de papier. Mᵐᵉ Lacaze s'empara avidement du billet, je ne commande plus à mes mains. Il commandait encore à son visage, il fit sa moue, sa terrible moue, en relevant un sourcil.

— J'ai reçu ça ce matin.

— *Lætus et errabundus*, lut Mᵐᵉ Lacaze avec application. Pour la paix.

Le train roulait, le bateau tanguait, l'estomac de Pitteaux chantait, il se mit debout péniblement :

— Cela signifie : joyeux et vagabond, expliqua Pitteaux avec politesse. C'est le titre d'un poème de Verlaine.

Le psychiatre lui jeta un coup d'œil.

— Un poème un peu spécial.

— C'est tout? demanda Mᵐᵉ Lacaze.

Elle tournait et retournait le papier entre ses doigts.

— Hélas, oui, chère madame, c'est tout.

Il entendit la voix coupante du général :

— Que voulez-vous de plus, ma chère amie? Je trouve cette lettre parfaitement claire et je m'étonne que M. Pitteaux ait prétendu ne pas connaître les intentions de Philippe.

Pitteaux se retourna brusquement vers lui, regarda l'uniforme — pas le visage, l'uniforme — et le sang lui monta à la tête.

— Monsieur, dit-il, Philippe m'écrivait des poulets de cette espèce trois ou quatre fois par semaine, j'avais fini par ne plus y faire attention. Vous m'excuserez de vous dire que j'ai tout de même d'autres soucis.

— Monsieur Pitteaux, dit le général, vous dirigez depuis 1937 une revue intitulée *le Pacifiste* où vous avez pris nettement position, non seulement contre la guerre mais aussi contre l'armée française. Vous avez connu mon beau-fils en octobre 37 dans des conditions que j'ignore et vous l'avez gagné à vos idées. Il a adopté sous votre influence une attitude inadmissible vis-à-vis de moi, parce que je suis officier, et vis-à-vis de sa mère parce qu'elle m'a épousé; il s'est livré en public à des manifestations d'un caractère nettement antimilitariste. Aujourd'hui, il abandonne notre domicile, au plus fort de la tension internationale, en nous avisant, par le mot que vous avez lu, qu'il entend devenir le martyr de la paix. Vous avez trente ans, monsieur Pitteaux, et Philippe n'en a pas vingt, aussi je ne vous surprendrai pas en vous disant que je vous tiens pour personnellement responsable de tout ce qui peut arriver à mon beau-fils par suite de son escapade.

— Eh bien, dit Hannequin à sa voisine, moi, je vais vous dire : je suis mobilisé. Ah! mon Dieu, dit-elle. Georges regardait le garçon de café, il le trouvait sympathique et il avait envie de lui dire : « Moi aussi, je suis mobilisé », mais il n'osait pas, c'était par pudeur, le train le secouait terriblement, « Je suis sur les roues », pensa-t-il.

— Je décline toute responsabilité, dit Pitteaux d'une voix catégorique. Je comprends votre chagrin, mais je ne peux tout de même pas accepter de vous servir de bouc émissaire. Philippe Grésigne est venu au siège de la revue en octobre 37, c'est un fait que je ne songe pas à nier. Il nous a soumis un poème qui nous a semblé plein de promesses et nous l'avons fait paraître dans notre numéro de décembre. Depuis il est revenu souvent et nous avons mis tout en œuvre pour le décourager : il était beaucoup trop exalté à notre gré et, pour tout dire, nous ne savions que faire de lui. (Assis sur le bout des fesses, il fixait sur Pitteaux son regard bleu et gênant, il le regardait boire et fumer, il regardait ses lèvres remuer, il ne fumait pas, il ne buvait pas, il se mettait, de temps en temps, un doigt dans le nez ou un ongle entre les dents sans cesser de le regarder.)

— Mais où peut-il être? cria soudain Mme Lacaze. Où peut-il être? Et qu'est-ce qu'il fait? Vous parlez de lui comme s'il était mort.

Ils se turent. Elle s'était penchée en avant, avec un visage anxieux et méprisant; Pitteaux voyait la naissance de sa gorge par l'échancrure du corsage; le général était tout raide dans son fauteuil, il attendait, il accordait quelques minutes de silence à la légitime douleur d'une mère. Le psychiatre regarda Mme Lacaze avec un air de sympathie attentive, comme si c'était une de ses malades. Puis il hocha sa grosse tête mélancolique, se retourna vers Pitteaux et reprit les hostilités :

— Je vous accorde, monsieur Pitteaux, que Philippe n'avait pas compris toutes vos idées. Il n'en demeure pas moins que c'était un enfant très influençable qui avait pour vous une admiration éperdue.

— Est-ce ma faute?

— Peut-être n'est-ce pas votre faute. Mais vous abusiez de votre influence.

— Par exemple! dit Pitteaux. Enfin puisque vous avez examiné Philippe vous savez que c'était un malade!

— Pas tout à fait, dit le médecin en souriant. Il avait certainement une hérédité chargée. Du côté de son père, ajouta-t-il avec un coup d'œil au général. Mais ce n'était pas tout à fait un psychopathe. C'était un garçon solitaire, désadapté, paresseux et vaniteux. Tics, phobies, naturellement, avec prédominance d'idées sexuelles. Il est venu me voir assez souvent, ces derniers temps, nous avons bavardé, il m'a avoué qu'il... comment puis-je dire? Vous excuserez la rudesse d'un médecin, dit-il à Mme Lacaze. Bref, pollutions fréquentes et systématiques. Je sais que beaucoup de mes confrères ne voient là qu'un effet, moi, j'y discernerais plutôt une cause, avec Esquirol. En un mot, il traversait péniblement ce que M. Mendousse appelle, d'un mot si heureux, la crise d'originalité des adolescents : il avait besoin d'un guide. Vous avez été un mauvais berger, monsieur Pitteaux, un mauvais berger.

Le regard de Mme Lacaze semblait posé sur Pitteaux par hasard; mais il était insoutenable. Pitteaux préféra se tourner franchement vers le psychiatre :

— Je m'en excuse auprès de Mme Lacaze, dit-il, mais, puisque

vous m'y obligez, je vous déclare tout net que j'ai toujours tenu
Philippe pour le type accompli du dégénéré. S'il avait besoin d'un
guide, que ne vous en occupiez-vous? C'était votre office.
    Le psychiatre sourit tristement et se lécha les lèvres en soupirant.
Elle souriait, elle était accotée contre la porte de la cabine, elle
avait la chair de poule, elle souriait d'un air charmeur :
    — Eh bien, mon petit, dit le capitaine, il faudra revenir me voir
à neuf heures, je vous dirai ce que j'ai pu faire pour vous et vos
amies. Il avait des yeux vides et clairs, il était très rouge, il lui
caressa la poitrine et le cou et ajouta : « N'oubliez pas : rendez-vous,
ici, ce soir à neuf heures. »
    — Le général Lacaze a bien voulu me communiquer quelques
pages du journal de Philippe et j'ai cru que c'était mon devoir d'en
prendre connaissance. Monsieur Pitteaux, il résulte de cette lecture
que vous exerciez un chantage sur ce malheureux garçon. Sachant
combien il désirait votre estime, vous en profitiez, semble-t-il, pour
lui demander certains services, qu'il ne précise pas dans son carnet.
Ces derniers temps, il s'est avisé de se rebeller et vous lui avez
témoigné un mépris si écrasant que vous l'avez réduit au désespoir.
    Que savent-ils? Mais la colère fut la plus forte, il sourit à son tour.
Maud souriait et saluait, son arrière-train était déjà dehors, à l'air
libre, son buste s'inclinait, plongeait dans l'air chaud et parfumé de
la cabine :
    — Mais certainement, capitaine. Alors, à neuf heures; à neuf
heures, capitaine, c'est entendu.
    — Qui l'a réduit au désespoir? Qui donc l'humiliait tous les jours?
Est-ce moi qui l'ai giflé samedi dernier en pleine table? Est-ce moi
qui affectais de le prendre pour un malade, qui l'envoyais chez un
psychiatre et qui l'obligeais à répondre à des questions humiliantes?
    — Vous aussi, vous êtes mobilisé? demanda le garçon de café.
    Georges lui sourit d'un air malheureux, mais il aurait fallu parler,
répondre aux questions des deux jeunes femmes :
    — Non, dit-il, je vais à Paris pour mes affaires.
    La voix aiguë de Mme Lacaze le fit sursauter :
    — Est-ce que vous n'allez pas vous taire? Est-ce que vous ne pou-
vez pas vous taire? Comme vous le méprisez! Un enfant de vingt
ans, vous l'avez déshabillé, vous l'avez sali, et moi, est-ce que vous
ne me respectez pas? Il s'est peut-être jeté dans la Seine et vous
êtes là à vous renvoyer les responsabilités les uns aux autres. Nous
sommes tous coupables; il disait : « Vous n'avez pas le droit de me
pousser à bout », et nous l'avons tous poussé à bout.

Le général était tout rouge, Maud était toute rouge :

— Ça y est, dit-elle, on va venir prendre nos bagages, nous coucherons en seconde, cette nuit.

— Ma chérie, dit France, eh bien, tu vois, tu t'en faisais un monde, mais ça n'était pas si difficile que ça.

— Rose! dit-il sans élever la voix, en fixant sur elle ses yeux de bois. Elle frissonna, elle le regarda la bouche ouverte :

— C'est... C'est immonde, dit-elle, j'ai honte!

Il étendit sa forte main et la referma sur le bras nu de sa femme; il répéta :

— Rose, d'une voix sans intonation. Le corps de Mme Lacaze se tassa, elle ferma la bouche, secoua la tête et parut se réveiller; elle regarda le général et le général lui sourit, tout était rentré dans l'ordre.

— Je ne partage pas les inquiétudes de ma femme, dit-il, mon beau-fils est parti en volant dix mille francs dans le secrétaire de sa mère. J'ai donc peine à croire qu'il veuille attenter à ses jours.

Il y eut un silence. Le bateau dansait un peu, déjà; Pierre se sentait pâteux, il s'était planté devant sa couchette, il ouvrit sa valise, d'où sortit une odeur de lavande, de crème dentifrice et de tabac blond qui lui tourna sur le cœur, il pensa : « Le steward l'a dit, nous aurons une mauvaise traversée! » Le général se recueillait, la générale avait l'air d'une enfant sage, Pitteaux ne comprenait pas, son estomac chanta, son crâne lui faisait mal, il ne comprenait pas; ça montait, hop, et puis ça piquait du nez, le plancher vibrait sous les pieds, l'air était chaud et poisseux, il regardait le général et il n'avait plus la force de le haïr.

— Monsieur Pitteaux, dit le général, en conclusion de cet entretien j'estime que vous pouvez et que vous devez nous aider à retrouver mon beau-fils. Jusqu'ici je me suis borné à alerter les commissariats. Mais si, d'ici quarante-huit heures, nous n'avons pas retrouvé Philippe, j'ai l'intention de remettre l'affaire entre les mains de mon ami, le procureur Déterne, et de lui demander, par la même occasion, si la justice ne ferait pas bien d'enquêter un peu sur l'origine des fonds du *Pacifiste*.

— Je... naturellement je vous aiderai, dit-il. Tout le monde peut mettre le nez dans les comptes du *Pacifiste*, nous pouvons les étaler au grand jour.

Le bateau s'enfonça, c'était les montagnes russes, il ajouta, en poussant sa voix à travers sa gorge serrée :

— Mais je... je ne refuse pas de vous aider. Par simple humanité,
mon général.

Le général inclina la tête :

— C'est bien ainsi que je l'entends, dit-il.

Ça montait doucement, doucement, à la dérobée et ça descendait
de même, on ne pouvait pas s'empêcher de regarder les couchettes
ou le lavabo pour surprendre au passage quelque chose qui fût en
train de monter ou de descendre, mais on ne voyait rien, sauf, de
temps à autre, une bande bleu sombre, un peu de travers, qui affleu-
rait au bord inférieur du hublot, pour disparaître aussitôt; c'était
un petit mouvement vivant et timide, un battement de cœur, le
cœur de Pierre battait à l'unisson; pendant des heures et des heures
ça ne cesserait pas de monter et de descendre; la langue de Pierre
était un gros fruit juteux dans sa bouche; à chaque déglutition, il
entendait un léger craquement cartilagineux quelque part dans ses
oreilles, il y avait aussi cette couronne de fer qui lui enserrait les
tempes et puis cette envie de bâiller. Mais il était très tranquille : on
n'a le mal de mer que si on veut bien. Il n'avait qu'à se redresser, à
sortir de sa cabine, à faire un tour de promenade sur le pont : il se
retrouverait, cet écœurement léger se dissiperait : « Je vais voir
Maud », dit-il. Il lâcha la valise, il se tint droit et raide au bord de
la couchette, c'était comme un réveil. A présent le bateau montait
et descendait sous ses pieds, mais l'estomac et la tête étaient libé-
rés; les yeux méprisants de Maud réapparurent — et la peur; et la
honte. Je lui dirai que j'étais malade, une petite insolation, que
j'avais trop bu. Il faut que je m'explique, il parlerait, elle le trans-
percerait de son regard dur, comme c'est fatigant. Il avala péniblement sa salive, elle glissa au fond de sa gorge avec un horrible frôlement soyeux et déjà une eau fade fusait dans sa bouche, fatigant,
fatigant, ses idées s'enfuirent, il ne resta plus qu'une grande douceur abandonnée, une envie de monter et de descendre en mesure,
de vomir doucement, longuement, de se laisser aller sur l'oreiller,
ho hisse, ho hisse, sans pensées, emporté par le grand tangage du
monde; il se rattrapa à temps : on n'a le mal de mer que si on veut
l'avoir. Il se retrouva tout entier, raide et sec, un lâche, un amant
méprisé, un futur mort de la guerre, il retrouva toute sa peur lucide
et glacée. Il prit la seconde valise sur la couchette supérieure, la
déposa sur la couchette d'en dessous et entreprit de l'ouvrir. Il restait tout droit, sans se pencher, sans même regarder la valise, ses
doigts engourdis palpaient la serrure à l'aveuglette; ça vaut-il la
peine? Ça vaut-il la peine de lutter? Il ne serait plus rien qu'une

vaste douceur, il ne penserait plus à rien, il n'aurait plus peur, il
suffisait de s'abandonner. « Il faut que j'aille voir Maud. » Il leva
une main et la promena dans les airs avec une douceur vacillante
et un peu solennelle. Gestes doux, doux palpitements de mes cils,
saveur douce au fond de ma bouche, douce odeur de lavande et de
pâte dentifrice, le bateau monte doux, redescend doux; il bâilla et
le temps ralentit, devint sirupeux autour de lui; il suffisait de se
raidir, de faire trois pas hors de la cabine, à l'air frais. Mais pour
quoi faire? Pour retrouver la peur? Il balaya la valise d'un revers
de main et se laissa tomber sur le lit. Un sirop. Un sirop sucré, il
n'avait plus peur, il n'avait plus honte, c'était si délicieux d'avoir
le mal de mer.

Il s'assit sur le bord du quai, ses jambes pendaient au-dessus de
l'eau; il était fatigué, il dit : « Ça serait pas mal, Marseille, s'il y
avait pas tant de maisons. » Au-dessous de lui, les bateaux remuaient
un peu, pas beaucoup, c'étaient des petits bateaux, très nombreux,
avec des fleurs ou alors de beaux rideaux rouges et des statues à poil.

Il voyait les bateaux, il y en avait qui sautaient comme des chèvres
et d'autres qui ne bougeaient pas, il voyait l'eau toute bleue et puis
un grand pont de fer au loin; ce qui est loin, on a du plaisir à le
regarder, ça repose. Il avait mal aux yeux : il dormait sous son
wagon, des hommes étaient venus avec des lanternes; ils l'avaient
éclairé et chassé, avec des mots blessants; après ça il avait bien trouvé
un tas de sable, mais le sommeil n'était pas revenu. Il demanda :
« Où c'est que je vais crécher, cette nuit? » Il y avait sûrement de
bons endroits, avec un peu d'herbe. Mais il fallait les connaître : il
aurait dû interroger le nègre. Il avait faim et il se mit debout, ses
genoux étaient raides, ils craquèrent. « J'ai plus rien à manger, expliqua-t-il, faut que j'aille à l'auberge. » Il reprit sa marche, il avait
marché toute la journée, il entrait, il demandait : « Y a-t-il du travail? » et il repartait : le nègre avait dit : « Y a pas de travail. »
Dans les villes, la marche est fatigante, à cause des pavés. Il traversa
le quai, de biais, lentement, en regardant à droite et à gauche pour
éviter les tramways, quand il entendait leurs clochettes, ça lui donnait un coup. Il y avait beaucoup de monde, des gringalets qui
marchaient très vite, en regardant à leurs pieds, comme s'ils cher-
chaient quelque chose; ils le bousculaient en passant et lui demandaient pardon sans même lever les yeux sur lui; il leur aurait bien
adressé la parole, mais ils semblaient si fragiles qu'ils en étaient
intimidants. Il monta sur le trottoir et vit des cafés avec de belles
terrasses et puis des auberges, mais il n'entra pas : il y avait des

nappes sur les tables, les nappes, ça risque de se tacher. Il tourna
dans une ruelle sombre, qui sentait le fraîchin, il demanda : « Mais
où c'est-il que je vais manger, avec tout ça? » et, justement, il trouva
ce qu'il lui fallait : il vit, devant une petite maison basse, une dizaine
de tables en bois; sur chaque table on avait disposé deux ou quatre
couverts et puis une petite lampe ronde qui ne devait pas éclairer
beaucoup et puis pas de nappes. A l'une des tables, un monsieur
mangeait déjà avec une dame qui avait l'air bien honnête. Gros-
Louis s'approcha d'eux, s'assit à la table voisine et leur fit un sourire. La dame le regarda sérieusement et recula un peu sa chaise.
Gros-Louis appela la servante, c'était une jolie petite personne un
peu fluette mais avec un derrière dur et bien allant.

— Qu'est-ce qu'on mange ici, ma mignonne?

Elle était jolie et sentait bon, mais elle ne paraissait pas contente
de le voir. Elle le regarda en hésitant :

— Vous avez le menu, dit-elle en désignant une feuille de papier
sur la table.

— Ah! bon, dit Gros-Louis.

Il prit le papier et fit semblant de le regarder, mais il avait peur
de le tenir à l'envers. La bonne s'était éloignée, elle parlait avec
un monsieur qui s'était planté sur le pas de la porte. Le monsieur
l'écoutait en hochant la tête et en regardant Gros-Louis. A la fin
il la quitta et s'approcha de Gros-Louis avec un air triste.

— Qu'est-ce que vous voulez, mon ami? demanda-t-il.

— Eh ben, je veux manger, dit Gros-Louis étonné. Vous avez bien
une soupe et un bout de lard.

Le monsieur secoua la tête tristement :

— Non, dit-il. Nous n'avons pas de soupe.

— J'ai de l'argent, dit Gros-Louis. Je demande pas de crédit.

— J'en suis sûr, dit le monsieur. Mais vous devez vous être trompé.
Vous ne seriez pas à votre aise, ici, et vous nous gêneriez.

Gros-Louis le regarda :

— C'est donc pas une auberge? demanda-t-il.

— Si, si, dit le patron. Mais nous avons un certain genre de clien-
tèle... Vous feriez mieux d'aller de l'autre côté de la Canebière, vous
trouverez des tas de petits restaurants qui vous conviendront parfaitement.

Gros-Louis s'était levé. Il se gratta le crâne avec embarras.

— J'ai de l'argent, dit-il. Je peux vous le montrer.

— Mais non, mais non, dit le monsieur vivement. Je vous crois
sur parole.

Il le prit obligeamment par le bras et lui fit faire quelques pas dans la rue.

— Prenez par là, dit-il, vous retrouverez le quai et vous le suivrez sur la droite, vous ne pouvez pas vous tromper.

— Vous êtes bien honnête, dit Gros-Louis en touchant son chapeau. Il se sentait en faute.

Il se retrouva sur le quai, au milieu des petits hommes noirs qui lui couraient entre les jambes, il marchait très lentement, de crainte d'en renverser un, et il était triste; à cette heure-là il descendait du Canigou sur Villefranche, le troupeau trottait devant lui, ça faisait de la compagnie, il rencontrait souvent M. Pardoux qui montait à la ferme du Vétil et qui ne serait jamais passé sans lui donner un cigare et une paire de bons coups de poing dans les côtes, la montagne était rousse et muette, au fond de la vallée on voyait les fumées de Villefranche. Il était perdu, tous ces gens allaient trop vite, il ne voyait que le haut de leurs crânes ou la coiffe de leurs chapeaux, c'était de la petite espèce. Un gamin lui partit entre les jambes, le regarda en rigolant et dit à son copain :

— Vise-moi celui-là, tu crois pas qu'il s'ennuie tout seul là-haut?

Gros-Louis les regarda courir et se sentit en faute; il avait honte d'être si grand. Il dit : « Ils ont leurs habitudes » et s'appuya au mur. Il était triste et doux, aussi triste que le jour où il avait été malade. Il pensa au nègre, qui était si courtois et si gai, son seul ami, il dit : « J'aurais pas dû le laisser partir. » Et puis, tout d'un coup, une petite idée un peu gaie lui traversa la tête : « Un nègre ça se voit de loin, ça ne doit pas être difficile à retrouver »; et il reprit sa marche, il se sentait moins seul, il le cherchait des yeux et il pensait : « Je vais lui payer un verre. »

Elles étaient toutes sur la place, le visage rougi par le soleil couchant. Il y avait Jeanne, Ursule, les sœurs Clapot, la Marie, et toutes les autres. Elles avaient d'abord attendu chez elles et puis en voyant passer les heures, elles étaient revenues sur la place, les unes après les autres, et elles attendaient. Elles virent, à travers la glace dépolie, les premières lampes s'allumer dans le café de la veuve Tremblin; ça faisait trois taches nébuleuses en haut de la vitre. Elles virent ces taches et se sentirent attristées : la mère Tremblin avait allumé les lampes dans son café désert, elle s'était assise à une table de marbre, elle avait posé sur le marbre sa corbeille à ouvrage et elle reprisait ses bas de coton sans inquiétude, parce qu'elle était veuve. Mais elles, elles restaient au dehors et elles attendaient leurs hommes, elles sentaient derrière elles leurs maisons vides et les cuisines que l'ombre envahissait peu à peu et il y avait devant elles cette longue route aventureuse et Caen, au bout de la route. La Marie regarda l'heure au clocher de l'église, elle dit à Ursule : « Il est tantôt neuf heures, peut-être bien qu'on les a tout de même gardés. » Le maire avait dit que c'était impossible mais qu'est-ce qu'il en savait, il ne connaissait pas mieux qu'elles les habitudes des villes. Pourquoi aurait-on renvoyé des gars costauds qui venaient se proposer d'eux-mêmes? Peut-être bien qu'on leur avait dit : « Ah ben! puisque vous êtes là... » et qu'on les avait gardés. La petite Rose arriva en courant, elle était essoufflée, elle criait : « Les voilà! Les voilà! » et toutes les femmes se mirent à courir aussi; elles coururent jusqu'à la ferme de Darbois, d'où l'on découvrait un bout de chemin et elles les virent sur la route blanche, entre les prairies, ils étaient sur leurs charrettes, à la queue leu leu, comme à l'aller, ils revenaient lentement, ils chantaient. Chapin venait en tête, il était effondré sur sa banquette, ses mains tenaient mollement les rênes, il dormait et le cheval marchait par habitude; la Marie vit qu'il avait un œil au beurre noir et elle pensa qu'il s'était encore battu. Derrière lui, debout sur son char, le fils Renard chantait à tue-tête, mais il n'avait pas l'air gai, les autres venaient derrière, tout noirs déjà sur le ciel clair. Marie se retourna vers la Clapot et lui dit : « Ils sont saouls, on avait bien besoin de ça. » La charrette de Chapin s'amenait tout doucement, en grinçant, et les femmes s'écartèrent pour la laisser passer. Elle passa et la Louise Chapin poussa un cri aigu : « Mon Dieu, il ne ramène qu'une bête, qu'est-ce qu'il a fait de l'autre, il l'a vendue pour boire. » Le fils Renard chantait à tue-tête, il faisait zigzaguer sa carriole d'un fossé à l'autre et il y en avait d'autres derrière lui, qui chantaient debout dans les charrettes, le fouet à la main. La Marie vit son homme, il n'avait pas l'air saoul, mais quand elle vit de près sa gueule maussade, elle comprit qu'il avait bu et qu'il allait cogner. « C'est pis qu'une bête », pensa-t-elle, le cœur serré. Mais elle était bien contente tout de même qu'il fût revenu, il y avait trop de travail à la ferme, il valait mieux qu'il cognât de temps en temps, les samedis, et qu'il fût là pour le gros ouvrage. Il s'était laissé tomber sur une chaise, à la terrasse d'un bistrot, il avait demandé du pinard, on lui avait servi du vin blanc dans un tout petit verre, il sentait ses jambes, il les étendit sous la table et il fit remuer ses orteils dans ses souliers. « C'est marrant », dit-il. Il but et dit : « C'est marrant, je l'ai pourtant bien cherché. » Il l'aurait fait asseoir en face de lui, il aurait regardé sa bonne tête noire; rien qu'à le voir, il s'était mis à rire et le négro s'était mis à rire aussi, il avait l'air confiant et doux comme un bestiau : « Je lui donnerai du tabac pour fumer et du vin pour boire. »

Son voisin le regardait : « Il me trouve drôle parce que je parle tout seul »; c'était un petit gars de vingt ans, bien mal poussé, bien chétif, avec une peau de fille, il était assis avec un brun, plutôt bel homme, qui avait le nez cassé, du poil dans les oreilles et une ancre tatouée sur l'avant-bras gauche. Gros-Louis comprit qu'ils parlaient de lui, dans leur patois. Il leur sourit et appela le garçon.

— Un autre verre du même, mon gars. Et si tu as de plus grands verres, des fois, ne te gêne pas.

Le garçon ne bougeait pas, il ne disait trop rien, mais il le regardait d'un air d'avoir deux airs. Gros-Louis sortit son portefeuille et le mit sur la table.

— Qu'est-ce que t'as, mon petit gars? Tu crois que je ne peux pas payer? Tiens!

Il sortit les trois billets de mille et les lui fit passer sous le nez.

— Qu'est-ce que t'en dis? Allez, ramène-moi un verre de ta saloperie.

Il remit son portefeuille dans sa poche et s'aperçut que le petit gars frisé lui souriait poliment.

— Ça boume? demanda le petit gars.

— Hé?

— Ça va?

— Ça va, dit Gros-Louis. Je cherche mon négro.

— Vous n'êtes pas d'ici?

— Non, dit Gros-Louis en riant. Je ne suis pas d'ici. Tu ne veux pas boire un coup? C'est moi qui invite.

— Ça ne se refuse pas, dit le frisé. Je peux amener mon pote?

Il dit quelques mots à son copain, dans leur patois. Le copain sourit et se leva en silence. Ils vinrent s'asseoir en face de Gros-Louis. Le petit sentait le senti-bon.

— Tu sens la garce, dit Gros-Louis.

— Je viens de chez le coiffeur.

— Ah! c'est donc ça. Comment que tu t'appelles?

— Je m'appelle Mario, dit le petit; le copain est italien. Il s'appelle Starace; on est des matelots.

Starace rit et salua sans souffler mot.

— Il sait pas le français, mais il est marrant, dit Mario. Tu sais l'italien?

— Non, dit Gros-Louis.

— Ça fait rien, tu verras : il est marrant tout de même.

Ils parlèrent entre eux, en italien. C'était une bien jolie langue, ils avaient l'air de chanter. Gros-Louis était un peu content d'être avec eux, parce que ça lui faisait de la compagnie, mais dans le fond, il se sentait seul.

— Qu'est-ce que vous voulez?

— Eh ben, des pastis, dit Mario.

— Trois pastis, dit Gros-Louis. Qu'est-ce que c'est, du vin?

— Non, non, bien mieux que ça, tu verras.

Le garçon remplit trois verres d'une liqueur, Mario versa de l'eau dans les verres et la liqueur se transforma en une brume blanche et tournoyante.

— A la tienne, dit Mario.

Il but bruyamment et s'essuya la bouche avec sa manche. Gros-Louis but aussi : ça n'était pas trop mauvais, ça sentait l'anis.

— Regarde Starace, dit Mario, il va te faire marrer.

Starace s'était mis à loucher; en même temps, il fronçait le nez, avançait les lèvres et remuait les oreilles comme un lapin. Gros-Louis rit mais il se sentait choqué et mécontent : il pensa qu'il n'aimait pas Starace. Mario riait aux larmes :

— Je t'avais prévenu, disait-il en riant. Il est marrant, le frère. Il va te faire le coup de la soucoupe, à présent.

Starace posa son verre sur la table, encastra sa soucoupe dans sa large paume et fit passer trois fois de suite sa main gauche à plat sur sa main droite. Après la troisième fois, la soucoupe avait disparu. Profitant de la surprise de Gros-Louis, Starace lui plongea la main entre les genoux, Gros-Louis sentit qu'un objet dur lui raclait les jambes et la main réapparut, tenant la soucoupe. Gros-Louis rit modérément, bien que Mario lui frappât sur les cuisses en pleurant de joie.

— Ah! vieux salaud! disait Mario entre deux hoquets. Je te le dis : t'as pas fini de rire avec nous.

Il se calma progressivement; lorsqu'il eut repris son sérieux, un lourd silence tomba sur les trois hommes. Gros-Louis les trouvait fatigants et il avait un peu envie qu'ils s'en aillent, mais il pensa que la nuit allait tomber et qu'il lui faudrait reprendre sa marche au hasard des longues rues noyées d'ombre et chercher interminablement un coin pour croquer et un autre pour dormir, son cœur se serra et il commanda une nouvelle tournée de pastis. Mario se pencha vers lui et Gros-Louis respira son odeur.

— Alors comme ça, t'es pas d'ici? demanda Mario.

— Je suis pas d'ici et je connais personne, dit Gros-Louis. Le seul gars que je connais, je ne peux pas le retrouver. A moins que vous ne le connaissiez, dit-il à la réflexion. C'est le négro.

Mario hocha la tête d'un air vague.

Il se pencha tout à coup vers Gros-Louis en plissant les yeux :

— Marseille c'est la ville où on rigole, lui dit-il. Si tu connais pas Marseille, t'as jamais rigolé de ta vie.

Gros-Louis ne répondit pas. A Villefranche, il avait souvent rigolé. Et puis dans les bordels de Perpignan, quand il avait fait son service : ça c'était fin. Mais il n'arrivait pas à s'imaginer qu'on pût rigoler à Marseille.

— T'as pas envie de rigoler? demanda Mario. Ça te dit rien les belles poupées?

— C'est pas ça, dit Gros-Louis. Mais pour le moment j'aimerais mieux croquer. Si vous connaissez une auberge, je vous offrirai le manger avec plaisir.

A la nuit tombante, les solides s'étaient évaporés, il restait de vagues masses gazeuses, des brumes sombres; elle marchait vite, la tête baissée, les épaules rentrées; elle avait peur de buter tout à coup contre un cordage, elle rasait la cloison; se laisser ronger par la nuit, n'être qu'une buée en suspens dans cette énorme vapeur et s'effilocher peu à peu par les bords. Mais elle savait bien que sa robe blanche était un fanal. Elle traversait le pont des secondes classes, elle n'entendait pas un bruit, sauf l'éternel reproche de la mer; mais il y avait partout des hommes immobiles et silencieux qui se détachaient sur l'ombre plate de la mer, ils avaient des yeux : de temps en temps un feu pointu trouait la nuit, rougissait un visage, des yeux brillaient, la regardaient, s'évanouissaient, elle aurait voulu mourir.

Il fallut descendre un escalier, traverser le pont des troisièmes, remonter un autre escalier, raide comme une échelle et tout blanc; si on me voit, il ne peut pas y avoir de doute, sa cabine est là-haut, toute seule; il a du travail, cet homme, ça n'est guère possible qu'il me garde toute la nuit. Elle avait peur qu'il n'y prenne goût et qu'il n'envoie tous les soirs un steward la chercher au salon, comme le capitaine grec, mais non, pour un gros vieux comme ça, je suis beaucoup trop maigre, il sera déçu, il ne trouvera que des os. Elle n'eut pas besoin de frapper, la porte était entrouverte, il l'attendait dans le noir, il dit :

— Entrez, belle dame.

Elle hésita un instant, la gorge serrée; une main l'attira dans la cabine et la porte se referma. Elle fut plaquée soudain contre un gros ventre, une vieille bouche qui sentait le liège s'écrasa sur sa bouche. Elle se laissait faire, elle pensait avec une résignation fière : « C'est le métier, ça fait partie de mon métier. » Le commandant appuya sur l'interrupteur et sa tête sortit de l'ombre, le blanc de ses yeux était liquide et bleuté, avec un point rouge dans l'œil gauche. Elle se dégagea en souriant; tout était devenu beaucoup plus difficile, depuis que les lampes s'étaient allumées; jusque-là elle l'imaginait par grandes masses, mais, à présent, il s'était mis à exister jusque dans les plus infimes détails, elle allait faire l'amour avec un être unique au monde, comme tous les êtres, et cette nuit serait une nuit unique, comme toutes les nuits, une nuit d'amour unique et irréparable, irréparablement perdue. Maud souriait et disait :

— Attendez, capitaine, attendez, vous êtes bien pressé : il faut que nous fassions connaissance.

Qu'est-ce que c'est? Il se dressa sur un coude, soupçonneux : le bateau semblait immobile. Il eut trois ou quatre renvois, dont l'un, très mauvais, qui lui passa par le nez, il se sentait vide mais lucide. « Qu'est-ce que c'est? » pensa-t-il. Et il se retrouva soudain assis sur sa couchette, avec un cercle de fer qui lui enserrait la tête et cette angoisse déjà trop familière qui lui mordait le cœur. Le temps s'était remis en marche, c'était une mécanique inexorable et saccadée, chaque seconde le déchirait comme une dent de scie, chaque seconde le rapprochait de Marseille et de la terre grise où il allait crever. De nouveau le monde était là, autour de sa cabine, un monde atroce de gares, de fumées, d'uniformes, de campagnes dévastées, un monde où il ne pouvait vivre et qu'il ne pouvait quitter, avec ce trou boueux qui l'attendait en Flandre. Un lâche, un fils d'officier qui a peur de faire la guerre : il avait horreur de lui-même. Et pourtant il s'accrochait désespérément à la vie. C'est encore plus dégueulasse : « Ce n'est pas pour ce que je vaux que je veux vivre; c'est... pour rien : pour rien, parce que je vis. » Il se sentait capable de tout pour sauver sa peau, de fuir, de demander grâce, de trahir et pourtant il ne tenait pas tellement à sa peau. Il se leva : « Qu'est-ce que je vais lui dire? Que j'avais une insolation, une crise de paludisme? Que je n'étais pas dans mon état normal? » Il s'approcha de la glace en vacillant et vit qu'il était jaune comme un citron. « C'est complet : je ne peux même plus compter sur ma gueule. Et je dois sentir le vomi, par-dessus le marché. » Il se passa de l'eau de Cologne sur le visage et se gargarisa avec de l'eau de Botot. « Que d'histoires, pensa-t-il avec irritation. C'est bien la première fois que je me soucie de ce qu'une poule pense de moi. Une moitié de grue, une violoniste de bastringue; et j'ai eu des femmes mariées, des mères de famille. Elle me tient, celle-là, pensa-t-il en enfilant son veston, elle sait. »

Il ouvrit la porte et sortit; le capitaine était tout nu, il avait une peau cireuse et lisse, sans poils, à part quatre ou cinq, tout blancs, sur les seins, les autres avaient dû tomber de vieillesse, il riait, il avait l'air d'un gros bébé espiègle, Maud effleura du bout des doigts ses grosses cuisses polies et il se tortilla en disant :

— Tu me chatouilles!

Il connaissait le numéro de la cabine : 27; il prit un couloir à droite puis un autre à gauche, on frappait de grands coups réguliers contre la cloison; 27, c'était là. Une jeune femme était étendue sur le dos, pâle comme une morte; une vieille dame, assise sur une couchette, les yeux rouges et gonflés, mangeait une tartine de fromage.

— Oh! dit-elle, les trois dames, là? Elles étaient bien gentilles. Elles sont parties, on les a mises en seconde; je les regretterai.

Il la regardait avec surprise, il lui posa la main sur l'os iliaque :

— Vous seriez bien roulée, avec une belle petite gueule, mais ce que vous êtes maigre.

Elle rit; quand on lui touchait l'os iliaque, ça la faisait rire.

— Vous n'aimez pas les maigres, capitaine?

— Ah! je ne déteste pas ça, mais pas du tout, s'empressa-t-il de répondre.

Il monta l'escalier en courant; il fallait qu'il vît Maud. A présent, c'était le couloir des secondes, un beau couloir avec un tapis, les portes et les cloisons étaient ripolinées en bleu-gris. Il eut de la chance : Ruby apparut brusquement, suivie d'un steward qui portait ses valises.

— Bonjour, dit Pierre. Vous êtes en seconde?

— Eh bien oui! dit Ruby : France craint d'être malade. Nous sommes toutes tombées d'accord : quand la santé est en jeu, il faut savoir s'imposer des sacrifices.

— Où est Maud?

Maud était couchée sur le flanc, le capitaine lui pelotait les fesses avec une courtoisie distraite; elle se sentait profondément humiliée : « Si je ne suis pas son type, il ne faudrait pas qu'il se croie obligé. » Elle lui passa la main sur les flancs pour lui rendre sa politesse : c'était de la vieille peau.

— Maud? dit Ruby d'une voix aiguë. Qui sait où elle est? Vous la connaissez : l'envie l'a prise d'aller faire la cour aux soutiers, à moins

que ce ne soit au commandant, elle adore les traversées, elle est
toujours à courir d'un bout à l'autre du bateau.

— Petite curieuse! dit le capitaine. Il rit et lui saisit le poignet :
« Je vais vous faire faire le tour du propriétaire », dit-il. Et ses yeux
brillèrent pour la première fois. Maud se laissa faire, elle était confuse,
à cause du changement de cabines, il fallait tout de même qu'il y
trouvât son compte, elle regrettait vivement d'être trop maigre, elle
avait l'impression de l'avoir dupé; le capitaine souriait, il baissait
les yeux, il avait l'air chaste et intérieur, il serrait le poignet de
Maud et dirigeait sa main avec une douceur ferme; Maud était
contente, elle pensait : « Pour une chose dont il a envie, ça serait
malheureux que je refuse, après le dérangement qu'on lui a causé,
surtout qu'il n'aime pas les maigres. »

— Merci! Merci bien!

Il inclina la tête et reprit sa course. Il fallait trouver Maud; elle
sera sur le pont. Il grimpa sur le pont des secondes, il faisait sombre,
il était presque impossible de reconnaître les gens, à moins de les
regarder sous le nez. « Je suis idiot, je n'ai qu'à l'attendre là : d'où
qu'elle vienne, il faut qu'elle prenne cet escalier. » Le capitaine avait
fermé les yeux tout à fait, il avait un air tranquille et religieux qui
plaisait beaucoup à Maud, elle avait le poignet fatigué, mais elle
était contente de faire plaisir et puis elle se sentait toute seule,
comme quand elle était petite et que le grand-père Théveneur la
prenait sur ses genoux et qu'il s'endormait tout à coup en dodeli-
nant de la tête. Pierre regardait la mer et pensait : « Je suis un
lâche. » Un vent frais ruisselait sur ses joues et faisait claquer sa
mèche, il regardait monter et descendre la mer; il se regardait avec
étonnement et il pensait : « Lâche. Je ne l'aurais jamais cru. » Lâche
à en pleurer. Il avait suffi d'un jour pour qu'il découvre son être
véritable; sans ces menaces de guerre il n'aurait jamais rien su. « Si
j'étais né en 1860, par exemple. » Il se serait promené dans la vie
avec une certitude tranquille; il aurait sévèrement blâmé la lâcheté
des autres et rien, absolument rien ne lui aurait découvert sa véritable nature. Pas de chance. Un jour, un seul jour : à présent il
savait et il était seul. Les autos, les trains, les bateaux labouraient
cette nuit claire et sonore, convergeaient tous vers Paris, emportaient de jeunes types comme lui, qui ne dormaient pas, qui se
penchaient au-dessus du bastingage ou se cognaient le nez aux
vitres sombres. « Ça n'est pas juste, pensa-t-il. Il y a des milliers
de gens, des millions, peut-être, qui ont vécu à des époques heureuses
et qui n'ont jamais connu leurs limites : on leur a laissé le bénéfice

du doute. Alfred de Vigny était peut-être un lâche. Et Musset? Et
Sainte-Beuve? Et Baudelaire? Ils ont eu de la veine. Tandis que
moi! murmura-t-il en frappant du pied. Elle n'aurait jamais su, elle
aurait continué à me regarder avec son air d'adoration, elle n'aurait pas duré plus longtemps que les autres, je l'aurais plaquée au
bout de trois mois. Mais elle sait, à présent. Elle sait. La garce, elle
me tient. »

Il faisait noir au dehors, mais, dans le bar, il y avait tant de
lumière que Gros-Louis en était tout ébloui. C'était plutôt rigolo,
parce qu'on ne voyait pas de lampes : il y avait un long tube rouge
qui se tortillait autour du plafond et puis un autre, un blanc, et la
lumière venait de là; ils avaient collé des glaces partout; dans la
glace d'en face, Gros-Louis voyait toute sa tête et le haut du crâne
de Starace, il ne voyait ni Mario ni Daisy qui étaient trop petits.
Il avait payé les repas et quatre tournées de pastis; il fit apporter
des fines. Ils étaient assis au fond du bar, en face du comptoir,
c'était douillet, entourés d'un gros bruit cotonneux qui berçait.
Gros-Louis s'épanouissait, il avait envie de monter sur la table et
de chanter. Mais il ne savait pas chanter. A d'autres moments ses
yeux se fermaient, il tombait dans un trou et il se sentait accablé
comme si quelque chose d'horrible lui était arrivé, il rouvrait les
yeux, il essayait de se rappeler ce que c'était, mais finalement il
ne lui était rien arrivé du tout. L'un dans l'autre, il était plutôt
à son aise, un peu irrité simplement, mais confortable; il avait de
la peine à tenir les yeux ouverts. Il avait étendu ses longues jambes
sous la table, l'une entre celles de Mario, l'autre entre celles de Starace, il se voyait dans la glace et ça le faisait rire, il essaya de faire
la grimace de Starace, mais il ne pouvait ni loucher ni remuer les
oreilles. Au-dessous de la glace, il y avait une petite dame bien
convenable, qui fumait pensivement, elle dut prendre la grimace
pour elle, car elle lui tira la langue et puis elle emprisonna son poignet droit dans sa main gauche, ferma le poing droit et le fit tourner en ricanant. Gros-Louis détourna les yeux, interdit, il avait peur
de l'avoir blessée.

Daisy était assise contre lui, petite, dure et chaude. Mais elle ne
s'occupait pas de lui. Elle sentait bon et elle était peinturlurée comme
il faut, avec de gros nénés, mais Gros-Louis la trouvait trop sérieuse,
il aimait les petites mignonnes un peu rieuses qui vous font des
agaceries, comme, par exemple, de vous souffler dans l'oreille,
et qui vous chuchotent, en baissant les yeux, des cochonneries
que vous ne comprenez pas tout de suite. Daisy était animée et

grave; elle parlait gravement de la guerre avec Mario; elle disait :

— Eh bien on la fera, la guerre; s'il faut la faire, on la fera.

Starace se tenait tout droit sur sa chaise, en face de Daisy; il semblait attentif mais c'était sûrement par courtoisie, puisqu'il ne comprenait rien. Gros-Louis avait pris de la sympathie pour lui, parce qu'il restait si tranquille et sans jamais se fâcher. Mario regardait Daisy d'un air rusé, il hochait la tête et disait :

— Je ne dis pas, je ne dis pas.

Mais il n'avait pas l'air convaincu.

— Moi j'aime mieux la guerre que la grève, dit Daisy, t'aimes pas mieux la guerre que la grève? T'as qu'à voir la grève des dockers ce qu'elle a coûté à tout le monde, à nous comme aux autres.

— Je ne dis pas, dit Mario.

Daisy parlait avec application et d'un air malheureux; elle branlait la tête en parlant : « Pendant la guerre, fini les grèves, dit-elle sévèrement. Tout le monde travaille. Ah! Ah! Et si t'avais vu les bateaux en 17, t'étais trop môme; moi aussi j'étais môme, mais tu vois, je me les rappelle. C'était la nouba, la nuit tu voyais des feux jusqu'à l'Estaque. Et ces têtes qu'on voyait dans les rues, tu te serais cru je ne sais pas où, on se sentait fier, et les queues dans la rue Boutherille, il y avait des Anglais, des Américains, des Italiens, des Allemands, même des Hindous qu'il y avait, ainsi! Qu'est-ce qu'elle ramassait, ma mère, je te le dis!

— Il n'y avait pas d'Allemands, dit Mario, on était en guerre avec eux.

— Je te dis qu'il y avait des Allemands, dit Daisy. Et en uniforme encore, avec un machin sur leurs casquettes. Je les ai peut-être vus, non?

— On était en guerre avec eux », dit Mario.

Daisy haussa les épaules :

— Eh bien oui, mais là-haut dans le Nord. Ceux-là, ils ne venaient pas des tranchées, ils arrivaient par mer, pour faire du commerce.

Une grande garce passait, bien grasse et blonde comme du beurre, mais elle avait l'air trop sérieuse, elle aussi. Gros-Louis pensa : « C'est d'habiter la ville qui leur donne cet air-là. » Elle se pencha vers Daisy, elle paraissait indignée :

— Eh ben moi j'aime pas la guerre, comprends-tu? Parce que j'en ai plein le cul de la guerre et mon frère, il a fait celle de 14, tu voudrais peut-être qu'il remette ça? Et la ferme de mon oncle, elle n'a pas brûlé, non? Ça ne te dit rien?

Daisy fut un instant déconcertée mais elle reprit vivement son sang-froid.

— Alors, t'aimes mieux les grèves? demanda-t-elle. Mais dis-le donc?

Mario regarda la grande blonde et elle s'en alla sans rien dire, en hochant la tête. Elle s'assit non loin d'eux et se mit à parler avec véhémence à un petit homme triste qui mâchait une paille. Elle désignait Daisy et parlait à une vitesse surprenante. Le petit homme ne répondait pas, il mâchait sa paille sans lever les yeux, il n'avait même pas l'air de l'entendre.

— Elle est de Sedan, expliqua Mario.

— Où c'est? demanda Daisy.

— C'est dans le Nord.

Elle haussa les épaules.

— Eh ben alors, qu'est-ce qu'elle a à râler? Dans le Nord, ils ont l'habitude.

Gros-Louis bâilla de toutes ses forces et des larmes lui roulèrent sur les joues. Il s'ennuyait mais il était content parce qu'il aimait bien bâiller. Mario lui jeta un coup d'œil rapide. Starace se mit à bâiller aussi.

— Le copain s'emmerde, dit Mario en montrant Gros-Louis, sois gentille avec lui, Daisy.

Daisy se tourna vers Gros-Louis et lui mit son bras autour du cou. Elle n'avait plus du tout l'air sérieux.

— C'est vrai, mon coco, que tu t'ennuies? avec un beau brin de fille à tes côtés?

Gros-Louis allait lui répondre quand il aperçut le négro. Il était debout devant le comptoir et buvait un liquide jaune dans un grand verre. Il portait un complet vert et un chapeau de paille avec un ruban multicolore. « Ah ben! » dit Gros-Louis. Il regardait le négro et il était heureux.

— Qu'est-ce que t'as? demanda Daisy étonnée.

Il tourna la tête vers elle puis vers Starace et les regarda avec stupeur. Il avait honte d'être avec eux. Il secoua les épaules, pour faire tomber le bras de Daisy, il se leva et s'approcha du nègre à pas de loup. Le nègre buvait et Gros-Louis riait d'aise. Daisy disait derrière lui d'un ton aigre : « Qu'est-ce qu'il lui prend, à cet enfilé-là? Il m'a fait mal. » Mais Gros-Louis s'en foutait : il était délivré de Mario et de Starace. Il leva la main droite au-dessus du négro et lui envoya une grande claque entre les omoplates. Le négro manqua s'étrangler; il toussa et cracha puis il se retourna sur Gros-Louis d'un air furieux.

— C'est moi, dit Gros-Louis.

— Vous n'êtes pas cinglé, des fois? dit le nègre d'une voix aiguë.

— Tu vois bien que c'est moi! répéta Gros-Louis.

— Je vous connais pas, dit le nègre.

Gros-Louis regarda le nègre avec tristesse :

— Tu ne te rappelles pas? On s'est vus hier, tu venais de te baigner?

Le nègre toussa et cracha. Starace et Mario s'étaient levés, ils s'étaient mis de chaque côté de Gros-Louis. « Est-ce qu'ils ne vont pas me foutre la paix? » pensa Gros-Louis avec colère. Mario le tira doucement par la manche.

— Allez, viens, dit-il. Tu vois bien qu'il ne veut pas de toi.

— C'est mon négro, dit Gros-Louis d'un ton menaçant.

— Enlevez-le, dit le nègre. A quelle heure que vous le couchez?

Gros-Louis regardait le nègre et se sentait malheureux : c'était bien lui, il était si joli et si gai, avec son beau chapeau de paille. Pourquoi fallait-il qu'il fût oublieux et ingrat?

— Je t'ai donné un coup de vin, dit-il.

— Allez, viens! répéta Mario. C'est pas ton négro : ils se ressemblent tous.

Gros-Louis serra les poings et se tourna vers Mario :

— Fous-moi la paix, que je te dis. C'est pas tes affaires.

Mario recula d'un pas.

— Tous les nègres se ressemblent, dit-il d'un air inquiet.

— Mario, laisse-le. C'est une brute, viens ici, cria Daisy.

Gros-Louis allait cogner quand la porte s'ouvrit et un second nègre apparut, tout pareil au premier, avec un canotier et un costume rose. Il regarda Gros-Louis avec indifférence, traversa le bar d'un pas dansant et alla s'accouder au comptoir. Gros-Louis se frotta les yeux et puis il regarda les deux nègres tour à tour. Il se mit à rire.

— On dirait deux fois le même, dit-il.

Mario se rapprocha :

— Eh bien, tu vois?

Gros-Louis était confus. Il n'aimait pas beaucoup Starace, ni Mario, mais il se sentait coupable envers eux. Il les prit par le bras :

— Je croyais que c'était mon négro, expliqua-t-il.

Le nègre lui avait tourné le dos et s'était remis à boire. Mario regarda Starace, puis ils se tournèrent tous deux vers Daisy. Daisy était debout, les poings sur les hanches, elle les attendait. Elle n'avait pas l'air commode.

— Hum! fit Mario.

— Hum! fit Starace.

Ils firent volte-face, saisirent chacun Gros-Louis par un bras et l'entraînèrent.

— On va le chercher, ton négro, dit Mario.

La rue était étroite et déserte, elle sentait le chou. Au-dessus des toits on voyait des étoiles. « Ils se ressemblent tous », pensa Gros-Louis tristement. Il demanda :

— Il y en a beaucoup, à Marseille?

— Beaucoup de quoi, mon pote?

— De négros?

— Y en a pas mal, dit Mario en hochant la tête. « Je suis complè tement noir », pensa Gros-Louis, mais je vais vous aider, dit le capitaine, je serai votre camériste. Mario avait pris Gros-Louis par la taille, le capitaine avait saisi la combinaison par une bretelle, Maud ne put s'empêcher de rire : « Mais vous la tenez à l'envers! » Mario se penchait en avant, il serrait fortement la taille de Gros-Louis et se frottait la tête contre son estomac, il disait : « T'es mon pote, pas vrai Starace, c'est mon petit pote, on s'aime, nous deux. » Et Starace riait en silence, sa tête tournait, tournait, ses dents brillaient, c'était un cauchemar, sa tête était toute bruissante de cris et de lumières, il s'en allait vers d'autres bruits et d'autres lumières, ils ne le lâche raient pas de la nuit, le rire de Starace, son visage brun qui montait et descendait, la petite gueule de fouine de Mario, il avait envie de vomir, la mer montait et descendait dans l'estomac de Pierre, il savait très bien qu'il ne retrouverait jamais son nègre, Mario le poussait, Starace le tirait, le nègre était un ange et moi je suis en enfer. Il dit :

— Le nègre était un ange.

Et deux grosses larmes roulèrent sur ses joues, Mario le poussait, Starace le tirait, ils tournèrent le coin de la rue, Pierre ferma les yeux; il n'y eut plus que la lueur clignotante du réverbère sur les pavés et le chuintement écumeux de l'eau contre l'étrave.

Volets clos, fenêtres closes, ça sentait la punaise et le formol. Il se penchait sur le passeport, la bougie éclairait ses cheveux gris et bouclés, mais elle projetait l'ombre de son crâne sur toute la table. « Pourquoi n'allume-t-il pas l'électricité, il va s'arracher les yeux. » Philippe se racla la gorge : il se sentait noyé dans le silence et l'oubli; « Là-bas j'existe, j'existe enfin, je suis solide, je m'impose, elle n'a pas pu avaler une bouchée, elle a une boule de larmes dans le gosier et lui, il est stupéfait, la main qu'il a levée sur moi se dessèche, il ne m'aurait pas cru capable de ça, là-bas je viens de naître, et pourtant c'est ici que je suis, en face de ce petit vieux râblé, à la moustache grise, qui m'a complètement oublié. Ici; ici! Ici, ma présence monotone au milieu des aveugles et des sourds, je fonds en ombre, et là-bas, sous les feux du candélabre, entre la bergère et le canapé, j'existe, je compte. » Il frappa du pied et le vieux leva les yeux, des yeux de myope, durs, larmoyants et fatigués.

— Vous avez été en Espagne?

— Oui, dit Philippe. Il y a trois ans.

— Le passeport n'est plus valable. Il aurait fallu le renouveler.

— Je sais, dit Philippe avec impatience.

— Moi, ça m'est égal. Vous parlez l'espagnol?

— Comme le français.

— S'ils vous prennent pour un Espagnol, vous aurez de la chance, avec vos cheveux filasse.

— Il y a des Espagnols blonds.

Le vieux haussa les épaules :

— Moi, vous savez, je vous dis ça...

Il feuilletait distraitement le passeport. « Moi, je suis ici, chez un faussaire. » Ça n'avait pas l'air vrai. Depuis ce matin, rien n'avait l'air vrai. Le faussaire ne ressemblait pas à un faussaire, mais à un gendarme.

— Vous avez l'air d'un gendarme.

Le vieux ne répondit pas; Philippe se sentit mal à l'aise. L'insignifiance. Elle était revenue ici la transparente insignifiance de la veille, quand je passais à travers leurs regards, quand j'étais une vitre cahotante sur le dos d'un vitrier et que je passais à travers le soleil. Là-bas, à présent je suis opaque comme un mort; elle se demande : « Où est-il? Qu'est-ce qu'il fait? Est-ce qu'il pense tout de même à moi? » Mais le vieux n'a pas l'air de savoir qu'il y a un endroit sur la terre où je suis une pierre précieuse.

— Alors? dit Philippe.

Le vieux posa sur lui son regard las.

— C'est Pitteaux qui vous envoie?

— C'est la troisième fois que vous me le demandez. Oui, c'est Pitteaux qui m'a envoyé, dit Philippe avec aplomb.

— C'est bon, dit le vieux. D'ordinaire, je fais ça pour rien; mais pour vous, ça sera trois mille francs.

Philippe fit la moue de Pitteaux :

— J'espère bien. Je n'avais pas l'intention de vous demander un service gratuit.

Le vieux ricana. « Ma voix sonne faux, pensa Philippe avec irritation. Je n'ai pas encore l'insolence naturelle. Surtout en face des vieux. Entre eux et moi, il y a un très ancien compte de gifles impayées. Il faudra que je les rende toutes avant de pouvoir leur parler en égal. Mais la dernière, pensa-t-il avec éclat, la dernière en date est effacée. »

— Voilà, dit-il.

Il tira vivement son portefeuille et déposa trois billets sur la table.

— Jeune idiot! dit le vieux. A présent, je vais les empocher et refuser de faire votre travail.

Philippe le regarda avec inquiétude et fit un mouvement pour reprendre les billets. Le vieux éclata de rire.

— Je croyais... dit Philippe.

Le vieux riait toujours, Philippe retira sa main avec dépit et se mit à sourire :

— Je connais les hommes, dit-il. Je sais que vous n'auriez pas fait ça.

Le vieux cessa de rire. Il avait l'air gai et mauvais.

— Ça connaît les hommes. Pauvre petit morpion, tu viens chez moi, tu ne m'as jamais vu, tu sors tes fafiots et tu les poses sur la table, c'est un coup à te faire assassiner. Allez, allez, laisse-moi travailler. Je te prends mille francs tout de suite, pour le cas où tu changerais d'idée. Tu m'apporteras le reste quand tu viendras chercher les papiers.

Une gifle de plus, je les rendrai toutes. Les larmes lui vinrent aux yeux. Il avait le droit de se mettre en colère, mais ce qu'il ressentait c'était de la stupeur. Comment font-ils tous pour être si durs, ils ne désarment jamais, ils sont aux aguets, à la moindre erreur ils vous sautent dessus et vous font mal. Qu'est-ce que je lui ai fait? Et à eux, là-bas, dans le salon bleu, qu'est-ce que je leur avais fait? J'apprendrai les règles du jeu, je serai dur, je les ferai trembler.

— Quand sera-ce prêt?

— Demain, dans la matinée.

— Je pensais... je ne pensais pas que ça vous prendrait si long-temps.

— Oui? dit le vieux. Et les tampons, tu crois que je les invente? Allez, file, tu reviendras demain matin, je n'ai pas trop de toute la nuit pour faire ta besogne.

Dehors la nuit, la nuit écœurante et tiède avec ses monstres; les pas qui sonnent longtemps derrière vous sans qu'on ose retourner la tête, la nuit, à Saint-Ouen; le quartier n'est pas sûr.

Philippe demanda d'une voix blanche :

— A quelle heure puis-je revenir?

— A l'heure que tu veux, à partir de six heures.

— Y a-t-il... y a-t-il des hôtels par ici?

— Avenue de Saint-Ouen, tu n'auras qu'à choisir. Allez, file.

— Je reviendrai à six heures, dit Philippe avec fermeté.

Il prit sa mallette, referma la porte et descendit l'escalier. Ses larmes jaillirent sur le palier du troisième, il avait oublié d'emporter un mouchoir, il s'essuya les yeux avec sa manche, il renifla une fois ou deux, je ne suis pas un lâche. Le vieux manant là-haut le prenait pour un lâche, son mépris le poursuivait comme un regard. Ils me regardent. Philippe se hâta de descendre les dernières marches. « Porte s'il vous plaît. » La porte bâilla sur une grisaille trouble et tiède. Philippe plongea dans cette eau de vaisselle. « Je ne suis pas un lâche, il n'y a que ce sale vieux pour le penser. Il ne le pense plus d'ailleurs, décida-t-il. Il ne pense plus à moi, il s'est mis au travail. » Le regard s'éteignit, Philippe pressa le pas. « Alors, Philippe? Tu as la frousse? — Je n'ai pas la frousse, je ne peux pas. — Tu ne peux pas, Philippe? Tu ne peux pas? » Il s'était rencoigné contre le mur. Pit teaux lui caressa les flancs et la poitrine, lui toucha la pointe des seins à travers sa chemise, puis il lui donna un coup sur la bouche avec deux doigts de la main droite : « Adieu, Philippe, va-t'en. Je n'aime pas les froussards. » La rue s'était peuplée de statues nocturnes, ces hommes adossés aux murailles qui ne disent rien, qui ne fument pas et qui vous regardent passer, sans un geste, de leurs yeux embués de nuit. Il courait presque et son cœur battait plus vite. « Avec ta gueule? Allez, allez, tu es un petit lâche. » Ils verront, ils verront tous, il y viendra comme les autres, il lira mon nom, il dira : « Tiens! pour un gosse de riche, pour un marmouset, ça n'est pas si mal. »

Un crevé de lumière, sur sa droite, un hôtel. Le garçon se tenait sur le seuil; il louchait; « Est-ce qu'il me regarde? » Philippe ralentit sa marche mais il fit un pas de trop, il dépassa la porte, le garçon devait loucher dans son dos à présent; décemment, il ne pouvait plus revenir sur ses pas. Le sommelier louche ou le duel des Cyclopes. Ou encore ceci : une sale histoire pour le cyclope. Il se regarde dans la glace, un beau jour, parce que ça le démange au-dessus des pommettes : un autre œil vient de lui pousser à côté du premier! Quel désespoir. Impossible de leur faire faire des manœuvres d'ensemble, bien entendu, le premier était resté trop longtemps seul, il faisait bande à part. Sur le trottoir d'en face, il y avait un autre hôtel, l'hôtel de Concarneau, une petite construction à un étage. « Est-ce que j'y vais?

Et s'ils me demandaient mes papiers? » pensa-t-il. Il n'osa pas traverser, il reprit sa marche sur le même trottoir. « Il faut de l'estomac,
mais ce soir, je n'en ai guère, le vieux m'a vidé; ou alors, pensa-t-il
en regardant l'enseigne « Café, vins, liqueurs », si j'avais un coup
dans le nez. » Il poussa la porte.

C'était un tout petit café, un zinc et deux tables, la sciure de bois
collait aux semelles. Le patron le regarda avec méfiance. « Je suis
trop bien habillé », pensa Philippe avec irritation.

— Une fine, dit-il en s'approchant du comptoir.

Le patron prit une bouteille dont le bouchon était surmonté d'un
bec de fer-blanc. Il versa la fine, Philippe avait posé sa mallette et
le regardait faire, amusé : un filet d'alcool coulait du bec de fer; il
a l'air d'arroser des légumes. Philippe but une gorgée, il pensa : « Ça
doit être du mauvais alcool. » Il n'en buvait jamais, ça avait goût
de vin roussi et ça lui incendia la gorge; il reposa le verre précipitamment. Le patron le regardait. Y avait-il de l'ironie dans ses yeux
placides? Philippe reprit le verre et le porta à ses lèvres d'un geste
négligent : son gosier flambait, ses yeux mouillaient, il but d'un seul
trait. Quand il reposa le verre, il se sentait nonchalant et un peu gai.
Il pensa : « Voilà une occasion d'observer. » Il avait découvert, quinze
jours auparavant, qu'il ne savait pas observer, je suis poète, je n'ana-
lyse pas. Depuis, il se contraignait à dresser des inventaires, partout
où il pouvait, à faire le compte par exemple des objets exposés dans
une vitrine. Il jeta un coup d'œil circulaire, je vais commencer par
la dernière rangée de bouteilles, en haut, derrière le comptoir. Quatre
bouteilles de Byrrh, une de Goudron, deux de Noilly, un cruchon
de rhum.

Quelqu'un venait d'entrer. Un ouvrier avec une casquette. Philippe pensa : « C'est un prolétaire. » Il n'avait pas eu l'occasion d'en
rencontrer souvent mais il pensait beaucoup à eux. C'était un homme
d'une trentaine d'années, musclé mais mal bâti, avec des bras trop
longs et des jambes torses, c'était sûrement le travail manuel qui
l'avait déformé; il avait des poils jaunes et raides sous le nez; il
portait une cocarde tricolore à sa casquette et semblait mécontent
et agité. Il dit :

— Ça sera un coup de blanc, le patron, en vitesse.

— On va fermer, dit le patron.

— Vous n'allez pas refuser un coup de blanc à un **mobilisé**?
demanda l'ouvrier.

Il parlait avec difficulté, d'une voie enrouée, comme s'il **avait**
passé la journée à crier. Il expliqua en clignant de l'œil droit :

— Je pars demain matin.

Le patron prit un verre et une bouteille :

— Où c'est que vous allez? demanda-t-il en posant le verre sur le comptoir.

— A Soissons, dit le type. Je suis dans les chars.

Il éleva le verre jusqu'à sa bouche, sa main tremblait, du vin coula sur le plancher.

— On va leur rentrer dans le lard, dit-il.

— Heu! fit le patron.

— Comme ça! dit le type.

Il frappa deux fois sur son poing gauche du plat de sa main droite.

— Savoir, dit le patron. Ils sont forts, les cochons!

— Comme ça, je vous dis!

Il but, fit claquer sa langue et chanta. Il paraissait excité et las; à chaque instant ses traits s'affaissaient, ses yeux se fermaient, ses lèvres se mettaient à pendre : mais tout aussitôt une force impitoyable lui relevait les paupières, tirait vers le haut les coins de ses lèvres : il semblait la proie épuisée d'une gaieté qui ne voulait plus finir. Il se tourna vers Philippe :

— Eh bien? tu es mobilisé?

— Je... pas encore, dit Philippe en se reculant.

— Qu'est-ce que tu attends? Faut leur rentrer dans le lard.

C'était un prolétaire : Philippe lui sourit et se força à faire un pas vers lui.

— Je te paye un coup de blanc, dit le prolétaire. Patron, deux verres, un pour vous, un pour lui : c'est ma tournée.

— J'ai pas soif, dit le patron sévèrement. Et puis c'est l'heure de fermer : je me lève à quatre heures, moi.

Il poussa néanmoins un verre devant Philippe.

— On va trinquer, dit le prolétaire.

Philippe leva son verre. Tout à l'heure dans la chambre d'un faussaire, à présent trinquant sur le zinc avec un travailleur. S'ils me voyaient!

— A votre santé, dit-il.

— A la victoire, dit le prolétaire.

Philippe le regarda avec surprise : il voulait sûrement plaisanter; les travailleurs sont pour la paix.

— Dis comme moi, dit le type. Dis : à la victoire.

Il avait l'air sérieux et mécontent.

— Je ne veux pas dire ça, dit Philippe.

— De quoi? fit le type.

Il serrait les poings. Un rot lui coupa la parole; il fit les yeux blancs, laissa tomber la mâchoire et sa tête oscilla mollement pendant une seconde.

— Dites comme lui, dit le patron.

Le prolétaire s'était ressaisi, il vint lui parler sous le nez, il puait le vin. « Je ne dirai pas : à la victoire.

— Tu ne veux pas dire : à la victoire? C'est à moi que tu fais ça? à un mobilisé? à un poilu de 38? »

Le prolétaire le saisit par la cravate et le poussa contre le comptoir :

— Tu me fais ça à moi? Tu ne veux pas trinquer?

Qu'est-ce qu'il ferait, Pitteaux? Qu'est-ce qu'il ferait, à ma place?

— Allons, dit le patron d'une voix sévère, faites ce qu'il vous dit : je ne veux pas d'histoires; et puis débarrassez-moi le plancher : je me lève à quatre heures, moi.

Philippe prit son verre :

— A la victoire, murmura-t-il.

Il but, mais il avait la gorge serrée, il crut qu'il ne pourrait pas avaler. Le type l'avait lâché et ricanait d'un air suffisant en s'essuyant la moustache avec le dos de la main.

— Il ne voulait pas dire : à la victoire, expliqua-t-il au patron. Je te l'ai pris par la cravate : tu me fais ça à moi, mauvais Français? à un mobilisé, à un poilu de 14?

Philippe jeta une pièce de quarante sous sur le zinc, prit sa mallette et se hâta de sortir. C'était un ivrogne, il fallait céder, Pitteaux aurait cédé : « Je ne suis pas un lâche. »

— Hé, dis donc, petit gars!

Le type était sorti derrière lui, Philippe entendit le patron qui fermait la porte et qui donnait un tour de clé. Il se sentit glacé : il lui semblait qu'on les enfermait tous les deux ensemble.

— Te sauve pas comme ça, dit le type. On va leur rentrer dans le lard, que je te dis, ça s'arrose.

Il s'approcha de Philippe et lui entoura le cou de son bras, Mario avait pris le bras de Gros-Louis et le serrait tendrement, c'était l'enfer, ils marchaient dans les ruelles sombres, ils ne s'arrêtaient jamais, Gros-Louis n'en pouvait plus, il avait envie de vomir et ses oreilles bourdonnaient.

— C'est que je suis un peu pressé, dit Philippe.

— Où c'est qu'on va? demanda Gros-Louis.

— On va chercher ton négro.

— Tu ne vas pas jouer au Jules? Quand je paye à boire, faut boire, compris?

Gros-Louis regarda Mario et il eut peur. Mario disait : « Alors, mon pote, mon petit pote, t'es fatigué, mon pote? » Mais il n'avait plus le même visage. Starace lui avait pris le bras gauche, c'était l'enfer. Il essaya de dégager son bras droit mais il sentit une douleur aigre au coude.

— Dis donc, toi, tu me casses le bras, dit-il.

Philippe plongea brusquement et se mit à courir. C'est un ivrogne, il n'y a pas de mal à se sauver devant un ivrogne. Starace lui lâcha le bras tout à coup et fit un pas en arrière. Gros-Louis voulut se retourner pour voir ce qu'il fabriquait, mais Mario s'accrochait à son bras, Philippe entendait derrière lui un souffle court : « Cré putain de bon soir, sale petite lope, as pas peur, je vas te corriger, moi! » « Qu'est-ce qui te prend, mon petit pote, mais qu'est-ce qui te prend, on n'est donc plus copain? » Gros-Louis pensa : « Ils vont me tuer », la peur le glaçait jusqu'aux os, il prit Mario à la gorge avec sa main libre et le souleva de terre; mais au même instant sa tête se fendit jusqu'au menton, il lâcha Mario et tomba sur les genoux, le sang lui coulait sur les sourcils. Il essaya de se rattraper au veston de Mario mais Mario fit un bond en arrière et Gros-Louis ne le vit plus. Il voyait le nègre qui glissait à ras du sol mais sans toucher terre, il ne ressemblait pas du tout aux autres nègres, il venait vers lui, les bras ouverts, en riant, Gros-Louis étendit les mains, il avait cette énorme douleur cuivrée dans la tête, il lui cria : « Au secours », il reçut un second coup sur le crâne et il tomba le nez dans le ruisseau, Philippe courait toujours, hôtel du Canada, il s'arrêta, il reprit son souffle et regarda derrière lui, il l'avait semé. Il resserra le nœud de sa cravate et entra dans l'hôtel à pas mesurés.

Tangage, roulis. Tangage, roulis. Les oscillations du bateau lui montaient en spirales dans les mollets et dans les cuisses et venaient mourir en épaisses vibrations dans le bas de son ventre. Mais sa tête restait libre, tout juste un ou deux renvois un peu aigres; il serrait fortement la rampe du bastingage entre ses mains. Onze heures; le ciel fourmillait d'étoiles, un feu rouge dansait au loin sur la mer; c'est peut-être cette image-là qui reviendra dans mes yeux la dernière et qui s'y fixera pour toujours, quand je serai dans mon entonnoir, à la renverse avec la mâchoire emportée, sous un ciel clignotant. Cette pure image noire avec ce bruissement de palmes et ces présences d'hommes, si lointaines derrière leur feu rouge, dans le noir. Il les vit, en uniforme, serrés comme des harengs derrière leur fanal, glissant silencieusement vers la mort. Ils le regardaient sans souffler mot, le feu rouge glissait sur l'eau, ils glissaient, ils défilaient devant Pierre et ils le regardaient. Il les haït tous, il se sentit seul et buté sous les yeux méprisants de la nuit; il leur cria : « C'est moi qui ai raison, c'est moi qui ai raison, j'ai raison d'avoir peur, je suis fait pour vivre, pour vivre, pour vivre! Pas pour mourir : rien ne vaut la peine de mourir. » Elle ne venait pas; où pouvait-elle être? Il se pencha sur l'entrepont désert. « Salope, tu me la paieras cette attente. » Il avait eu des modèles, des mannequins, des girls superbement balancées, mais cette petite maigrichonne, plutôt mal foutue, c'était la première femme qu'il désirait avec cette violence. « Lui caresser la nuque, elle adore ça, à la naissance des cheveux noirs, faire monter lentement le trouble du ventre à la tête, empâter ses petites idées claires, je te baiserai, je te baiserai, j'entrerai dans ton mépris, je le crèverai comme une bulle; quand tu seras pleine de moi et que tu crieras « Mon Pierre », en roulant des yeux blancs, nous verrons ce que deviendra ton regard méprisant, nous verrons si tu m'appelleras lâche. »

« Au revoir, chère, chère amie, au revoir, revenez, revenez! » C'était un chuchotement, le vent le dispersa. Pierre tourna la tête et l'air s'engouffra dans son oreille. Là-bas, sur le pont avant, une petite lampe accrochée au-dessus de la cabine du capitaine éclairait une robe blanche, ballonnée par le vent. La femme en blanc descendit lentement l'escalier en se tenant à la rampe, à cause du vent et du roulis; sa robe tantôt gonflée, tantôt plaquée sur ses cuisses semblait une cloche en train de sonner. Elle disparut soudain, elle devait traverser l'entrepont, le bateau tomba dans un trou, la mer était au-dessus de lui, blanche et noire, il remonta péniblement et la tête de la femme réapparut, elle montait l'escalier du pont des secondes. Voilà donc pourquoi on les a changées de cabine. Elle était en sueur et moite, un peu décoiffée, elle passa devant Pierre sans le voir, avec son air honnête et grave.

« Putain! » murmura Pierre. Il se sentit submergé par une énorme fadeur, il n'avait plus envie d'elle, il n'avait plus envie de vivre. Le bateau tombait, tombait, au fond de la mer, Pierre tombait, cotonneux et mou, il hésita un instant et puis il laissa sa bouche s'emplir de bile, il se pencha sur l'eau noire et vomit par-dessus bord.

— A présent, la petite fiche, dit le garçon.

Philippe posa sa mallette, prit le porte-plume et le trempa dans l'encre. Le garçon le regardait faire, les mains croisées derrière le dos. Étouffait-il un bâillement ou un rire? « Parce que je suis bien habillé, pensa Philippe avec colère. Ils s'arrêtent tous aux habits, le reste, ils ne le voient pas. » Il écrivit d'une main ferme :
Isidore Ducasse.
Voyageur de commerce.
— Conduisez-moi, dit-il au garçon en le regardant dans les yeux. Le garçon décrocha une grosse clé au tableau et ils montèrent, l'un derrière l'autre. L'escalier était sombre, des lampes bleues l'éclairaient de loin en loin; les pantoufles du garçon clapotaient sur les marches de pierre. Derrière une porte, un gosse pleurait; ça sentait les cabinets. « C'est un garni », pensa Philippe. Garni, c'était un mot triste qu'il avait lu souvent, dans des romans naturalistes, et toujours avec répugnance.
— Et voilà, dit le garçon en mettant la clé dans une serrure. C'était une immense chambre au sol carrelé; les murs étaient peints en ocre jusqu'à mi-hauteur et, de là, en jaune terne jusqu'au plafond. Une seule chaise, une seule table : elles semblaient perdues au milieu de la pièce : deux fenêtres, un lavabo qui ressemblait à un évier, un grand lit contre le mur. « On a mis le lit nuptial dans la cuisine », pensa Philippe.
Le garçon ne s'en allait pas. Il dit avec un sourire :
— C'est dix francs. Je vous demanderai de me régler tout de suite. Philippe lui tendit vingt francs :
— Gardez tout, dit-il. Et réveillez-moi à cinq heures et demie. Le garçon ne parut pas impressionné.
— Bonsoir, monsieur, bonne nuit, dit-il en partant. Philippe prêta l'oreille un moment. Quand il cessa d'entendre le bruit flasque des savates sur les marches, il donna deux tours de clé à la serrure, poussa la targette et porta la table contre la porte. Puis il posa la mallette sur la table et la regarda les bras ballants. Le candélabre du salon s'éteignit, la bougie du faussaire s'éteignit; le noir mangea tout. Un noir anonyme. Seule, cette longue chambre nue brillait dans le noir, aussi impersonnelle que la nuit. Philippe regardait la table, engourdi, désœuvré. Il bâilla. Pourtant il n'avait pas sommeil : il était vide. Une mouche oubliée qui se réveille au commencement de l'hiver, quand toutes les autres mouches sont mortes, et qui n'a plus la force de voler. Il regardait la mallette, il se disait : « Il faut l'ouvrir, il faut que je prenne mon pyjama. » Mais les envies s'engourdissaient dans sa tête, il n'arrivait même pas à lever le bras.

Il regardait la mallette, il regardait le mur et il pensait : « A quoi bon ? à quoi bon s'empêcher de mourir puisque ce mur existe là, en face de moi, avec ses couleurs immondes et triomphales ? » Il n'avait même plus peur.

Et hop, ça monte ! et hop, ça descend ! Il n'avait plus peur. La cuvette montait et descendait, pleine de mousse, il montait et descendait, étendu sur le dos, et il n'avait plus peur. Le steward va râler, quand il entrera, parce que j'ai vomi par terre, mais je m'en fous. Tout était si doux, l'eau dans sa bouche, l'odeur de vomi, cette boule dans sa poitrine, son corps n'était qu'une douceur, et puis cette roue qui tournait, tournait, tournait en lui écrasant le front, il la voyait, il s'amusait à la voir, c'était une roue de taxi avec un pneu gris et usé. La roue tournait, les pensées familières tournaient, tournaient, mais il s'en foutait bien, enfin, enfin ! il pouvait s'en foutre, dans huit jours, en Argonne, ils me tireront dessus, mais je m'en fous, elle me méprise, elle pense que je suis un lâche, je m'en fous, qu'est-ce que ça peut me faire aujourd'hui, qu'est-ce que ça peut me faire ? Je m'en fous, je m'en fous, je ne pense à rien, je n'ai peur de rien, je ne me reproche rien.

Et hop ! ça monte, et hop ! ça descend ; c'est tellement agréable de se foutre de tout.

Onze heures, onze coups dans le silence. Il étendit la main, ouvrit la mallette, sa joue droite le brûlait comme une torche ; onze heures, le candélabre se ralluma dans la nuit, elle était assise dans la bergère, toute petite et dodue, avec ses beaux bras nus, sa joue le brûlait, la torture recommençait, la main se levait, la joue brûlait, je ne suis pas un lâche, je ne suis pas un lâche, il déplia son pyjama ; onze heures, bonsoir maman, j'embrassais l'hétaïre du général sur ses joues parfumées, je regardais ses bras, je m'inclinais devant lui, bonsoir Père, bonsoir Philippe, bonsoir Philippe. Hier encore, c'était hier. Il pensait avec stupeur : « C'était hier. Mais qu'est-ce que j'ai donc fait ? Qu'est-ce qui s'est passé depuis ? J'ai mis mon pyjama dans ma mallette, je suis sorti comme tous les jours et tout était changé : un roc est tombé derrière moi sur la route et l'a défoncée, je ne peux plus revenir sur mes pas. Mais quand, quand ça s'est-il produit ? J'ai pris ma mallette, j'ai ouvert doucement la porte, j'ai descendu l'escalier... C'était hier. Elle est assise sur la bergère, il se tient devant la cheminée, hier. Il fait doux et clair dans le salon, je suis Philippe Grésigne, beau-fils du général Lacaze, licencié ès lettres, poète d'avenir, hier, hier, hier pour toujours. » Il s'était déshabillé, il enfila son pyjama ; dans le garni, c'étaient des gestes neufs, hésitants, il fallait les apprendre. Le Rimbaud était dans la mallette, il l'y laissa, il n'avait pas envie de lire. Une seule fois, si elle m'avait cru une seule fois, si elle avait mis ses beaux bras autour de mon cou, si elle m'avait dit : « J'ai confiance, tu es courageux, tu seras fort », je ne serais pas parti. C'est une hétaïre, elle apportait dans ma chambre des mots de général, des mots fossiles, elle les lâchait, ils étaient trop lourds pour elle, ils ont roulé sous le lit, je les ai laissés s'amonceler pendant cinq ans; qu'on déplace le lit, on les retrouvera tous, patrie, honneur, vertu, famille, dans la poussière, je n'en ai pas détourné un seul à mon profit. Il était resté pieds nus sur le carrelage, il éternua, je vais prendre froid, l'interrupteur était près de la porte, il éteignit et gagna le lit à tâtons, il avait peur de marcher sur des bêtes, l'énorme araignée qui a des pattes comme des doigts d'homme et qui ressemble à une main coupée, la mygale, s'il y en avait une, ici, s'il y en avait une? Il se glissa dans les draps et le lit grinça. Sa joue brûlait, une torche dans la nuit, une flamme rouge, il l'appuya contre le traversin. Ils se couchent, elle a mis sa chemise rose avec les dentelles. Ce soir, c'est un peu moins douloureux d'imaginer ça; ce soir il n'osera pas la toucher, il aura honte et elle, l'hétaïre, elle ne se laissera tout de même pas faire, pendant que son enfant crève de froid et de faim sur les routes, elle pense à moi, elle fait semblant de dormir, elle me voit, pâle et dur, les lèvres crispées, les yeux secs, elle me voit marcher dans la nuit, sous les étoiles. Ce n'est pas un lâche, mon petit n'est pas un lâche, mon petit, mon enfant, mon chéri. Si j'étais là, si je pouvais être là, pour elle seule, et boire ces larmes qui roulent sur ses joues et caresser ces beaux bras tendres, maman, ma petite maman. « Le général est chancelier », dit une voix bizarre à ses oreilles. Un petit triangle vert se décrocha et se mit à tourner, le général est chancelier.

Le triangle tournait, c'était Rimbaud, il grossit comme un champignon, devint sec et croûteux, une fluxion à la joue, à la victoire, à la victoire, A LA VICTOIRE. « Je ne suis pas un lâche », cria Philippe, réveillé en sursaut. Il était assis sur le lit, en sueur, les yeux fixes, le drap sentait le soufre, de quel droit sont-ils mes témoins? Les manants. Ils me jugent selon leurs règles et je n'accepte que les miennes. A moi mes fières orgies! à moi mon orgueil! Je suis de la race des seigneurs. Ah! pensa-t-il avec rage, plus tard! plus tard! Il faut attendre. Plus tard ils mettront une plaque de marbre sur le mur de cet hôtel, ici Philippe Grésigne passa la nuit du 24 au 25 septembre 1938. Mais je serai mort. Un murmure flou et doux passait sous la porte. Tout d'un coup la nuit mourut. Il la regardait du fond de l'avenir, avec les yeux de ces hommes en veston noir qui discouraient sous la plaque de marbre. Chaque minute filait dans le noir, précieuse et sacrée, déjà passée. Un jour elle sera passée cette nuit, glorieuse et passée, comme les nuits de Maldoror, comme les nuits de Rimbaud. Ma nuit. « Zézette », dit une voix d'homme. L'orgueil vacilla, le passé se déchira, c'était le présent. La clé tourna dans la serrure, son cœur sauta dans sa poitrine. « Non, c'est à côté. » Il entendit grincer la porte de la chambre voisine. « Ils sont au moins deux, pensa-t-il, un homme et une femme. »

Ils parlaient. Philippe n'entendait pas tout ce qu'ils disaient mais il comprit que l'homme s'appelait Maurice et ça le rassura un peu. Il se recoucha, il allongea ses jambes, il écarta le drap de son menton de peur d'attraper des boutons. Un petit chant flûté s'éleva. Un drôle de petit chant.

— Chiale pas, dit l'homme tendrement, chiale pas, ça ne sert à rien.

Il avait une voix chaude et rocailleuse, il attaquait les mots avec rudesse et par à-coups, ils sortaient du fond de sa gorge tantôt très vite et tantôt lentement, âpres et râpeux; mais ils se prolongeaient tous par une douce vibration sombre. Le chant de flûte cessa, après un ou deux gargouillis. Il se penche sur elle, il la prend aux épaules. Philippe sentait deux fortes mains sur ses épaules, un visage se penchait sur lui. Un visage brun et maigre, presque noir, aux joues bleutées, avec un nez de boxeur et une belle bouche amère, une bouche de nègre.

— Chiale pas, répéta la voix. Mon petit; ne chiale pas, calme-toi.

Philippe se calma tout à fait. Il les entendait aller et venir, on dirait qu'ils sont dans ma chambre. Ils traînèrent un objet lourd sur le plancher. Le lit peut-être ou une malle. Et puis l'homme quitta ses souliers.

— Dimanche prochain, dit Zézette.

Elle avait une voix plus vulgaire mais plus chantante. Il la voyait moins bien : peut-être était-elle blonde avec un visage très pâle, comme Sonia, dans *Crime et Châtiment*.

— Eh bien?

— Oh! Maurice, tu as oublié! On devait aller à Corbeil, chez Jeanne.

— Tu iras sans moi.

— J'aurai pas le cœur à y aller, dit-elle.

Ils baissèrent la voix, Philippe ne comprenait pas ce qu'ils disaient, mais il se sentait heureux parce qu'ils étaient tristes. C'étaient des prolétaires. De vrais prolétaires. L'autre était un ivrogne, un manant.

— Tu y as été, à Nancy? demanda Zézette.

— Autrefois, oui.

— Comment est-ce?

— C'est pas mal.

— Tu m'enverras un paquet de cartes postales. Je veux pouvoir m'imaginer où tu es.

— Ils ne nous y laisseront pas, tu sais.

Un vrai prolétaire. Il n'avait pas envie de faire la guerre, celui-là, il ne pensait pas à la victoire : il partait, la mort dans l'âme, parce qu'il ne pouvait pas faire autrement.

— Mon grand, dit Zézette.

Ils se turent. Philippe pensait : « Ils sont tristes » et de douces larmes lui humectèrent les yeux. « De doux anges tristes. J'entrerais, je leur tendrais les mains, je leur dirais : « Moi aussi je suis triste. A cause de vous, pour vous. C'est pour vous que j'ai quitté la maison de mes parents. Pour vous et pour tous ceux qui partent pour la guerre. » Nous nous tiendrions, Maurice et moi, de chaque côté d'elle et je leur dirais : « Je suis le martyr de la paix. » Il ferma les yeux, apaisé : il n'était plus seul, deux anges tristes veillaient sur son sommeil. Le martyr, couché sur le dos, comme un gisant de pierre et deux anges tristes à son chevet, avec des palmes. Ils murmuraient : « Mon grand, mon grand, ne me quitte pas, je t'aime », et un autre mot aussi, suave et précieux, il ne se le rappelait déjà plus, mais c'était le plus tendre des mots tendres, il tournoya, flamboya comme une couronne de feu et Philippe l'emporta dans son sommeil.

— Ah ben! dit Gros-Louis. Ah ben alors! Il s'était assis sur le trottoir; il n'aurait jamais cru qu'il pût avoir si mal au crâne, chaque élancement éveillait en lui une stupeur nouvelle. « Oh! fit-il, oh, celui-là! Ah ben merde, alors! » Il porta la main à sa joue, c'était poisseux et ça le chatouillait, ça devait être du sang. « Eh ben, dit-il, je vais me faire un bandage. Où c'est qu'ils ont mis mon sac? » Il tâtonna autour de lui et sa main rencontra un objet dur, c'était un portefeuille : « C'est qu'ils ont perdu leur portefeuille? » demanda-t-il. Il le prit et l'ouvrit, il était vide. Il fouilla dans sa poche, prit une allumette soufrée et la gratta contre le bitume : c'était son portefeuille. « Eh bien, ça va, constata-t-il, ça va pas mal maintenant. » Son livret militaire était resté dans la poche de sa blouse mais le portefeuille était vide. « Et comment que je vas faire? » Il promenait toujours ses mains sur le sol, il dit : « J'irai pas chez les gendarmes. »

C'est pas des choses à faire. » Il ferma les yeux un instant et se mit
à souffler : sa tête lui faisait si mal qu'il se demandait s'il n'y avait
pas un trou dedans. Il se toucha le crâne avec précaution, ça n'avait
point l'air fendu mais les cheveux s'étaient coagulés en touffes
gluantes et puis, dès qu'il appuyait un peu, c'était comme si on lui
tapait dessus à coups de maillet. « Ça me plaît pas d'aller chez les
gendarmes, dit-il. Mais comment que je vas faire? » Ses yeux s'habi-
tuaient à la pénombre, il distingua une masse sombre, à quelques
mètres de lui, sur la chaussée. C'est mon sac. Il se mit en route à
quatre pattes, parce qu'il ne pouvait pas tenir sur ses jambes.
« Qu'est-ce que c'est? » Il avait mis sa main dans une flaque. « Ils
ont cassé ma bouteille », pensa-t-il, le cœur serré. Il prit le sac, la
toile était trempée, la bouteille était en miettes. « Oh! tout de même,
dit Gros-Louis, tout de même! » Il lâcha le sac, s'assit dans la rigole
de vin, au milieu de la chaussée et se mit à pleurer; les sanglots lui
passaient par le nez et le secouaient, il avait l'impression que son
crâne éclatait : il n'avait jamais pleuré si fort depuis la mort de la
vieille. Charles était tout nu, les jambes en l'air, devant six infir-
mières-majors, la plus verte battit des ailes et remua les mandibules,
ça voulait dire : « Bon pour le service »; Mathieu rapetissa et s'arron-
dit, Marcelle l'attendait, jambes écartées, Marcelle était un passe-
boules, quand Mathieu fut tout rond, Jacques le lança, il tomba
dans le trou noir labouré de fusées, il tomba dans la guerre; la guerre
faisait rage, une bombe brisa les carreaux et roula au pied du lit,
Ivich se redressa, la bombe s'épanouit, c'était un bouquet de roses,
Offenbach en sortit : « Ne partez pas, dit Ivich, n'allez pas à la
guerre, sinon qu'est-ce que je vais devenir? » Victoire, Philippe
chargeait baïonnette au canon, il criait : « Victoire, victoire, à la
victoire », les douze tsars déguerpirent, la tsarine était délivrée, il
défit ses liens, elle était nue, petite et grasse, elle louchait; les
shrapnells et les grenades couraient sur le commandant de toute la
vitesse de leurs pattes, Pierre les attrapait par le dos et les mettait
dans son paquetage, c'était la consigne, mais la quatrième voulut
s'envoler, il la saisit par les élytres, toute bruissante et gigotante, il
éclata de rire et se mit à la plumer, le commandant le regardait, il
était étendu sur le dos, les shrapnells lui avaient bouffé les joues et
les gencives, mais il restait ses yeux, ses grands yeux pleins de mépris,
Pierre s'enfuit à toutes jambes, il désertait, il désertait, il courait
dans le désert, Maud lui demanda : « Est-ce que je peux desservir? »
Viguier était mort, il sentait; Daniel ôta son pantalon, il pensait :
« il y a un regard »; il se dressait devant un regard, lâche, pédéraste,

méchant, comme un défi. « Ça me voit, ça me voit comme je suis. »
Hannequin ne pouvait pas dormir, il pensait : « Je suis mobilisé » et
ça lui semblait drôle, la tête de sa voisine pesait lourd sur son épaule,
elle sentait le cheveu et la brillantine, il laissait pendre le bras et lui
touchait la cuisse, c'était agréable mais un peu fatigant. Il était
tombé sur le ventre, il n'avait plus de jambes. « Mon amour! » criat-elle. « Qu'est-ce que tu racontes », dit la voix endormie. « Je rêvais,
dit Odette, dors, mon chéri, dors. » Philippe se réveilla en sursaut :
ça n'était pas le cri du coq, c'était un doux gémissement de femme,
hâh, haaâhh, haâh, il crut d'abord qu'elle pleurait, mais non, il
connaissait bien ces plaintes-là, il les avait écoutées souvent, l'oreille
collée contre la porte, pâle de rage et de froid. Mais, cette fois-ci, ça
ne le dégoûtait pas. C'était tout neuf et tendre : la musique des
anges.

— Haâh, que je t'aime, dit Zézette d'une voix rauque. Oh! oh!
oh! ohohooh haâah!

Il y eut un silence. Il pesait sur elle de tout son corps dur, le bel
ange aux cheveux noirs, à la bouche amère. Elle était écrasée,
comblée. Philippe se redressa brusquement et s'assit, la bouche
mauvaise, le cœur mordu de jalousie. Pourtant, il aimait bien
Zézette.

— Haaâhh.

Il respira : c'était un cri péremptoire et définitif; ils avaient fini.
Au bout d'un moment, il entendit des claquements mouillés : des
pieds nus couraient sur les dalles, le robinet chanta, un oiseau dans
les branches et toutes les conduites d'eau furent secouées par d'affreux borborygmes. Zézette était revenue vers Maurice, toute fraîche,
les jambes froides; le lit grinça, elle s'était couchée près de lui, dans
le lit brûlant et humide, elle s'était serrée contre lui, elle respirait
l'odeur rousse de sa sueur.

— Si tu mourais, j'aurais plus qu'à me tuer.
— Dis pas ça.
— J'aurais plus qu'à me tuer, Momo.
— Ça serait dommage. Tu es bien roulée, tu es travailleuse; tu
aimes bien bouffer, tu aimes bien baiser : regarde tout ce que tu perdrais.
— Avec toi, j'aime baiser. Avec toi, dit Zézette passionnément.
Mais toi, tu t'en fous bien, tu pars, tu es content.
— Non, je ne suis pas content, dit Maurice. Ça m'emmerde de
partir.

Il va partir. Il s'en ira, il prendra le train pour Nancy, je ne les verrai jamais, je ne verrai jamais son visage, il ne saura jamais qui je suis. Ses pieds grifflèrent le drap : « Je veux les voir. »

— Si tu ne partais pas. Si tu pouvais ne pas partir...

Maurice lui dit doucement :

— Déconne pas.

« Je veux les voir. » Il sauta du lit. La mygale le guettait, tapie sous le lit, mais il courut plus vite qu'elle, il appuya sur l'interrupteur et elle s'évanouit dans la lumière. « Je veux les voir. » Il enfila son pantalon, mit ses pieds nus dans ses souliers et sortit. Deux ampoules bleues éclairaient le couloir. Sur la porte du dix-neuf, ils avaient fixé un papier gris avec une punaise : « Maurice Gounod. » Philippe s'appuya au mur, son cœur sautait dans sa poitrine et il était essoufflé comme s'il avait couru. « Qu'est-ce que je peux faire? » Il avança la main et toucha légèrement la porte : ils étaient là, derrière le mur. « Je ne demande rien, je veux simplement les voir. » Il se baissa et colla son œil au trou de la serrure. Il reçut un souffle froid sur la cornée, battit des paupières et ne vit rien du tout : ils avaient éteint. « Je veux les voir », pensa-t-il en frappant à la porte. Ils ne répondirent pas. Sa gorge se serra mais il frappa plus fort.

— Qu'est-ce que c'est? dit la voix. Elle était brusque et dure mais elle changerait. Il ouvrirait la porte et la voix changerait. Philippe frappa : il ne pouvait pas parler.

— Eh bien quoi? dit la voix impatientée. Qui est là?

Philippe cessa de frapper. Il était hors d'haleine. Il prit une forte aspiration et poussa sa voix à travers son gosier contracté.

— Je voudrais vous parler, dit-il.

Il y eut un long silence. Philippe songeait à s'en aller lorsqu'il entendit un bruit de pas, un souffle tout contre la porte, un déclic; il allume. Les pas s'éloignèrent, il met son pantalon. Philippe recula et s'adossa au mur, il avait peur. La clé tourna dans la serrure, la porte s'ouvrit, il vit paraître, dans l'entrebâillement, une tête rouge et hirsute, aux pommettes larges, à la peau ravinée. Le type avait des yeux clairs et sans cils; il regardait Philippe avec un étonnement comique.

— Vous vous êtes trompé de porte, dit-il.

C'était sa voix, mais, en passant par cette bouche, elle devenait méconnaissable.

— Non, dit Philippe, je ne me suis pas trompé.

— Et alors? Qu'est-ce que vous me voulez?

Philippe regardait Maurice, il pensait : « Ça n'est plus la peine. » Mais il était trop tard. Il dit :

— Je voudrais vous parler.

Maurice hésitait; Philippe vit dans ses yeux qu'il allait refermer la porte et s'appuya vivement contre le battant.

— Je voudrais vous parler, répéta-t-il.

— Je ne vous connais pas, dit Maurice. Ses yeux pâles étaient durs et rusés. Il ressemblait au plombier qui était venu réparer la baignoire.

— Qu'est-ce que c'est, Maurice? Qu'est-ce qu'il veut? dit la voix inquiète de Zézette.

La voix était vraie; vrai aussi le doux visage invisible. C'était la grosse face de Maurice qui était un songe. Un cauchemar. La voix s'éteignit; le doux visage s'éteignit; la tête de Maurice sortit de l'ombre, dure et massive, vraie.

— C'est un type que je ne connais pas, dit Maurice. Je ne sais pas ce qu'il me veut.

— Je peux vous être utile, balbutia Philippe.

Maurice le toisait avec défiance. « Il voit mon pantalon de flanelle, pensa Philippe, il voit mes souliers en cuir de veau, il voit ma veste de pyjama, noire avec un col russe. »

— Je... j'étais dans la chambre à côté, dit-il en s'arc-boutant contre la porte. Et je... je vous jure que je peux vous être utile.

— Reviens, cria Zézette. Laisse-le, Maurice, laisse-le.

Maurice regardait toujours Philippe. Il réfléchit un moment et son visage renfrogné s'éclaira un peu :

— C'est Émile qui vous envoie? demanda-t-il en baissant un peu la voix.

Philippe détourna les yeux.

— Oui, dit-il. C'est Émile.

— Alors?

Philippe frissonna.

— Je ne peux pas parler ici.

— Comment ça se fait que vous connaissiez Émile? reprit Maurice en hésitant.

— Laissez-moi entrer, implora Philippe. Qu'est-ce que ça peut vous faire de me laisser entrer? Et moi je ne peux rien dire dans ce couloir.

Maurice ouvrit la porte.

— Entrez, dit-il. Mais pas plus de cinq minutes. J'ai sommeil.

Philippe entra. La chambre était toute pareille à la sienne. Mais il y avait des vêtements sur les chaises, des bas, une culotte et des souliers de femme sur les carreaux rouges, près du lit et, sur la table, un réchaud à gaz avec une casserole. Ça sentait la graisse refroidie. Zézette était assise dans le lit, elle serrait un fichu de laine mauve autour de ses épaules. Elle était laide avec de petits yeux enfoncés et mobiles. Elle regardait Philippe avec hostilité. La porte se referma et il tressaillit.

— Alors? Qu'est-ce qu'il me veut, Émile?

Philippe regarda Maurice avec angoisse : il ne pouvait plus parler.

— Allons, dépêchez-vous, dit Zézette d'une voix furieuse. Il part demain matin, c'est pas le moment de venir nous emmerder.

Philippe ouvrit la bouche et fit un violent effort, mais aucun son ne sortit. Il se voyait avec leurs yeux, c'était insupportable.

— Je vous cause français, non? demanda Zézette. Je vous dis qu'il part demain.

Philippe se tourna vers Maurice et dit d'une voix étranglée :

— Il ne faut pas partir.

— Partir où?

— A la guerre.

Maurice avait l'air abasourdi.

— C'est un flic, dit Zézette d'une voix aiguë.

Philippe regardait les carreaux rouges, les bras ballants et se sentait tout engourdi, c'était presque agréable. Maurice le prit par l'épaule et le secoua :

— Tu connais Émile, toi?

Philippe ne répondit pas. Maurice le secoua de plus belle.

— Tu vas répondre? Je te demande si tu connais Émile.

Philippe leva sur Maurice des yeux désespérés.

— Je connais un vieux qui fait de faux papiers, dit-il d'une voix basse et rapide.

Maurice le lâcha brusquement. Philippe baissa la tête et ajouta :

— Il vous en fera.

Il y eut un long silence, puis Philippe entendit la voix triomphante de Zézette :

— Qu'est-ce que je te disais, c'est un provocateur.

Il osa relever les yeux, Maurice le regardait d'un air terrible. Il étendit sa grosse patte velue, Philippe fit un saut en arrière.

— C'est pas vrai, dit-il, le coude levé, c'est pas vrai, je ne suis pas flic.

— Alors qu'est-ce que tu viens foutre ici?

— Je suis pacifiste, dit Philippe prêt à pleurer.

— Pacifiste! répéta Maurice avec stupeur. On aura tout vu!

Il se gratta le crâne un instant et puis il éclata de rire.

— Pacifiste! dit-il. Dis, Zézette, tu te rends compte.

Philippe se mit à trembler.

— Je vous défends de rire, dit-il d'une voix basse.

Il se mordit les lèvres pour s'empêcher de pleurer et ajouta péniblement : « Même si vous n'êtes pas pacifiste, vous devez me respecter.

— Te respecter? répéta Maurice. Te respecter?

— Je suis déserteur, dit Philippe avec dignité. Si je vous propose des faux papiers, c'est que je m'en suis fait faire. Après-demain je serai en Suisse. »

Il regarda Maurice en face : Maurice avait rapproché les sourcils, il avait une ride en Y sur le front, il paraissait réfléchir.

— Venez avec moi, dit Philippe. J'ai de l'argent pour deux.

Maurice le regarda avec dégoût.

— Petit salaud! dit-il. Tu as vu comme il est loqué, Zézette? Bien sûr que la guerre te fait horreur, bien sûr que tu ne veux pas combattre les fascistes. Tu les embrasserais plutôt, les fascistes, hein? C'est eux qui protègent tes sous, gosse de riches.

— Je ne suis pas fasciste, dit Philippe.

— Non, c'est moi, dit Maurice. Allez, fous-moi le camp, ordure! Sans ça je fais un malheur.

C'étaient les jambes de Philippe qui voulaient s'enfuir. Ses jambes et ses pieds. Il ne s'enfuirait pas. Il traîna ses jambes en avant, il s'approcha de Maurice, il baissa de force ce coude enfantin qui se relevait tout seul. Il regarda le menton de Maurice; il n'arrivait pas à lever son regard jusqu'aux yeux pâles et sans cils. Il dit :

— Je ne m'en irai pas.

Ils restèrent un moment en face l'un de l'autre et puis Philippe éclata :

— Comme vous êtes durs. Tous. Tous. J'étais là, je vous entendais parler et j'espérais... Mais vous êtes comme les autres, vous êtes un mur. Toujours condamner, sans jamais chercher à comprendre; est-ce que vous savez qui je suis? C'est pour vous que j'ai déserté; et j'aurais aussi bien pu rester chez moi, où je mange à ma faim et où je vis au chaud dans de beaux meubles avec des domestiques, mais j'ai tout quitté à cause de vous. Et vous, on vous envoie à la boucherie et vous trouvez ça bien, vous ne lèverez pas le petit doigt, on vous met un fusil entre les mains et vous pensez que vous êtes des héros et si quelqu'un essaye d'agir autrement, vous le traitez de gosse de riches, de fasciste et de froussard parce qu'il ne fait pas comme tout le monde. Je ne suis pas un froussard, vous mentez, je ne suis pas un fasciste et ça n'est pas ma faute si je suis un gosse de riches. C'est plus facile, allez, beaucoup plus facile d'être un gosse de pauvres.

— Je te conseille de t'en aller, dit Maurice d'une voix blanche, parce que je n'aime pas beaucoup les salades et je pourrais me fâcher.

— Je ne m'en irai pas, dit Philippe en frappant du pied. J'en ai assez, à la fin! J'en ai assez de tous ces gens qui font semblant de ne pas me voir ou qui me regardent de leur haut, et de quel droit? de quel droit? J'existe, moi, et je vous vaux. Je ne m'en irai pas, je resterai toute la nuit, s'il le faut, je veux m'expliquer une bonne fois.

— Ah! tu ne t'en iras pas! dit Maurice. Ah! tu ne t'en iras pas!

Il le saisit aux épaules et le poussa vers la porte; Philippe voulut résister, mais c'était désespérant : Maurice était fort comme un bœuf.

— Lâchez-moi, cria Philippe. Lâchez-moi, si vous me mettez dehors, je resterai devant votre porte et je ferai du potin, je ne suis pas un lâche, je veux que vous m'écoutiez. Lâchez-moi, espèce de brute, dit-il en lui donnant des coups de pied.

Il vit la main levée de Maurice et son cœur cessa de battre :

— Non! dit-il. Non!

Maurice le gifla deux fois avec son poing fermé.

— Vas-y mou, dit Zézette, c'est un môme.

Maurice lâcha Philippe et le regarda avec une sorte de surprise.

— Vous... Je vous hais, murmura Philippe.

— Écoute, mon gars, dit Maurice d'un air incertain.

— Vous verrez, dit Philippe, vous verrez tous! Vous aurez honte.

Il sortit en courant, rentra dans sa chambre et ferma la porte à double tour. Le train roulait, le bateau montait et descendait, Hitler dormait, Ivich dormait, Chamberlain dormait, Philippe se jeta sur son lit et se mit à pleurer, Gros-Louis titubait, des maisons et encore des maisons, son crâne était en feu mais il ne pouvait pas s'arrêter, il fallait qu'il marchât dans la nuit aux aguets, dans la terrible nuit chuchotante, Philippe pleurait, il était sans forces, il pleurait, il entendait leurs chuchotements à travers le mur, il n'arrivait même pas à les détester, il pleurait, exilé, dans la nuit froide et minable, dans la nuit grise des carrefours, Mathieu s'était réveillé, il se leva et se mit à la fenêtre, il entendait le chuchotement de la mer, il sourit à la belle nuit de lait.

DIMANCHE 25 SEPTEMBRE

Un jour de honte, un jour de repos, un jour de peur, le jour de Dieu, le soleil se levait sur un dimanche. Le phare, le fanal, la croix, la joue, la JOUE, Dieu porte sa croix dans les églises, je porte ma joue dans les rues endimanchées, tiens mais vous avez une fluxion; mais non : c'est qu'ils m'ont fessé sur la joue, ignoble petit individu qui porte ses fesses sur sa figure, la grosse tête embarrassante à porter, la tête fendue, emmaillotée, la citrouille, le potiron, ils ont cogné par derrière, une deux, il marchait dans sa tête, les semelles battaient dans sa tête, c'est dimanche, où c'est que je vais trouver du travail, les portes étaient closes, les grandes portes de fer, cloutées, rouillées, closes sur du noir, sur du vide à l'odeur de sciure, de cambouis et de vieux fer, sur le sol de terre, jonché de copeaux rouillés, elles étaient closes les terribles petites portes de bois, closes sur du plein, sur des chambres pleines à craquer de meubles, de souvenirs, d'enfants, de haines, avec cette épaisse odeur d'oignons roussis, et le faux col brillant sur le lit et les femmes pensives derrière les fenêtres, il marchait entre les fenêtres, entre les regards, raidi, pétrifié par les regards. Gros-Louis marchait entre les murs de brique et les portes de fer, il marchait, pas un sou, rien à croquer et la tête qui bat comme un cœur, il marchait et ses semelles tapaient dans sa tête, flic, flac, ils marchaient, déjà en sueur, dans les rues assassinées par le dimanche, sa joue éclairait le boulevard devant lui, il pensait : « Déjà des rues de guerre. » Il pensait : « Comment que je vais croquer? » Ils pensaient : « N'y a-t-il personne pour m'aider? » Mais les petits hommes bruns, les grands ouvriers au visage rocheux se rasaient en pensant à la guerre, en pensant qu'ils auraient toute une journée pour penser à la guerre, toute une journée vide à tirer leur angoisse à travers les rues assassinées. La guerre : les boutiques closes, les rues désertes, trois cent soixante-cinq dimanches par an; Philippe s'appelait Pedro Cazarès, il portait son nom sur sa poitrine. Pedro Cazarès, Pedro Cazarès, Pedro Cazarès, Pedro Cazarès partait le soir même pour la Suisse, il emmenait en Suisse une grosse joue fleurie et marquée de cinq phalanges; les femmes le regardaient, du haut de leurs fenêtres.

Dieu regardait Daniel.

L'appellerai-je Dieu? Un seul mot et tout change. Il s'adossait aux volets gris qui fermaient la boutique du sellier, les gens se hâtaient vers l'église, noirs sur la rue rose, éternels. Tout était éternel. Une jeune femme passa, blonde et légère, les cheveux méticuleusement fous, elle habitait à l'hôtel, son mari venait la voir deux jours par quinzaine, c'était un industriel de Pau; elle avait mis son visage en sommeil parce que c'était dimanche, ses petits pieds trottinaient vers l'église, son âme était un lac d'argent. L'église : un trou; la façade était romane, il y avait un gisant de pierre à voir, dans la deuxième chapelle à main droite en entrant. Il sourit à la mercière et à son petit garçon. L'appellerai-je Dieu? Il n'était pas étonné, il pensait : « Ça devait arriver. Tôt ou tard. Je sentais bien qu'il y avait quelque chose. Tout, j'ai toujours tout fait pour un témoin. Sans témoin, on s'évapore. »

— Bonjour, monsieur Sereno, dit Nadine Pichon. Vous allez à la messe?

— Je me hâte, dit Daniel.

Il la suivit des yeux, elle boitait plus fort que de coutume, deux petites filles la rejoignirent en courant et tournèrent joyeusement autour d'elle. Il les regarda. Darder sur elles mon regard regardé! Mon regard est creux, le regard de Dieu le traverse de part en part. « Je fais de la littérature », pensa-t-il brusquement. Dieu n'était plus là. Cette nuit, dans la sueur des draps, il y avait sa présence et Daniel s'était senti Caïn : « Me voilà, me voilà comme tu m'as fait, lâche, creux, pédéraste. Et puis après? » Et le regard était là, partout, muet, transparent, mystérieux. Daniel avait fini par s'endormir et puis, au réveil, il était seul. Un souvenir de regard. La foule ruisselait de toutes les portes béantes, gants noirs, faux cols de faïence, peaux de lapin, et les missels de famille au bout des doigts. « Ah! se dit Daniel, il faudrait une méthode. Je suis las d'être cette évaporation sans répit vers le ciel vide, je veux un toit. » Le boucher le frôla au passage, c'était un gros homme rubicond qui mettait des lorgnons, le dimanche, pour marquer le coup; sa main velue se fermait sur un missel. Daniel pensa : « Il va se faire voir,

le regard tombera sur lui des verrières et des vitraux; ils vont tous
se faire voir; la moitié de l'humanité vit sous regard. Est-ce qu'il
sent le regard sur lui quand il tape avec le hachoir sur la viande
qui éclôt sous les coups, qui s'ouvre, révélant l'os rond et bleuâtre?
On le voit, on voit sa dureté comme je vois ses mains, son avarice
comme je vois ses cheveux rares et ce peu de pitié qui brille sous
l'avarice comme le crâne sous les cheveux; il le sait, il tournera les
pages cornées de son missel, il gémira : « Seigneur, Seigneur, je suis
avare. » Et le regard de Méduse tombera d'en haut, pétrifiant.
Des vertus de pierre, des vices de pierre : quel repos. Ces gens-là
ont des techniques éprouvées », se dit Daniel avec dépit, en regardant les dos noirs qui s'enfonçaient dans les ténèbres de l'église.
Trois femmes trottinaient de conserve dans la clarté rousse du matin.
Trois femmes tristes et recueillies, habitées. Elles ont allumé le feu,
balayé le plancher, versé le lait dans le café et elles n'étaient rien
encore, qu'un bras au bout du balai, qu'une main fermée sur l'anse
de la théière, que ce réseau de brume qui se pousse sur les choses,
à travers les murs, par les champs et les bois. A présent, elles vont
là-bas, dans la pénombre, elles vont être ce qu'elles sont. Il les suivit de loin. « Si j'y allais? Histoire de rire : me voilà, me voilà
comme tu m'as fait, triste et lâche, irrémédiable. Tu me regardes
et tout espoir s'enfuit : je suis las de me fuir. Mais je sais sous ton
œil que je ne peux plus me fuir. J'entrerai, je me dresserai debout,
au milieu de ces femmes à genoux, comme un monument d'iniquité.
Je dirai : « Je suis Caïn. Eh bien? c'est toi qui m'as fait, porte-
moi. » Le regard de Marcelle, le regard de Mathieu, le regard de
Bobby, le regard de mes chats : ils s'arrêtaient toujours à ma peau.
Mathieu, je suis pédéraste. Je suis, je suis, je suis pédéraste, mon
Dieu. » Le vieil homme au visage ridé avait la larme à l'œil, il
mâchonnait sa moustache roussie par le tabac, d'un air méchant.
Il entra dans l'église, usé, fourbu, gâteux et Daniel entra derrière
lui. C'était l'heure où Ribadeau s'amenait en sifflotant sur le bou-
lodrome et les gars lui disaient : « Alors, Ribadeau, en forme, aujour-
d'hui? » Ribadeau pensait à ça en roulant une cigarette, il se sentait les mains creuses, il regardait mélancoliquement les wagons et
les rangées de tonneaux et il lui manquait quelque chose dans les
mains, le poids d'une boule cloutée, bien calée dans sa paume; il
regardait les tonneaux et il pensait : « Un dimanche, si c'est pas
dommage! » Marius, Claudio, Remy étaient partis tour à tour, ils
jouaient au petit soldat; Jules et Charlot faisaient ce qu'ils pouvaient, ils roulaient les tonneaux le long des rails, ils se mettaient

à deux pour les soulever et ils les balançaient dans les wagons; ils étaient costauds mais vieux, Ribadeau les entendait souffler et la sueur ruisselait le long de leurs dos nus; on n'en finira jamais. Il y avait un grand type avec un pansement autour de la tête qui rôdait depuis un quart d'heure dans l'entrepôt; il finit par s'approcher de Jules, et Ribadeau vit ses lèvres remuer. Jules l'écoutait de son air abruti et puis il se releva à moitié, il appliqua ses paumes contre ses reins et désigna Ribadeau d'un coup de tête.

— Qu'est-ce que c'est? demanda Ribadeau.

Le type s'approcha en hésitant; il marchait en canard, les pieds en dehors. Un vrai bandit. Il toucha son pansement en manière de salut.

— Est-ce qu'il y a du travail? demanda-t-il.

— Du travail? reprit Ribadeau. Il regardait le type : un vrai bandit, son pansement était noirâtre, il avait l'air costaud, mais son visage était pâle à faire peur.

— Du travail? dit Ribadeau.

Ils se dévisageaient en hésitant, Ribadeau se demandait si le type n'allait pas tomber dans les pommes.

— Du travail, dit-il en se grattant le crâne, c'est pas ça qui manque.

Le type cligna des yeux. De près, il n'avait pas l'air trop mauvais :

— Je peux travailler, dit-il.

— Tu n'as pas l'air sain, dit Ribadeau.

— De quoi? dit le type.

— Je dis que tu as l'air malade.

Le type le regarda avec étonnement.

— Je suis pas malade, dit-il.

— Tu es tout blanc. Et puis qu'est-ce que c'est que ce bandeau?

— C'est parce qu'ils m'ont tapé dessus, expliqua le type. C'est rien.

— Qui ça qui t'a tapé dessus? Les cognes?

— Non. Des copains. Je peux travailler tout de suite.

— C'est à voir, dit Ribadeau.

Le type se baissa, prit un tonneau et le souleva à bout de bras.

— Je peux travailler, dit-il en le reposant à terre.

— Fi de putain! dit Ribadeau avec admiration. Il ajouta : « Comment t'appelles-tu?

— Je m'appelle Gros-Louis.

— Tu as tes papiers?

— J'ai mon livret militaire, dit Gros-Louis.

— Fais voir. »

Gros-Louis fouilla dans la poche intérieure de sa blouse, en retira le livret avec précaution et le tendit à Ribadeau. Ribadeau l'ouvrit et se mit à siffler.

— Eh ben dis donc! dit-il. Eh ben dis donc!

— Je suis en règle, dit Gros-Louis d'un air inquiet.

— En règle? Tu sais lire?

Gros-Louis le regarda d'un air rusé :

— Il n'y a pas besoin de savoir lire pour porter des tonneaux.

Ribadeau lui tendit son livret :

— Tu as le fascicule 2, mon gars. On t'attend à Montpellier, à la caserne. Je te conseille de te manier, sinon tu seras porté réfractaire.

— A Montpellier? dit Gros-Louis stupéfait. J'ai rien à faire à Montpellier.

Ribadeau se mit en colère.

— Je te dis que tu es mobilisé, cria-t-il. Tu as le fascicule 2, tu es mobilisé.

Gros-Louis remit son livret dans sa poche.

— Alors vous ne m'employez pas? demanda-t-il.

— Je veux pas employer un déserteur.

Gros-Louis se baissa et souleva un tonneau :

— Ça va, ça va, dit vivement Ribadeau. Tu es costaud, je ne dis pas. Mais ça me fera une belle jambe, si on vient t'arrêter dans quarante-huit heures.

Gros-Louis avait posé le tonneau sur son épaule; il dévisageait Ribadeau avec application, en fronçant ses gros sourcils. Ribadeau haussa les épaules :

— Je regrette, dit-il.

Il n'y avait plus rien à dire. Il s'éloigna, il pensa : « Je ne veux pas d'un réfractaire, moi. » Il dit :

— Eh! Charlot!

— Eh? dit Charlot.

— Vise le type là-bas, c'est un réfractaire.

— Dommage, dit Charlot. Il aurait pu nous donner un coup de main.

— Je ne peux pas embaucher un réfractaire, dit Ribadeau.

— Ben non, dit Charlot.

Ils se retournèrent tous deux : le grand type avait reposé le tonneau sur le sol, il tournait d'un air malheureux son livret militaire entre ses doigts.

La foule les entourait, les portait, tournait en rond autour d'eux et s'épaississait en tournant, René ne savait plus s'il était immobile

ou s'il tournait avec la foule. Il regardait les drapeaux français qui
flottaient au-dessus de l'entrée de la gare de l'Est; la guerre était
là-bas, au bout des rails, elle ne gênait pas, il se sentait menacé par
une catastrophe beaucoup plus immédiate : les foules, c'est fragile,
il y a toujours un malheur qui plane au-dessus d'elles. *L'enterrement
de Gallieni, il rampe, il traîne sa petite robe blanche entre les racines
noires de la foule, sous l'horreur du soleil, l'échafaudage s'effondre, ne
regarde pas, ils ont emporté la femme, raide, avec un pied en dentelle
rouge qui sortait de sa bottine éclatée;* la foule l'entourait, sous le ciel
clair et vide, je hais les foules, il sentait des yeux partout, des soleils
qui faisaient éclore des fleurs dans son dos, sur son ventre, qui allu-
maient son long nez pâle, le départ pour la banlieue des premiers
dimanches de mai, et le lendemain, dans les journaux : « Le dimanche
rouge », il en reste toujours quelques-uns sur le carreau. Irène le protégeait de son petit corps potelé, *ne regarde pas, elle m'entraîne par
la main, elle me tire et la femme passe derrière moi, glisse sur la foule,
comme un mort sur le Gange.* Elle regardait d'un air de blâme les
poings levés, au loin, sous les drapeaux tricolores, au-dessus des
casquettes. Elle dit :

— Les idiots!

René fit semblant de ne pas entendre; mais sa sœur poursuivit
avec une lenteur convaincue :

— Les idiots. On les envoie à la boucherie et ils sont contents.

Elle était scandaleuse. Dans l'autobus, au cinéma, dans le métro,
elle était scandaleuse, elle disait toujours ce qu'il ne fallait pas
dire, sa voix ronde lâchait des mots scandaleux. Il jeta un coup
d'œil derrière lui, ce type à tête de fouine, avec des yeux trop fixes
et un nez rongé, les écoutait. Irène lui mit la main sur l'épaule,
elle avait l'air réfléchi. Elle venait de se rappeler qu'elle était sa
grande sœur, il pensa qu'elle allait lui donner des conseils ennuyeux
mais de toute façon, elle s'était dérangée pour l'accompagner à la
gare et à présent, elle était seule au milieu de ces hommes sans
femmes, comme les jours où il l'emmenait voir un match de boxe à
Puteaux, il ne fallait pas la vexer. Elle lisait, couchée sur son divan,
en fumant beaucoup et elle se faisait ses opinions elle-même, comme
ses chapeaux. Elle lui dit :

— Écoute-moi bien, René, tu ne vas pas faire comme ces idiots.

— Non, dit René à voix basse. Non, non.

— Écoute-moi bien, reprit-elle. Tu ne vas pas faire du zèle.

Quand elle était convaincue, sa voix portait loin. Elle dit :

— Ça t'avancerait à quoi? Vas-y puisque tu ne peux pas l'éviter,

mais ne te fais pas remarquer quand tu seras là-bas. Ni en bien, ni
en mal : ça revient au même. Et planque-toi, chaque fois que tu
peux te planquer.

— Oui, oui, dit-il.

Elle le tenait solidement par les épaules; elle le regardait d'un air
pénétré mais sans affection; elle suivait son idée.

— Parce que je te connais, René, tu es un petit crâneur, tu ferais
n'importe quoi pour qu'on cause de toi. Mais alors, ça, je te préviens,
si tu reviens avec une citation, je ne t'adresse plus la parole, parce
que c'est trop bête. Et si tu ramènes une jambe plus courte que
l'autre, ou un trou dans la figure, ne compte pas sur moi pour te
plaindre et ne viens pas me raconter que c'est arrivé par accident;
avec un peu de prudence, ce sont des choses qu'on peut parfaitement éviter.

— Oui, dit-il, oui.

Il pensait qu'elle avait raison, mais que ça n'était pas à dire. Ni à
penser. Ça devait se faire tout seul, tranquillement, sans paroles, par
la force des choses, de manière qu'ensuite, on n'ait rien à se reprocher.
Des casquettes, une mer de casquettes, les casquettes du lundi matin,
des jours ouvrables, les casquettes des chantiers, des meetings du
samedi, Maurice était à son aise, au plus épais de la foule. La marée
ballottait les poings levés, les portait lentement, avec des arrêts
brusques, des hésitations, de nouveaux départs, vers les drapeaux
tricolores, *camarades, camarades, les poings de mai, les poings fleuris
coulent vers Garches, vers les stands rouges sur la prairie de Garches,
je m'appelle Zézette et les faucons chantent, chantent le joli mois de mai,
le monde qui naît.* Ça sentait le velours et le vin, Maurice était partout,
il pullulait, il sentait le velours, il sentait le vin, il frottait sa manche
à l'étoffe rêche d'un veston, un petit frisé lui poussait sa musette
dans les reins, le piétinement sourd de milliers de pieds lui remontait
par les jambes jusqu'au ventre, ça ronflait dans le ciel, au-dessus de
sa tête, il leva le nez, il regarda l'avion puis ses yeux se baissèrent
et il vit au-dessous de lui des visages renversés, reflets de son visage,
il leur sourit. Deux lacs clairs dans une peau tannée, des cheveux
crépus, une balafre, il sourit. Et il sourit au binoclard qui avait l'air
si appliqué, il sourit au barbu maigre et pâle qui pinçait les lèvres et
ne souriait pas. Ça criait dans ses oreilles, ça criait et ça riait, sans
blague Jojo, c'est toi, dis donc faut qu'il y ait la guerre pour qu'on
se rencontre; c'était dimanche. Quand les usines sont fermées, quand
les hommes sont ensemble et attendent, les mains vides, dans les
gares, le sac au dos, sous un destin de fer, alors c'est dimanche et ça

n'a pas tellement d'importance qu'on parte pour la guerre ou pour
le forêt de Fontainebleau. Daniel debout devant un prie-Dieu respirait une odeur calme de cave et d'encens, regardait ces crânes nus
sous une lumière violette, seul debout au milieu de ces hommes à
genoux, Maurice, entouré d'hommes debout, d'hommes sans femmes,
dans l'odeur fiévreuse de vin, de charbon, de tabac, regardant les
casquettes sous la lumière du matin, pensait : « C'est dimanche »,
Pierre dormait, Mathieu pressa sur un tube et un cylindre de pâte
rose sortit en chuintant, se cassa, tomba sur les poils de la brosse.
Un petit gars bouscula Maurice en riant : « Hé Simon! Simon! » Et
Simon se retourna, il avait des joues rouges, il rigolait, il dit : « Eh
dis donc! C'est le cas de dire sombre dimanche. » Maurice se mit à
rigoler il répéta : « Sombre dimanche! » et un beau jeune type lui
rendit son sourire, il y avait une femme avec lui, pas trop cave et
bien fringuée; elle se cramponnait à son bras et le regardait d'un
air suppliant mais il ne la regardait pas, s'il l'avait regardée, ils se
seraient refermés l'un sur l'autre, ils n'auraient plus fait qu'un. Un
couple tout seul. Il rigolait, il regardait Maurice, la femme ne comptait pas, Zézette ne comptait pas, *elle souffle, elle sent fort, elle*
est toute molle sous moi, mon chéri, mon chéri, entre en moi, il y avait
encore un peu de nuit,comme une suée, entre son corps et sa chemise,
un peu de suie, un peu d'angoisse fade et tendre, mais il rigolait à
l'air libre et les femmes étaient de trop; la guerre était là, la guerre,
la révolution, la victoire. Nous garderons nos fusils. Tous ceux-là :
le frisé, le barbu, le binoclard, le grand jeune homme, ils reviendront
avec leurs fusils, en chantant *l'Internationale* et ça sera dimanche.
Dimanche pour toujours. Il leva le poing.
   — Il lève le poing. C'est intelligent.
Maurice se retourna, le poing en l'air :
   — Quoi, quoi? demanda-t-il.
C'était le barbu.
   — Vous voulez mourir pour les Sudètes? demanda le barbu.
   — Ta gueule, dit Maurice.
Le barbu le regarda d'un air mauvais et hésitant, on aurait dit
qu'il cherchait à se rappeler quelque chose. Il cria tout d'un coup :
   — A bas la guerre!
Maurice fit un pas en arrière et sa musette heurta un dos.
   — La tairas-tu? dit-il. La tairas-tu, ta grande gueule?
   — A bas la guerre, cria le barbu. A bas la guerre.
Ses mains s'étaient mises à trembler et ses yeux chaviraient, il ne
pouvait plus s'arrêter de crier. Maurice le regardait avec une stupeur

attristée, sans colère, il songea un instant à lui envoyer son poing dans la figure, tout juste pour le faire taire, on bouscule bien les gosses qui ont le hoquet; mais il sentait encore une chair flasque contre ses phalanges et il n'était pas fier : il avait cogné sur un môme; il coulera de l'eau sous les ponts avant que je recommence. Il enfonça les mains dans ses poches :

— Va donc, salope, dit-il simplement.

Le barbu continua de crier, d'une voix courtoise et fatiguée — une voix de riche; et Maurice eut tout à coup l'impression déplaisante que la scène était truquée. Il regarda autour de lui et sa joie disparut : c'était la faute aux autres, ils ne faisaient pas ce qu'ils avaient à faire. Dans les meetings, quand un type se met à brailler des conneries, la foule reflue sur lui et l'efface, on voit ses bras en l'air, pendant un instant et puis plus rien du tout. Au lieu de ça, les copains s'étaient reculés, ils avaient fait le vide autour du barbu; la jeune femme le regardait avec curiosité, elle avait lâché le bras de son homme, les gars se détournaient, ils n'avaient pas l'air franc, ils faisaient semblant de ne pas entendre.

— A bas la guerre, cria le barbu.

Un drôle de malaise était tombé sur le dos de Maurice : il y avait ce soleil, ce type qui criait tout seul et tous ces hommes silencieux qui baissaient la tête... Son malaise devint de l'angoisse; il écarta la foule à coups d'épaule et se dirigea vers l'entrée de la gare, vers les vrais camarades qui levaient le poing sous les drapeaux. Le boulevard Montparnasse était désert. Dimanche. A la terrasse de la Coupole cinq ou six personnes consommaient; la marchande de cravates se tenait sur le pas de sa porte; au premier étage du quatre-vingt-dix-neuf, au-dessus du Kosmos, un homme en bras de chemise parut à la fenêtre et s'accouda à la balustrade. Maubert et Thérèse poussèrent un cri de joie, il y en avait une. Là, là, là, sur le mur, entre la Coupole et la pharmacie, il y avait une grande affiche jaune et bordée de rouge, *Français*, toute humide encore. Maubert fonça, le cou rentré dans les épaules, la tête en avant, Thérèse le suivit, elle s'amusait comme une petite folle : ils en avaient déchiré six, sous l'œil rond des bons bourgeois, c'est épatant d'avoir un patron jeune et sportif, bien découplé et qui sait ce qu'il veut.

— Saleté! dit Maubert.

Il regarda autour de lui; une petite fille s'était arrêtée, elle pouvait avoir dix ans, elle les regardait en jouant avec ses nattes; Maubert répéta bien haut :

— Saleté!

Et Thérèse dit d'une voix forte dans le dos de Maubert :

— Comment le gouvernement laisse-t-il afficher ces saletés ?

La marchande de cravates ne répondit pas : c'était une grosse femme endormie, un vague sourire professionnel s'attardait entre ses joues.

Français.

Les exigences allemandes sont inadmissibles. Nous avons tout fait pour conserver la Paix, mais personne ne peut demander que la France renie ses engagements et qu'elle accepte de devenir une nation de deuxième ordre. Si nous abandonnons aujourd'hui les Tchèques, demain Hitler nous demandera l'Alsace...

Maubert saisit l'affiche par un bout et leva, comme une aiguillette de canard, un long ruban de papier jaune. Thérèse prit l'affiche par le coin droit, elle tira, il en vint un grand morceau :

de la France qu'elle
et qu'elle accepte de
une nation de
si nous aban
nons de

Il restait sur le mur une étoile jaune et irrégulière. Maubert recula d'un pas pour regarder son œuvre : une étoile jaune, tout juste une étoile jaune, avec des mots inoffensifs et brisés. Thérèse sourit et regarda ses mains gantées, il restait un fragment d'affiche, une mince pelure collée à son gant droit : « Répu... », elle frotta son pouce contre son index et la petite peau jaune se roula en boulette, s'asséchait en roulant, devint dure comme une tête d'épingle, Thérèse écarta les doigts, la boulette tomba, elle eut une enivrante impression de puissance.

— Ça sera un petit bifteck, monsieur Désiré, un petit bifteck dans les trois cents grammes, quelque chose de joli, mais coupez-moi ça comme il faut : hier, c'est votre commis qui m'a servie, je n'étais pas satisfaite, c'était plein de nerfs. Dites donc, qu'est-ce qu'il y a, là, en face ? Eh bien, au vingt-quatre, les rideaux noirs. Il y a quelqu'un qui est mort ? — Ah, je ne sais pas, dit le boucher. Au vingt-quatre, je n'ai pas de clients, ils se font servir chez Berthier. Regardez-moi ça si je vous avantage, c'est rose, c'est tendre, ça mousse comme

du champagne et pas un tendon, je mangerais ça tout cru. — Au
vingt-quatre, dit Mme Lieutier, eh bien, mais je sais, moi, c'est.
M. Viguier. — M. Viguier? Connais pas. Ça sera un nouveau loca-
taire? — Ah mais non, c'est le petit vieux monsieur, vous ne connaissez que lui, celui qui donnait des bonbons à Thérèse. — Oh! celui
qui était si convenable? Quel dommage! Je le regretterai, moi;
M. Viguier, c'est-il possible! — Écoutez donc, il était bien assez
vieux pour faire un mort. — Oh! dit Mme Lieutier, et puis vous
savez, comme j'ai dit à mon mari, il est mort à temps, ce petit
vieux-là, il a eu du nez, peut-être que nous autres, dans six mois,
on regrettera que c'est pas nous qui soyons à sa place. Vous savez
qu'ils ont fait une invention? — Oh! qui ça? — Eux donc, les Allemands. Ça tue les gens comme des mouches et dans d'horribles
souffrances. — C'est-il Dieu possible, ah! les brigands. Mais qu'est-ce
que c'est? Qu'est-ce que c'est? — Ah! c'est une espèce de gaz, je
crois, ou de rayon si vous voulez, on m'a expliqué ça. — Alors,
c'est le rayon de la mort, dit le boucher en hochant la tête. — Eh
bien oui, quelque chose comme ça. Dites donc, ça ne vaut-il pas
mieux d'être sous la terre? — Vous avez bien raison, c'est ce que
je dis toujours. Plus de ménage, plus de souci; voilà comme je voudrais mourir : le soir on s'endort, le matin on ne se réveille plus.
— A ce qu'il paraît qu'il est mort comme ça. — Qui? — Le petit
vieux. — Il y a des gens qui ont de la veine, nous, faudra qu'on
subisse tout, malgré qu'on est des femmes, vous avez vu comme ça
se passait en Espagne. Non, une entrecôte et puis vous n'avez pas
de la fressure pour mon chat? Quand je pense : encore une guerre!
Mon mari a fait celle de 14, à présent c'est le tour de mon fils, je
vous dis que les hommes sont fous. C'est donc bien difficile de s'entendre? — Mais Hitler ne veut pas qu'on s'entende, madame Bonnetain. — Quoi, Hitler? Il veut ses Sudètes, cet homme-là? Eh bien,
moi, je les lui donnerais. Je sais pas seulement si c'est des hommes
ou des montagnes et mon fils va se faire casser la figure pour ça.
Je les lui donnerais! Je les lui donnerais! Vous les voulez : les voilà.
Il serait bien attrapé. Dites, reprit-elle sérieusement, c'est aujour-
d'hui l'enterrement? Vous ne savez pas à quelle heure c'est, parce
que je me mettrai à la fenêtre pour le voir passer. » Qu'est-ce qu'ils
ont tous après moi, avec leur guerre? Il tenait le livret, il le serrait de toutes ses forces, il ne pouvait se résoudre à le remettre dans
sa poche : c'était tout ce qu'il possédait au monde. Il l'ouvrit sans
cesser de marcher, vit son portrait et se sentit un peu rassuré; ces
petits dessins noirs qui causaient de lui, tant qu'il les regardait, ils

étaient moins inquiétants, ils n'avaient pas l'air si mauvais. Il dit :
« Tout de même! » « Tout de même! dit-il, tout de même! C'est-il un
malheur de ne point savoir lire! » Un déserteur, le petit jeune homme
éreinté qui remontait l'avenue de Clichy en traînant son image de
glace en glace, ce petit jeune homme sans haine, c'était un insoumis,
un déserteur, un grand gaillard terrible, au crâne rasé, qui vit à Barcelone, dans le Barrio Chino, caché par une fille qui l'adore. Mais
comment peut-on être déserteur? Avec quels yeux faut-il se voir?

Il était debout dans la nef, le prêtre chantait pour lui; il pensa :
« Le repos, le calme, le calme, le repos. » *Tel qu'en lui-même enfin
l'éternité le change.* Tu m'as créé tel que je suis et tes desseins sont
impénétrables; je suis la plus honteuse de tes pensées, tu me vois et
je te sers, je me dresse contre toi, je t'insulte et en t'insultant, je te
sers. Je suis ta créature, tu t'aimes en moi, tu me portes, toi qui as
créé les monstres. Une clochette tinta, les fidèles courbèrent la tête,
mais Daniel resta droit, le regard fixe. Tu me vois. Tu m'aimes. Il
se sentait calme et sacré.

Le corbillard s'arrêta devant la porte du vingt-quatre. « Les voilà,
les voilà », dit Mᵐᵉ Bonnetain. « C'est au troisième », dit la concierge.
Elle reconnut l'employé des pompes funèbres et lui dit : « Bonjour,
monsieur René, ça va toujours? — Bonjour, dit M. René. On n'a
pas idée de se faire enterrer un dimanche. — Ah! dit la concierge,
c'est que nous étions libre penseur. » Jacques regardait Mathieu et
il frappa sur la table, il dit : « Et quand même nous la gagnerions,
cette guerre, sais-tu où irait le profit? A Staline. — Et si nous ne
bougeons pas, le profit sera pour Hitler, dit Mathieu doucement.
— Et puis après? Hitler, Staline, c'est la même chose. Seulement
l'entente avec Hitler nous économise deux millions d'hommes et
nous épargne la révolution. » Nous y voilà. Mathieu se leva et alla
jeter un coup d'œil par la fenêtre. Il n'était même pas irrité; il pensait : « A quoi tout cela sert-il? » Il avait déserté et le ciel gardait
son air bonhomme des dimanches, les rues sentaient la fine cuisine,
la frangipane, le poulet, la famille. Un couple passa, l'homme portait une pâtisserie enveloppée dans du papier glacé, il la portait par
une ficelle rose passée à son petit doigt. Comme tous les dimanches.
*C'est de la blague, ça ne compte pas, vois comme tout est calme, pas
un remous, c'est la petite mort dominicale, la petite mort en famille,
tu n'as qu'à reprendre ton coup, le ciel existe, le magasin d'alimenta-
tion existe, la tarte existe; les déserteurs n'existent pas.* Dimanche,
dimanche, la première queue devant la pissotière de la place Clichy,
les premières chaleurs du jour. Entrer dans l'ascenseur qui vient de

redescendre, respirer dans la cage sombre le parfum de la blonde
du troisième, appuyer sur le bouton blanc, le petit chavirement, le
doux glissement, mettre la clé dans la serrure, comme tous les
dimanches, accrocher son chapeau à la troisième patère, arranger
son nœud de cravate devant la glace de l'antichambre, pousser la
porte du salon en criant : « Me voilà. » Que ferait-elle ? Est-ce qu'elle
ne viendrait pas à lui, comme tous les dimanches, en murmurant :
« Mon beau chéri ? » C'était tellement vraisemblable, tellement étouffant de vraisemblance. Et pourtant il avait perdu tout cela pour
toujours. « Si seulement je pouvais me mettre en colère ! Il m'a giflé,
pensa-t-il. Il m'a giflé. » Il s'arrêta, il avait un point de côté, il
s'appuya contre un arbre, il n'était pas en colère. « Ah ! pensa-t-il
avec désespoir, pourquoi faut-il que je ne sois plus un enfant ? »
Mathieu vint se rasseoir en face de Jacques. Jacques parlait, Mathieu
le regardait et tout était si ennuyeux, le bureau dans la pénombre,
la petite musique de l'autre côté des pins, les coquilles de beurre
dans le ravier, les bols vides sur le plateau : une éternité sans importance. Il eut envie de parler à son tour. Pour rien, pour ne rien
dire, pour briser ce silence éternel que la voix de son frère ne par-
venait pas à percer. Il lui dit :

— Te casse pas la tête. La guerre, la paix, c'est égal.

— C'est égal ? dit Jacques, étonné. Va donc dire ça aux millions
d'hommes qui se préparent à se faire tuer.

— Eh bien quoi ? dit Mathieu avec bonhomie. Ils portaient leur
mort en eux depuis leur naissance. Et quand on les aura massacrés
jusqu'au dernier, l'humanité sera toujours aussi pleine qu'auparavant : sans une lacune, sans un manquant.

— Moins douze à quinze millions d'hommes, dit Jacques.

— Ce n'est pas une question de nombre, dit Mathieu. Elle n'est
pleine que d'elle-même, personne ne lui manque et elle n'attend
personne. Elle continuera à n'aller nulle part et les mêmes hommes
se poseront les mêmes questions et rateront les mêmes vies.

Jacques le regardait en souriant, pour montrer qu'il n'était pas
dupe :

— Et où veux-tu en venir ?

— Eh bien justement, à rien, dit Mathieu.

— Les voilà, les voilà, cria Mme Bonnetain très animée, ils vont
mettre la bière dans le corbillard. La guerre n'est rien, le train partait, hérissé de poings levés, Maurice avait retrouvé les copains :
Dubech et Laurent l'écrasaient contre la fenêtre, il chantait : « L'internationale sera le genre humain. » « Tu chantes comme mon cul »,

lui dit Dubech. « Je veux! » dit Maurice. Il avait chaud, les tempes
lui faisaient mal, c'était le plus beau jour de sa vie. Il avait froid,
il avait mal au ventre, il sonna pour la troisième fois; il entendait
des bruits de pas précipités dans le couloir, des portes claquaient
mais personne ne venait : « Qu'est-ce qu'elles font, elles me laisseront chier dans mon froc. » Quelqu'un courut lourdement, passa
devant la chambre...

— Hé ho! cria Charles.

La course continua et le bruit s'éteignit, mais on se mit à taper à
grands coups au-dessus de sa tête. Qu'elles aillent se faire foutre, si
c'était la petite Dorliac, qui leur allonge cinq billets tous les mois,
rien qu'en pourboires, elles se battraient pour entrer dans sa piaule.
Il frissonna, il devait y avoir des fenêtres ouvertes, un courant d'air
glacé fusait sous la porte, elles aèrent, nous ne sommes pas encore
partis et elles aèrent déjà; les bruits, le vent froid, les cris entraient
comme dans un moulin, je suis sur une place publique. Depuis sa
première radiographie il n'avait connu pareille angoisse.

— Hé ho! Hé ho! cria-t-il.

Onze heures moins dix, Jacqueline n'était pas venue, on l'avait
laissé seul toute la matinée. Est-ce qu'ils ne vont pas bientôt finir,
là-haut? Les coups de marteau lui résonnaient au fond des yeux,
on dirait qu'ils clouent mon cercueil. Il avait les yeux secs et douloureux, il s'était réveillé en sursaut, à trois heures du matin, après
un mauvais rêve. Enfin, c'était à peine un rêve : il était resté à
Berck; la plage, les hôpitaux, les cliniques, tout était vide : plus de
malades, plus d'infirmières, des fenêtres noires, des salles désertes,
le sable gris et nu à perte de vue. Mais ce vide-là n'était pas simplement du vide, on ne voit ça que dans les rêves. Le rêve se poursuivait; il avait les yeux grands ouverts et le rêve se poursuivait :
il était sur sa gouttière au beau milieu de sa chambre et pourtant
sa chambre était déjà vide; elle n'avait plus ni haut ni bas, ni droite
ni gauche. Il restait quatre cloisons, tout juste quatre cloisons qui
se cognaient à angle droit, tout juste un peu d'air marin entre quatre
murs. Elles traînaient dans le couloir un objet lourd et raboteux,
sans doute une grosse malle de riche :

— Hé ho! fit-il. Hé ho!

La porte s'ouvrit, Mme Louise entra.

— Enfin, dit-il.

— Ah! une minute! dit Mme Louise. Nous avons cent malades à
habiller; chacun son tour.

— Où est Jacqueline?

— Si vous croyez qu'elle a le temps de s'occuper de vous! Elle habille les petites Pottier.

— Donnez-moi vite le bassin, dit Charles. Vite, vite!

— Qu'est-ce qui vous arrive? Ce n'est pas votre heure.

— J'ai de l'angoisse, dit Charles. Ça doit être pour ça.

— Oui, mais moi il faut que je vous prépare. Tout le monde doit être prêt pour onze heures. Enfin dépêchez-vous.

Elle défit le cordon de son pyjama et tira sur son pantalon, puis elle le souleva par les reins et fit glisser le bassin sous lui. L'émail était froid et dur. « J'ai la diarrhée », pensa Charles avec ennui.

— Comment vais-je faire si j'ai la diarrhée dans le train?

— Ne vous en faites pas. Tout est prévu.

Elle le regardait en jouant avec son trousseau de clés. Elle lui dit :

— Vous aurez beau temps pour partir.

Les lèvres de Charles se mirent à trembler :

— Je n'aurais pas voulu partir, dit-il.

— Bah! Bah! dit Mme Louise. Allons! est-ce que c'est fini?

Charles fit un dernier effort :

— C'est fini.

Elle fouilla dans la poche de son tablier et en tira une nappe de papier et des ciseaux. Elle coupa le papier en huit.

— Soulevez-vous, dit-elle.

Il entendit le froissement du papier, il sentit le frottement du papier.

— Ouf, fit-il.

— Là! dit-elle. Mettez-vous sur le ventre pendant que je pose le bassin; je vais finir de vous essuyer.

Il se mit sur le ventre, il l'entendit marcher dans la pièce et puis il sentit la caresse de ses doigts experts. C'était le moment qu'il préférait. Une chose. Une pauvre petite chose abandonnée. Son sexe se durcit sous lui et il le caressa au drap frais.

Mme Louise le retourna comme un paquet. Elle lui regarda le ventre et se mit à rire :

— Ah, farceur! dit-elle. Allez, on vous regrettera, monsieur Charles, vous étiez un vrai boute-en-train.

Elle rejeta les couvertures et lui ôta son pyjama :

— Un petit peu d'eau de Cologne sur la figure, lui dit-elle en le frottant. Dame! aujourd'hui la toilette sera sommaire.

— Levez les bras. Bon. La chemise. Le caleçon à présent, ne gigotez pas comme ça, je ne peux pas vous enfiler vos chaussettes.

Elle se recula pour juger de son ouvrage et dit avec satisfaction :

— Vous voilà propre comme un sou.

— Le voyage sera-t-il long? demanda Charles d'une voix altérée.

— Probablement, dit-elle en lui mettant sa veste.

— Et où va-t-on?

— Je ne sais pas. Je crois que vous vous arrêterez d'abord à Dijon.

Elle regarda autour d'elle :

— Que je voie si je n'oublie rien. Ah! dit-elle, naturellement! Et votre tasse! Votre tasse bleue! Vous y tenez tant.

Elle la prit sur l'étagère et se pencha sur la valise. C'était une tasse de faïence bleue avec des papillons rouges. Elle était très belle.

— Je vais la mettre entre les chemises pour qu'elle ne se casse pas.

— Donnez-la-moi, dit Charles.

Elle le regarda avec surprise et lui tendit la tasse. Il la prit, se souleva sur un coude et la lança à la volée contre le mur.

— Vandale! cria Mme Louise indignée. Il fallait me la donner si vous ne vouliez pas la prendre.

— Je ne voulais ni la donner ni la prendre, dit Charles.

Elle haussa les épaules, alla à la porte et l'ouvrit au grand large.

— Alors, on part? demanda-t-il.

— Eh bien oui, dit-elle. Vous ne voulez pas manquer le train?

— Si vite! dit Charles. Si vite!

Elle était revenue se placer derrière lui, elle poussa la gouttière; il étendit la main pour toucher la table au passage, il vit un moment la fenêtre et un bout du mur dans le miroir fixé au-dessus de sa tête et puis plus rien, il était dans le couloir, derrière une quarantaine de chariots rangés en file indienne le long du mur; il lui sembla qu'on lui tordait le cœur.

Le cortège funèbre se mit en marche : « Les voilà qui partent, dit Mme Bonnetain. Dites donc, il n'y a pas beaucoup de monde pour l'accompagner à sa dernière demeure. » On avançait petit à petit, un arrêt après chaque tour de roue, la fosse sombre était au bout, elles y poussaient les gouttières deux par deux mais il n'y avait qu'un ascenseur et ça prenait du temps.

— Ce que c'est long, dit Charles.

— On ne partira pas sans vous, dit Mme Louise.

Le corbillard passait sous la fenêtre; la petite dame en deuil, ça devait être la famille, la concierge avait fermé sa loge à clé, elle suivait, à côté d'une femme robuste, en gris avec un feutre bleu,

l'infirmière. M. Bonnetain s'accouda au balcon près de sa femme :
« Le père Viguier, c'était un frère trois points, dit-il. — Qu'est-ce
que tu en sais? — Ha! Ha! » dit-il d'un air fat. Il ajouta au bout
d'un moment : « Il me dessinait des triangles sur la paume, avec
son pouce, quand il me serrait la main. » Une bouffée de colère monta
aux tempes de Mme Bonnetain, parce que son mari parlait si légèrement d'un mort. Elle suivit l'enterrement du regard et elle pensa :
« Le pauvre homme. » Il reposait là, de tout son long, sur le dos,
on l'emmenait, les pieds devant, vers la fosse. Pauvre homme,
c'est triste de n'avoir pas de famille. Elle fit un signe de croix. De
tout son long; on le poussait vers la fosse obscure, il sentirait l'ascenseur se dérober sous lui.

— Qui part avec nous? demanda-t-il.

— Personne de chez nous, dit Mme Louise. On a désigné les trois
infirmières du chalet normand et puis Georgette Fouquet, une grande
brune que vous connaissez sûrement, elle est à la clinique du docteur
Robertal.

— Ah! je vois qui c'est, dit Charles, pendant qu'elle le poussait
doucement vers la fosse. Une brune avec de belles jambes. Elle n'a
pas l'air commode.

Il l'avait souvent remarquée sur la plage, surveillant une bande de
petits rachitiques et distribuant les taloches avec équité; elle avait les
jambes nues et portait des espadrilles. De belles jambes nerveuses et
velues, il s'était dit qu'il aimerait être soigné par elle. Ils le descen-
dront dans la fosse avec des cordes et personne ne se penchera sur lui,
sauf cette petite bonne femme qui n'a même pas l'air bien convenable, ce que c'est triste de mourir comme ça; Mme Louise le poussa
dans la cage, il y avait déjà une gouttière rangée, dans l'ombre,
contre la cloison.

— Qui est là? demanda Charles en clignant des yeux.

— C'est Petrus, dit une voix.

— Ah! vieux cul! dit Charles. Alors? On déménage?

Petrus ne répondit pas, il y eut un petit choc, il sembla à Charles
qu'il planait à quelques centimètres au-dessus de sa gouttière, ils
s'enfonçaient dans la fosse, le plancher du troisième était déjà
au-dessus de sa tête, il quittait sa vie par-en dessous, par un trou
d'évier.

— Mais où est-elle, dit-il avec un sanglot bref, où est Jacqueline?

Mme Louise ne parut pas entendre et Charles ravala ses pleurs
à cause de Petrus. Philippe marchait, il ne pouvait plus s'arrêter;
s'il cessait de marcher il allait s'évanouir; Gros-Louis marchait, il

s'était blessé au pied droit. Un monsieur passa dans la rue déserte, un petit gros avec moustache et canotier, Gros-Louis étendit la main :

— Dis donc, lui dit-il. Tu sais lire?

Le monsieur fit un petit saut de côté et pressa le pas.

— Te sauve pas, dit Gros-Louis. Je ne vais pas te manger.

Le monsieur allongea le pas, Gros-Louis se mit à boitiller derrière lui, en lui tendant le livret militaire; le monsieur finit par prendre ses jambes à son cou et se sauva en poussant un petit cri de bête. Gros-Louis s'arrêta et le regarda s'éloigner en se grattant le crâne au-dessus de son bandage : le monsieur était devenu tout petit et rond comme une balle, il roula jusqu'au coin d'une rue, rebondit, tourna et disparut.

— Ah, là! là! dit Gros-Louis. Ah, là! là!

— Il ne faut pas pleurer, dit Mme Louise.

Elle lui tamponna les yeux avec son mouchoir, je ne me doutais même pas que je pleurais. Il se sentit un peu attendri; c'était agréable de pleurer sur soi-même.

— J'étais tellement heureux ici.

— On ne l'aurait pas cru, dit Mme Louise. Vous étiez toujours à grogner après quelqu'un.

Elle replia la grille de l'ascenseur et le poussa dans le vestibule. Charles se souleva sur les coudes, il reconnut Totor et la môme Gavalda. La môme Gavalda était pâle comme un linge; Totor s'était enfoncé dans ses couvertures et fermait les yeux. Des hommes en casquette s'emparaient des chariots à leur sortie de l'ascenseur, ils leur faisaient franchir le seuil de la clinique et disparaissaient avec eux dans le parc. Un homme s'avança vers Charles.

— Allons adieu et bon voyage, dit Mme Louise. Envoyez-nous une petite carte quand vous serez arrivé. Et n'oubliez pas : la petite valise avec les affaires de toilette est à vos pieds, sous les couvertures.

Le type se penchait déjà vers Charles.

— Ha! cria Charles. Faites très attention. On est facilement brutal quand on n'a pas l'habitude.

— Ça va, dit le type, c'est pas malin de pousser votre histoire. Des diables à la gare de Dunkerque, des wagonnets à Lens, des chariots à Anzin, j'ai fait que ça toute ma vie.

Charles se tut, il avait peur : le gars qui poussait la gouttière de la môme Gavalda lui fit prendre le virage sur deux roues et racla la planche contre le mur.

— Attendez, dit Jacqueline. Attendez! C'est moi qui vais le conduire à la gare.

Elle descendait l'escalier en courant, elle était hors d'haleine.

— Monsieur Charles! dit-elle.

Elle le regardait avec une extase triste, sa poitrine se soulevait fortement, elle fit semblant d'arranger ses couvertures pour pouvoir le toucher; il possédait encore quelque chose sur terre; où qu'il soit, il posséderait encore ça : ce gros cœur diligent et révérencieux qui continuerait à battre pour lui, à Berck, dans une clinique déserte.

— Eh bien, dit-il, vous m'avez laissé tomber.

— Oh! Monsieur Charles, le temps me durait. Mais je n'ai pas pu, Mme Louise a dû vous dire.

Elle tourna autour de la gouttière, triste et affairée, bien d'aplomb sur ses deux jambes, et il trembla de haine : c'était une *debout*, elle avait des souvenirs verticaux, il ne resterait pas longtemps à l'abri dans ce cœur.

— Allons, allons, dit-il sèchement. Pressons-nous : conduisez-moi.

— Entrez, dit une voix faible.

Maud poussa la porte et une odeur de vomi la prit à la gorge. Pierre était étendu de tout son long sur la couchette. Il était blême et ses yeux lui mangeaient la figure, mais il semblait paisible. Elle eut un mouvement de recul, mais elle se força à pénétrer dans la cabine. Sur une chaise, au chevet de Pierre, il y avait une cuvette remplie d'une eau trouble et mousseuse.

— Je ne vomis plus que des glaires, dit Pierre d'une voix égale. Il y a longtemps que j'ai rendu tout ce que j'avais dans l'estomac. Ote la cuvette et assieds-toi.

Maud ôta la cuvette en retenant son souffle et la déposa près du lavabo. Elle s'assit; elle avait laissé la porte ouverte pour aérer la cabine. Il y eut un silence; Pierre la regardait avec une curiosité gênante.

— Je ne savais pas que tu étais malade, dit-elle, sans ça je serais venue plus tôt.

Pierre se souleva sur un coude :

— Ça va un peu mieux, dit-il, mais je suis encore très faible. Je ne cesse de dégueuler depuis hier. Il vaudrait peut-être mieux que je mange quelque chose à midi, qu'est-ce que tu en dis? Je pensais à me faire monter une aile de poulet.

— Mais je ne sais pas du tout, dit Maud agacée. Tu dois bien sentir si tu as faim.

Pierre fixait la couverture d'un air soucieux :

— Évidemment, dit-il, ça risque de me charger l'estomac mais ça peut aussi me le caler et puis, d'un autre côté, si les nausées me reprennent, il faut bien que j'aie quelque chose à vomir.

Maud le regarda avec stupeur. Elle pensait : « Ce qu'il faut de temps pour connaître un homme. »

— Eh bien, je dirai au steward qu'il te porte un bouillon de légumes et un blanc de poulet. Elle eut un rire contraint et ajouta :

— Si tu penses à manger, c'est que tu n'es pas bien malade.

Il y eut un silence. Pierre avait relevé les yeux et il l'observait avec un mélange déconcertant d'attention et d'indifférence.

— Alors, raconte-moi : vous êtes en seconde à présent.

— Qui te l'a dit? demanda Maud mécontente.

— Ruby. Je l'ai rencontrée hier dans les couloirs.

— Eh bien oui, dit Maud. Oui, nous sommes en seconde.

— Comment vous êtes-vous débrouillées?

— Nous avons proposé de donner un concert.

— Ah! dit Pierre.

Il ne cessait pas de la regarder. Il allongea ses mains sur le drap et dit mollement :

— Et puis tu as couché avec le capitaine?

— Qu'est-ce que tu chantes? dit Maud.

— Je t'ai vue sortir de sa cabine, dit Pierre, il n'y avait pas à s'y tromper.

Maud était mal à l'aise. En un sens, elle n'avait plus de comptes à lui rendre; mais d'un autre côté il eût été plus régulier de le prévenir. Elle baissa les yeux et toussa; elle se sentait coupable et ça lui rendait un peu de tendresse pour Pierre.

— Écoute, lui dit-elle, si j'avais refusé, France n'aurait pas compris.

— Mais qu'est-ce que France a à voir là-dedans? dit la voix paisible de Pierre.

Elle releva brusquement la tête : il souriait, il avait gardé son air de curiosité veule. Elle se sentit outragée; elle aurait préféré qu'il crie.

— Si tu veux savoir, dit-elle sèchement, quand je suis sur un bateau je couche avec le capitaine pour que l'orchestre Baby's puisse faire la traversée en deuxième classe. Voilà.

Elle attendit un moment qu'il protestât, mais il ne soufflait mot. Elle se pencha sur lui et ajouta avec force :

— Je ne suis pas une grue.

— Qui a dit que tu étais une grue? Tu fais ce que tu veux ou ce que tu peux. Je ne trouve pas ça mal.

Il lui sembla qu'il lui donnait un coup de cravache en pleine figure. Elle se leva brusquement :

— Ah! tu ne trouves pas ça mal! dit-elle. Ah! tu ne trouves pas ça mal!

— Mais non.

— Eh bien tu as tort, dit-elle avec agitation. Tu as le plus grand tort.

— C'est donc mal? demanda Pierre, amusé.

— Ah! n'essaie pas de m'embrouiller. Non ce n'est pas mal : pourquoi serait-ce mal? Qui est-ce qui me demande de me refuser? Pas les types qui tournent autour de moi, bien sûr, ni mes compagnes qui profitent de moi, ni ma mère qui ne gagne plus rien et à qui j'envoie des sous. Mais toi tu devrais trouver ça mal parce que tu es mon amant.

Pierre avait joint les mains sur sa couverture; il avait un air sournois et fuyant de malade :

— Ne crie pas, dit-il doucement. J'ai mal à la tête.

Elle se domina et le regarda froidement :

— N'aie pas peur, lui dit-elle à mi-voix, je ne crierai plus. Seulement j'aime autant te dire que c'est bien fini, nous deux. Parce que, tu comprends, ça me dégoûte déjà assez de me faire tripoter par ce vieux plein de soupe et si tu m'avais engueulée ou si tu m'avais plainte, j'aurais cru que tu tenais un peu à moi et ça m'aurait donné du cœur. Mais si je peux coucher avec qui je veux sans que ça fasse ni chaud ni froid à personne, pas même à toi, alors c'est que je suis un chien galeux, une putain. Eh bien, mon vieux, les putains, elles courent après les michés et elles n'ont pas besoin de s'embarrasser de cloches dans ton genre.

Pierre ne répondit pas : il avait fermé les yeux. Elle envoya promener sa chaise d'un coup de pied et sortit en claquant la porte.

Il glissait, soulevé sur un coude, entre des chalets, des cliniques, des pensions de famille; tout était vide, les cent vingt-deux fenêtres de l'hôtel Brun étaient ouvertes; dans le vestibule du chalet « Mon Désir », dans le jardin de la villa « Oasis », des malades attendaient, couchés dans leurs cercueils, la tête dressée; ils regardaient en silence le défilé des gouttières; tout un peuple de gouttières roulait vers la gare. Personne ne parlait, on n'entendait que les gémissements des essieux et le choc sourd des roues tombant du trottoir sur la chaussée. Jacqueline marchait vite; ils dépassèrent une grosse vieille rubiconde poussée par un petit vieux qui pleurait, ils dépassèrent

Zozo, c'était sa mère qui le conduisait à la gare, la boiteuse du chalet de nécessité.

— Hé! Ho! cria Charles.

Zozo sursauta, il se souleva un peu et regarda Charles de ses yeux clairs et vides.

— On n'est pas vernis, dit-il en soupirant.

Charles se laissa retomber sur le dos; il sentait à sa droite, à sa gauche, ces présences horizontales, dix mille petits enterrements. Il rouvrit les yeux et vit un morceau de ciel et puis des centaines de gens, penchés aux fenêtres de la Grande-Rue, qui agitaient leurs mouchoirs. Salauds! Salauds! C'est pas le 14 juillet. Un vol de mouettes tourbillonna en criant au-dessus de sa tête et Jacqueline se moucha derrière lui. Elle pleurait sous ses voiles de crêpe, l'infirmière gardait les yeux fixés sur l'unique couronne qui bringuebalait à l'arrière du corbillard, mais elle l'entendait pleurer, elle ne devait pas le regretter beaucoup, il y avait plus de dix ans qu'elle ne l'avait vu, mais on garde toujours quelque part au fond de soi une tristesse honteuse et inassouvie qui attend modestement un enterrement, une première communion, un mariage, pour obtenir enfin les larmes qu'elle n'a jamais osé réclamer; l'infirmière pensa à sa mère paralysée, à la guerre, à son neveu qui allait partir, à la dure, dure condition d'infirmière et elle se mit à pleurer aussi, elle était contente, la petite dame pleurait, derrière elles la concierge commençait à renifler, pauvre vieux, il y a si peu de monde pour l'accompagner, au moins qu'on ait l'air triste; Jacqueline pleurait en poussant la gouttière, Philippe marchait, je vais m'évanouir, Gros-Louis marchait, la guerre, la maladie, la mort, le départ, la misère; c'était dimanche, Maurice chantait à la fenêtre de son compartiment, Marcelle entra dans la pâtisserie pour acheter un saint-honoré.

— Vous n'êtes guère causant, dit Jacqueline. Je pensais que ça vous ferait un peu de peine de me quitter.

Ils avaient pris la rue de la gare.

— Vous trouvez que je ne suis pas assez emmerdé comme ça? demanda Charles. Ils m'empaquettent, ils m'emportent je ne sais où sans me demander mon avis et par-dessus le marché vous voulez que je vous regrette?

— Vous n'avez pas de cœur.

— Ça va, dit-il durement. Je voudrais que vous soyez à ma place. On verrait ce que vous feriez du vôtre.

Elle ne répondit pas et il vit un plafond sombre au-dessus de sa tête.

— Nous sommes arrivés, dit Jacqueline.

A qui faut-il crier au secours? Qui faut-il supplier pour qu'ils ne m'emmènent pas, je ferai tout ce qu'on voudra mais qu'on me laisse ici, elle me soignera, elle me promènera, le soir, elle me fera ma petite caresse...

— Ah! lui dit-il, je sens que je vais crever pendant le voyage.

— Mais vous êtes fou, s'écria Jacqueline affolée. Vous êtes complètement fou, comment pouvez-vous dire ces choses-là?

Elle tourna autour de la gouttière et se pencha sur lui, il sentait son souffle chaud.

— Allons! Allons! dit-il, en lui riant au nez. Pas de manifestations. Ça n'est pas vous qui aurez les embêtements, si je meurs. C'est la belle brune, vous savez, l'infirmière du docteur Robertal.

Jacqueline se redressa brusquement.

— C'est un chameau, dit-elle. Vous ne pouvez pas vous imaginer toutes les histoires qu'elle a faites à Lucienne. Ah! vous en verrez avec elle, ajouta-t-elle entre ses dents serrées. Et ça n'est pas la peine de lui faire les yeux doux, elle est moins bête que moi.

Charles se redressa et regarda autour de lui avec inquiétude. Il y avait plus de deux cents gouttières alignées dans le hall. Les porteurs les poussaient sur le quai, les unes après les autres.

— Je ne veux pas partir, murmura-t-il entre ses dents.

Jacqueline le regarda tout à coup d'un air égaré :

— Adieu, lui dit-elle. Adieu ma chère, chère poupée.

Il voulut répondre mais la gouttière s'était ébranlée. Un frisson le parcourut des pieds à la nuque; il renversa la tête en arrière et vit un visage rougeaud penché au-dessus du sien.

— Écrivez-moi, cria Jacqueline, écrivez-moi.

Déjà il était sur le quai, dans un brouhaha de coups de sifflet et de cris d'adieux.

— Ce... ce n'est pas ce train-là? demanda-t-il avec angoisse.

— Non? Et qu'est-ce qu'il vous faut alors? L'Orient-express? dit l'employé avec ironie.

— Mais ce sont des wagons de marchandises!

L'employé cracha entre ses pieds :

— Vous ne tiendriez pas dans un train de voyageurs, expliqua-t-il. Il faudrait enlever les banquettes, vous vous rendez compte du chiendent?

Les porteurs prenaient les gouttières par les deux extrémités, les détachaient de leurs chariots et les portaient jusqu'aux wagons. Dans les wagons, il y avait des employés avec des casquettes, ils se courbaient, ils attrapaient les gouttières comme ils pouvaient et ils les emportaient dans les ténèbres. Le beau Samuel, le don Juan de Berck, qui avait dix-huit costumes, passa tout près de Charles, dans les bras de deux porteurs, et disparut dans le fourgon, les jambes en l'air.

— Il y a tout de même des trains sanitaires, dit Charles avec indignation.

— Ah! je vous crois. Comme s'ils allaient, à la veille de la guerre, envoyer des trains sanitaires à Berck pour ramasser les potteux.

Charles voulut répondre mais sa gouttière bascula brusquement et il fut emporté dans les airs, la tête en bas.

— Portez-moi droit, cria-t-il, portez-moi droit.

Les porteurs se mirent à rire, le trou béant se rapprocha, s'agrandit, ils lâchèrent de la corde et le cercueil tomba sur la terre fraîche avec un bruit mou. Penchées au bord de la fosse, l'infirmière et la concierge sanglotaient sans retenue.

— Tu vois, dit Boris, tu vois : ils se taillent tous.

Ils étaient assis dans le hall de l'hôtel, près d'un monsieur décoré qui lisait le journal. Le portier descendit deux valises en peau de porc et les déposa près de l'entrée, à côté des autres.

— Cinq départs ce matin, dit-il d'une voix neutre.

— Vise les valises, dit Boris, elles sont en peau de porc. Ces gens-là ne les méritent pas, ajouta-t-il avec sévérité.

— Pourquoi, ma beauté?

— Elles devraient être couvertes d'étiquettes.

— Eh bien? mais on ne verrait plus la peau de porc, dit Lola.

— Justement. Le vrai luxe doit se cacher, et puis ça leur servirait de housse. Moi, si j'en avais une comme ça, je ne serais pas ici.

— Où serais-tu?

— N'importe où : au Mexique ou en Chine. Il ajouta : « Avec toi. »

Une grande femme en chapeau noir traversa le hall avec agitation; elle criait :

— Mariette! Mariette!

— C'est Mme Delarive, dit Lola. Elle part cet après-midi.

— Nous allons rester seuls à l'hôtel, dit Boris. Ça sera marrant : nous changerons de chambre tous les soirs.

— Hier, au Casino, dit Lola, ils étaient dix à m'écouter. Aussi je ne me casse plus. J'ai demandé qu'on les groupe tous ensemble, aux tables du milieu, et je leur susurre mes chansons aux oreilles.

Boris se leva pour aller regarder les valises. Il les palpa discrètement et revint près de Lola.

— Pourquoi s'en vont-ils? demanda-t-il en se rasseyant. Ils seraient aussi bien ici. Si ça se trouve, on bombardera leur maison le lendemain de leur retour.

— Ben oui, dit Lola, mais c'est leur maison. Tu ne comprends pas ça?

— Non.

— C'est comme ça, dit-elle. A partir d'un certain âge, on attend les emmerdements chez soi.

Boris se mit à rire et Lola se redressa avec inquiétude; elle avait gardé ça d'autrefois : quand il riait, elle croyait toujours qu'il se moquait d'elle.

— Pourquoi ris-tu?

— Parce que je te trouve bien brave. Tu es là à m'expliquer ce que sentent les gens d'un certain âge. Mais tu n'y comprends rien, ma pauvre Lola : tu n'as jamais eu de chez toi.

— Non, dit Lola tristement.

Boris lui prit la main et embrassa le creux de sa paume. Lola rougit.

— Ce que tu es gentil avec moi. Je te dis, tu n'es plus le même.

— Plains-toi!

Lola lui serra la main avec force :

— Je ne me plains pas. Mais je voudrais savoir pourquoi tu es si gentil.

— C'est que je prends de l'âge, dit-il.

Elle lui avait abandonné sa main; elle souriait, renversée dans le fauteuil. Il était content qu'elle soit heureuse : il voulait lui laisser un bon souvenir. Il lui caressa la main et il pensa : « Un an; je n'en ai plus que pour un an à vivre avec elle »; il se sentit tout attendri : déjà leur histoire avait le charme du passé. Autrefois il la menait durement, mais c'est qu'ils avaient un bail illimité : ça l'agaçait, il aimait bien les engagements à durée définie. Un an : il lui donnerait tout le bonheur qu'elle méritait, il réparerait tous ses torts et puis il la quitterait, mais pas salement, pas pour une autre bonne femme ou parce qu'il aurait assez d'elle : ça s'arrangerait de soi-même, par la force des choses, parce qu'il serait majeur et qu'on l'enverrait au front. Il la regarda du coin de l'œil : elle avait l'air jeune, sa belle poitrine se soulevait de plaisir; il pensa avec mélancolie : « J'aurai été l'homme d'une seule femme. » Mobilisé en 40, tué en 41, non, en 42, parce qu'il fallait qu'il eût le temps de faire ses classes, ça faisait une femme en vingt-deux ans. Trois mois plus tôt, il rêvait encore de coucher avec des personnes de la haute société. « C'est que j'étais un môme », pensa-t-il sans indulgence. Il mourrait sans avoir connu les duchesses, mais il ne regrettait rien. En un sens, il aurait pu, dans les mois qui allaient venir, collectionner les bonnes fortunes, mais il n'y tenait pas trop : « Je me disperserais. Lorsqu'on n'a plus que deux ans à vivre, il convient plutôt de se concentrer sérieusement. » Jules Renard avait dit à son fils : « N'étudie qu'une seule femme mais étudie-la bien et tu connaîtras *la* femme. » Il fallait étudier Lola avec soin, au restaurant, dans la rue, au lit. Il promena son doigt sur le poignet de Lola et pensa : « Je ne la connais pas encore très bien. » Il y avait des coins de son corps qu'il ignorait et il ne savait pas toujours ce qui se passait dans sa tête. Mais il avait un an devant lui. Et il allait s'y mettre tout de suite. Il tourna la tête vers elle et la considéra attentivement.

— Qu'est-ce que tu as à me regarder? demanda Lola.

— Je t'étudie, dit Boris.

— J'aime pas que tu me regardes trop, j'ai toujours peur que tu me trouves vieille.

Boris lui sourit : elle était restée méfiante, elle ne s'accoutumait pas à son bonheur :

— T'en fais pas, lui dit-il.

Une veuve les salua sèchement et se laissa tomber sur un fauteuil à côté du monsieur décoré.

— Eh bien! chère madame, dit le monsieur. Nous allons avoir un discours d'Hitler.

— Oh! quand ça? demanda la veuve.

— Il parle demain soir, au Sportpalast.

— Brr, dit-elle en frissonnant. Alors, j'irai me coucher tôt et je me mettrai la tête sous les draps, je ne veux pas l'entendre. J'imagine qu'il n'a rien d'agréable à nous dire.

— Je le crains fort, dit le monsieur.

Il y eut un silence, puis il reprit :

— Notre grande erreur, voyez-vous, nous l'avons faite en 36, lors de la remilitarisation de la zone rhénane. Il fallait envoyer dix divisions là-bas. Si nous avions montré les dents, les officiers allemands avaient leur ordre de repli dans leur poche. Mais Sarraut attendait le bon plaisir du Front populaire et le Front populaire préférait donner nos armes aux communistes espagnols.

— L'Angleterre ne nous aurait pas suivis, fit observer la veuve.

— Elle ne nous aurait pas suivis! Elle ne nous aurait pas suivis! répéta le monsieur, impatienté. Eh bien, je vais vous poser une

question, madame. Savez-vous ce qu'Hitler aurait fait, si Sarraut
avait mobilisé?

— Je ne sais pas, dit la veuve.

— Il se serait sui-ci-dé, madame; je le sais de source sûre : il y a
vingt ans que je connais un officier du 2e bureau.

La veuve hocha tristement la tête :

— Que d'occasions perdues! dit-elle.

— Et à qui la faute, madame?

— Ah! dit-elle.

— Eh oui! dit le monsieur, eh oui! Voilà ce que c'est que de voter
rouge. Le Français est incorrigible : la guerre est à sa porte et il
réclame des congés payés.

La veuve releva le nez : elle avait un air d'anxiété vraie.

— Alors vous croyez que c'est la guerre?

— La guerre, dit le monsieur, interdit. Oh! Oh! n'allons pas si
vite. Non : Daladier n'est pas un enfant; il fera certainement les
concessions nécessaires. Mais nous allons avoir les pires ennuis.

— Salauds, dit Lola entre ses dents.

Boris lui sourit avec sympathie. Pour elle, la question de la Tchécoslovaquie était très simple : un petit pays était attaqué, la France
devait le défendre. Elle était un peu tarte, en politique, mais géné-
reuse.

— Viens déjeuner, dit-elle, ils me tapent sur les nerfs.

Elle se leva. Il regarda ses belles et fortes hanches, il pensa *la*
femme. C'était *la* femme, *toute la femme* qu'il allait posséder cette
nuit. Il sentit qu'un désir violent lui chauffait les oreilles.

Derrière son dos, la gare — et Gomez, dans le train, les pieds
sur la banquette. Il avait brusqué les adieux : « Je n'aime pas les
embrassades sur le quai. » Elle descendait l'escalier monumental,
le train était encore en gare, Gomez lisait en fumant, les pieds sur
la banquette, il avait de beaux souliers neufs en cuir de vache. Elle
vit les souliers, sur le drap gris de la banquette; il était en première
classe; la guerre, ça rapporte. « Je le hais », pensa-t-elle. Elle était
sèche et vide. Elle vit encore un moment la mer éclatante, le port
et les bateaux et puis plus rien : des hôtels sombres, des toits et
des tramways.

— Pablo, ne descends pas si vite! Tu vas tomber.

Le petit resta sur une marche, un pied en l'air. Il va voir Mathieu.
Il aurait pu rester un jour de plus avec moi, mais il m'a préféré
Mathieu. Ses mains étaient brûlantes. Tant qu'il était là, c'était un
supplice; maintenant qu'il est parti, je ne sais plus où aller.

Le petit Pablo la regarda avec gravité.

— Il est parti, mon papa? demanda-t-il.

Il y avait une horloge, en face d'eux, qui marquait une heure trente-cinq. Le train était parti depuis sept minutes.

— Oui, dit Sarah. Il est parti.

— Il va se battre? demanda Pablo, les yeux brillants.

— Non, dit Sarah. Il va voir un ami.

— Oui, mais après, il va se battre?

— Après, dit Sarah, il ira faire se battre les autres.

Pablo s'était arrêté sur l'avant-dernière marche; il fléchit les genoux et sauta à pieds joints sur le trottoir, puis il se retourna et regarda sa mère en lui souriant avec fierté. « Cabotin », pensa-t-elle. Elle se retourna, sans lui sourire, et parcourut du regard l'escalier monumental. Les trains roulaient, s'arrêtaient, repartaient au-dessus de sa tête. Le train de Gomez roulait vers l'Est, entre des falaises crayeuses, ou peut-être entre des maisons. La gare était déserte, au-dessus de sa tête, une grande bulle grise, pleine de soleil et de fumées, une odeur de vin et de suie, les rails brillaient. Elle baissa la tête, ça ne lui était pas agréable de penser à cette gare abandonnée là-haut dans la chaleur blanche de l'après-midi. En avril 33, il était parti, par ce même train, il portait un complet de tweed gris, Mistress Simpson l'attendait à Cannes, ils avaient passé quinze jours à San Remo. « J'aimais encore mieux ça », pensa-t-elle. Un petit poing tâtonnant effleura sa main. Elle ouvrit la main et la referma sur le poignet de Pablo. Elle baissa les yeux et le regarda. Il avait une blouse à col marin avec un chapeau de toile.

— Pourquoi tu me regardes comme ça? demanda Pablo.

Sarah détourna la tête et regarda la chaussée. Elle était effrayée de se sentir si dure. « Ce n'est qu'un enfant, pensa-t-elle. Mais ce n'est qu'un enfant! » Elle le regarda de nouveau en essayant de lui sourire, mais elle ne put y parvenir, ses mâchoires étaient serrées, sa bouche était de bois. Les lèvres du petit se mirent à trembler et elle comprit qu'il allait pleurer. Elle le tira brusquement et se mit à marcher à grands pas. Le petit, surpris, oublia ses larmes, il trottinait auprès d'elle.

— Où va-t-on, maman?

— Je ne sais pas, dit Sarah.

Elle prit la première rue à sa droite. C'était une rue déserte; tous les magasins étaient fermés. Elle hâta encore le pas et tourna dans une rue, à gauche, entre de hautes maisons sombres et sales. Et toujours personne.

— Tu me fais courir, dit Pablo.

Sarah serra sa main sans répondre et l'entraîna. Ils prirent une grande rue droite, une rue à tramway. On n'y voyait ni autos ni tramways, rien que des rideaux de fer baissés et puis les rails qui filaient vers le port. Elle pensa que c'était dimanche et son cœur se serra. Elle tira violemment sur le poignet de Pablo.

— Maman, gémit Pablo. Oh! maman.

Il s'était mis à courir pour la suivre. Il ne pleurait pas, il était tout blanc, avec des cernes au-dessous des yeux; il levait vers elle un visage étonné et défiant. Sarah s'arrêta net; des larmes mouillèrent ses joues.

— Pauvre gosse, dit-elle. Pauvre petit innocent.

Elle s'accroupit devant lui : qu'importait ce qu'il deviendrait plus tard? Pour l'instant, il était là, inoffensif et laid avec une ombre minuscule à ses pieds, il avait l'air seul au monde et il y avait tout ce scandale dans ses yeux; après tout, il n'avait pas demandé à naître.

— Pourquoi tu pleures? demanda Pablo. C'est parce que papa est parti?

Les larmes de Sarah tarirent à l'instant et elle eut envie de rire. Mais Pablo la regardait d'un air soucieux. Elle se releva et dit, en détournant la tête :

— Oui. Oui, c'est parce que papa est parti.

— Est-ce qu'on va rentrer bientôt? demanda-t-il.

— Tu es fatigué? C'est qu'on est encore loin de chez nous. Viens, dit-elle, viens. Nous irons tout doucement.

Ils firent quelques pas et puis Pablo s'arrêta; il tendit le doigt :

— Oh! regarde! dit-il avec une extase presque douloureuse.

C'était une affiche, à la porte d'un cinéma tout bleu. Ils s'approchèrent. Une odeur de formol s'échappait du hall sombre et frais. Sur l'affiche des cow-boys poursuivaient un cavalier masqué en tirant des coups de revolver. Encore des coups de feu, encore des revolvers! Il regardait, haletant; il mettrait son casque, tout à l'heure, il prendrait son fusil et courrait dans la chambre en faisant le bandit masqué. Elle n'eut pas le courage de l'emmener. Elle tourna simplement la tête. La caissière s'éventait, dans sa cabine de verre. C'était une grosse femme brune, au teint pâle, avec des yeux de feu. Sur le guichet, derrière la vitre, il y avait des fleurs dans un pot; elle avait fixé sur le mur, avec des punaises, une photo de Robert Taylor. Un monsieur entre deux âges sortit de la salle et s'approcha de la caisse.

— Combien? demanda-t-il à travers le guichet.

— Cinquante-trois entrées, dit-elle.

— C'est ce que j'avais compté. Et hier, soixante-sept. Un beau film comme ça, avec des poursuites!

— Les gens restent chez eux, dit la caissière en haussant les épaules.

Un homme s'était arrêté près de Pablo, il regardait l'affiche en soufflant, mais il n'avait pas l'air de la voir. C'était un grand type blafard, aux vêtements déchirés, avec un bandeau taché de sang autour de la tête et de la boue séchée sur la joue et sur les mains. Il devait venir de loin. Sarah prit Pablo par la main.

— Viens, dit-elle.

Elle se força à marcher très doucement, à cause du petit, mais elle avait envie de courir, il lui semblait que quelqu'un la regardait par derrière. Devant elle, les rails miroitaient, le goudron fondait doucement au soleil, l'air tremblait un peu, autour d'un réverbère, ça n'était plus le même dimanche. « Les gens restent chez eux. » Tout à l'heure encore, elle devinait, par delà les pâtés de maisons, des boulevards joyeux et surpeuplés qui sentaient la poudre de riz et la cigarette blonde; elle marchait dans une calme rue de banlieue, toute une foule invisible et proche l'accompagnait. Il avait suffi d'un mot et les boulevards s'étaient vidés. A présent, ils filaient vers le port, blancs, déserts; l'air tremblait entre des murs aveugles.

— Maman, dit Pablo. Le monsieur nous suit.

— Mais non, dit Sarah. Il fait comme nous, il se promène.

Elle tourna sur sa gauche et c'était la même rue, interminable et fixe; il n'y avait plus qu'une rue qui errait à travers Marseille. Et Sarah était dans cette rue, dehors, avec un enfant; et tous les Marseillais étaient dedans. Cinquante-trois entrées. Elle pensait à Gomez, au rire de Gomez : naturellement, tous les Français sont des lâches. Eh bien quoi? ils restent chez eux, c'est naturel; ils ont peur de la guerre et ils ont bien raison. Mais elle restait mal à l'aise. Elle s'aperçut qu'elle avait pressé le pas et elle voulut ralentir sa marche, à cause de Pablo. Mais le petit la tira en avant.

— Vite, vite, dit-il d'une voix étouffée. Oh! maman.

— Qu'est-ce qu'il y a? dit-elle sèchement.

— Il est toujours là, tu sais.

Sarah tourna un peu la tête et vit le clochard; il les suivait, c'était sûr. Son cœur se mit à sauter dans sa poitrine.

— Courons! dit Pablo.

Elle pensa au bandeau sanglant et fit brusquement volte-face. Le type s'arrêta net et les regarda venir de ses yeux brumeux. Sarah avait peur. Le petit s'était cramponné à elle des deux mains et la tirait en arrière de toutes ses forces. « Les gens restent chez eux. » Elle aurait beau appeler, crier au secours, personne ne viendrait.

— Vous avez besoin de quelque chose? demanda-t-elle en regardant le clochard dans les yeux.

Il eut un sourire piteux et la peur de Sarah s'évanouit.

— Est-ce que vous savez lire? demanda-t-il.

Il lui tendait un vieux carnet tout déchiré. Elle le prit, c'était un livret militaire. Pablo lui entourait les jambes de ses bras, elle sentait son petit corps chaud.

— Eh bien? dit-elle.

— Je voudrais savoir ce qu'il y a d'écrit là, dit le type en pointant son doigt sur une feuille.

Il avait l'air bon, malgré son œil violet et à demi fermé. Sarah le regarda un moment et puis elle regarda la feuille.

— C'est-il malheureux, marmotta le type avec confusion. C'est-il malheureux de ne point savoir lire.

— Eh bien, vous avez une feuille blanche, dit Sarah. Il va falloir que vous alliez à Montpellier.

Elle lui tendit le livret mais le type ne le prit pas tout de suite. Il demanda :

— C'est-il vrai qu'il va y avoir la guerre?

— Je ne sais pas, dit Sarah.

Elle pensa : « Il va partir. » Et puis elle pensa à Gomez. Elle demanda :

— Qui vous a fait votre bandage?

— Eh ben, dit le type, c'est moi.

Sarah fouilla dans son sac. Elle avait des épingles et deux mouchoirs propres.

— Asseyez-vous sur le trottoir, dit-elle avec autorité. Le type s'assit péniblement.

— J'ai les jambes gourdes, dit-il avec un rire d'excuse.

Sarah déchira les mouchoirs. Gomez lisait l'*Humanité* en première classe, les pieds sur la banquette. Il verrait Mathieu et puis il irait à Toulouse, prendre l'avion pour Barcelone. Elle dénoua le bandage sanglant et l'ôta par petites secousses. Le type grogna un peu. Il y avait une croûte noire et gluante qui s'étendait sur la moitié de son crâne. Sarah tendit un mouchoir à Pablo.

— Va chercher de l'eau à la fontaine.

Le petit courut, heureux de s'éloigner. Le type leva les yeux sur Sarah. Il lui dit :

— J'ai pas envie de me battre.

Sarah lui posa doucement la main sur l'épaule. Elle aurait voulu lui demander pardon.

— Je suis berger, dit-il.

— Qu'est-ce que vous faites à Marseille?

Il secoua la tête :

— J'ai pas envie de me battre, répéta-t-il.

Pablo était revenu, Sarah lava tant bien que mal la blessure et elle refit prestement le pansement.

— Relevez-vous, dit-elle.

Il se releva. Il la regardait de ses yeux vagues.

— Alors, faut que j'aille à Montpellier?

Elle fouilla dans son sac et en sortit deux billets de cent francs.

— Pour votre voyage, dit-elle.

Le type ne les prit pas tout de suite : il la regardait avec application.

— Prenez, dit Sarah d'une voix basse et rapide. Prenez. Et ne vous battez pas si vous pouvez l'éviter.

Il prit les billets. Sarah lui serra fortement la main.

— Ne vous battez pas, répéta-t-elle. Faites ce que vous voulez, retournez chez vous, cachez-vous; tout vaut mieux que de se battre.

Il la regardait sans comprendre. Elle saisit la main de Pablo, fit demi-tour et ils reprirent leur marche. Au bout d'un moment elle se retourna : il regardait le bandage et le mouchoir mouillé que Sarah avait jetés sur la chaussée. Il finit pas se baisser, il les ramassa en tâtonnant et les enfouis dans sa poche.

Les gouttes de sueur lui roulaient sur le front jusqu'aux tempes, elles dévalaient sur ses joues des narines aux oreilles, il avait cru d'abord que c'étaient des bêtes, il s'était envoyé une gifle et sa main avait écrasé des larmes tièdes.

— Nom de Dieu! dit son voisin de gauche, ce qu'il fait chaud.

Il reconnut sa voix, c'était Blanchard, une grosse brute.

— Ils le font exprès, dit Charles. Ils laissent les wagons au soleil pendant des heures.

Il y eut un silence, puis Blanchard demanda :

— C'est toi, Charles?

— C'est moi, dit Charles.

Il regrettait d'avoir parlé. Blanchard adorait faire des farces, il aspergeait les gens avec un revolver à eau ou bien il se faisait rouler contre eux et il accrochait une araignée de carton à leurs couvertures.

— Comme on se rencontre, dit Blanchard.

— Oui.

— Le monde est petit.

Charles reçut un paquet d'eau en pleine figure. Il s'essuya et cracha; Blanchard rigolait.

— Espèce de con, dit Charles.

Il tira son mouchoir et s'essuya le cou en se forçant à rire.

— C'est ton revolver à eau.

— Je veux, dit Blanchard en riant. Je ne t'ai pas raté, hein? En pleine gueule! T'en fais pas, j'ai des attrapes plein mes poches : on va se marrer pendant le voyage.

— Quel con, dit Charles avec un rire de bonheur. Quel con, quel gamin!

Blanchard lui faisait peur : les gouttières se touchent, s'il veut me pincer ou jeter du poil à gratter sous mes couvertures, il n'aura qu'à étendre la main. « Je n'ai pas de chance, pensa-t-il; il faudra rester sur le qui-vive pendant tout le voyage. » Il soupira et s'aperçut qu'il regardait le plafond, c'était une grande paroi sombre, hérissée de rivets. Il avait tourné son miroir vers l'arrière, la glace était noire comme une plaque de verre fumé. Charles se souleva un peu et jeta un coup d'œil autour de lui. Ils avaient laissé la porte à coulisses grand ouverte; une lumière blonde moussait dans le wagon, courant sur les corps étendus, frisant les couvertures, pâlissant les visages. Mais la région éclairée était strictement délimitée par le cadre de la porte; à droite et à gauche, c'était l'obscurité à peu près complète. Les veinards, ils ont dû glisser la pièce aux porteurs; ils auront tout l'air, toute la lumière; de temps en temps, en se soulevant sur un coude, ils verront filer un arbre vert. Il retomba, épuisé; sa chemise était trempée. Si au moins on pouvait partir. Mais le train restait là, à l'abandon, tout enveloppé de soleil. Une drôle d'odeur — paille pourrie et parfum de Houbigant — stagnait à ras du sol. Il redressa le cou pour lui échapper parce qu'elle lui donnait envie de vomir, mais la sueur l'inonda, il se laissa aller et la nappe d'odeur se reforma au-dessus de son nez. Au dehors, il y avait des rails et le soleil et des wagons vides sur des voies de garage et des buissons blancs de poussière : le désert. Et puis plus loin, c'était dimanche. Un dimanche à Berck : des gosses qui jouaient sur la plage, des familles qui prenaient du café au lait dans les brasseries. « C'est marrant, pensa-t-il, c'est marrant. » Une voix s'éleva, à l'autre bout du wagon :

— Denis! Ho, Denis!

Personne ne répondit.

— Maurice, tu es là?

Il y eut un silence et puis la voix conclut, désolée :

— Les salauds.

Le silence était rompu. Quelqu'un gémit près de Charles :

— Qu'il fait chaud.

Et une voix répondit, pâle et chevrotante, une voix de grand malade : .

— Ça ira mieux tout à l'heure, quand le train roulera.

Ils se parlaient à l'aveuglette, sans se reconnaître; quelqu'un dit avec un petit rire :

— C'est comme ça qu'ils voyagent, les soldats.

Et puis le silence retomba. La chaleur, le silence, l'angoisse. Charles vit tout à coup deux belles jambes dans des bas de fil blanc, son regard remonta le long d'une blouse blanche : c'était la belle infirmière. Elle venait de monter dans le wagon. Elle tenait une valise d'une main et un pliant de l'autre; elle promenait autour d'elle un regard irrité :

— C'est de la folie, dit-elle, c'est de la pure folie.

— Quoi, quoi? dit une voix rude qui venait du dehors.

— Si vous aviez réfléchi une minute vous auriez peut-être compris qu'il ne fallait pas mettre les hommes avec les femmes.

— Nous les avons mis comme on nous les a amenés.

— Et comment voulez-vous que je les soigne, les uns devant les autres?

— Il fallait être là quand on les a montés.

— Je ne peux pas être partout à la fois. Je m'occupais de faire enregistrer les bagages.

— Quelle pagaïe, dit l'homme.

— Vous pouvez le dire.

Il y eut un silence et puis elle reprit :

— Vous allez me faire le plaisir d'appeler vos camarades; on transportera les hommes dans les wagons de queue.

— Vous pouvez vous taper. Est-ce que c'est vous qui paierez le travail supplémentaire?

— Je porterai plainte, dit sèchement l'infirmière.

— Ça va, dit-il. Portez plainte, ma belle. Moi, je vous emmerde, comprenez-vous?

L'infirmière haussa les épaules et se détourna; elle marcha précautionneusement entre les corps et vint s'asseoir sur son pliant, non loin de Charles, au bord du rectangle de lumière.

— Ho, Charles! dit Blanchard.

— Hé? demanda Charles en frissonnant.

— Il y a des fumelles, ici.

Charles ne répondit pas.

— Et comment que je vais faire, dit Blanchard à haute voix, si j'ai envie de chier?

Charles rougit de fureur et de honte, mais il pensa au poil à gratter et il émit un petit rire complice.

Il se fit un mouvement à ras du sol, sans doute des types qui tordaient le cou pour voir s'ils avaient des voisines. Mais, dans l'ensemble, une sorte de gêne pesait sur le wagon. Les chuchotements traînèrent et s'éteignirent. « Comment que je vais faire, si j'ai envie de chier? » Charles se sentait sale, à l'intérieur, un paquet de boyaux collants et mouillés : quelle honte, s'il fallait demander le bassin devant les filles. Il se verrouilla, il pensa : « Je tiendrai jusqu'au bout. » Blanchard respirait fort, son nez faisait une petite musique innocente, mon Dieu, s'il pouvait dormir. Charles eut un moment d'espoir, il tira une cigarette de sa poche et frotta une allumette.

— Qu'est-ce que c'est? demanda l'infirmière.

Elle avait posé un tricot sur ses genoux. Charles voyait son visage courroucé, très haut et très loin au-dessus de lui, dans une ombre bleue.

— J'allume une cigarette, dit-il; sa voix lui parut drôle et indiscrète.

— Ah! non, dit-elle. Non. Ici on ne fume pas.

Charles souffla sur l'allumette et tâtonna autour de lui, du bout des doigts. Il rencontra entre deux couvertures une planche humide et rugueuse qu'il gratta de l'ongle avant d'y déposer le petit morceau de bois à demi carbonisé; puis, brusquement, ce contact lui fit horreur et il ramena ses mains sur sa poitrine : « Je suis au ras du sol », pensa-t-il. Au ras du sol. Par terre. Au-dessous des tables et des chaises, sous les talons des infirmières et des porteurs, écrasé, à demi confondu avec la boue et la paille, toutes les bêtes qui courent dans les rainures des parquets pouvaient lui grimper sur le ventre. Il agita les jambes, il racla ses talons contre la gouttière. Doucement; pour ne pas réveiller Blanchard. La sueur lui ruisselait sur la poitrine; il remonta ses genoux sous ses couvertures. Ces fourmillements inquiets dans les cuisses et dans les jambes, ces révoltes violentes et vagues de tout son corps l'avaient tourmenté sans répit, les premiers temps qu'il était à Berck. Et puis ça s'était calmé : il avait oublié ses jambes, il avait trouvé naturel d'être poussé, roulé, porté, il était devenu une chose. « Ça ne va pas revenir, pensa-t-il avec angoisse. Mon Dieu, ça ne va pas revenir? » Il étendit ses jambes, il ferma les yeux. Il fallait penser : « Je ne suis qu'une pierre, je ne suis rien qu'une pierre. » Ses mains crispées s'ouvrirent, il sentit son corps se pétrifier lentement sous les couvertures. Une pierre parmi les pierres.

Il se redressa en sursaut, les yeux ouverts, le cou raide : il y avait eu une secousse et puis des raclements, des roulements tout de suite monotones, apaisants comme la pluie : le train s'était mis en marche. Il passait le long de quelque chose; il y avait au dehors des objets solides et lourds de soleil qui glissaient contre les wagons : des ombres indistinctes, d'abord lentement puis de plus en plus rapides, couraient sur la paroi lumineuse, face à la porte ouverte; on aurait dit un écran de cinéma. La lumière, sur la paroi, pâlit un peu, grisonna et puis brusquement ce fut un éclatement : « On sort de la gare. » Charles avait mal au cou mais il se sentait plus calme; il se recoucha, leva les bras et fit tourner son miroir de quatre-vingt-dix degrés. A présent, il voyait, dans le coin gauche de la glace, un morceau du rectangle éclairé. Ça lui suffisait : cette surface brillante vivait, c'était tout un paysage; tantôt la lumière tremblait et pâlissait, comme si elle allait s'évanouir, tantôt elle durcissait, elle se figeait et prenait l'aspect d'un badigeonnage de peinture ocre; et puis de temps en temps elle frissonnait tout entière, traversée d'ondulations obliques et comme ridée par le vent. Charles la regarda longtemps : au bout d'un moment il se sentit libéré, comme s'il se fût assis, les jambes pendantes, sur le marchepied du wagon, en regardant défiler les arbres, les champs et la mer.

— Blanchard! murmura-t-il.

Pas de réponse. Il attendit un peu et souffla :

— Tu dors?

Blanchard ne répondit pas. Charles poussa un petit soupir d'aise et il se détendit, s'allongea complètement, sans quitter le miroir des yeux. Il dort; il dort, quand il est entré il ne tenait plus debout; il s'est laissé tomber sur la banquette, mais ses yeux étaient durs, ils disaient : « Vous ne m'aurez pas. » Il a commandé son café d'un air très méchant, il en vient comme ça qui prennent les garçons pour des ennemis; des tout jeunes : ils croient que la vie est une lutte, ils ont lu ça dans les livres, alors ils luttent dans les cafés, ils vous commandent une grenadine avec un regard à vous donner le frisson.

— Versé un, dit Félix, et deux chinois à la terrasse.

Elle appuya sur les boutons et fit tourner la manivelle. Félix lui fit un clin d'œil et lui désigna le petit jeune homme qui dormait.

Ça n'est pas une lutte, c'est un marécage, dès qu'on fait un mouvement, on s'enfonce mais ils ne le savent pas tout de suite, ils s'agitent
beaucoup les premières années, c'est ce qui fait qu'ils descendent
plus vite; j'en ai fait, j'en ai fait; à présent je suis vieille, je reste
bien tranquille, les bras collés au corps, je ne bouge pas, à mon âge
on n'enfonce plus guère. Il dormait, la bouche ouverte, sa mâchoire
lui pendait sur la poitrine, il n'était plus joli du tout, ses paupières
rouges et gonflées, son nez rouge lui donnaient l'air d'un mouton.
Moi, j'ai tout de suite deviné quand je l'ai vu entrer dans la salle
vide, l'air aveugle, avec ce soleil dehors et tous ces clients à la terrasse, je me suis dit : « Il a une lettre à écrire ou bien il attend une
femme ou c'est qu'il y a quelque chose de cassé. » Il leva sa longue
main pâle, il chassa les mouches sans ouvrir les yeux : il n'y avait
pas de mouche. Il a de la peine jusque dans son sommeil; les ennuis,
ça vous suit partout, j'étais assise sur le banc, je regardais les rails
et le tunnel, il y avait un oiseau qui chantait et moi j'étais pleine,
enceinte, chassée, je n'avais plus d'yeux pour pleurer, plus d'argent
dans mon sac, tout juste mon billet, je me suis endormie, j'ai rêvé
qu'on me tuait, qu'on me tirait les cheveux en m'appelant traînée
et puis le train est venu et je suis montée dedans. Tantôt je me dis
qu'il aura son allocation, un vieux travailleur, un invalide, qu'on
ne peut pas la lui refuser et tantôt qu'ils s'arrangeront pour ne pas
la lui donner, ils sont durs; je suis là, je suis vieille, je ne bouge
plus mais je me fais des idées. Il est habillé comme un jeune monsieur, il a sûrement une maman pour prendre soin de ses effets,
mais ses souliers sont blancs de poussière; qu'a-t-il fait? où a-t-il
traîné? Le sang travaille chez les jeunes, s'il m'avait dit : « Frappe »,
j'aurais tué père et mère, ce qu'on peut être têtu; des fois qu'il
aurait assassiné une vieille, une femme dans mes âges; ils l'arrête-
ront bien, vous verrez, il n'est pas de force; ils viendront peut-être
ici pour le pincer et le Matin publiera sa photographie, on verra
une sale petite figure de gouape, pas ressemblante du tout et il se
trouvera toujours une personne pour dire : « Il a bien une tête à
faire ça »; eh bien, moi, je le dis : pour les condamner, il ne faut
pas les avoir vus de près parce que, quand on les regarde s'enfoncer chaque jour un peu plus, on pense que personne ne peut rien
et que finalement ça revient au même de prendre un café crème à
la terrasse d'un café ou de faire des économies pour s'acheter une
maison ou d'assassiner sa mère. Le téléphone sonnait, elle sursauta.
   — Allô? dit-elle.
   — Je voudrais parler à Mme Cuzin.

— C'est moi, dit-elle. Eh bien?

— Ils me l'ont refusée, dit Julot.

— Quoi? dit-elle. Quoi, quoi?

— Ils me l'ont refusée.

— Mais ça n'est pas possible.

— Ils me l'ont refusée.

— Mais un invalide, un vieux travailleur; qu'est-ce qu'ils t'ont dit?

— Que j'y avais pas droit.

— Oh! dit-elle. Oh!

— A ce soir, dit Julot.

Elle raccrocha. Ils la lui ont refusée. Un invalide, un vieux travailleur, ils lui ont dit qu'il n'y avait pas droit. « A présent je vais me faire du mauvais sang », pensa-t-elle. Le jeune homme ronflait, il avait un air bête et sentencieux. Félix sortit, portant sur son plateau les deux chinois et le noir; il poussa la porte et le soleil entra, la glace scintilla au-dessus du dormeur, puis la porte se referma, la glace s'éteignit, ils restèrent tous les deux seuls. « Qu'a-t-il fait? Où a-t-il été traîner? Qu'est-ce qu'il emporte dans sa valise? Il va payer, à présent : pendant vingt ans, pendant trente ans, à moins qu'il ne soit tué à la guerre, pauvre jeune homme, il a l'âge de partir. Il dort, il ronfle, il a de la peine, à la terrasse les gens parlent de la guerre, mon mari n'aura pas son allocation. Ah! pitié, dit-elle, pitié pour nous autres pauvres hommes! »

— Pitteaux! cria le jeune homme.

Il s'était réveillé en sursaut; un instant il la regarda, les yeux roses, la bouche ouverte, et puis il fit claquer ses mâchoires, il pinça les lèvres, il avait l'air intelligent et mauvais.

— Garçon!

Félix n'entendait pas; elle le voyait, à la terrasse, il allait et venait, il prenait les commandes. Le jeune homme perdit son assurance, il frappa contre le marbre en tournant la tête à droite et à gauche d'un air traqué. Elle eut pitié de lui.

— C'est vingt sous, lui dit-elle, du haut de la caisse.

Il lui lança un regard de haine, jeta une pièce de cinq francs sur la table, prit sa valise et s'en alla en boitant. La glace scintilla, une bouffée de cris et de chaleur entra dans la salle; la solitude entra. Elle regarda les tables, les glaces, la porte, tous ces objets trop connus qui ne pouvaient plus retenir sa pensée. « Ça va commencer, se dit-elle, je vais me faire du mauvais sang. »

Il fut éclaboussé de lumière. Quelqu'un braquait sur lui, par côté,

une lampe de poche. Il tourna la tête et grogna. La lampe planait
à ras du sol; il se mit à cligner des yeux. Derrière ce soleil, il y avait
un œil calme et implacable qui le regardait, c'était inacceptable.

— Qu'est-ce que c'est? dit-il.

— C'est bien lui, dit une voix chantante.

Une femme. Le paquet oblong, à ma droite, c'est une femme.
Il eut un petit instant de satisfaction et puis il pensa avec colère
qu'elle l'avait éclairé comme un objet : « Elle a promené sa lumière
sur moi comme si j'étais un mur. » Il dit sèchement :

— Je ne vous connais pas.

— Nous nous sommes rencontrés souvent, dit-elle.

La lampe s'éteignit. Il restait ébloui, avec des ronds violets qui
lui tournaient dans les yeux.

— Je ne peux pas vous voir.

— Moi, je vous vois, dit-elle. Même sans la lampe, je vous
vois.

La voix était jeune et jolie, mais il se méfiait. Il répéta :

— Je ne vous vois pas; vous m'avez ébloui.

— Je vois dans la nuit, dit-elle fièrement.

— Vous êtes albinos?

Elle se mit à rire :

— Albinos? Je n'ai pas les yeux rouges ni les cheveux blancs,
si c'est ça que vous voulez dire.

Elle avait un accent prononcé qui donnait à toutes ses phrases
une allure interrogative.

— Qui êtes-vous?

— Ah! devinez, dit-elle. Ce n'est pas bien difficile : avant-hier
encore vous m'avez rencontrée et vous m'avez jeté un regard de
haine.

— De haine? Je ne hais personne.

— Oh! si, dit-elle. Je pense même que vous haïssez tout le monde.

— Attendez! Est-ce que vous n'aviez pas une fourrure?

Elle riait toujours :

— Tendez la main, dit-elle. Touchez.

Il étendit le bras et toucha une grosse masse informe. C'était une
fourrure. Sous la fourrure, il y avait sûrement des couvertures et
puis des paquets de vêtements et puis le corps blanc et mou, un
escargot dans sa coquille. Ce qu'elle doit avoir chaud! Il caressa
un peu la fourrure et un parfum tiède et lourd s'en dégagea. C'est
donc ça qui sentait, tout à l'heure. Il caressait la fourrure à rebrousse-
poil et il était content.

— Vous êtes blonde, dit-il triomphalement; vous portez des boucles d'oreilles en or.

Elle rit et la lampe s'alluma de nouveau. Mais, cette fois, elle l'avait tournée vers son propre visage; le roulis du train secouait la lampe dans sa main; la lumière remontait de la poitrine au front, rasait des lèvres fardées, dorait un léger duvet blond, au coin des lèvres, rougissait un peu les narines. Les cils recourbés et noircis se dressaient comme de petites pattes au-dessus des paupières renflées; on aurait dit deux insectes sur le dos. Elle était blonde : ses cheveux moussaient en nuée légère autour de sa tête. Il eut un coup au cœur. Il pensa : « Elle est belle », et retira brusquement sa main.

— Je vous reconnais. Il y avait toujours un vieux monsieur qui vous poussait; vous passiez sans regarder personne.

— Je vous regardais très bien, entre mes cils.

Elle souleva un peu la tête et il la reconnut tout à fait :

— Je n'aurais jamais cru que vous pouviez me regarder, dit-il. Vous aviez l'air tellement riche, tellement au-dessus de nous; je vous croyais à la pension Beaucaire.

— Non, dit-elle. J'étais à « Mon Chalet ».

— Je ne m'attendais pas à vous retrouver dans un wagon à bestiaux.

La lumière s'éteignit :

— Je suis très pauvre, dit-elle.

Il étendit la main et appuya doucement sur la fourrure :

— Et ça?

Elle rit.

— C'est tout ce qui me reste.

Elle était rentrée dans l'ombre. Un gros paquet, informe et sombre. Mais il avait encore son image dans les yeux. Il ramena ses deux mains sur son ventre et se mit à regarder le plafond. Blanchard ronflait doucement; les malades s'étaient mis à causer entre eux, par deux, par trois; le train roulait en gémissant. Elle était pauvre et malade, elle était étendue dans un wagon à bestiaux, on l'habillait et la déshabillait comme une poupée. Et elle était belle. Belle comme une star de cinéma. Près de lui toute cette beauté humiliée, ce long corps pur et souillé. Elle était belle. Elle chantait dans les music-halls et elle l'avait regardé entre ses cils et elle avait désiré le connaître : c'était comme si on l'avait remis debout, sur ses deux pieds.

— Vous étiez chanteuse, demanda-t-il brusquement.

— Chanteuse? Mais non. Je sais jouer du piano.

— Je vous prenais pour une chanteuse.

— Je suis Autrichienne, dit-elle. Tout mon argent est là-bas, entre les mains des Allemands. J'ai quitté l'Autriche après l'Anschluss.

— Vous étiez déjà malade?

— J'étais déjà sur une planche. Mes parents m'ont emmenée en train. C'était comme aujourd'hui, sauf qu'il faisait clair et que j'étais étendue sur une banquette de première classe. Il y avait des avions allemands au-dessus de nous, on croyait toujours qu'ils allaient lâcher des bombes. Ma mère pleurait, moi j'avais le nez en l'air, je sentais le ciel qui pesait sur moi à travers le plafond. C'est le dernier train qu'ils ont laissé passer.

— Après?

— Après je suis venue ici. Ma mère est en Angleterre : il faut qu'elle gagne notre vie.

— Et ce vieux monsieur qui vous poussait?

— C'est un vieil idiot, dit-elle durement.

— Alors vous êtes toute seule?

— Toute seule.

Il répéta :

— Toute seule au monde, et il se sentit fort et dur comme un chêne.

— Quand avez-vous su que c'était moi?

— Quand vous avez gratté votre allumette.

Il ne voulait pas se laisser aller à sa joie. Elle était là en réserve, pesante et indifférenciée, presque oubliée; c'était elle qui communiquait à sa voix ce petit tremblement acide. Mais il la gardait pour la nuit, il voulait en jouir tout seul.

— Vous avez vu la lumière sur la paroi?

— Oui, dit-elle. Je l'ai regardée pendant une heure.

— Regardez, regardez. C'est un arbre qui passe.

— Ou un poteau télégraphique.

— Le train ne va pas vite.

— Non, dit-elle. Vous êtes pressé?

— Non. On ne sait pas où on va.

— Mais non! dit-elle gaîment. Sa voix tremblait aussi.

— Finalement, dit-il, on n'est pas si mal ici.

— Il y a de l'air, dit-elle. Et puis ça distrait, ces ombres qui passent.

— Vous vous rappelez le mythe de la caverne?

— Non. Qu'est-ce que c'est, le mythe de la caverne?

— Ce sont des esclaves. Ils sont attachés au fond d'une caverne. Ils voient des ombres sur un mur.

— Pourquoi les a-t-on attachés là?

— Je ne sais pas. C'est Platon qui a écrit ça.

— Ah! oui! Platon... dit-elle d'un air vague.

« Je lui apprendrai qui est Platon », pensa-t-il avec ivresse. Il avait un peu mal au ventre, mais il souhaitait que le voyage n'eût pas de fin.

Georges secoua le loquet de la porte. A travers la vitre, il voyait un grand bonhomme moustachu et une jeune femme avec un linge noué autour de la tête qui lavaient des tasses et des verres derrière un comptoir de bois. Un soldat somnolait à une table. Georges tira violemment sur le loquet et la vitre trembla. Mais la porte ne s'ouvrit pas. La femme et le type n'avaient pas l'air d'entendre.

— Ils n'ouvriront pas.

Il se retourna : un homme gros et mûr le regardait en souriant. Il portait un veston noir sur un pantalon militaire, des molletières, un chapeau mou et un col cassé. Georges lui montra l'écriture : « La cantine ouvre à cinq heures. »

— Il est cinq heures dix, dit-il.

L'autre haussa les épaules. Une musette volumineuse pesait contre son flanc gauche, un masque à gaz contre son flanc droit : il écartait les bras et tenait les coudes en l'air.

— Ils ouvrent quand ils veulent.

La cour de la caserne était remplie d'hommes entre deux âges qui avaient l'air de s'ennuyer. Il y en avait beaucoup qui se promenaient tout seuls, en regardant par terre. Les uns portaient une veste militaire, d'autres un pantalon kaki, d'autres étaient restés en civil, avec des sabots tout neufs, qui claquaient contre le sol bitumé du préau. Un grand type roux qui avait eu la chance d'obtenir une tenue complète, marchait pensivement, les mains dans les poches de sa veste militaire, le melon posé sur l'oreille, en casseur d'assiettes. Un lieutenant fendit les groupes et se dirigea rapidement vers la cantine.

— Vous n'êtes pas allé vous faire habiller? demanda le petit gros. Il tirait sur les courroies de sa musette pour la faire passer derrière son dos.

— Ils n'ont plus rien.

Le type cracha entre ses pieds :

— Moi, ils m'ont donné ça. J'étouffe là-dedans; avec ce soleil il y a de quoi crever. Quelle pagaïe.

Georges montra l'officier.

— Est-ce qu'on le salue?

— Avec quoi? Je ne peux tout de même pas lui tirer mon chapeau.

L'officier passa près d'eux sans les regarder. Georges suivit des yeux son dos maigre et se sentit abattu. Il faisait chaud, les vitres des bâtiments militaires étaient peintes en bleu; derrière les murs blancs, il y avait des routes blanches, des champs d'aviation, verts à perte de vue sous le soleil; les murs de la caserne découpaient au milieu des prés une petite place rase et poussiéreuse où des hommes las tournaient comme dans les rues d'une ville. C'était l'heure où sa femme entrouvrait les persiennes; le soleil entrait dans la salle à manger; le soleil était partout, dans les maisons, dans les casernes et dans les campagnes. Il se dit : « C'est toujours pareil. » Mais il ne savait pas trop ce qui était pareil. Il pensa à la guerre et s'aperçut qu'il n'avait pas peur de mourir. Un train siffla au loin, ce fut comme si quelqu'un lui souriait.

— Écoutez, dit-il.

— Hé?

— Le train.

Le petit gros le regarda sans comprendre, puis tira un mouchoir de sa poche et commença à s'éponger le front. Le train siffla encore. Il s'en allait, plein de civils, de belles femmes et d'enfants; les campagnes glissaient, inoffensives, le long des vitres. Le train siffla et ralentit.

— Il va s'arrêter, dit Charles.

Les essieux grincèrent et le train s'arrêta; le mouvement s'écoula de Charles, il resta sec et vide comme s'il avait perdu tout son sang, c'était une petite mort.

— Je n'aime pas quand les trains s'arrêtent, dit-il.

Georges pensait aux trains de voyageurs qui descendent vers le sud, vers la mer, à la mer, à des villas blanches au bord de la mer; Charles sentait l'herbe verte qui croissait sous le plancher, entre les rails, il sentait à travers les plaques de tôle, il voyait sur le rectangle lumineux qui se découpait sur la cloison des champs verts à perte de vue, le train était pris par la prairie comme un bateau par la banquise, l'herbe allait grimper aux roues, passer entre les planches disjointes, la campagne traversait de part en part le train immobile. Le train pris au piège sifflait, sifflait lamentablement; le sifflement lointain se traînait si poétiquement; le train roulait tout doucement, la tête du voisin de Maurice branlait dans son col beige, c'était un gros homme qui sentait l'ail, il avait chanté l'*Internationale* depuis leur départ et bu deux litres de picrate. Il finit par s'abandonner avec un roucoulement sur l'épaule de Maurice. Maurice avait trop chaud mais il n'osait bouger, il avait le cœur sur les lèvres à cause de cette chaleur et du vin blanc et du soleil blanc qui l'aveuglait à travers les vitres poussiéreuses, il pensait : « Je voudrais être arrivé. » Ses yeux le chatouillèrent, devinrent gros et durs, il ferma les paupières, il entendait son sang bruire dans ses oreilles et le soleil lui perçait les paupières; il sentait venir un sommeil blanc, suant, aveuglant, les cheveux du copain lui chatouillaient le cou et le menton, c'était un après-midi sans espoir. Le gros type sortit une photo de son portefeuille :

— C'est ma femme, dit-il.

C'était une femme sans âge, comme on en voit sur les photos, il n'y avait rien à dire sur elle.

— Elle est en bonne santé, dit Georges.

— Elle mange comme quatre, dit le type.

Ils restaient en face l'un de l'autre, indécis. Georges n'avait pas de sympathie pour ce gros type trop rouge, qui soufflait en parlant, mais il avait envie de lui montrer la photo de sa fille.

— Marié?

— Oui.

— Des enfants?

Georges le regarda sans répondre, en ricanant un peu. Puis il mit brusquement la main à la poche, sortit son portefeuille et y prit une photo qu'il lui tendit les yeux baissés.

— C'est ma fille.

— Vous avez de belles bottines, dit le type en prenant la photo. Elles vous feront de l'usage.

— J'ai des cors, dit Georges avec humilité. Croyez-vous qu'ils me les laisseront?

— Ils seront trop contents. Ils n'ont peut-être pas de souliers pour tout le monde.

Il regarda encore un moment les bottines de Georges, puis il s'en détourna à regret et jeta les yeux sur la photo. Georges sentit qu'il rougissait :

— Quelle belle enfant, dit le type. Combien pèse-t-elle?

— Je ne sais pas, dit Georges.

Il considérait avec stupeur ce gros homme qui tenait la photo entre ses doigts et faisait tomber dessus son regard décolorant. Il dit :

— Quand je reviendrai, elle ne me reconnaîtra pas.

— C'est probable, dit le type. A moins que...

— Oui, dit Georges. A moins que...

— Alors? demanda Sarraut. J'y vais?

Il tournait la feuille entre ses doigts. Daladier avait taillé une allumette avec son canif et se l'était enfoncée entre deux dents. Il ne répondait pas, tassé sur sa chaise, tout en plis.

— Est-ce que j'y vais? répéta Sarraut.

— C'est la guerre, dit Bonnet doucement. Et la guerre perdue.

Daladier tressauta et fit peser sur Bonnet un regard lourd. Bonnet le soutint innocemment, de ses yeux clairs et sans fond. Il avait l'air d'un fourmilier. Champetier de Ribes et Reynaud se tenaient un peu en arrière, silencieux et désapprobateurs. Daladier s'affaissa complètement.

— Allez, grogna-t-il avec un geste mou.

Sarraut se leva et sortit de la pièce. Il descendit l'escalier en pensant qu'il avait mal au crâne. Ils étaient tous là, ils se turent à sa vue et prirent leur air professionnel. « Quelle bande de cons », pensa Sarraut.

— Je vais vous donner lecture du communiqué, dit-il.

Il y eut une rumeur et il en profita pour essuyer ses lunettes, puis il lut :

— Le conseil de cabinet a entendu les exposés de M. le président du Conseil et de M. Georges Bonnet sur le mémorandum remis à M. Chamberlain par le chancelier du Reich.

« Il a approuvé à l'unanimité les déclarations que MM. Édouard Daladier et Georges Bonnet se proposent de porter à Londres au gouvernement anglais. »

« Ça y est, pensa Charles. J'ai envie de chier. » Ça s'était produit tout d'un coup : son ventre était devenu plein à déborder.

— Oui, dit-il, oui. Je pense comme vous. Oui.

Les voix montaient parallèlement, paisibles. Il aurait voulu se réfugier tout entier dans sa voix, n'être qu'une voix grave près de la belle voix chantante et blonde. Mais il était d'abord cette chaleur, cette insécurité palpitante, ce paquet de matières mouillées qui glougloutaient dans ses intestins. Il y eut un silence; elle rêvait près de lui, fraîche et neigeuse; il leva la main avec précaution et la passa sur son front moite. « Han! » gémit-il tout à coup.

— Qu'est-ce qu'il y a?

— Ça n'est rien, dit-il. C'est mon voisin qui ronfle.

Ça l'avait pris dans le ventre comme un fou rire, cette sombre et violente envie de s'ouvrir et de pleuvoir par en bas; un papillon

éperdu battait des ailes entre ses fesses. Il serra les fesses et la sueur
ruissela sur son visage, coula vers ses oreilles en lui chatouillant les
joues. « Je vais tout lâcher », pensa-t-il, terrorisé.

— Vous ne dites plus rien, dit la voix blonde.

— Je... dit-il, je me demandais... Pourquoi avez-vous eu envie de
me connaître?

— Vous avez de beaux yeux arrogants, dit-elle. Et puis je voulais
savoir pourquoi vous me haïssiez.

Il déplaça légèrement les reins, pour tromper son besoin. Il dit :

— Je haïssais tout le monde parce que j'étais pauvre. J'ai un sale
caractère.

Ça lui avait échappé sous le coup de son envie; il s'était ouvert
par en haut : par en haut ou par en bas, il fallait qu'il s'ouvrît.

— Un sale caractère, répéta-t-il en haletant. Je suis un envieux.

Il n'en avait jamais tant dit. A personne. Elle lui effleura la main
du bout des doigts.

— Ne me haïssez pas : moi aussi, je suis pauvre.

Un chatouillement lui parcourut le sexe : ça n'était pas à cause
de ces doigts maigres et chauds sur le gras de sa main, ça venait de
plus loin, de la grande chambre nue, au bord de la mer. Il sonnait,
Jeannine arrivait, rabattait les couvertures, lui glissait le bassin sous
les reins, elle le regardait se liquéfier et quelquefois elle prenait
Master Jack entre le pouce et l'index, il adorait ça. A présent, sa
chair était bien dressée, l'habitude était prise : toutes ses envies de
chier étaient empoisonnées par une langueur acide, par l'envie
pâmée de s'ouvrir sous un regard, de béer sous des yeux professionnels. « C'est ça que je suis », pensa-t-il. Et le cœur lui manqua. Il avait
horreur de lui, il secoua la tête et la sueur lui brûla les yeux. « Le
train ne partira donc pas? » Si le wagon s'était remis à rouler, il lui
semblait qu'il aurait été arraché à lui-même, qu'il aurait laissé sur
place ses désirs louches et douloureux et qu'il aurait pu tenir encore
un moment. Il étouffa un nouveau gémissement : il souffrait, il allait
se déchirer comme une étoffe; il referma en silence sa main sur la
douce main si maigre. *Des mains en pâte d'amande prennent Master
Jack avec compétence, Master Jack exulte, indolent, la tête un peu
penchée, une fille de charcuterie prend entre ses doigts une andouillette
sur son lit de gelée. Tout nu. Fendu. Vu. Une coque éclatée, c'est le
printemps.* Horreur! Il haïssait Jeannine.

— Comme vous avez chaud aux mains, dit la voix.

— J'ai la fièvre.

Quelqu'un gémit doucement dans le soleil, un des malades allongés près de la porte. L'infirmière se leva et vint à lui en enjambant les corps. Charles leva le bras gauche et manœuvra rapidement son miroir; la glace attrapa soudain l'infirmière, courbée sur un gros adolescent aux joues rouges et aux oreilles écartées. Il avait l'air impérieux et pressé. Elle se redressa et retourna à sa place. Charles la vit fouiller dans sa valise. Elle leur fit face, elle tenait un urinal entre ses doigts. Elle demanda d'une voix forte :

— Personne n'a envie? Si quelqu'un a envie, il vaudrait mieux le dire pendant l'arrêt, c'est plus commode. Surtout ne vous retenez pas, n'ayez pas honte les uns devant les autres. Il n'y a ni homme ni femme ici; il n'y a que des malades.

Elle promena sur eux son regard sévère mais personne ne répondit. Le gros garçon s'empara de l'urinal avec avidité et le fit disparaître sous sa couverture. Charles serrait fortement la main de son amie. Il suffisait d'élever la voix, de dire : « Moi, moi, j'ai envie. » L'infirmière se baissa, prit l'urinal et l'éleva. Il rutilait au soleil, rempli d'une belle eau jaune et mousseuse. L'infirmière s'approcha de la porte et se pencha au dehors; Charles vit son ombre sur la cloison, le bras levé, qui se découpait dans le rectangle de lumière. Elle inclinait l'urinal, une ombre de liquide s'en échappait, étincelante.

— Madame, dit une voix faible.

— Ah! dit-elle, vous vous décidez! Je viens.

Ils céderont les uns après les autres. Les femmes tiendront plus longtemps que les hommes. Ils vont empuantir leurs voisines; après ça, oseront-ils leur adresser la parole? « Les salauds », pensa-t-il. Il se fit un remue-ménage à ras du sol; des appels chuchotés, honteux, s'élevaient de tous les coins. Charles reconnut des voix de femmes.

— Attendez, dit l'infirmière. Chacun son tour.

« Il n'y a que des malades. » Ils se croient tout permis parce qu'ils sont des malades. Ni hommes, ni femmes : des malades. Il souffrait mais il était fier de souffrir : je ne céderai pas; moi, je suis un homme. L'infirmière allait des uns aux autres; on entendait le bruit craquant de ses souliers sur les planches et, de temps à autre, un froissement de papier. Une odeur fade et chaude emplissait le wagon. « Je ne céderai pas », pensa-t-il en se tordant de douleur.

— Madame, dit la voix blonde.

Il avait cru mal entendre, mais la voix répéta, honteuse et chantante :

— Madame! Madame! Ici.

— Voilà, dit l'infirmière.

La main chaude et maigre se tordit dans la main de Charles et lui échappa. Il entendit des craquements de souliers : l'infirmière était au-dessus d'eux, immense et sévère, un archange.

— Tournez-vous, dit la voix suppliante. Elle chuchota encore une fois : « Tournez-vous. »

Il tourna la tête, il aurait voulu se boucher les oreilles et le nez. L'infirmière plongea, énorme vol d'oiseaux noirs, obscurcissant son miroir. Il ne vit plus rien. « C'est une malade », pensa-t-il. Elle avait dû rejeter sa fourrure : un instant le parfum recouvrit tout et puis, peu à peu, une forte odeur rance perça, il en avait plein les narines. C'est une malade. C'est une malade; la belle peau lisse était tendue sur des vertèbres liquides, sur des intestins purulents. Il hésita, partagé entre le dégoût et un immonde désir. Et puis, d'un seul coup, il se verrouilla, ses entrailles se fermèrent comme un poing, il ne sentit plus son corps. C'est une malade. Toutes les envies, tous les désirs s'étaient effacés, il se sentait propre et sec, c'était comme s'il avait recouvré la santé. Une malade : « Elle a résisté tant qu'elle a pu », pensa-t-il avec amour. Le papier se froissa, l'infirmière se releva, déjà plusieurs voix l'appelaient à l'autre bout du wagon. Il ne l'appellerait pas; il planait à quelques pouces du sol, au-dessus d'eux. Il n'était pas une chose; il n'était pas un nourrisson. « Elle n'a pas pu résister », pensa-t-il avec une tendresse si forte que les larmes lui en vinrent aux yeux. Elle ne parlait plus, elle n'osait plus lui adresser la parole; elle a honte. « Je la protégerai », pensa-t-il avec amour. Debout. Debout, penché sur elle et contemplant son doux visage hagard. Elle haletait un peu, dans l'ombre. Il étendit la main et la promena à tâtons sur la fourrure. Le jeune corps se crispa, mais Charles rencontra une main et s'en empara. La main résista, il l'attira près de lui, il la serrait de toutes ses forces. Une malade. Et il était là, sec et dur, délivré; il la protégerait :

— Comment vous appelez-vous? demanda-t-il.

— Eh bien! lisez, dit Chamberlain avec impatience.

Lord Halifax prit le message de Masaryk et commença à lire : « Il n'a pas besoin d'y mettre le ton », pensa Chamberlain.

« Mon gouvernement, lut Halifax, a maintenant étudié le document et la carte. C'est un ultimatum *de facto*, comme on en présente d'ordinaire à une nation vaincue, et non une proposition à un État souverain qui a montré les plus grandes dispositions possibles à faire des sacrifices pour l'apaisement de l'Europe. Le gouvernement de M. Hitler n'a pas encore manifesté la moindre trace d'une disposition analogue aux sacrifices. Mon gouvernement est étonné par le contenu du mémorandum. Les propositions vont fort au delà de ce

que nous avions consenti dans ce qu'on nomme le plan anglo-fran-
çais. Elles nous privent de toutes les sauvegardes de notre existence
nationale. Nous devons céder de larges positions de nos fortifications
soigneusement préparées et laisser entrer profondément dans notre
territoire les armées allemandes avant d'avoir pu l'organiser sur une
nouvelle base ou d'avoir pu faire les moindres préparatifs de défense.
Notre indépendance nationale et économique disparaîtrait automa-
tiquement avec l'adoption du plan de M. Hitler. Toute la procé-
dure de transfert de la population sera réduite à une forte panique
pour ceux qui n'accepteront pas le régime nazi allemand. Ils doivent
quitter leur maison sans même le droit d'emmener leurs possessions
personnelles, ni même, dans le cas des paysans, leur vache.

« Mon gouvernement souhaite que je déclare avec toute la solennité possible que les demandes de M. Hitler, sous leur forme présente,
sont absolument et inconditionnellement inacceptables pour mon
gouvernement. Contre ces nouvelles et cruelles demandes, mon gouvernement se sent engagé à une résistance suprême et nous ferons
ainsi, avec l'aide de Dieu. La nation de saint Wenceslas, de Jean
Huss et de Thomas Masaryk ne sera pas une nation d'esclaves.

« Nous comptons sur les deux grandes démocraties occidentales
dont nous avons suivi les vœux contre notre propre jugement pour
qu'elles soient à nos côtés, à notre heure d'épreuve. »

— C'est tout? demanda Chamberlain.

— C'est tout.

— Eh bien, voilà de nouveaux embarras, dit-il.

Lord Halifax ne répondait pas; il se tenait droit comme un
remords, respectueux et réservé.

— Les ministres français arriveront d'ici une heure, dit Chamberlain sèchement. Je trouve ce document pour le moins... inopportun.

— Vous pensez qu'il est de nature à peser sur leurs décisions?
demanda Halifax avec une pointe d'ironie.

Le vieillard ne répondit pas; il prit le papier dans ses mains et se
mit à le lire en marmottant.

— Les vaches! s'écria-t-il soudain avec irritation. Qu'est-ce que
les vaches viennent faire ici? C'est tellement maladroit.

— Je ne trouve pas cela si maladroit. J'ai été ému, dit Lord Halifax.

— Ému? dit le vieillard avec un petit rire. Mon cher, nous trai-
tons une affaire. Ceux qui seront émus perdront la partie.

Des étoffes rouges et roses et mauves, des robes mauves, des robes
blanches, des gorges nues, de beaux seins sous des mouchoirs, des

flaques de soleil sur les tables, des mains, des liquides poisseux et
dorés, encore des mains, des cuisses jaillissant des shorts, des voix
gaies, des robes rouges et roses et blanches, des voies gaies qui tournaient dans l'air, des cuisses, la valse de *la Veuve joyeuse*, l'odeur
des pins, du sable chaud, l'odeur vanillée du grand large, toutes
les îles du monde invisibles et présentes dans le soleil, l'île sous le
Vent, l'île de Pâques, les îles Sandwich, des boutiques de luxe le
long de la mer, l'imperméable de dame à trois mille francs, les clips,
les fleurs rouges et roses et blanches, les mains, les cuisses, « la
musique vient par ici », les voix gaies qui tournaient dans l'air,
Suzanne et ton régime? Ah! tant pis, pour une fois. Les voiles sur
la mer et les skieurs sautant, bras tendus, de vague en vague, l'odeur
des pins, par bouffées, la paix. La paix à Juan-les-Pins. Elle restait
là, affalée, oubliée, elle tournait à l'aigre. Les gens s'y laissaient
prendre : des broussailles de couleurs, des buissons de musique leur
dissimulaient leur petite angoisse inexperte; Mathieu marchait lentement le long des cafés, le long des boutiques, la mer à sa gauche :
le train de Gomez n'arrivait qu'à dix-huit heures dix-sept; il regardait les femmes, par habitude, leurs cuisses pacifiques, leurs seins
pacifiques. Mais il était en faute. Depuis trois heures vingt-cinq il
était en faute : à trois heures vingt-cinq un train était parti pour
Marseille. « Je ne suis plus ici. Je suis à Marseille, dans un café de
l'avenue de la Gare, j'attends le train de Paris, je suis dans le train
de Paris. Je suis à Paris par un petit matin ensommeillé, je suis
dans une caserne, je tourne en rond dans la cour de la caserne, à
Essey-lès-Nancy. » A Essey-lès-Nancy, Georges cessa de parler, parce
qu'il fallait crier trop fort, ils levèrent la tête, l'avion rasait les toits
avec un grondement de tonnerre, Georges suivit l'avion, au-dessus
des murs, au-dessus des toits, au-dessus de Nancy, à Niort, il était
à Niort, dans sa chambre avec la petite, avec ce goût de poussière
dans la bouche. « Qu'est-ce qu'il va me dire? Il jaillira du train, vif
et brun comme un estivant de Juan-les-Pins, je suis aussi brun que
lui, à présent, mais je n'ai rien à lui dire. J'étais à Tolède, à Gua-
dalajara, que faisais-tu? Je vivais... J'étais à Malaga, j'ai quitté la
ville dans les derniers, qu'as-tu fait? J'ai vécu. Ah! pensa-t-il avec
agacement, c'est un ami que j'attends, ça n'est tout de même pas
un juge. » Charles riait, elle ne disait rien, elle avait encore un peu
honte, il lui tenait la main et il riait : « Catherine, c'est un beau
nom », lui dit-il tendrement. Il a de la veine, après tout, il a fait la
guerre en Espagne, il a pu la faire, pas d'armes, des dynamiteros
contre les tanks, les nids d'aigle de la sierra, l'amour dans les hôtels

déserts de Madrid, les petites fumées individuelles dans la plaine, les combats individuels, l'Espagne n'a pas perdu son odeur; et moi, c'est une guerre triste qui m'attend, une guerre cérémonieuse et ennuyée; contre les tanks des anti-chars, une guerre collective et technique, une épidémie. L'Espagne était là, une raie qui courait au loin sur l'eau bleue. Maud était accoudée au bastingage et regardait l'Espagne. Ils se battent là-bas. Le bateau glissait le long de la côte; là-bas ils entendent le canon; on entendait le bruit des vagues, un poisson volant sauta hors de l'eau. Mathieu marchait vers l'Espagne, la mer à sa gauche, la France à sa droite. Maud glissait le long de la côte, l'Algérie à sa gauche, emportée vers la droite, vers la France; l'Espagne c'était cette haleine torride et cette brume. Maud et Mathieu pensaient à la guerre espagnole et ça les reposait de l'autre guerre, de la guerre vert-de-gris qui se préparait sur leur droite. Il fallait se glisser jusqu'au mur en ruines, en faire le tour et revenir, alors la mission serait accomplie. Le Marocain rampait entre les pierres noircies, la terre était chaude, il avait de la terre sous les ongles des mains et des pieds, il avait peur, il pensait à Tanger; tout en haut de Tanger il y avait une maison jaune à un étage d'où l'on voyait le scintillement éternel de la mer, un nègre à barbe blanche l'habitait, qui mettait des serpents dans sa bouche pour amuser les Anglais. Il fallait penser à cette maison jaune. Mathieu pensait à l'Espagne, Maud pensait à l'Espagne, le Marocain rampait sur le sol gercé d'Espagne, il pensait à Tanger et il se sentait seul. Mathieu tourna dans une rue aveuglante, l'Espagne vira, flamba, ça n'était plus qu'une buée de feu indistincte, sur sa gauche. Nice à droite et, au delà de Nice, un trou, l'Italie. La gare en face de lui; en face de lui la France et la guerre, la vraie guerre. Nancy. Il était à Nancy; par delà la gare, il marchait vers Nancy. Il n'avait pas soif, il n'avait pas chaud, il n'était pas las. Son corps était au-dessous de lui, anonyme et cotonneux; les couleurs et les sons, les éclats de soleil, les odeurs venaient s'enterrer dans son corps; tout ça ne le regardait plus. « C'est comme ça quand on commence une maladie », pensa-t-il. Philippe fit passer sa mallette dans sa main gauche; il était épuisé, mais il fallait tenir jusqu'au soir. Jusqu'au soir : je dormirai dans le train. La terrasse de la Tour d'Argent bourdonnait comme une ruche, robes rouges, roses, mauves, bas de soie artificielle, joues fardées, liquides caramélisés, une foule sirupeuse et collante, il eut le cœur transpercé de pitié : on les arrachera des cafés, de leurs chambres et c'est avec eux qu'on fera de la guerre. Il avait pitié d'eux, il avait pitié de lui; ils cuisaient dans

la lumière, poisseux, repus, désespérés. Philippe eut tout à coup
un vertige de fatigue et d'orgueil : je suis leur conscience.

Encore un café. Mathieu regardait ces beaux hommes bruns, si
gras, si parfaitement d'aplomb et il se sentait séparé. Ils ont à leur
droite le casino, à leur gauche la poste, derrière eux la mer; c'est
tout : la France, l'Espagne, l'Italie sont des lampes qui ne s'allument
jamais pour eux. Ils sont là, ramassés là tout entiers et la guerre
est un fantôme. « Je suis un fantôme », pensa-t-il. Ils seraient lieu-
tenants, capitaines, ils coucheraient dans des lits, ils se raseraient
tous les jours et puis beaucoup d'entre eux sauraient se faire embusquer. Il ne les blâmait pas. « Qu'est-ce qui pouvait les en empêcher?
La solidarité avec ceux qui vont au casse-pipe? Mais moi, j'y vais,
au casse-pipe. Et je ne demande aucune solidarité. Pourquoi est-ce
que j'y vais? » pensa-t-il brusquement. « Attention! » cria Philippe,
bousculé. Il se baissa pour ramasser sa mallette; le grand type en
savates ne se retourna même pas. « Brute! » grommela Philippe. Il
fit face au café et regarda les gens avec des yeux terribles. Mais
personne n'avait remarqué l'incident. Un gosse pleurait, sa mère lui
tamponnait les yeux, avec un mouchoir. A la table voisine trois
hommes étaient assis, accablés, devant des orangeades. « Ils ne sont
pas tellement innocents, pensa-t-il en parcourant la foule de son
regard insoutenable. Pourquoi partent-ils? Ils n'auraient qu'à dire
non. » L'auto filait. Daladier enfoncé dans les coussins suçait une
cigarette éteinte en regardant les piétons. Ça l'emmerdait d'aller à
Londres, pas d'apéro, il boufferait comme un cochon, une femme en
cheveux riait, la bouche grande ouverte, il pensa : « Ils ne se rendent
pas compte » et il hocha la tête. Philippe pensa : « On les emmène
à la boucherie et ils ne s'en rendent pas compte. Ils prennent la
guerre comme une maladie. La guerre n'est pas une maladie, pensa-
t-il avec force. C'est un mal insupportable parce qu'il vient aux
hommes par les hommes. » Mathieu poussa le portillon : « Je viens
attendre un ami », dit-il à l'employé. La gare était riante, déserte
et silencieuse comme un cimetière. Pourquoi est-ce que j'y vais? Il
s'assit sur un banc vert. « Il y en a qui refuseront de partir. Mais
ça n'est pas mon affaire. Refuser, se croiser les bras ou bien filer
en Suisse. Pourquoi? Je ne sens pas ça. Ça n'est pas mon affaire.
Et la guerre en Espagne ça n'était pas non plus mon affaire. Ni le
parti communiste. Mais qu'est-ce qui est mon affaire? » se demanda-
t-il avec une sorte d'angoisse. Les rails brillaient, le train viendrait
par la gauche. Sur la gauche, tout au bout, ce petit lac miroitant,
au point où les rails se rejoignaient, c'étaient Toulon, Marseille, Port-

Bou, l'Espagne. Une guerre absurde, injustifiée, Jacques dit qu'elle
est perdue d'avance. « La guerre est une maladie, pensa-t-il; mon
affaire c'est de la supporter comme une maladie. Pour rien. Par
propreté. Je serai un malade courageux, voilà. Pourquoi la faire?
Je ne l'approuve pas. Pourquoi ne pas la faire? Ma peau ne vaut
même pas qu'on la sauve. Voilà, pensa-t-il, voilà : je suis mené! »
Un fonctionnaire. Et ce qu'ils lui laissaient, c'était le stoïcisme triste
des fonctionnaires, qui supportent tout, la pauvreté, les maladies et
la guerre, par respect d'eux-mêmes. Il sourit, il se dit : « Et je ne
me respecte même pas. » « Un martyr, il leur faut un martyr »,
pensa Philippe. Il flottait, il se baignait dans la fatigue, ce n'était
pas désagréable mais il fallait s'y abandonner; simplement il n'y
voyait plus très clair, sur sa droite et sur sa gauche deux volets lui
fermaient la rue. La foule l'enserrait, les gens sortaient de partout,
des enfants lui couraient entre les jambes, des faces clignotantes de
soleil glissaient au-dessus de sa tête, au-dessous de sa tête, toujours
la même face, ballottée, s'inclinant d'arrière en avant, oui-oui-oui.
Oui, nous accepterons ces salaires de famine, oui, nous irons à la
guerre, oui, nous laisserons nos maris partir, oui, nous ferons la
queue devant les boulangeries avec nos enfants dans les bras. La
foule; c'était la foule, cet immense acquiescement silencieux. Et
si vous leur expliquez, ils vous cassent la gueule, pensa Philippe, la
joue brûlante, ils vous foulent aux pieds avec fureur, en criant :
« Oui. » Il regardait ces visages morts, il mesurait son impuissance :
on ne peut rien leur dire, c'est un martyr qu'il leur faut. Quelqu'un
qui se dresse tout à coup sur la pointe des pieds et qui crie : « Non. »
Ils se jetteraient sur lui et le déchireraient. Mais ce sang versé pour
eux, par eux leur communiquerait une puissance neuve; l'esprit du
martyr habiterait en eux, ils lèveraient la tête, sans cligner des yeux,
et un grondement de refus roulerait d'un bout à l'autre de la foule,
comme un tonnerre. « Je suis ce martyr », pensa-t-il. Une joie de
supplicié l'envahit, une joie trop forte; sa tête s'inclina, il lâcha la
valise, il tomba sur les genoux, englouti par le consentement uni-
versel.

   — Salut, cria Mathieu.

   Gomez courait vers lui, tête nue, toujours beau. Une brume sur
les yeux, il battait des paupières, où suis-je? Des voix disaient
au-dessus de lui : « Qu'est-ce qu'il a? C'est un étourdissement, quelle
est votre adresse? » Une tête se penchait sur lui, c'était une vieille
femme, est-ce qu'elle va me mordre? Votre adresse! Mathieu et
Gomez se regardaient en riant d'aise, votre adresse, votre adresse,

VOTRE ADRESSE, il fit un violent effort et se releva. Il souriait, il
dit :

— Mais ce n'est rien, madame, c'est la chaleur. J'habite tout près,
je vais rentrer.

— Il faut l'accompagner, dit quelqu'un derrière lui, il ne peut
pas rentrer seul et la voix se perdit dans un grand bruissement de
feuilles : « Oui, oui, oui, il faut l'accompagner, il faut l'accompagner,
il faut l'accompagner. »

— Ah! laissez-moi, cria-t-il, laissez-moi, ne me touchez pas. Non!
Non! Non! Non! Il les regarda en face, il regarda leurs yeux usés,
scandalisés et il cria : « Non. » Non à la guerre, non au général, non
aux mères coupables, non à Zézette et à Maurice, non, laissez-moi
tranquille. Ils s'écartèrent et il se mit à courir, avec des semelles
de plomb. Il courait, il courait, quelqu'un lui mit la main sur l'épaule
et il crut qu'il allait éclater en sanglots. C'était un jeune homme,
avec une petite moustache, qui lui tendait sa mallette.

— Vous avez oublié votre mallette, lui dit-il en rigolant. Le Marocain s'arrêta net : c'était un serpent qu'il avait pris pour une branche
morte. Un petit serpent; il faudrait une pierre pour lui écraser la
tête. Mais le serpent se tordit tout à coup, zébra la terre d'un éclair
brun et disparut dans le fossé. C'était un heureux présage. Rien ne
bougeait derrière le mur. « J'en reviendrai », pensa-t-il.

Mathieu prit Gomez aux épaules :

— Salut, dit-il. Salut, colonel!

Gomez eut un sourire noble et mystérieux.

— Général, dit-il.

Mathieu laissa retomber ses mains.

— Général? Dites donc, on avance vite là-bas.

— Les cadres manquent, dit Gomez sans cesser de sourire. Comme
vous êtes brun, Mathieu!

— C'est du hâle de luxe, dit Mathieu gêné. Ça s'attrape sur les
plages, à ne rien faire.

Il cherchait sur les mains, sur le visage de Gomez des traces de
ses épreuves; il était prêt à tous les remords. Mais Gomez, vif et
mince dans son costume de flanelle, cambrant sa petite taille, ne se
livrait pas si vite : pour l'instant, il avait l'air d'un estivant.

— Où allons-nous? demanda-t-il.

— On va chercher un petit restaurant tranquille, dit Mathieu.
J'habite chez mon frère et ma belle-sœur, mais je ne vous invite
pas à dîner chez eux : ils ne sont pas drôles.

— Je voudrais un endroit avec de la musique et des femmes,

dit Gomez. Il regarda Mathieu avec impudence et ajouta : « Je viens de passer huit jours en famille.

— Ah! bon, dit Mathieu. Bon. Eh bien, nous irons au Provençal. »

Le planton les regardait venir sans dureté, avec un air professionnel. Il se tenait immobile, un peu voûté, entre les deux distributeurs automatiques de tickets; le soleil rougissait son fusil et son casque. Il les héla au passage.

— C'est pour?

— Essey-lès-Nancy, dit Maurice.

— Vous sortez, vous prenez le tramway à votre gauche et vous descendez au terminus.

Ils sortirent. C'était une place triste comme on en voit devant les gares, avec des cafés et des hôtels. Il y avait des fumées dans le ciel.

— Ça fait du bien de se dégourdir les jambes, dit Dornier en soupirant.

Maurice leva la tête et sourit en clignant des yeux.

— Pas plus de tramway que de beurre au cul, dit Bébert.

Une femme les regarda avec sympathie.

— Il n'est pas encore arrivé! Où c'est que vous allez?

— A Essey-lès-Nancy, dit Maurice.

— Vous en avez pour un bon quart d'heure. Il passe toutes les vingt minutes.

— On a le temps de boire un coup, dit Dornier à Maurice.

Il faisait frais, le train roulait, l'air était rouge; il fut parcouru d'un frisson de bonheur et tira sur ses couvertures. Il dit : « Catherine! » et elle ne répondit pas. Mais quelque chose frôla sa poitrine, un oiseau, et remonta lentement jusqu'à son cou; puis l'oiseau s'envola et se posa tout à coup sur son front. C'était sa main, sa douce main parfumée, elle glissa sur le nez de Charles, les doigts légers effleurèrent les lèvres, ça le chatouillait. Il saisit la main et se l'appuya sur la bouche. Elle était tiède; il coula ses doigts le long du poignet et il sentit battre le pouls. Il fermait les yeux, il embrassait cette main maigre et le pouls battait sous ses doigts comme le cœur d'un oiseau. Elle rit : « C'est comme si nous étions des aveugles : il faut faire connaissance avec les doigts. » Il étendit le bras à son tour, il avait peur de lui faire mal; il toucha la tige de fer du miroir et puis des cheveux épandus sur la couverture, blonds au bout de ses doigts, puis une tempe et puis une joue, tendre et charnue comme tout un corps de femme, et puis une bouche tiède aspira ses doigts, des dents les mordillèrent, pendant que mille aiguilles le picotaient des reins à la nuque; il dit : « Catherine! » et il pensa : « Nous faisons l'amour. »

Elle lâcha sa main et soupira, Maurice souffla sur son bock et fit sauter la mousse sur le plancher, il but, elle dit : « Qu'est-ce que c'est
déjà, les barques où les gens sont couchés côte à côte? » Maurice
happa sa lèvre supérieure et la lécha, il dit : « Elle est fraîche! » « Je ne
sais pas, dit Charles, peut-être les gondoles. — Non, pas les gondoles,
enfin ça ne fait rien : nous serions dans une de ces barques. » Il lui prit
la main, ils glissaient côte à côte, au fil de l'eau, elle était sa maî-
tresse, la star aux cheveux d'or pâle, il était un autre homme, il la
protégeait. Il lui dit : « Je voudrais que le train n'arrive jamais. »
Daniel mordillait son porte-plume, on frappa à la porte et il retint son
souffle, il regardait sans la voir la feuille blanche sur le sous-main.
« Daniel! dit la voix de Marcelle. Êtes-vous là? » Il ne répondit pas;
les pas lourds de Marcelle s'éloignèrent, elle descendait l'escalier, les
marches craquaient une à une; il sourit, plongea sa plume dans l'encre
et écrivit : « Mon cher Mathieu. » Une main serrée dans l'ombre, un
crissement de plume, le visage de Philippe sort de l'ombre et vient à
sa rencontre, pâle dans les ténèbres du miroir, un petit mouvement
de tangage, la bière glacée glougloute dans sa gorge et lui coupe le sifflet, la micheline parcourt trente-trois mètres entre Paris et Rouen;
une seconde d'homme, la trois millième seconde de la vingtième
heure du vingt-quatrième jour de septembre 1938. Une seconde perdue, roulée derrière Charles et Catherine dans la campagne chaude,
entre les rails, abandonnée par Maurice dans la sciure du café sombre
et frais, nageant dans le sillage du paquebot de la compagnie Paquet,
prise aux lacs de l'encre fraîche, miroitant et séchant dans les jam-
bages de l'M de Mathieu pendant que la plume gratte le papier et le
déchire, pendant que Daladier, enfoncé dans les coussins, suce une
cigarette éteinte en regardant les piétons. Ça l'emmerdait d'être à
Londres; il tournait obstinément les yeux vers la portière pour ne pas
voir la sale gueule de Bonnet et le visage fermé de ce con d'Anglais;
il pensait : « Ils ne se rendent pas compte! » Il vit une femme en cheveux qui riait la bouche grande ouverte. Ils regardaient tous l'auto
d'un air inexpressif, il y en avait deux ou trois qui criaient : « Hurrah! » mais ils ne se rendaient décidément pas compte, ils ne comprenaient pas qu'elle emportait la guerre et la paix à Downing Street, la
guerre ou la paix, pile ou face, l'auto noire qui roulait en klaxonnant
sur la route de Londres. Daniel écrivait. Le commandant s'était
arrêté devant la porte du salon des premières, il lisait : « Ce soir, à
vingt et une heure, l'orchestre féminin Baby's donnera un concert
symphonique dans le salon des premières. Tous les passagers, sans
distinction de classe, sont gracieusement invités. » Il tira sur sa pipe

et pensa : « Elle est beaucoup trop maigre. » Et juste à ce moment, il
sentit un parfum chaud, il entendit un petit bruit d'ailes, c'était
Maud, il se retourna; à Madrid le soleil couchant dorait la façade en
ruines de la Cité Universitaire; Maud le regardait, il fit un pas, le
Marocain se glissait entre les décombres, le Belge le visa, Maud et le
commandant se regardaient. Le Marocain leva la tête et vit le Belge;
ils se regardèrent et puis, brusquement, Maud fit un sourire sec et
détourna la tête, le Belge appuya sur la gâchette, le Marocain mourut, le commandant fit un pas vers Maud et puis il pensa : « Elle est
trop maigre » et s'arrêta. « Sacré salaud », dit le Belge. Il regardait le
Marocain mort et il disait : « Sacré salaud! »

   — Alors, dit Gomez. Et Marcelle? Sarah m'a dit que c'était fini?
   — C'est fini, dit Mathieu. Elle a épousé Daniel.
   — Daniel Sereno? C'est une drôle d'idée, dit Gomez. Enfin, vous
êtes libéré.
   — Libéré, dit Mathieu. Libéré de quoi?
   — Marcelle ne vous convenait pas, dit Gomez.
   — Bah! dit Mathieu. Bah, bah!

Les tables couvertes de nappes blanches entouraient en demi-
cercle une piste sableuse et jonchée d'aiguilles de pin. Le Provençal
était désert; seul un monsieur mangeait une aile de poulet en buvant
de l'eau de Vichy. Les musiciens montèrent languissamment sur l'es-
trade, s'assirent dans un grand bruit de chaises et se mirent à chuchoter entre eux, en accordant leurs instruments; on distinguait
encore la mer, noire entre les pins. Mathieu étendit ses jambes sous la
table et but une gorgée de porto. Pour la première fois depuis huit
jours, il se sentait chez lui; il s'était ramassé d'un seul coup, il tenait
tout entier dans ce drôle d'endroit, moitié salon particulier, moitié
bois sacré. Les pins semblaient découpés dans du carton, les petites
lampes roses, au milieu de la douce nuit naturelle, laissaient couler
sur la nappe une lumière de boudoir; un projecteur s'alluma dans les
arbres, blanchit soudain la piste qui parut de ciment. Mais il y avait
cette absence au-dessus de leurs têtes et, dans le ciel, les étoiles,
vagues petites bêtes peineuses; il y avait cette odeur de résine et puis
ce vent de mer, remuant et inquiet, une âme en peine, qui feuilletait
les nappes et qui vous passait tout à coup son museau froid dans le
cou.

   — Parlons de vous, dit Mathieu.
Gomez parut surpris :
   — Il ne vous est rien arrivé d'autre? demanda-t-il.
   — Rien, dit Mathieu.

— Depuis deux ans?

— Rien. Vous me retrouvez comme vous m'avez laissé.

— Sacrés Français! dit Gomez en riant. Vous êtes tous éternels.

Le saxophoniste riait : le violoniste lui parlait à l'oreille. Ruby se
pencha vers Maud, qui accordait son violon :

— Vise le vieux, au second rang, dit-elle.

Maud pouffa : le vieux était chauve comme un œuf. Son regard
parcourut l'auditoire, ils étaient bien cinq cents. Elle vit Pierre
debout près de la porte et cessa de rire. Gomez regarda le violoniste
d'un air sombre, puis il jeta un coup d'œil aux chaises vides.

— Comme petit coin tranquille, je pense qu'on ne fait pas mieux,
dit-il d'une voix résignée.

— Il y a de la musique, dit Mathieu.

— Je vois, dit Gomez. Je vois bien.

Il regardait les musiciens d'un air de blâme. Maud lisait le blâme
dans tous ces yeux, elle avait le feu aux pommettes, comme chaque
fois; elle pensait : « Oh! mon Dieu, à quoi bon? A quoi bon? » Mais
France, debout, mousseuse et tricolore, donnait tous les signes du
bonheur, elle souriait, elle battait la mesure par avance; elle tenait
son archet en levant le petit doigt, comme si c'était une fourchette.

— Vous m'aviez promis des femmes, dit Gomez.

— Eh bien oui! dit Mathieu désolé. Je ne sais pas ce qu'il y a :
la semaine dernière, à cette heure-ci, toutes les tables étaient prises
et pour du linge, il y avait du linge, je vous jure.

— Ce sont les événements, dit Gomez de sa voix douce.

— Sans doute.

Les événements; c'est pourtant vrai : pour eux aussi, là-bas, ça
existe « les événements ». Ils se battent, adossés aux Pyrénées, les
yeux tournés vers Valence, vers Madrid, vers Tarragone; mais ils
lisent les journaux et ils pensent à tout ce grouillement d'hommes
et d'armes, derrière leur dos, et ils ont leurs opinions sur la France,
sur la Tchécoslovaquie, sur l'Allemagne. Il s'agita un peu sur sa
chaise : un poisson s'était approché de la vitre de l'aquarium et le
regardait de ses yeux ronds. Il offrit à Gomez un petit ricanement
complice et dit d'un ton mal assuré :

— C'est que les gens commencent à comprendre.

— Ils ne comprennent rien du tout, dit Gomez. Un Espagnol peut
comprendre, un Tchèque aussi et peut-être même un Allemand,
parce qu'ils sont dans le coup. Les Français ne sont pas dans le coup;
ils ne comprennent rien : ils ont peur.

Mathieu se sentit blessé; il dit vivement :

— On ne peut pas le leur reprocher. Moi, je n'ai rien à perdre et ça ne m'embête pas tellement de partir; ça me change. Mais si l'on tient fortement à quelque chose, je pense que ça ne doit pas être facile de passer proprement de la paix à la guerre.

— Je l'ai fait en une heure, dit Gomez. Croyez-vous que je ne tenais pas à ma peinture?

— Vous, c'est différent, dit Mathieu.

Gomez haussa les épaules.

— Vous parlez comme Sarah.

Ils se turent. Mathieu n'estimait pas tellement Gomez. Moins que Brunet, moins que Daniel. Mais il se sentait coupable devant lui, parce que c'était un Espagnol. Il frissonna. Un poisson contre la vitre de l'aquarium. Et il était Français sous ce regard, Français jusqu'aux moelles. Coupable. Coupable et Français. Il avait envie de lui dire : « Mais sacrebleu! j'étais interventionniste. » Mais ça n'était pas la question. Ce qu'il avait souhaité personnellement ne comptait pas. Il était Français, ça n'aurait servi à rien qu'il se désolidarisât des autres Français. J'ai décidé la non-intervention en Espagne, je n'ai pas envoyé d'armes, j'ai fermé la frontière aux volontaires. Il fallait se défendre avec tous ou se laisser condamner avec tous, avec le maître d'hôtel et le monsieur dyspeptique qui buvait de l'eau de Vichy.

— C'est idiot, dit-il, je m'étais imaginé que vous viendriez en uniforme.

Gomez sourit :

— En uniforme? Vous voulez me voir en uniforme?

Il sortit une liasse de photos de son portefeuille et les tendit à Mathieu, les unes après les autres.

— Voilà l'homme.

C'était un officier à l'air dur, sur les marches d'une église.

— Vous n'avez pas l'air commode.

— Il faut ça, dit Gomez.

Mathieu le regarda et se mit à rire :

— Oui, dit Gomez. C'est une farce.

— Je ne pensais pas ça, dit Mathieu. Je me demandais si j'aurais l'air aussi vache que vous, sous l'uniforme.

— Vous êtes officier? demanda Gomez avec intérêt.

— Simple soldat.

Gomez eut un geste d'agacement.

— Tous les Français sont simples soldats.

— Tous les Espagnols sont généraux, dit Mathieu vivement.

Gomez rit de bon cœur.

— Regardez-moi ça, dit-il en lui tendant une photo.

C'était une toute jeune fille, brune et sombre. Elle était très belle. Gomez lui tenait la taille et souriait avec l'air avantageux qu'il prenait toujours sur les photos.

— Mars et Vénus, dit-il.

— Je vous retrouve, dit Mathieu. Mais dites-moi, vous les prenez bien jeunes.

— Quinze ans; mais la guerre les mûrit. Et me voilà au combat.

Mathieu vit un petit homme blotti sous un pan de mur en ruines.

— Où est-ce?

— A Madrid. La Cité Universitaire. On s'y bat encore.

Il s'est battu. Il s'est vraiment couché derrière ce mur et on lui tirait dessus. Il était capitaine, à l'époque. Peut-être qu'il manquait de cartouches et qu'il pensait : « Salauds de Français. » Gomez s'était renversé sur sa chaise, il achevait de boire son porto, il prit sa boîte d'allumettes d'un geste reposé, il alluma sa cigarette, ses traits nobles et comiques jaillirent de l'ombre et s'éteignirent. Il s'est battu; il n'en reste rien dans ses yeux. La nuit tombait, l'enveloppait de douceur, il bleuissait au-dessus de la lampe rose, l'orchestre jouait *No te quiero mas*, le vent agitait doucement la nappe, une femme entra, riche et seule, et s'assit près d'eux, son parfum flotta jusqu'à leur nez. Gomez l'aspira largement en dilatant ses narines, son visage se durcit, il tourna la tête d'un air chercheur.

— A droite, dit Mathieu.

Gomez fixa sur elle un regard de loup, il était devenu grave. Il dit :

— Belle fille.

— C'est une actrice, dit Mathieu. Elle a douze pyjamas de plage. Il y a un industriel de Lyon qui l'entretient.

— Hum! fit Gomez.

Elle lui rendit son regard et détourna les yeux en souriant à moitié.

— Vous ne perdrez pas votre soirée, dit Mathieu.

Il ne répondit pas. Il avait posé l'avant-bras sur la nappe, Mathieu regardait sa main velue et baguée, que rosissait la clarté de la lampe. Il est là, tout bleu, avec ses mains roses, il respire ce parfum de blonde, il l'appelle du regard. Il s'est battu. Il y a derrière lui des villes roussies, des tourbillons de poussière rouge, des croupes pelées, des explosions de fusées qui ne brillent même pas dans ses yeux. Il s'est battu; il va retourner se battre et il est là, il voit ces nappes blanches que je vois. Il tenta de regarder les pins, la piste, la femme

avec les yeux de Gomez, ces yeux brûlés par les flammes de la guerre;
il y parvint un instant et puis l'âpreté inquiète et somptueuse qui
l'avait traversé s'évanouit. Il s'est battu, il est... comme il est romanesque! « Moi je ne suis pas romanesque », pensa Mathieu. « Non,
dit Odette, deux couverts seulement, M. Mathieu ne rentre pas
dîner. » Elle s'approcha de la fenêtre ouverte, elle entendait la
musique du Provençal, c'était un tango. Ils écoutaient la musique;
Mathieu pensait : « Il est de passage. » Le garçon leur servit le
potage : « Non, dit Gomez, pas de potage. » Elles jouaient *le Tango
du chat;* le violon de France sautait dans la lumière et plongeait
soudain dans l'ombre comme un poisson volant. France souriait, les
yeux mi-clos, elle plongeait derrière son violon, l'archet grattait, le
violon miaulait, Maud entendait miauler le violon contre son oreille,
elle entendait tousser le monsieur chauve et Pierre la regardait,
Gomez se mit à rire, il n'avait pas l'air bon.

— Un tango, dit-il, un tango! Si des Français s'avisaient de jouer
un tango comme ça, dans un café de Madrid...

— On leur jetterait des pommes cuites? demanda Mathieu.

— Des pierres! dit Gomez.

— On ne nous aime pas beaucoup là-bas? demanda Mathieu.

— Dame! fit Gomez.

Il poussa la porte : le Bar basque était désert. Boris y était entré
un soir à cause de son nom : « Bar basque », ça faisait penser à barbaque et barbaque était un mot qu'il ne pouvait prononcer sans
rire. Et puis il s'était trouvé que le bar était tout à fait fameux et
Boris y était revenu tous les soirs, pendant que Lola était à son
travail. Par les fenêtres ouvertes, on entendait la musique lointaine
du casino; une fois, même, il avait cru reconnaître la voix de Lola,
mais le fait ne s'était pas reproduit.

— Bonjour, monsieur Boris, dit le patron.

— Bonjour patron, dit Boris. Donnez-moi donc un rhum blanc.

Il se sentait béat. Il pensait qu'il boirait deux rhums blancs en
fumant sa pipe; puis, vers onze heures, il s'offrirait un sandwich au
saucisson. Aux environs de minuit, il irait chercher Lola. Le patron
se pencha sur lui et remplit son verre.

— Le Marseillais n'est pas là? demanda Boris.

— Non, dit le patron. Il a un banquet professionnel.

— Oh! pardon!

Le Marseillais était placier en corsets, il y avait aussi un autre
type, nommé Charlier, un typographe. Boris jouait quelquefois à la
belote avec eux et d'autres fois, ils parlaient sur la politique et sur

les sports ou bien ils restaient assis sans rien dire, les uns au comptoir, les autres aux tables du fond; de temps en temps Charlier rompait le silence pour dire : « Oui! oui! oui! c'est comme ça » en hochant la tête et le temps passait agréablement.

— Il n'y a pas grand monde aujourd'hui, dit Boris.

Le patron haussa les épaules.

— Ils foutent tous le camp. D'ordinaire je reste ouvert jusqu'à la Toussaint, dit-il en regagnant le comptoir. Mais si ça continue je ferme la boîte au 1ᵉʳ octobre et je me retire sur mes terres.

Boris s'arrêta de boire et demeura saisi. De toute façon le contrat de Lola expirait le 1ᵉʳ octobre, ils seraient partis. Mais il n'aimait pas penser que le Bar basque fermerait derrière leur dos. Le casino aussi allait fermer et tous les hôtels, Biarritz restait désert. C'était la même chose que lorsqu'on pensait à la mort : si l'on avait la certitude que d'autres hommes, après vous, boiraient encore des rhums blancs, prendraient des bains de mer, entendraient des airs de jazz, on se sentait plutôt réconforté; mais s'il avait fallu penser que tout le monde mourrait en même temps et qu'après vous l'humanité fermerait boutique, ça n'aurait rien eu de réjouissant.

— A quelle date rouvrirez-vous? demanda-t-il pour se rassurer.

— S'il y a la guerre, dit le patron, je ne rouvrirai pas du tout.

Boris compta sur ses doigts : « 26, 27, 28, 29, 30, j'y reviendrai cinq fois encore et puis ce sera fini; je ne reverrai plus jamais le Bar basque. » C'était marrant. Cinq fois. Il boirait encore cinq fois des rhums blancs à cette table et puis ce serait la guerre, le Bar basque fermerait et, en octobre 39, Boris serait mobilisé. Des lampes en forme de bougies plantées sur des suspensions de chêne laissaient tomber une belle lumière rousse sur les tables. Boris pensa : « Je ne reverrai plus cette lumière-là. Justement celle-là : du roux sur du noir. » Naturellement il en verrait beaucoup d'autres, les fusées nocturnes au-dessus des champs de bataille, on dit que c'est pas mal. Mais cette lumière-là s'éteindrait le 1ᵉʳ octobre et Boris ne la verrait plus jamais. Il considéra avec respect une tache de clarté qui s'étalait sur la table et pensa qu'il avait été coupable. Il avait toujours traité les objets à la façon des fourchettes et des cuillers, comme s'ils avaient été indéfiniment renouvelables : c'était une profonde erreur; il y avait un nombre fini de bars, de cinémas, de maisons, de villes et de villages et, dans chacun d'eux, un même individu ne pouvait aller qu'un nombre fini de fois.

— Voulez-vous que je mette la T. S. F.? demanda le patron. Ça vous désennuiera.

— Non, merci, dit Boris. C'est bien comme ça.

Au moment de sa mort, en 42, il aurait déjeuné 365 × 22 fois soit 8.030 fois, en comptant ses repas de nourrisson. Et si l'on admettait qu'il avait mangé de l'omelette 1 fois sur 10, il aurait mangé 803 omelettes. « Seulement 803 omelettes? se dit-il avec étonnement. Ah non! il y a aussi les dîners, ça fait 16.060 repas et 1.606 omelettes. » De toute façon, pour un amateur, ça n'était pas considérable. « Et les cafés, poursuivit-il. On peut compter le nombre de fois que j'irai encore dans un café : mettons que j'y aille 2 fois par jour et que je sois mobilisé dans un an, ça fait 730 fois. 730 fois! ce que c'est peu. » Ça lui porta tout de même un coup mais il n'était pas particulièrement surpris : il avait toujours su qu'il mourrait jeune. Il s'était dit souvent qu'il finirait tuberculeux ou assassiné par Lola. Mais, au fond de lui-même, il n'avait jamais douté qu'il ne dût périr à la guerre. Il travaillait, il préparait son bachot ou sa licence, mais c'était plutôt par passe-temps, comme les jeunes filles qui suivent des cours à la Sorbonne en attendant de se marier. « C'est marrant, se dit-il : il y a eu des époques où les gens faisaient leur droit ou leur agrégation de philo en pensant qu'ils auraient une étude de notaire à quarante ans, une retraite de professeur à soixante. On se demande ce qu'il pouvait y avoir dans leur tête. Des gens qui avaient devant eux 10.000, 15.000 soirées au café, 4.000 omelettes, 2.000 nuits d'amour! Et, s'ils quittaient un endroit qui leur plaisait, ils pouvaient se dire à coup sûr : « Nous y reviendrons l'an prochain ou dans dix ans. » Ils devaient faire des conneries, décida-t-il avec sévérité. On ne peut pas conduire sa vie à quarante ans de distance. » Pour lui, il était beaucoup plus modeste : il avait des projets pour deux ans, après, ce serait fini. Il faut être modeste. Une jonque passa lentement sur le Fleuve Bleu et Boris s'attrista tout à coup. Il n'irait jamais aux Indes, ni en Chine, ni à Mexico, ni même à Berlin, sa vie était encore plus modeste qu'il n'eût souhaité. Quelques mois en Angleterre, Laon, Biarritz, Paris — et il y en a qui ont fait le tour du monde. Une seule femme. C'était une toute petite vie; elle avait l'air déjà finie, puisqu'on savait d'avance tout ce qu'elle ne contiendrait pas. Il faut être modeste. Il se redressa, but une gorgée de rhum et pensa : « C'est mieux comme ça, on ne risque pas de gaspiller. »

— Un autre rhum, patron.

Il leva la tête et observa les ampoules électriques avec application.

La pendule sonna en face de lui, au-dessus de la glace; il voyait son visage dans la glace. Il pensa : « Il est neuf heures quarante-cinq », il pensa : « A dix heures! » et il appela la serveuse.

— La même chose.

La serveuse s'en alla et elle revint avec la bouteille de fine et une soucoupe. Elle versa la fine dans le verre de Philippe et posa la soucoupe sur les trois autres. Elle avait un sourire ironique mais Philippe la regarda droit dans les yeux avec lucidité; il prit le verre fermement et l'éleva sans en répandre une goutte; il but une gorgée et reposa le verre sans quitter des yeux les yeux de la serveuse.

— Combien?

— Vous voulez payer? demanda-t-elle.

— Je veux payer tout de suite.

— Eh bien, c'est douze francs.

Il lui donna quinze francs et la chassa de la main. Il pensa : « Je ne dois plus rien à personne! » Et il rit un peu, derrière sa main. Il pensa : « A personne! » Il se vit rire dans la glace et ça le fit rire. Au dernier coup de dix heures, il se lèverait, il arracherait son image à la glace et le martyre commencerait. Pour l'instant il se sentait plutôt gai, il considérait la situation en dilettante. Le café était hospitalier, c'était Capoue, la banquette était molle comme un matelas de plumes, il était enfoncé dedans, une petite musique venait de derrière le comptoir et aussi un bruit de vaisselle qui lui rappelait les cloches des vaches à Seelisberg. Il se voyait dans la glace, il aurait pu rester assis à se regarder et à écouter cette musique pendant une éternité. A dix heures. Il se lèverait, il prendrait son image avec les mains, il l'arracherait à la glace comme une peau morte, comme une taie à un œil. *Les glaces opérées de la cataracte...*

Cataractes du jour.

Dans les glaces opérées de la cataracte.

Ou bien :

Le jour s'engouffre en cataracte dans la glace opérée de la cataracte.

Ou encore :

Niagara du jour en cataracte dans la glace opérée de la cataracte.

Les mots tombèrent en poudre et il s'accrocha au marbre froid, le vent m'emporte, il y avait ce goût d'alcool poisseux dans sa gorge. LE MARTYR. Il se regarda dans la glace, il pensa qu'il regardait le martyr; il se fit un sourire et un salut. « Dix heures moins dix, ha! pensa-t-il avec satisfaction, je trouve le temps long. » Cinq minutes de passées, une éternité. Encore deux éternités, sans bou-

ger, sans penser, sans souffrir, à contempler le beau visage émacié
du martyr et puis le temps s'engouffrera en mugissant dans un taxi,
dans le train, jusqu'à Genève.

Ataraxie.

Niagara du temps.

Niagara du jour.

Dans les glaces opérées de la cataracte.

Je m'en vais en taxi.

A Gauburge, à Bibracte.

Dont acte, dont acte!

Dont cataracte.

Il rit, il cessa de rire, il regarda autour de lui, le café sentait la
gare, le train, l'hôpital; il avait envie d'appeler au secours. Sept
minutes. « Qu'est-ce qui serait le plus révolutionnaire? pensa-t-il.
Partir ou ne pas partir? Si je pars, je fais la révolution contre les
autres; si je ne pars pas, je la fais contre moi, c'est plus fort. Tout
préparer, voler, faire faire les faux papiers, rompre toutes les attaches
et puis, au dernier moment, pfftt : je ne pars plus, bonsoir! La
liberté au second degré; la liberté contestant la liberté. » A dix heures
moins trois il décida de jouer son départ à pile ou face. Il voyait
nettement le hall de la gare d'Orsay, désert et ruisselant de lumière
et l'escalier qui s'enfonçait sous la terre, dans la fumée des locomotives, il avait un goût de fumée dans la bouche; il prit la pièce de
quarante sous, pile je pars; il la lança en l'air, pile, je pars! pile, je
pars. Elle retomba pile. « Eh bien, je pars! dit-il à son image. Non
parce que je hais la guerre, non parce que je hais ma famille, non
pas même parce que j'ai décidé de partir : par pur hasard; parce
qu'une pièce a roulé d'un côté plutôt que de l'autre. Admirable,
pensa-t-il; je suis à l'extrême pointe de la liberté. Le martyr gratuit; si elle m'avait vu, lançant ma pièce en l'air! Encore une minute.
Un coup de dés! Ding, jamais, ding, ding, un coup, ding, de dés,
ding, n'abo, ding, ding, lira, ding, ding, l'hasard. Ding! » Il se leva,
il marchait droit, il posait ses pieds l'un après l'autre sur une rai-
nure du parquet, il sentait le regard de la serveuse sur son dos mais
il ne lui donnerait pas à rire. Elle le rappela :

— Monsieur!

Il se retourna, tremblant :

— Votre mallette.

Merde. Il traversa la salle en courant, s'empara de sa mallette et
se mit à tituber. Il gagna péniblement la porte au milieu des rires,
sortit, héla un taxi. Il tenait sa mallette de sa main gauche, il ser-

rait dans sa main droite la pièce de quarante sous. La voiture s'arrêta devant lui.

— Quelle adresse?

Le chauffeur avait une moustache et une verrue sur la joue.

— Rue Pigalle, dit Philippe. A la Cabane cubaine.

— Nous avons perdu la guerre, dit Gomez.

Mathieu le savait mais il pensait que Gomez ne le savait pas encore. L'orchestre jouait *I'm looking for Sallie*, les assiettes brillaient sous la lampe et la lumière des projecteurs tombait sur la piste comme un monstrueux clair de lune, un clair de lune réclame pour Honolulu. Gomez était assis là, le clair de lune gisait à sa droite, à sa gauche une femme lui souriait à demi; il allait repartir pour l'Espagne et il savait que les républicains avaient perdu la guerre.

— Vous ne pouvez pas en être sûrs, dit Mathieu. Personne ne peut en être sûr.

— Si, dit Gomez. Nous, nous en sommes sûrs.

Il ne paraissait pas triste : il faisait une constatation, voilà tout. Il regardait Mathieu d'un air calme et délivré. Il dit :

— Tous mes soldats sont sûrs que la guerre est perdue.

— Ils se battent quand même? demanda Mathieu.

— Qu'est-ce que vous voulez qu'ils fassent?

Mathieu haussa les épaules.

— Évidemment.

Je prends mon verre, je bois deux gorgées de Château-Margaux, on me dit : « Ils se battent jusqu'au dernier, il ne leur reste rien d'autre à faire », je bois une gorgée de Château-Margaux, je hausse les épaules, je dis : « Évidemment. » Salaud.

— Qu'est-ce que c'est que ça? demanda Gomez.

— Les tournedos Rossini, dit le maître d'hôtel.

— Ah! oui, dit Gomez. Donnez.

Il lui prit le plat des mains et le déposa sur la table.

— Pas mal, dit-il. Pas mal.

Les tournedos sont sur la table; un pour lui, un pour moi. Il a le droit de savourer le sien, il a le droit de le déchirer avec ses belles dents blanches, il a le droit de regarder la jolie fille à sa gauche et de penser : « La belle garce! » Moi, pas. Si je mange, cent Espagnols morts me sautent à la gorge. Je n'ai pas payé.

— Buvez! dit Gomez. Buvez!

Il prit la bouteille et remplit le verre de Mathieu.

— C'est vous qui m'en priez, dit Mathieu avec un petit rire. Il prit le verre et le vida. Le tournedos se trouva subitement dans son assiette. Il prit sa fourchette et son couteau :

— Si c'est l'Espagne qui m'en prie, murmura-t-il.

Gomez ne parut pas l'entendre. Il s'était versé un verre de Château-Margaux; il but et sourit :

— Aujourd'hui le tournedos, demain, les pois chiches. C'est la dernière soirée que je passe en France, dit-il. Et c'est le seul bon dîner que j'y aie fait.

— Comment? dit Mathieu. Mais à Marseille?

— Sarah est végétarienne, dit Gomez.

Il regardait droit devant lui, il avait l'air sympathique. Il dit :

— Quand je suis parti en permission, ça faisait trois semaines que Barcelone était privée de tabac. Ça ne vous dit rien, toute une ville qui ne fume pas?

Il tourna les yeux vers Mathieu et soudain il parut le voir. Son regard reprit une pertinence désagréable.

— Vous connaîtrez tout ça, dit-il.

— Ce n'est pas certain, dit Mathieu. La guerre peut encore s'éviter.

— Oh! naturellement, dit Gomez. La guerre peut toujours s'éviter.

Il eut un petit rire et ajouta :

— Il suffira que vous laissiez tomber les Tchèques.

« Non, mon vieux, pensa Mathieu, non, mon vieux! Les Espagnols peuvent me faire la leçon avec l'Espagne, c'est leur rayon. Mais pour les leçons tchécoslovaques, je réclame la présence d'un Tchèque. »

— Franchement, Gomez, demanda-t-il, faut-il les soutenir? Il n'y a pas si longtemps que les communistes réclamaient l'autonomie pour les Allemands des Sudètes.

— Faut-il les soutenir? demanda Gomez en imitant Mathieu. Fallait-il nous soutenir? Fallait-il soutenir les Autrichiens? Et vous? Qui vous soutiendra quand ce sera votre tour?

— Il ne s'agit pas de nous, dit Mathieu.

— Il s'agit de vous, dit Gomez. De qui s'agirait-il?

— Gomez, dit Mathieu, mangez votre tournedos. Je comprends très bien que vous nous détestiez tous. Mais enfin c'est votre dernier soir de permission, la viande refroidit dans votre assiette, il y a une femme qui vous sourit, et puis, après tout, j'étais interventionniste.

Gomez s'était repris :

— Je sais, dit-il en souriant, je sais bien.

— Et puis voyez-vous, dit Mathieu, en Espagne la situation était nette. Mais quand vous venez me parler de la Tchécoslovaquie, je

ne vous suis plus parce que j'y vois beaucoup moins clair. Il y a
une question de droit que je n'arrive pas à trancher : car enfin, si
les Allemands des Sudètes ne veulent pas être Tchèques?

— Laissez donc les questions de droit, dit Gomez en haussant les
épaules. Vous cherchez une raison de vous battre? Il n'y en a qu'une :
si vous ne vous battez pas, vous êtes foutus. Ce que veut Hitler,
ce n'est ni Prague, ni Vienne, ni Dantzig : c'est l'Europe.

Daladier regarda Chamberlain, il regarda Halifax et puis il
détourna les yeux et regarda une pendule dorée sur une console; les
aiguilles marquaient dix heures trente-cinq; le taxi s'arrêta devant
la Cabane cubaine. Georges se retourna sur le dos et gémit un peu,
les ronflements de son voisin l'empêchaient de dormir.

— Je ne puis, dit Daladier, que répéter ce que j'ai déjà déclaré :
le gouvernement français a pris des engagements vis-à-vis de la
Tchécoslovaquie. Si le gouvernement de Prague maintient son refus
des propositions allemandes et si, en conséquence de ce refus, il est
victime d'une agression, le gouvernement français se verra dans
l'obligation de remplir ses engagements.

Il toussa, regarda Chamberlain et attendit.

— Oui, dit Chamberlain. Oui, évidemment.

Il parut disposé à ajouter quelques mots; mais les mots ne vinrent
point. Daladier attendait en traçant, du bout du pied, des ronds
sur le tapis. Il finit par relever la tête et demanda d'une voix fatiguée :

— Quelle serait, dans cette éventualité, la position du gouvernement britannique?

France, Maud, Doucette et Ruby se levèrent et saluèrent. Il y eut,
dans les premiers rangs, des applaudissements mous et puis la foule
s'écoula au milieu d'un grand bruit de chaises. Maud chercha Pierre
du regard, mais il avait disparu. France se tourna vers elle, elle
avait les joues en feu, elle souriait.

— C'était une bonne soirée, dit-elle. Une vraiment bonne soirée.

La guerre était là, sur la piste blanche, elle était l'éclat mort du
clair de lune artificiel, l'acidité fausse de la trompette bouchée et ce
froid sur la nappe, dans l'odeur du vin rouge, et cette vieillesse
secrète des traits de Gomez. La guerre; la mort; la défaite. Daladier
regardait Chamberlain, il lisait la guerre dans ses yeux, Halifax
regardait Bonnet, Bonnet regardait Daladier; ils se taisaient et
Mathieu regardait la guerre dans son assiette, dans la sauce noire
et ocellée du tournedos.

— Et si, nous aussi, nous perdions la guerre?

— Alors, l'Europe sera fascisée, dit Gomez avec légèreté. Ce n'est pas une mauvaise préparation au communisme.

— Que deviendrez-vous, Gomez?

— Je pense que leurs poulets m'abattront dans un garni ou bien alors j'irai tirer le diable par la queue en Amérique. Qu'est-ce que ça fait? J'aurai vécu.

Mathieu regarda Gomez avec curiosité :

— Et vous ne regrettez rien? demanda-t-il.

— Rien du tout.

— Même pas la peinture?

— Même pas la peinture.

Mathieu secoua la tête tristement. Il aimait les tableaux de Gomez.

— Vous faisiez de beaux tableaux, dit-il.

— Je ne pourrai plus jamais peindre.

— Pourquoi?

— Je ne sais pas. C'est physique. J'ai perdu la patience; ça me paraîtrait ennuyeux.

— Mais à la guerre aussi il faut être patient.

— Ce n'est pas la même patience.

Ils se turent. Le maître d'hôtel apporta les crêpes sur un plat d'étain, il les arrosa de rhum et de calvados, puis il approcha du plat une allumette enflammée. Un spectre de flamme se balança un moment dans les airs.

— Gomez! dit tout à coup Mathieu. Vous, vous êtes fort; vous savez pourquoi vous vous battez.

— Vous voulez dire que vous ne le sauriez pas?

— Si. Je crois que je le saurais. Mais je ne pensais pas à moi. Il y a des types qui n'ont que leur vie, Gomez. Et personne ne fait rien pour eux. Personne. Aucun gouvernement, aucun régime. Si le fascio remplaçait ici la République, ils ne s'en apercevraient même pas. Prenez un berger des Cévennes. Est-ce que vous croyez qu'il saurait pourquoi il se bat?

— Chez nous ce sont les bergers qui sont les plus enragés, dit Gomez.

— Pourquoi se battent-ils?

— Ça dépend. J'en ai connu qui se battaient pour apprendre à lire.

— En France tout le monde sait lire, dit Mathieu. Si je rencontrais dans mon régiment un berger des Cévennes et si je le voyais crever à côté de moi pour me conserver ma République et mes libertés, je vous jure que je ne serais pas fier. Oh! Gomez, est-ce que vous n'avez pas honte, quelquefois : tous ces gens qui sont morts pour vous?

— Ça ne me gêne pas, dit Gomez. Je risque ma peau comme eux.

— Les généraux meurent dans leur lit.

— Je n'ai pas toujours été général.

— De toute façon ça n'est pas pareil, dit Mathieu.

— Je ne les plains pas, dit Gomez, je n'ai pas pitié d'eux. Il avança la main au-dessus de la nappe et saisit l'avant-bras de Mathieu : « Mathieu, dit-il d'une voix basse et lente, c'est beau, la guerre. »

Son visage flamboyait. Mathieu tenta de se dégager mais Gomez lui serra le bras avec force et reprit :

— J'aime la guerre.

Il n'y avait plus rien à dire. Mathieu eut un petit rire gêné et Gomez le lâcha.

— Vous avez fait une forte impression sur notre voisine, dit Mathieu.

Gomez jeta un regard sur sa gauche, entre ses beaux cils.

— Oui? dit-il. Eh bien, il faut battre le fer pendant qu'il est chaud. Cette piste, c'est pour danser?

— Mais oui.

Gomez se leva en boutonnant son veston. Il se dirigea vers l'actrice et Mathieu le vit s'incliner au-dessus d'elle. Elle renversa la tête en arrière et le regarda avec un rire donné, puis ils s'éloignèrent et se mirent à danser. Ils dansaient; elle ne sentait pas du tout la négresse, ça devait être une Martiniquaise. Philippe pensait : « Martiniquaise » et ce fut le mot de Malabaraise qui lui vint aux lèvres. Il murmura :

— Ma belle Malabaraise.

Elle répondit :

— Vous dansez bien.

Il y avait une petite musique de fifre dans sa voix, ça n'était pas désagréable.

— Vous parlez très bien le français, dit-il.

Elle le regarda avec indignation :

— Je suis née en France.

— Ça ne fait rien, dit-il. Vous parlez très bien le français tout de même.

Il pensa : « Je suis saoûl » et il rit. Elle lui dit, sans colère :

— Vous êtes complètement ivre.

— Voui, dit-il.

Il ne sentait plus sa fatigue; il aurait dansé jusqu'au matin; mais il avait décidé de coucher avec la négresse, c'était plus sérieux. Ce qu'il y avait de particulièrement réjouissant dans l'ivresse, c'était ce pouvoir qu'elle donnait sur les objets. Pas besoin de les toucher :

un simple regard et on les possédait; il possédait ce front, ces cheveux noirs; il se caressait les yeux à ce visage lisse. Plus loin, ça devenait flou; il y avait ce gros monsieur qui buvait du champagne et puis des gens vautrés les uns sur les autres, qu'il ne distinguait pas très bien. La danse était finie; ils allèrent s'asseoir.

— Ce que vous dansez bien, dit-elle. Joli comme vous êtes, vous en avez eu, des femmes.

— Je suis vierge, dit Philippe.

— Menteur!

Il leva la main :

— Je vous jure que je suis vierge. Je vous le jure sur la tête de ma mère.

— Ah? dit-elle, déçue. Alors c'est que les femmes ne vous intéressent pas.

— Je ne sais pas, dit-il. Il faut voir.

Il la regarda, il la posséda par les yeux, il fit la moue et il dit :

— Je compte sur toi.

Elle lui souffla la fumée de sa cigarette au visage :

— Tu verras ce que je sais faire.

Il la prit par les cheveux et l'attira à lui; de près, elle sentait tout de même un peu la graisse. Il l'embrassa légèrement sur les lèvres. Elle dit :

— Un puceau. Je vais gagner le gros lot.

— Gagner? dit-il. On perd toujours.

Il ne la désirait pas du tout. Mais il était content parce qu'elle était belle et qu'elle ne l'intimidait pas. Il se sentait tout à fait à son aise et il pensa : « Je sais parler aux femmes. » Il la lâcha, elle se redressa; la mallette de Philippe tomba sur le sol.

— Attention! dit-il. Tu es saoule!

Elle ramassa la mallette :

— Qu'est-ce qu'il y a là-dedans?

— Chut! Touche pas : c'est une valise diplomatique.

— Je veux savoir ce qu'il y a dedans, dit-elle en faisant l'enfant. Mon chéri, dis-moi ce qu'il y a dedans.

Il voulut lui arracher la mallette, mais déjà elle l'avait ouverte. Elle vit le pyjama et la brosse à dents.

— Un bouquin! dit-elle en découvrant le Rimbaud. Qu'est-ce que c'est?

— Ça, dit-il, c'est un type qui est parti.

— Où ça?

— Qu'est-ce que ça peut te faire? dit-il. Il est parti.

Il lui prit le livre des mains et le replaça dans la mallette.

— C'est un poète, dit-il avec ironie. Est-ce que tu comprends mieux comme ça?

— Ben oui, dit-elle. Il fallait le dire tout de suite.

Il referma la mallette, il pensa : « Je ne suis pas parti » et son ivresse tomba. « Pourquoi? Pourquoi ne suis-je pas parti? » A présent, il distinguait très bien le gros monsieur, en face de lui : il n'était pas si gros que ça et il avait des yeux intimidants. Les grappes humaines se décollèrent d'elles-mêmes; il y avait des femmes, des noires et des blanches; des hommes aussi. Il lui sembla qu'on le regardait beaucoup. « Pourquoi suis-je ici? Comment suis-je entré? Pourquoi ne suis-je pas parti? » Il y avait un trou dans ses souvenirs : il avait lancé la pièce en l'air, il avait hélé un taxi et puis voilà : à présent, il était assis à cette table, devant une coupe de champagne, avec cette négresse qui sentait la colle de poisson. Il regardait ce Philippe qui jetait la pièce en l'air, il essayait de le déchiffrer, il pensait : « Je suis un autre », il pensait : « Je ne me connais pas. » Il tourna la tête vers la négresse.

— Pourquoi tu me regardes? demanda-t-elle.

— Comme ça.

— Tu me trouves belle?

— Comme ci, comme ça.

Elle se racla la gorge et ses yeux étincelèrent. Elle souleva son derrière à quelques pouces au-dessus de la banquette en appuyant les mains sur la nappe.

— Si tu me trouves moche, je peux m'en aller : on n'est pas mariés.

Il fouilla dans sa poche et en tira trois billets de mille francs froissés.

— Tiens, dit-il. Prends ça et reste.

Elle prit les billets, les déplia, les lissa et se rassit en riant.

— Tu es un sale gosse, dit-elle. Un sale petit gosse.

Un abîme de honte s'était ouvert juste devant lui : il n'avait qu'à s'y laisser tomber. Giflé, battu, chassé, même pas parti. Il se penchait au-dessus du trou et il avait le vertige. La honte l'attendait au fond; il n'avait qu'à choisir d'avoir honte. Il ferma les yeux et toute la fatigue de la journée reflua sur lui. La fatigue, la honte, la mort. Choisir d'avoir honte. « Pourquoi ne suis-je pas parti? Pourquoi ai-je choisi de ne pas partir? » Il lui sembla qu'il portait le monde sur ses épaules.

— Tu n'es pas bavard, lui dit-elle.

Il lui mit le doigt sous le menton.

— Comment t'appelles-tu?

— Flossie.

— Ça n'est pas un nom malabarais.

— Je te dis que je suis née en France, dit-elle avec irritation.

— Eh bien, Flossie, je t'ai filé trois billets. Tu ne voudrais pas que je te fasse la conversation par-dessus le marché?

Elle haussa les épaules et détourna la tête. Le trou noir était toujours là, avec la honte au fond. Il le regardait, il se penchait dessus et puis tout à coup il comprit, l'angoisse lui tordit le cœur : « C'est un piège, si je tombe dedans je ne pourrai plus me supporter. Plus jamais. » Il se redressa, il pensa avec force : « C'est parce que j'étais saoul que je ne suis pas parti! » et l'abîme se referma : il avait choisi. « C'est parce que j'étais saoul que je ne suis pas parti. » Il avait frôlé la honte de trop près; il avait eu trop peur : à présent il avait choisi de ne plus avoir honte. Plus jamais.

— Je devais prendre le train, figure-toi. Et puis j'étais trop saoul.

— Tu le prendras demain, dit-elle d'un air bon enfant.

Il sursauta :

— Pourquoi me dis-tu ça?

— Eh bien, dit-elle étonnée, quand on rate un train, on prend le suivant.

— Je ne pars plus, dit-il en fronçant les sourcils. J'ai changé d'avis. Sais-tu ce que c'est qu'un signe?

— Un signe? répéta-t-elle.

— Le monde est plein de signes. Tout est signe. Il faut savoir les déchiffrer. Tu devais partir, tu te saoules, tu ne pars plus : pourquoi n'es-tu pas partie? C'est qu'il ne fallait pas que tu partes. C'est un signe : tu avais mieux à faire ici.

Elle hocha la tête :

— C'est vrai, dit-elle. C'est bien vrai ce que tu dis.

Mieux à faire. La foule de la Bastille, c'est là qu'il faut témoigner. Sur place. Se faire déchirer sur place. Orphée. *A bas la guerre!* Qui pourra dire que je suis un lâche? Je verserai mon sang pour eux tous, pour Maurice et pour Zézette, pour Pitteaux, pour le général, pour tous ces hommes dont les ongles vont me lacérer. Il se tourna vers la négresse et la regarda tendrement : une nuit, une seule nuit. Ma première nuit d'amour. Ma dernière nuit.

— Tu es belle, Flossie.

Elle lui sourit.

— Tu pourrais être gentil si tu voulais.

— Viens danser, lui dit-il. Je serai gentil jusqu'au chant du coq.

Ils dansaient. Mathieu regardait Gomez; il pensait : « Sa dernière nuit » et il souriait; la négresse aimait la danse, elle fermait les yeux à moitié; Philippe dansait, il pensait : « Ma dernière nuit, ma première nuit d'amour. » Il n'avait plus honte; il était las, il faisait chaud; demain je verserai mon sang pour la paix. Mais l'aube était encore loin. Il dansait, il se sentait confortable et justifié; il se trouva romanesque. Les lumières glissèrent le long de la paroi; le train ralentissait, des grincements, deux secousses, il s'arrêta, la lumière éclaboussa le wagon, Charles cligna des yeux et lâcha la main de Catherine.

— Laroche-Migennes, cria l'infirmière. Nous sommes arrivés.

— Laroche-Migennes? dit Charles. Mais nous ne sommes pas passés par Paris.

— On nous aura détournés, dit Catherine.

— Rassemblez vos affaires, cria l'infirmière. On va vous descendre.

Blanchard s'était réveillé en sursaut :

— Quoi, quoi? dit-il. Où c'est qu'on est?

Personne ne répondit. L'infirmière expliquait :

— Nous reprendrons le train demain. On passe la nuit ici.

— J'ai mal aux yeux, dit Catherine en riant; c'est cette lumière.

Il tourna la tête vers elle, elle riait en se protégeant les yeux avec sa main.

— Rassemblez vos affaires, criait l'infirmière. Rassemblez vos affaires.

Elle se pencha sur un homme chauve dont le crâne brillait :

— Est-ce fini?

— Une minute, que diable! dit l'homme.

— Pressez-vous, dit-elle, les porteurs vont arriver.

— Là! là! dit-il. Vous pouvez l'enlever, vous m'avez coupé l'envie.

Elle se releva; elle portait le bassin à bras tendus; elle enjamba des corps et se dirigea vers la porte.

— Nous sommes bien tranquilles, dit Charles. Ils sont peut-être une douzaine d'hommes d'équipe et il y a vingt wagons à décharger. D'ici qu'ils arrivent à nous...

— A moins qu'ils ne commencent par la queue.

Charles mit son avant-bras devant ses yeux :

— Où vont-ils nous mettre? Dans les salles d'attente?

— J'imagine.

— Ça m'embête un peu de quitter ce wagon. J'y avais fait mon trou. Pas vous?

— Moi, lui dit-elle, du moment que je suis avec vous...

— Les voilà, cria Blanchard.

Des hommes entrèrent dans le wagon. Ils étaient noirs parce qu'ils tournaient le dos à la lumière. Leurs ombres se découpèrent sur la paroi; on aurait dit qu'ils entraient des deux côtés à la fois. Le silence s'était fait; Catherine dit, à voix basse :

— Je vous avais bien dit qu'ils commenceraient par nous.

Charles ne répondit pas. Il vit deux des hommes se courber sur un malade et son cœur se serra. Jacques dormait, son nez chantait; elle ne pouvait pas dormir; tant qu'il ne serait pas rentré, elle ne s'endormirait pas. Juste devant ses pieds Charles vit une ombre énorme qui se pliait en deux, ils emmènent le copain de devant, après c'est mon tour, la nuit, les fumées, le froid, le tangage, les quais déserts, il avait peur. Il y avait un rais de lumière sous la porte, elle entendit du bruit au rez-de-chaussée, le voilà. Elle reconnut son pas dans l'escalier et la paix descendit en elle : « Il est là, sous notre toit, je l'ai. » Encore une nuit. La dernière. Mathieu ouvrit la porte, il la referma, il ouvrit la fenêtre et ferma les volets, elle entendit l'eau qui coulait. Il va dormir. De l'autre côté de ce mur, sous notre toit.

— C'est à moi, dit Charles. Dites-leur de vous emporter tout de suite après moi.

Il lui serra fortement la main pendant que les deux hommes se penchaient sur lui et qu'il recevait en pleine figure une haleine vineuse.

— Han! fit le type, derrière lui.

Il eut peur tout à coup et manœuvra sa glace pendant qu'ils le soulevaient, il voulait voir si elle le suivait mais il n'aperçut que les épaules du porteur et sa tête d'oiseau de nuit.

— Catherine, cria-t-il.

Il ne reçut aucune réponse. Il se balançait au-dessus du seuil, le type criait des ordres derrière lui, ses jambes s'abaissèrent, il crut qu'il tombait.

— Doucement! dit-il, doucement.

Mais déjà il voyait les étoiles dans le ciel noir, il faisait froid.

— Est-ce qu'elle suit? demanda-t-il.

— Qui ça? demanda le type à tête d'oiseau.

— Ma voisine. C'est une amie.

— On s'occupera des femmes après, dit le type. On ne vous met pas dans le même local.

Charles se mit à trembler :

— Mais je croyais... dit-il.

— Vous ne voudriez tout de même pas qu'elles pissent devant vous.

— Je croyais, dit Charles, je croyais...

Il passa la main sur son front et se mit soudain à hurler :

— Catherine! Catherine! Catherine!

Il se balançait au bout de leurs bras, il voyait les étoiles, une lampe lui giclait dans les yeux, puis les étoiles, puis une lampe et il criait :

— Catherine! Catherine!

— Il est fou, celui-là! dit le porteur de derrière. Est-ce que vous allez vous taire?

— Mais je ne connais même pas son nom, dit Charles d'une voix étranglée par les larmes. Je vais la perdre pour toujours.

Ils le déposèrent sur le sol, ouvrirent une porte, le soulevèrent de nouveau, il vit un plafond jaune et sinistre, il entendit la porte se refermer, il était pris au piège.

— Salauds, dit-il, pendant qu'ils le posaient par terre. Salauds!

— Dis donc, toi! fit le type à tête d'oiseau.

— Ça va, dit l'autre. Tu vois pas qu'il travaille du chapeau.

Il entendit leurs pas décroître, la porte s'ouvrit et se referma.

— Comme on se retrouve, dit la voix de Blanchard. Au même instant, Charles reçut un paquet d'eau en pleine figure. Mais il se tut, il demeura immobile, comme un mort, et il regardait le plafond, les yeux grands ouverts, pendant que l'eau lui ruisselait dans les oreilles et dans le cou. Elle ne voulait pas dormir, elle demeurait immobile, sur le dos, dans la chambre sombre. « Il se couche, bientôt il aura sombré dans le sommeil et moi je le veille. Il est fort, il est pur, il a appris ce matin qu'il partait pour la guerre et il n'a même pas battu des paupières. Mais à présent il est désarmé; il va dormir, c'est la dernière nuit. Ah! pensa-t-elle, comme il est romanesque. »

C'était une chambre odorante et tiède, avec des lumières satinées et des fleurs partout.

— Entrez, dit-elle.

Gomez entra. Il regarda autour de lui, il vit une poupée sur un divan et il pensa à Teruel. Il avait dormi dans une chambre toute pareille, avec des lampes, des poupées et des fleurs, mais sans odeur et sans plafond; il y avait un trou au milieu du plancher.

— Pourquoi souriez-vous?

— C'est charmant ici, dit-il.

Elle s'approcha de lui :

— Si la chambre vous plaît, vous pouvez y revenir aussi souvent que vous en aurez envie.

— Je pars demain, dit Gomez.

— Demain? dit-elle. Où allez-vous?

Elle le regardait de ses beaux yeux inexpressifs.

— En Espagne.

— En Espagne? Mais alors...

— Oui, dit-il. Je suis un soldat en permission.

— De quel côté êtes-vous? demanda-t-elle.

— De quel côté voulez-vous que je sois?

— Du côté de Franco?

— Ben, voyons!

Elle lui mit les bras autour du cou :

— Mon beau soldat.

Elle avait une haleine exquise; il l'embrassa.

— Une seule nuit, dit-elle. Ce n'est pas beaucoup. Pour une fois que je trouve un homme qui me plaît!

— Je reviendrai, dit-il. Quand Franco aura gagné la guerre...

Elle l'embrassa encore et se dégagea doucement.

— Attends-moi. Il y a du gin et du whisky sur le guéridon.

Elle ouvrit la porte du cabinet de toilette et disparut. Gomez alla au guéridon et remplit un verre de gin. Les camions roulaient, les vitres tremblaient, Sarah, réveillée en sursaut, s'assit sur le lit. « Mais combien y en a-t-il? se demanda-t-elle. Ça n'en finit pas. » De lourds camions, déjà camouflés, avec des bâches grises et des raies vertes et brunes sur le capot, ils devaient être pleins d'hommes et d'armes. Elle pensa : « C'est la guerre » et se mit à pleurer. *Catherine! Catherine!* Elle était restée deux ans les yeux secs; et quand Gomez était monté dans le train, elle n'avait pas trouvé une larme. A présent les larmes coulaient. *Catherine!* Les hoquets la soulevèrent, elle s'abattit sur l'oreiller, elle pleurait en le mordant pour ne pas réveiller le petit. Gomez but une gorgée de gin et le trouva bon. Il fit quelques pas dans la chambre et s'assit sur le divan. D'une main il tenait son verre, de l'autre il attrapa la poupée par la nuque et l'installa sur ses genoux. Il entendait couler l'eau d'un robinet dans le cabinet de toilette, une douceur bien connue remontait le long de ses flancs, comme deux mains lisses. Il était heureux, il but, il pensa : « Je suis fort. » Les camions roulaient, les vitres tremblaient, l'eau du robinet coulait, Gomez pensait : « Je suis fort, j'aime la vie et je risque ma vie, j'attends la mort demain, tout à l'heure, et je ne la crains pas, j'aime le luxe et je vais retrouver la misère et la faim, je sais ce que je veux, je sais pourquoi je me bats, je commande et l'on m'obéit, j'ai renoncé à tout, à la peinture, à la gloire et je suis comblé. » Il pensa à Mathieu et il se dit : « Je ne voudrais pas être dans sa peau. » Elle ouvrit la porte, elle était nue sous sa robe de chambre rose. Elle dit :

— Me voilà.

— Ah ben, alors, dit-elle. Ah ben, merde alors!

Elle avait passé une demi-heure, dans le cabinet de toilette, à se laver et à se parfumer, parce que les blancs n'aimaient pas toujours son odeur, elle s'était avancée vers lui, souriante et les bras ouverts, et il dormait, tout nu dans le lit, la tête enfoncée dans l'oreiller. Elle le prit par l'épaule et le secoua furieusement :

— Veux-tu te réveiller, dit-elle d'une voix sifflante. Petit salaud, veux-tu te réveiller?

Il ouvrit les paupières et la regarda de ses yeux vagues. Il posa le verre sur l'étagère, la poupée sur le divan, se leva sans hâte et la prit dans ses bras. Il était heureux.

— Tu peux lire ça, toi? demanda Gros-Louis.

L'employé le repoussa.

— C'est la troisième fois que tu me le demandes. Je te dis que tu vas à Montpellier.

— Et où est-il le train pour Montpellier?

— Il part à quatre heures du matin; il n'est pas formé.

Gros-Louis le regarda avec inquiétude :

— Alors? Qu'est-ce qu'il faut que je fasse?

— Colle-toi dans la salle d'attente et pique un roupillon jusqu'à quatre heures. Tu as ton billet?

— Non, dit Gros-Louis.

— Eh bien, va le prendre. Non, pas par là! Ah! quelle bourrique : au guichet, fada.

Gros-Louis s'en fut au guichet. Un employé à lunettes somnolait derrière la vitre.

— Hé! dit Gros-Louis.

L'employé sursauta.

— Je vais à Montpellier, dit Gros-Louis.

— A Montpellier?

L'employé avait l'air surpris; sans doute était-il mal réveillé. Un soupçon effleura pourtant l'âme de Gros-Louis.

— C'est bien Montpellier qu'il y a écrit là?

Il montra son livret militaire.

— Montpellier, dit l'employé. Quart de place, c'est quinze francs.
Gros-Louis lui tendit les cent francs de la bonne femme.

— Et maintenant, dit-il. Qu'est-ce qu'il faut que je fasse?

— Allez à la salle d'attente.

— A quelle heure part le train?

— A quatre heures. Vous ne savez donc pas lire?

— Non, dit Gros-Louis.

Il hésitait à s'en aller. Il demanda :

— C'est vrai qu'il va y avoir la guerre?

L'employé haussa les épaules.

— Qu'est-ce que vous voulez que j'en sache? ça n'est pas écrit
sur l'indicateur, n'est-ce pas?

Il se leva et remonta vers le fond de la pièce. Il faisait semblant
de consulter des papiers mais, au bout d'un instant, il s'assit, mit la
tête dans ses mains et reprit son somme. Gros-Louis regarda autour
de lui. Il aurait voulu trouver un type qui le renseignât sur ces histoires de guerre, mais le hall était désert. Il dit : « Ben, je vais aller
à la salle d'attente. » Et il traversa le hall en traînant les pieds : il
avait sommeil et ses cuisses lui faisaient mal.

— Laisse-moi dormir, gémit Philippe.

— Plus souvent, dit Flossie. Un puceau! Faut que t'y passes,
ça me portera bonheur.

Il poussa la porte et entra dans la salle. Il y avait plein de gens
qui dormaient sur les banquettes et beaucoup de valises et de paquets
sur le sol. La lumière était triste; une porte vitrée s'ouvrait au fond
sur le noir. Il s'approcha d'une banquette et s'assit entre deux
femmes. L'une d'elles suait et dormait la bouche ouverte. La sueur
lui coulait sur les joues, elle laissait des traces roses. L'autre ouvrit les
yeux et le regarda.

— Je suis rappelé, expliqua Gros-Louis. Faut que j'aille à Montpellier.

La femme s'écarta vivement et lui jeta un regard plein de blâme.
Gros-Louis pensa qu'elle n'aimait pas les soldats mais il lui demanda
tout de même :

— Est-ce qu'il va y avoir la guerre?

Elle ne répondit pas : elle avait renversé la tête en arrière et s'était
rendormie. Gros-Louis avait peur de s'endormir. Il dit : « Si je m'en-
dors, je ne me réveillerai point. » Il étendit les jambes; il aurait bien
croqué un petit rien, du pain ou du saucisson, par exemple; il lui
restait de l'argent, mais c'était la nuit, toutes les boutiques étaient
fermées. Il dit : « Mais avec qui qu'on est en guerre? » C'était sans

doute avec les Allemands. Peut-être à cause de l'Alsace-Lorraine.
Il y avait un journal qui traînait sur le sol, à ses pieds, il le ramassa,
puis il pensa à la bonne femme qui lui avait bandé la tête et il dit :
« J'aurais pas dû partir. » Il dit : « Eh ben oui, mais où est-ce que
j'aurais été, je n'ai plus d'argent. » Il dit : « A la caserne, ils me nour-
riront. » Mais il n'aimait pas les casernes. Les salles d'attente non
plus. Tout d'un coup, il se sentit triste et vidé. Ils l'avaient saoulé
et battu et, à présent, ils l'envoyaient à Montpellier. Il dit : « Bon
Dieu, j'y comprends rien, moi. » Il dit : « C'est parce que je ne sais
pas lire. » Tous ces gens qui dormaient en savaient plus que lui;
ils avaient lu le journal, ils savaient pourquoi on allait faire la guerre.
Et lui, il était tout seul dans la nuit, tout seul et tout petit, il ne
savait rien, il ne comprenait rien, c'était comme s'il allait mourir. Et
puis il sentit le journal sous ses doigts. C'était écrit là. Ils avaient
tout écrit : la guerre, le temps qu'il ferait demain, le prix des choses,
les heures des trains. Il déplia le journal et regarda. Il vit des milliers
de petites taches noires, ça ressemblait aux rouleaux des orgues de
Barbarie, avec ces trous dans le papier qui font du bruit quand on
tourne la manivelle. Quand on regardait longtemps, ça donnait le
tournis. Il y avait une photo, aussi : un homme propret et bien peigné
qui riait. Il laissa tomber le journal et se mit à pleurer.

LUNDI 26 SEPTEMBRE

16 h. 30. Tout le monde regarde le ciel, je regarde le ciel. Dumur dit : « Ils n'ont pas de retard. » Il a déjà sorti son kodak, il regarde le ciel, il fait la grimace, à cause du soleil. L'avion est tantôt noir, tantôt brillant, il grossit mais son bruit reste le même, un beau bruit plein qui fait plaisir à entendre. Je dis : « Ne poussez donc pas. » Ils sont tous là, à se pousser derrière moi. Je me retourne : ils renversent la tête en arrière, ils font la grimace, ils sont verts sous le soleil et leurs corps ont des mouvements vagues comme ceux des grenouilles décapitées. Dumur dit : « Un jour viendra qu'on sera comme ça le nez en l'air dans un champ; seulement on sera habillé en kaki et l'avion ça sera un Messerschmitt. » Je dis : « Ça n'est pas demain, avec toutes ces couilles molles. » L'avion décrit des cercles dans le ciel, il descend, il descend, il se cogne au sol, il remonte, il se cogne encore, il court sur l'herbe en sautant, il s'arrête. Nous courons vers l'avion, nous sommes cinquante, Sarraut court devant nous, plié en deux; il y a une dizaine de messieurs en melon qui courent sur le gazon en se tordant les pieds, tout le monde s'immobilise, l'avion est inanimé, nous le regardons en silence, la porte de la carlingue est toujours fermée, on dirait qu'ils sont tous morts à l'intérieur. Un type en cotte bleue apporte une échelle et la pose contre l'avion, la porte s'ouvre, un type descend par l'échelle et puis un autre et puis Daladier. Mon cœur bat dans ma tête. Daladier remonte les épaules et baisse la tête. Sarraut s'approche de lui, je l'entends qui dit :
— Eh bien ?
Daladier sort une main de sa poche et fait un geste vague. Il fonce, tête baissée, la meute se jette sur lui et le coiffe. Je ne bouge pas, je sais qu'il ne dira rien. Le général Gamelin saute de l'avion. Il est

vif, il a de belles bottes et une tête de bouledogue. Il regarde devant lui d'un air jeune et mordant.

— Alors? demande Sarraut. Alors, mon général? C'est la guerre?

— Eh! mon Dieu, dit le général.

Ma bouche se sèche; j'en crèverai! Je crie à Dumur : « Je calte, prends tes photos seul. » Je cours jusqu'à la sortie, je cours sur la route, je hèle un taxi, je dis : « A l'*Huma*. » Le chauffeur sourit, je lui souris, il dit :

— Alors, camarade?

Je lui réponds :

— Ça y est! Ils l'ont dans le cul, cette fois; ils n'ont pas pu caner.

Le taxi roule à toute vitesse, je regarde les maisons et les gens. Les gens ne savent rien, ils ne font pas attention au taxi, et le taxi roule entre eux à toute vitesse emportant quelqu'un qui sait. Je mets ma tête à la portière, j'ai envie de leur crier que ça y est. Je saute hors du taxi, je paye, je monte très vite les escaliers. Ils sont tous là, Dupré, Charvel, Renard et Chabot. Ils sont en bras de chemise, Renard fume, Charvel écrit, Dupré regarde par la fenêtre. Ils me regardent avec étonnement. Je leur dis :

— Amenez-vous, les copains, descendez, c'est ma tournée.

Ils me regardent toujours; Charvel lève la tête et me regarde. Je dis :

— Ça y est! Ça y est! C'est la guerre! Descendez, c'est ma tournée, je paye à boire.

— Vous en avez un beau chapeau, dit la patronne.

— N'est-ce pas? dit Flossie. Elle se regarda dans la glace du vestibule et dit avec satisfaction :

— Il a des plumes.

— Oh oui! dit la patronne. Elle ajouta : « Il y a quelqu'un chez vous; Madeleine n'a pas pu faire la chambre.

— Je sais, dit Flossie. Ça ne fait rien : je la ferai moi-même. »

Elle monta l'escalier et poussa la porte de sa chambre. Les volets étaient clos, la chambre sentait la nuit. Flossie tira doucement la porte et alla frapper au 15.

— Qui est là? dit la voix rauque de Zou.

— C'est Flossie.

Zou vint ouvrir, elle était en petit culotte.

— Entre vite.

Flossie entra. Zou rejeta ses cheveux en arrière, se planta au milieu de la chambre et entreprit de tasser ses gros seins dans un soutien-gorge. Flossie pensa qu'elle devrait se raser les aisselles.

— Tu te lèves seulement? demanda-t-elle.

— Je me suis couchée à six heures, dit Zou. Qu'est-ce qu'il y a?

— Viens voir mon gigolo, dit Flossie.

— Qu'est-ce que tu racontes, négrillonne?

— Viens voir mon gigolo.

Zou enfila un peignoir et la suivit dans le couloir. Flossie la fit entrer dans la chambre en mettant un doigt sur ses lèvres.

— On n'y voit rien, dit Zou.

Flossie la poussa vers le lit et chuchota :

— Regarde.

Elles se penchèrent toutes deux et Zou se mit à rire silencieusement.

— Merde! dit-elle. Merde alors : c'est un môme.

— Il s'appelle Philippe.

— Ce qu'il est beau!

Philippe dormait, couché sur le dos; il avait l'air d'un ange. Flossie le regardait avec un mélange d'émerveillement et de rancune.

— Il est plus blond que moi, dit Zou.

— C'est un puceau, dit Flossie.

Zou la regarda en riant finement :

— C'était.

— Quoi?

— Tu dis : c'est un puceau. Je te dis : c'était un puceau.

— Ah! Ah oui! Eh bien, tu sais, je crois qu'il l'est resté.

— Sans blague!

— Il dort comme ça depuis deux heures du matin, dit Flossie sèchement.

Philippe ouvrit les yeux, il regarda les deux femmes qui se penchaient au-dessus de lui, il dit : « Hou! » et se retourna sur le ventre.

— Regarde! dit Flossie.

Elle rabattit les couvertures; le corps apparut blanc et nu. Zou roula de gros yeux.

— Miam! Miam! fit-elle. Couvre ça, je ferais des folies.

Flossie passa une main légère sur les hanches étroites du petit, sur ses jeunes fesses minces, puis elle remonta les draps en soupirant.

— Donnez-moi, dit M. Birnenschatz, un Noilly-cassis.

Il se laissa tomber sur la banquette et s'épongea le front. Par les glaces de la porte-tambour, il pouvait surveiller l'entrée de son bureau.

— Qu'est-ce que vous prenez? demanda-t-il à Neu.

— La même chose, dit Neu.

Le garçon s'éloignait, Neu le rappela :

— Vous m'apporterez *l'Information.*

Ils se regardèrent en silence et puis Neu leva soudain les bras en l'air.

— Aïe, aïe! dit-il, aïe, aïe! Mon pauvre Birnenschatz!

— Oui, dit M. Birnenschatz.

Le garçon remplit leurs verres et tendit le journal à Neu. Neu regarda les cotes du jour, fit la grimace et reposa le journal sur la table.

— Mauvais, dit-il.

— Évidemment. Qu'est-ce que vous voulez qu'ils fassent? Ils attendent le discours d'Hitler.

M. Birnenschatz promena un regard morose sur les murs et sur les glaces. D'ordinaire, il aimait ce petit café frais et douillet; aujourd'hui il s'irritait de ne pas s'y sentir à son aise.

— Il n'y a plus qu'à attendre, reprit-il. Daladier a fait ce qu'il a pu; Chamberlain a fait ce qu'il a pu. A présent, il n'y a plus qu'à attendre. On va dîner sans appétit et dès huit heures et demie, on va tourner le bouton de la radio pour entendre ce discours. Attendre quoi? reprit-il soudain en frappant sur la table. Le bon plaisir d'un seul homme. Un seul homme. Les affaires sont dans le marasme, la Bourse dégringole, mes commis ont la tête à l'envers, le pauvre See est mobilisé : à cause d'un seul homme; la guerre et la paix sont entre ses mains. Ça me fait honte pour l'humanité.

Brunet se leva. Mme Samboulier le regarda. Il lui plaisait un peu : il devait bien faire l'amour, sourdement, paisiblement, avec une lenteur paysanne.

— Vous ne restez pas? demanda-t-elle. Vous dîneriez avec moi.

Elle désigna l'appareil de radio et ajouta :

— Comme digestif, je vous offre le discours d'Hitler.

— J'ai un rendez-vous à sept heures, dit Brunet. Et puis, pour tout dire, je me fous du discours d'Hitler.

Mme Samboulier le regarda sans comprendre.

— Si l'Allemagne capitaliste veut vivre, dit Brunet, il lui faut tous les marchés européens; donc il faut qu'elle élimine par la force tous ses concurrents industriels. L'Allemagne doit faire la guerre, ajouta-t-il avec force; et elle doit la perdre. Si Hitler avait été tué en 1914, nous en serions exactement au même point aujourd'hui.

— Alors, dit Mme Samboulier, la gorge serrée, cette affaire tchèque, ce n'est pas un bluff?

— C'est peut-être un bluff dans la tête d'Hitler, dit Brunet. Mais ce qu'il y a dans la tête d'Hitler n'a aucune espèce d'importance.

— Il peut encore l'empêcher, affirma M. Birnenschatz. S'il veut, il peut l'empêcher. Tous les atouts sont dans ses mains : l'Angleterre ne veut pas la guerre, l'Amérique est trop loin, la Pologne marche avec lui; s'il voulait il serait demain le maître du monde et sans tirer un coup de canon. Les Tchèques ont accepté le plan franco-anglais; il n'a qu'à l'accepter aussi. S'il donnait cette preuve de modération...

— Il ne peut plus reculer, dit Brunet. Toute l'Allemagne est derrière lui, qui le pousse.

— Nous, nous pouvons reculer, dit Mme Samboulier.

Brunet la regarda et se mit à rire.

— Ah! c'est vrai, dit-il, vous êtes pacifiste.

Neu retourna la boîte et les dominos tombèrent sur la table.

— Aïe! Aïe! dit-il. J'ai peur de la modération d'Hitler. Vous rendez-vous compte du prestige que ça lui donnerait?

Il s'était penché vers M. Birnenschatz et lui chuchotait dans l'oreille. M. Birnenschatz s'écarta avec agacement : Neu ne pouvait pas dire trois mots sans chuchoter avec un air de conspirateur, pendant que ses mains volaient dans les airs.

— S'il acceptait le plan franco-anglais, dans trois mois, Doriot serait au pouvoir.

— Doriot... dit M. Birnenschatz en haussant les épaules.

— Doriot ou un autre.

— Et puis après?

— Et nous? demanda Neu en baissant encore la voix.

M. Birnenschatz regarda sa grosse bouche douloureuse et sentit que la colère lui chauffait les oreilles :

— Tout vaut mieux que la guerre, dit-il sèchement.

— Donnez votre lettre, la petite la mettra à la poste.

Il posa l'enveloppe sur la table, entre une casserole et un plat d'étain : Mlle Ivich Serguine, 12, rue de la Mégisserie, Laon. Odette jeta un coup d'œil sur l'adresse, mais elle ne fit aucun commentaire; elle achevait de nouer une ficelle autour d'un gros paquet.

— Na! dit-elle. Na, na! Ça va être fini, ne vous impatientez pas.

La cuisine était blanche et propre, une infirmerie. Elle sentait la résine et la mer.

— J'ai mis deux ailes de poulet, dit Odette, et un peu de gelée, puisque vous l'aimez, et puis quelques tranches de pain bis et des sandwiches au jambon cru. Dans la bouteille thermos, il y a du vin. Vous n'aurez qu'à la garder, elle vous servira là-bas.

Il chercha son regard, mais elle baissait les yeux sur le paquet et semblait très affairée. Elle courut au buffet, coupa un long morceau de ficelle et revint en courant à son paquet.

— Il est bien assez ficelé, dit Mathieu.

La petite bonne se mit à rire mais Odette ne répondit pas. Elle mit la ficelle dans sa bouche, la retint en pinçant les lèvres et retourna prestement le paquet sur le dos. L'odeur de résine emplit soudain les narines de Mathieu et, pour la première fois depuis l'avant-veille, il lui sembla qu'il y avait autour de lui quelque chose qu'il allait pouvoir regretter. C'était la paix de cet après-midi dans la cuisine, ces calmes travaux ménagers, ce soleil laminé par le store, qui tombait en miettes sur les carreaux et, par delà tout cela, son enfance, peut-être, et un certain genre de vie calme et affairée, qu'il avait refusé une fois pour toutes.

— Mettez votre doigt là, dit Odette.

Il s'approcha, il se pencha au-dessus de sa nuque, il appuya le doigt sur la ficelle. Il aurait voulu lui dire quelques mots tendres, mais la voix d'Odette n'invitait pas à la tendresse. Elle leva les yeux sur lui :

— Voulez-vous des œufs durs? Vous les mettriez dans vos poches.

Elle avait l'air d'une jeune fille. Il ne la regrettait pas. Peut-être parce qu'elle était la femme de Jacques. Il pensa qu'il oublierait vite ce visage si modeste. Mais il aurait voulu que son départ lui fît un peu de peine.

— Non, dit-il, je vous remercie. Pas d'œufs durs.

Elle lui mit le paquet dans les bras :

— Voilà, dit-elle. Un beau paquet.

Il lui dit :

— Vous m'accompagnez à la gare.

Elle secoua la tête :

— Pas moi. Jacques vous accompagne. Je crois qu'il préfère rester seul avec vous, pour les dernières minutes.

— Alors adieu, dit-il. Est-ce que vous m'écrirez?

— Ça me ferait honte : j'écris de vraies lettres de petite fille, avec des fautes d'orthographe. Non : je vous enverrai des colis.

— J'aimerais que vous m'écriviez, dit-il.

— Eh bien alors, de temps en temps, vous trouverez un petit mot entre la boîte de sardines et le paquet de savons.

Il lui tendit la main et elle la serra rapidement. Elle avait une main brûlante et sèche. Il pensait vaguement : « C'est dommage. » Les longs doigts lui coulèrent entre les doigts comme du sable chaud. Il sourit et sortit de la cuisine. Jacques était agenouillé, au salon,

devant son poste de radio dont il manœuvrait les boutons. Mathieu
passa devant la porte et monta lentement l'escalier. Il n'était pas
mécontent de s'en aller. Comme il s'approchait de sa chambre, il
entendit derrière lui un bruit léger et il se retourna : c'était Odette.
Elle se tenait sur la dernière marche, elle était pâle et le regardait.

— Odette, dit-il.

Elle ne répondit pas, elle le regardait toujours, d'un air dur. Il
se sentit gêné et fit passer le paquet sous son bras gauche pour se
donner une contenance.

— Odette, répéta-t-il.

Elle s'approcha de lui, elle avait un visage indiscret et prophétique qu'il ne lui connaissait pas.

— Adieu, dit-elle.

Elle était tout près de lui. Elle ferma les yeux et tout d'un coup
posa les lèvres contre les siennes. Il fit un mouvement pour la prendre
dans ses bras mais elle lui échappa. Déjà elle avait repris son air
modeste; elle descendit l'escalier sans retourner la tête.

Il entra dans sa chambre et déposa le paquet dans sa valise. Elle
était si pleine qu'il dut s'agenouiller sur le couvercle pour la fermer.

— Qu'est-ce que c'est? dit Philippe.

Il s'était redressé en sursaut, il regardait Flossie avec terreur.

— Eh bien! c'est moi, mon petit bébé, dit-elle.

Il se laissa retomber en arrière en portant la main à son front.
Il gémit :

— J'ai mal au crâne.

Elle ouvrit le tiroir de la table de nuit et en sortit un tube d'aspi-
rine; il ouvrit le tiroir de la console, en sortit un verre et une bouteille de pernod, il les déposa sur le bureau présidentiel et s'affala
dans son fauteuil. Le moteur de l'avion lui tournait encore dans la
tête; il avait un quart d'heure, tout juste un quart d'heure, pour
se remettre. Il versa du pernod dans le verre, prit une carafe d'eau
sur la table et la renversa de haut au-dessus du verre. Le liquide
s'agitait et s'argentait par vagues successives. Il décolla son mégot
de sa lèvre inférieure et le jeta dans la corbeille à papiers. J'ai fait
tout ce que j'ai pu. Il se sentait vide. Il pensa : « La France... la
France... » et but une gorgée de pernod. J'ai fait tout ce que j'ai
pu; à présent la parole est à Hitler. Il but une gorgée de pernod
et fit claquer sa langue, il pensa : « La position de la France est
nettement définie. » Il pensa : « A présent, je n'ai plus qu'à attendre. »
Il était éreinté; il détendit ses jambes sous le bureau et pensa avec
une sorte de satisfaction : « Je n'ai plus qu'à attendre. » Comme tout

le monde. Les jeux sont faits. Il avait dit : « Si les frontières tchèques sont violées, la France tiendra ses engagements. » Et Chamberlain avait répondu : « Si, en conséquence de ces obligations, les forces françaises devenaient activement engagées dans des hostilités contre l'Allemagne, nous nous sentirions le devoir de les appuyer. »

Sir Neville Henderson s'avança, sir Horace Wilson se tenait très droit derrière lui; sir Neville Henderson tendit le message au chancelier du Reich; le chancelier du Reich lui prit le message des mains et se mit à le lire. Quand il eut fini, le chancelier du Reich demanda à sir Neville Henderson :

— Est-ce là le message de M. Chamberlain?

Daladier but une gorgée de pernod, soupira, et sir Neville Henderson répondit fermement :

— Oui, c'est là le message de M. Chamberlain. Daladier se leva et alla enfermer la bouteille de pernod dans le tiroir de la console; le chancelier du Reich dit de sa voix enrouée :

— Vous pourrez considérer mon discours de ce soir comme une réponse au message de M. Chamberlain.

Daladier pensait : « Quel con! Quel con! Qu'est-ce qu'il va dire? » Une ivresse légère lui montait aux tempes, il pensait : « Les événements m'échappent. » C'était comme un grand repos. Il pensa : « J'ai tout fait pour éviter la guerre; à présent la guerre et la paix ne sont plus dans mes mains. » Il n'y avait plus rien à décider, il n'y avait qu'à attendre. Comme tout le monde. Comme le bougnat du coin. Il sourit, il était le bougnat du coin, on l'avait dépouillé de ses responsabilités; la position de la France est nettement définie... C'était un grand repos. Il fixait les fleurs sombres du tapis, il sentait le vertige monter en lui. La paix, la guerre. J'ai tout fait pour maintenir la paix. Mais il se demandait à présent s'il ne désirait pas que ce torrent énorme l'emportât comme un brin de paille, il se demandait s'il ne désirait pas tout à coup cette énorme vacance : la guerre.

Il regarda autour de lui avec stupeur et cria :

— Je ne suis pas parti.

Elle était allée ouvrir les persiennes, elle revint près du lit et se pencha sur lui. Elle avait chaud, il respira son odeur de poisson.

— Qu'est-ce que tu racontes, petite crapule? Qu'est-ce que tu racontes?

Elle lui avait posé une de ses fortes mains noires sur la poitrine. Le soleil faisait une tache d'huile sur sa joue gauche. Philippe la regarda et se sentit profondément humilié : elle avait des rides autour

des yeux et aux coins de la bouche. « Elle était si belle aux lumières »,
pensa-t-il. Elle lui soufflait dans la figure et laissait couler sa langue
rose entre ses lèvres. « Je ne suis pas parti », pensa-t-il. Il lui dit :
— Tu n'es plus toute jeune.
Elle fit une drôle de grimace et referma la bouche. Elle lui dit :
— Pas si jeune que toi, crapule.
Il voulut sortir de son lit mais elle le tenait solidement; il était
nu et désarmé; il se sentait misérable.
— Petite crapule, dit-elle, petite crapule.
Les mains noires descendirent lentement le long de ses flancs.
« Après tout, pensa-t-il, ça n'est pas donné à tout le monde de perdre
son pucelage avec une négresse. » Il se laissa retomber en arrière et
des jupes noires et grises vinrent tourner à quelques pouces de son
visage. Le type gueulait moins fort, derrière lui; c'était plutôt un
râle, une espèce de gargouillis. Un soulier se leva au-dessus de sa
tête, il vit une semelle pointue, une motte de terre était collée contre
le talon; la semelle se posa en craquant à côté de sa gouttière; c'était
un gros soulier noir à boutons. Il leva les yeux, vit une soutane et,
très haut dans les airs, deux narines poilues au-dessus d'un rabat.
Blanchard lui souffla à l'oreille :
— Faut qu'il aille rudement mal, le copain, pour qu'ils aient fait
venir un cureton.
— Qu'est-ce qu'il a? demanda Charles.
— Je ne sais pas, mais Pierrot dit qu'il va y passer.
Charles pensa : « Pourquoi n'est-ce pas moi? » Il voyait sa vie et il
pensait : « Pourquoi n'est-ce pas moi? » Deux hommes d'équipe passèrent près de lui, il reconnut le drap de leurs pantalons; il enten-
dait, derrière lui, la voix onctueuse et calme du curé; le malade ne
gémissait plus. « Il est peut-être crevé », pensa-t-il. L'infirmière passa,
elle tenait une cuvette entre ses mains; il dit timidement :
— Madame! Vous ne pourriez pas y aller, à présent?
Elle baissa les yeux sur lui en rougissant de colère.
— C'est encore vous? Qu'est-ce que vous voulez?
— Vous ne pouvez pas envoyer quelqu'un chez les femmes? Elle
s'appelle Catherine.
— Ah! fichez-moi donc la paix, répondit-elle. Ça fait la quatrième
fois que vous me demandez ça.
— Ça serait simplement pour lui demander son nom de famille
et pour lui donner le mien; ça ne vous dérangerait pas beaucoup.
— Il y a un mourant, ici, dit-elle rudement. Vous pensez comme
j'ai le temps de m'occuper de vos bêtises.

Elle s'en alla et le type se remit à geindre; c'était difficile à supporter. Charles manœuvra sa glace; il vit un moutonnement de corps étendus côte à côte et, tout au fond, la croupe énorme du curé agenouillé près du malade. Au-dessus d'eux, il y avait une cheminée avec une glace dans un cadre. Le curé se releva et les porteurs se penchèrent sur le corps, ils l'emmenaient.

— Est-il mort? demanda Blanchard.

La gouttière de Blanchard n'avait pas de miroir rotatif.

— Je ne sais pas, dit Charles.

Le cortège passa près d'eux en soulevant un nuage de poussière. Charles se mit à tousser, puis il vit le dos courbé des porteurs qui se dirigeaient vers la porte. Une robe tournoya près de lui et s'immobilisa soudain. Il entendit la voix de l'infirmière.

— Avec ça, on est coupé de tout, on ne sait plus les nouvelles. Comment ça va-t-il, monsieur le curé?

— Ça ne va pas bien du tout, dit le curé. Pas bien du tout, Hitler va parler ce soir, je ne sais pas ce qu'il dira, mais je crois que c'est la guerre.

Sa voix tombait par nappes sur le visage de Charles. Charles se mit à rire.

— Qu'est-ce que t'as à te marrer? demanda Blanchard.

— Je me marre parce que le cureton dit qu'il va y avoir la guerre.

— Je ne trouve pas ça marrant, dit Blanchard.

— Moi, si, dit Charles.

« Ils l'auront, leur guerre; ils l'auront dans le cul. » Il riait toujours : à 1 m. 70 au-dessus de sa tête, c'était la guerre, la tourmente, l'honneur outragé, le devoir patriotique; mais au ras du sol, il n'y avait ni guerre ni paix; rien que la misère et la honte des sous-hommes, des pourris, des allongés. Bonnet ne la voulait pas; Champetier de Ribes la voulait; Daladier regardait le tapis, c'était un cauchemar, il ne pouvait pas se débarrasser de ce vertige qui l'avait saisi derrière les oreilles : qu'elle éclate! qu'elle éclate! qu'il la déclare donc, ce soir, le grand méchant loup de Berlin. Il racla fortement son soulier contre le parquet; sur le parquet, Charles sentait monter le vertige de son ventre à sa tête : la honte, la douce, douce, confortable honte, il ne lui restait plus que ça. L'infirmière était arrivée près de la porte, elle enjamba un corps et l'abbé s'effaça pour la laisser passer.

— Madame! cria Charles. Madame!

Elle se retourna, grande et forte, avec un beau visage moustachu et des yeux furieux.

Charles dit d'une voix claire qui résonna dans toute la salle :
— Madame, madame! Vite, vite! Donnez-moi le bassin, c'est
pressé.

Le voilà! Le voilà, on les poussait par derrière, ils poussèrent
le policeman qui recula d'un pas en étendant les bras, ils crièrent :
« Hurrah, le voilà! » Il marchait à pas raides et calmes, il donnait le
bras à sa femme, Fred était ému, mon père et ma mère, le dimanche,
à Greenwich; il cria : « Hurrah! », c'était si bon de les voir là, si
paisibles, qui donc aurait osé avoir peur, quand on les voyait faire
leur petite promenade d'après-midi, comme de vieux époux très
unis? Il serra fortement sa valise, la brandit au-dessus de sa tête et
cria : « Vive la paix, hurrah! » Ils se tournèrent tous les deux vers
lui et M. Chamberlain lui sourit personnellement; Fred sentit que le
calme et la paix descendaient jusqu'au fond de son cœur, il était pro-
tégé, gouverné, réconforté, et le vieux Chamberlain trouvait encore
le moyen de se promener tranquillement par les rues, comme n'importe qui, et de lui adresser un sourire personnel. Tout le monde
criait hurrah autour de lui, Fred regardait le dos maigre de M. Chamberlain qui s'éloignait de son pas de clergyman, il pensa : « C'est
l'Angleterre », et les larmes lui montèrent aux yeux. La petite Sadie
se baissa et prit une photo sous le bras du policeman.

— A la queue, madame, à la queue comme tout le monde.
— Il faut faire la queue pour avoir un *Paris-Soir?*
— Mais comment donc! Et même comme ça, ça m'étonnerait que
vous en ayez.

Elle n'en croyait pas ses oreilles.
— Eh ben, merde, alors! Je vais pas faire la queue pour *Paris-
Soir;* ça ne m'est encore jamais arrivé de faire la queue pour un
journal!

Elle leur tourna le dos, le cycliste arrivait avec son paquet de
feuilles. Il les posa sur la table à côté du kiosque et ils se mirent à
les compter.

— Les voilà! Les voilà.
Il y eut un remous dans la foule.
— Enfin! dit la marchande, allez-vous me laisser les compter?
— Ne poussez pas, voyons! dit la dame bien, je vous dis de ne
pas pousser.
— Je ne pousse pas, madame, dit le petit gros : on me pousse, ça
n'est pas pareil.
— Et moi, dit le maigrichon, je vous prie d'être poli avec ma
femme.

La dame en deuil se tourna vers Émilie :

— C'est la troisième dispute que je vois depuis ce matin.

— Ah! dit Émilie, c'est qu'en ce moment les hommes sont si nerveux.

L'avion s'approchait des montagnes; Gomez les regarda et puis il regarda, au-dessous de lui, les rivières et les champs, il y avait une ville toute ronde à sa gauche, tout était risible et si petit, c'était la France, verte et jaune, avec ses tapis d'herbe et ses rivières tranquilles. « Adieu! Adieu! » Il s'enfoncerait entre les montagnes, adieu les tournedos Rossini, les coronas et les belles femmes, il descendrait en planant vers le sol rouge et nu, vers le sang. Adieu! Adieu : tous les Français étaient là, au-dessous de lui, dans la ville ronde, dans les champs, au bord de l'eau : dix-huit heures trente-cinq, ils s'agitent comme des fourmis, ils attendent le discours d'Hitler. A mille mètres au-dessous de moi ils attendent le discours d'Hitler. Moi je n'attends rien. Dans un quart d'heure, il ne verrait plus ces douces prairies, d'énormes blocs de pierre le sépareraient de cette terre de peur et d'avarice. Dans un quart d'heure, il descendrait vers les hommes maigres aux gestes vifs, aux yeux durs, vers *ses* hommes. Il était heureux, avec une boule d'angoisse dans la gorge. Les montagnes se rapprochaient, elles étaient brunes, à présent. Il pensa : « Comment vais-je retrouver Barcelone? »

— Entrez, dit Zézette.

C'était une dame, un peu forte et très jolie, avec un chapeau de paille et un tailleur en prince de galles. Elle regarda autour d'elle en dilatant les narines et, tout aussitôt, sourit gentiment.

— Madame Suzanne Tailleur?

— C'est moi, dit Zézette intriguée.

Elle s'était levée. Elle pensa qu'elle avait les yeux rouges et s'adossa à la fenêtre. La dame la regardait en clignant des yeux. Quand on la voyait mieux, elle paraissait plus âgée. Elle avait l'air éreintée.

— Je ne vous dérange pas, au moins.

— Ben non, dit Zézette. Assoyez-vous.

La dame se pencha sur la chaise et la regarda, puis elle s'assit. Elle se tenait droite et son dos ne touchait pas le dossier.

— J'ai bien monté quarante étages depuis ce matin. Et les gens ne pensent pas toujours à vous offrir des chaises.

Zézette s'aperçut qu'elle avait encore son dé au doigt. Elle l'ôta et le jeta dans sa boîte à couture. A ce moment le bifteck se mit à crépiter dans la poêle. Elle rougit, courut au fourneau et éteignit le gaz. Mais l'odeur persistait.

— Que je ne vous empêche pas de manger.

— Oh! j'ai bien le temps, dit Zézette.

Elle regardait la dame et se sentait partagée entre la gêne et l'envie de rire.

— Votre mari est mobilisé?

— Il est parti hier matin.

— Ils partent tous, dit la dame. C'est terrible. Vous devez être dans une situation matérielle... difficile...

— Je crois que je vais reprendre mon ancien métier, dit Zézette. J'étais fleuriste.

La dame hocha la tête :

— C'est terrible! C'est terrible! Elle avait l'air si navré que Zézette eut un mouvement de sympathie :

— Votre mari est parti aussi?

— Je ne suis pas mariée. Elle regarda Zézette et ajouta vivement : « Mais j'ai deux frères qui pourraient partir.

— Qu'est-ce que vous désirez? demanda Zézette d'une voix sèche.

— Eh bien, dit la demoiselle, voilà. » Elle lui sourit : « Je ne connais pas vos idées et ce que je vais vous demander est en dehors de toute politique. Vous fumez? Vous voulez une cigarette? »

Zézette hésita :

— Je veux bien, dit-elle.

Elle se tenait debout contre le fourneau à gaz et ses mains serraient le bord de la table, derrière son dos. L'odeur du bifteck et le parfum de la visiteuse s'étaient mélangés, à présent. La demoiselle lui tendit son étui et Zézette fit un pas en avant. La demoiselle avait des doigts fins et blancs avec des ongles faits. Zézette prit une cigarette entre ses doigts rouges. Elle regardait ses doigts et les doigts de la demoiselle et elle souhaitait qu'elle s'en aille au plus vite. Elles allumèrent leurs cigarettes et la demoiselle demanda :

— Vous ne croyez pas qu'il faut empêcher cette guerre à tout prix?

Zézette recula jusqu'au fourneau et la regarda avec méfiance. Elle était inquiète. Sur la table elle aperçut une paire de jarretelles et un pantalon qui traînaient.

— Ne croyez-vous pas, dit la demoiselle, que si nous unissions nos forces...

Zézette traversa la pièce d'un air négligent; quand elle atteignit la table, elle demanda :

— Qui ça, nous?

— Nous autres femmes, dit la demoiselle avec force.

— Nous autres femmes, répéta Zézette. Elle ouvrit rapidement le tiroir et y jeta les jarretelles avec le pantalon, puis elle se tourna vers la demoiselle, soulagée.

— Nous autres femmes? Mais qu'est-ce que nous pouvons faire?

La demoiselle fumait comme un homme, en rejetant la fumée par le nez; Zézette regardait son tailleur et son collier de jade et ça lui faisait drôle de lui dire « nous ».

— Seule, vous ne pouvez rien, dit la demoiselle avec bonté. Mais vous n'êtes pas seule : en ce moment, il y a cinq millions de femmes qui craignent pour la vie d'un être cher. A l'étage en dessous, c'est Mme Panier, dont le frère et le mari viennent de partir et qui a six enfants. Sur le trottoir d'en face c'est la boulangère. A Passy c'est la duchesse de Cholet.

— Oh! la duchesse de Cholet... murmura Zézette.

— Eh bien?

— Ça n'est pas pareil.

— Qu'est-ce qui n'est pas pareil? Qu'est-ce qui n'est pas pareil? Parce qu'il y en a qui vont en auto pendant que les autres font leur ménage elles-mêmes? Ah! madame, je suis la première à réclamer une organisation sociale meilleure. Mais croyez-vous que c'est la guerre qui nous la donnera? Les questions de classes comptent si peu en face du danger qui nous menace. Nous sommes d'abord des femmes, madame, des femmes qu'on atteint dans ce qu'elles ont de plus cher. Supposez que nous nous donnions toutes la main et que nous criions toutes ensemble : « Pas de ça! » Voyons : vous n'aimeriez pas le voir revenir?

Zézette secoua la tête : ça lui paraissait farce que cette demoiselle l'appelât madame.

— On ne peut pas empêcher la guerre, dit-elle.

La demoiselle rougit légèrement :

— Et pourquoi pas? demanda-t-elle.

Zézette haussa les épaules. Celle-là voulait empêcher la guerre. D'autres, comme Maurice, voulaient supprimer la misère. Finalement personne n'empêchait rien.

— Parce que, dit-elle. On ne peut pas l'empêcher.

— Ah! mais il ne faut pas penser comme ça, dit la visiteuse avec reproche. Ce sont ceux qui pensent comme ça qui font arriver les guerres. Et puis il faut songer un peu aux autres. Quoi que vous fassiez, vous êtes solidaire de nous toutes.

Zézette ne répondit pas. Elle serrait dans son poing sa cigarette éteinte et elle avait l'impression d'être à l'école communale.

— Vous ne pouvez pas me refuser une signature, dit la demoiselle. Voyons, madame, une signature : vous ne pouvez pas.

Elle avait tiré de son sac une feuille de papier; elle la mit sous le nez de Zézette.

— Qu'est-ce que c'est? demanda Zézette.

— C'est une pétition contre la guerre, dit la demoiselle. Nous recueillons les adhésions par milliers.

Zézette lut à mi-voix :

« Les femmes de France signataires de la présente pétition déclarent qu'elles font confiance au gouvernement de la République pour sauvegarder la paix par tous les moyens. Elles affirment leur conviction absolue que la guerre, quelles que soient les circonstances où elle éclate, est toujours un crime. Des négociations, des échanges de vue, toujours; le recours à la violence, jamais. Pour la paix universelle, contre la guerre sous toutes ses formes, ce 22 septembre 1938. La ligue des mères et des épouses françaises. »

Elle retourna la page : le verso était couvert de signatures, serrées les unes en dessous des autres, horizontales, obliques, montantes, descendantes, à l'encre noire, à l'encre violette, à l'encre bleue. Certaines s'étalaient largement, en grosses lettres anguleuses, et d'autres, avares et pointues, se serraient honteusement dans un petit coin. A côté de chaque signature, il y avait une adresse : Mme Jeanne Plémeux, 6, rue d'Aubignac; Mme Solange Péres, 142, avenue de Saint-Ouen. Zézette parcourut du regard les noms de toutes ces madames. Elles s'étaient toutes penchées sur ce papier. Il y en avait dont la marmaille criait dans la pièce à côté et d'autres avaient signé dans un boudoir, avec un stylo d'or. A présent leurs noms étaient côte à côte et ils se ressemblaient. Mme Suzanne Tailleur : elle n'avait qu'à demander une plume à la demoiselle et elle deviendrait, elle aussi, une madame, son nom s'étalerait, important et morose, au-dessous des autres.

— Qu'est-ce que vous ferez de tout ça? demanda-t-elle.

— Quand nous aurons assez de signatures, nous enverrons une délégation de femmes les porter à la présidence du Conseil.

Mme Suzanne Tailleur. Elle était Mme Suzanne Tailleur. Maurice lui répétait tout le temps qu'on était solidaire de sa classe. Et voilà qu'à présent elle avait des devoirs en commun avec la duchesse de Cholet. Elle pensa : « Une signature : je ne peux pas leur refuser une signature. »

Flossie s'accouda au traversin et regarda Philippe.

— Eh bien, crapule? Qu'est-ce que tu en penses?

— Ça peut aller, dit Philippe. Ça doit être encore mieux quand
on n'a pas mal au crâne.

— Faut que je me lève, dit Flossie. Je vais bouffer, puis j'irai à
la boîte. Tu viens?

— Je suis trop fatigué, dit Philippe. Va sans moi.

— Tu m'attendras ici, hein? Tu me jures que tu m'attendras?

— Mais oui, dit Philippe en fronçant les sourcils. Va vite, va vite,
je t'attendrai.

— Alors, dit la demoiselle, est-ce que vous signez?

— J'ai pas de porte-plume, dit Zézette.

La demoiselle lui tendit un stylo. Zézette le prit et signa au bas
de la page. Elle calligraphia son nom et son adresse à côté de la signature, puis elle releva la tête et regarda la demoiselle : il lui semblait
que quelque chose allait arriver.

Il n'arriva rien du tout. La demoiselle se leva. Elle prit la feuille
et la regarda attentivement.

— C'est parfait, dit-elle. Eh bien, ma journée est finie.

Zézette ouvrit la bouche : il lui semblait qu'elle avait une foule de
questions à poser. Mais les questions ne vinrent pas. Elle dit seulement :

— Alors, vous allez porter ça à Daladier?

— Mais oui, dit la demoiselle. Mais oui.

Elle agita la feuille un moment puis elle la plia et la fit disparaître
dans son sac. Zézette eut un serrement de cœur quand le sac se
referma. La demoiselle leva la tête et la regarda droit dans les yeux :

— Merci, dit-elle. Merci pour lui. Merci pour nous toutes. Vous
êtes une femme de cœur, madame Tailleur.

Elle lui tendit la main :

— Allons, dit-elle, il faut que je me sauve.

Zézette lui serra la main après s'être essuyé la sienne à son tablier.
Elle se sentait amèrement déçue.

— C'est... c'est tout? demanda-t-elle.

La demoiselle se mit à rire. Elle avait des dents comme des perles.
Zézette se répéta : « Nous sommes solidaires. » Mais les mots n'avaient
plus de sens.

— Oui, pour le moment, c'est tout.

Elle gagna la porte d'un pas vif, l'ouvrit, tourna une dernière fois
un visage souriant vers Zézette et disparut. Son parfum flottait
encore dans la pièce. Zézette entendit son pas décroître et renifla
deux ou trois fois. Il lui semblait qu'on lui avait volé quelque chose.
Elle alla à la fenêtre, l'ouvrit et se pencha au dehors. Il y avait une

auto contre le trottoir. La demoiselle sortit de l'hôtel, ouvrit la portière et monta dans l'auto qui démarra. « J'ai fait une connerie », pensa
Zézette. L'auto tourna dans l'avenue de Saint-Ouen et disparut,
emportant à jamais sa signature et la belle dame parfumée. Zézette
soupira, referma la fenêtre et ralluma le gaz. La graisse se mit à
crépiter, l'odeur de viande chaude recouvrit le parfum et Zézette
pensa : « Si jamais Maurice sait ça, qu'est-ce que je vais prendre. »

— Maman, j'ai faim.

— Quelle heure est-il ? demanda la mère à Mathieu.

C'était une belle et forte Marseillaise avec une ombre de moustache.

Mathieu jeta un coup d'œil à son bracelet-montre :

— Il est huit heures vingt.

La femme prit sous ses jambes un panier fermé par une tringle
de fer :

— Sois contente, petit tourment, tu vas manger.

Elle tourna la tête vers Mathieu.

— Elle ferait damner un saint.

Mathieu leur adressa un sourire vague et bienveillant. « Huit
heures vingt, pensa-t-il. Dans dix minutes Hitler va parler. Ils sont
au salon, il y a plus d'un quart d'heure que Jacques tripote les boutons de la radio. »

La femme avait posé le panier sur la banquette; elle l'ouvrit,
Jacques cria :

— Je l'ai! Je l'ai! J'ai Stuttgart.

Odette était debout près de lui, elle lui avait mis la main sur
l'épaule. Elle entendit un brouhaha et il lui sembla que le souffle
d'une longue salle voûtée la frappait au visage. Mathieu se poussa
un peu pour faire place au panier : il n'avait pas quitté Juan-les-Pins.
Il était près d'Odette, contre Odette, mais aveugle et sourd, le train
emportait ses oreilles et ses yeux vers Marseille. Il n'avait pas
d'amour pour elle, c'était autre chose : elle l'avait regardé comme
s'il n'était pas tout à fait mort. Il voulut donner un visage à cette
tendresse informe qui pesait en lui; il chercha le visage d'Odette,
mais il fuyait, celui de Jacques apparut par deux fois à sa place,
Mathieu finit par entrevoir une forme immobile dans un fauteuil,
avec un bout de nuque inclinée et un air d'attention sur une face
dépourvue de bouche et de nez.

— Il était temps, dit Jacques en se retournant vers elle. Il n'a
pas commencé de parler.

Mes yeux sont ici. Il voyait le panier : une belle serviette blanche à raies rouges et noires en recouvrait le contenu. Mathieu contempla encore un instant la nuque brune et puis la lâcha : c'était si peu pour une si lourde tendresse. Elle s'abîma dans l'ombre et la serviette se mit à exiger énormément, elle s'installa dans ses yeux, chassant pêle-mêle les images et les pensées. *Mes yeux sont ici.* Une sonnerie étouffée le fit sursauter.

— Cocotte, vite, vite! dit la Marseillaise.

Elle se tourna vers Mathieu avec un rire d'excuse :

— C'est le réveil. Je le mets toujours sur huit heures et demie.

La petite ouvrit précipitamment une mallette, y plongea les mains et la sonnerie s'arrêta. Huit heures trente, il va entrer au Sportpalast. Je suis à Juan-les-Pins, je suis à Berlin, mais *mes yeux sont ici.* Quelque part une longue auto noire s'arrêtait devant une porte, des hommes en chemise brune en descendaient. Quelque part au nord-est, sur sa droite et derrière lui : mais ici il y avait cette nappe qui lui bouchait la vue. Des doigts potelés et bagués la tirèrent prestement par les coins, elle disparut, Mathieu vit une bouteille thermos couchée sur le flanc et des piles de tartines : il eut faim. Je suis à Juan-les-Pins, je suis à Berlin, je suis à Paris, je n'ai plus de vie, je n'ai plus de destin. Mais ici, j'ai faim. Ici, près de cette grosse brune et de cette petite fille. Il se leva, atteignit sa valise dans le filet, l'ouvrit et y prit à tâtons le paquet d'Odette. Il se rassit, prit son couteau et trancha les ficelles; il avait hâte de manger, comme s'il devait avoir fini à temps pour entendre le discours d'Hitler. Il entre; une formidable clameur fait trembler les vitres, elle se calme, il étend la main. Quelque part, il y avait dix mille hommes au port d'armes, la tête droite, le bras levé. Quelque part, dans son dos, Odette se penchait sur un appareil de T. S. F. Il parle, il dit : « Mes compatriotes », et déjà sa voix ne lui appartient plus, elle est devenue internationale. On l'entend à Brest-Litowsk, à Prague, à Oslo, à Tanger, à Cannes, à Morlaix, sur le grand bateau blanc de la compagnie Paquet qui vogue entre Casablanca et Marseille.

— Tu es sûr que tu as Stuttgart? demanda Odette. On n'entend rien.

— Chut, chut, dit Jacques. Oui, j'en suis sûr.

Lola s'arrêta devant l'entrée du casino.

— Alors à tout à l'heure, lui dit-elle.

— Chante bien, dit Boris.

— Oui. Où vas-tu, mon chéri?

— Je vais au Bar basque, dit Boris. Il y a des copains qui ne savent pas l'allemand et qui m'ont demandé de leur traduire le discours d'Hitler.

— Brr, dit Lola en frissonnant, tu ne vas pas rigoler.

— J'aime bien traduire, dit Boris.

Il parle! Mathieu fit un violent effort pour l'entendre et puis il se sentit creux et lâcha tout. Il mangeait; en face de lui la petite fille mordait dans une tartine de confiture; on n'entendait que le halètement calme des bogies, c'était un soir de miel, tout clos. Mathieu détourna les yeux et regarda la mer, à travers la vitre. Le soir rose et rond se fermait au-dessus d'elle. Et pourtant une voix perçait cet œuf en sucre. Elle est partout, le train fonce dedans et elle est dans le train, sous les pieds de la môme, dans les cheveux de la dame, dans ma poche, si j'avais une radio je la ferais éclore dans le filet ou sous la banquette. Elle est là, énorme, elle couvre le bruit du train, elle fait trembler les vitres — et je ne l'entends pas. Il était las, il aperçut au loin une voile sur l'eau et ne pensa plus qu'à elle.

— Écoute! dit Jacques triomphant, écoute!

Une immense rumeur sortit soudain de l'appareil. Odette fit un pas en arrière, c'était presque insupportable. « Comme ils sont nombreux, pensa-t-elle. Comme ils l'admirent! » Là-bas, à des milliers de kilomètres, des dizaines de milliers de damnés. Et leurs voix remplissaient le calme salon de famille — et c'était son sort à elle qui se jouait là-bas.

— Le voilà, dit Jacques, le voilà!

La bourrasque s'apaisait peu à peu; on distinguait des voix nasales et dures et puis le silence se fit et Odette comprit qu'il allait parler. Boris poussa la porte du bar et le patron lui fit signe de se presser.

— Maniez-vous, dit-il, ça va commencer.

Ils étaient trois, accoudés au zinc : il y avait le Marseillais, Charlier, le typo de Rouen, et puis un grand type costaud et grossièrement bâti, qui vendait des machines à coudre et qui s'appelait Chomis.

— Salut, dit Boris, à voix basse.

Ils le saluèrent en vitesse et il s'approcha de l'appareil. Il les estimait parce qu'ils n'avaient pas craint d'écourter leur dîner pour venir se faire dire en face des trucs désagréables. C'étaient des types durs, qui regardaient les choses en face.

Il s'était appuyé des deux mains à la table, il regardait la mer immense, il entendait le bruit de la mer. Il leva la main droite et la mer se calma. Il dit :

— Mes chers compatriotes.

« Il y a une limite où il n'est plus possible de céder parce que cela deviendrait une faiblesse nuisible. Dix millions d'Allemands se trouvaient en dehors du Reich en deux grands territoires constitués. C'étaient des Allemands qui voulaient réintégrer le Reich. Je n'aurais pas le droit de comparaître devant l'Histoire d'Allemagne si j'avais voulu seulement les abandonner avec indifférence. Je n'aurais pas non plus moralement le droit d'être le Führer de ce peuple. J'ai pris sur moi assez de sacrifices, de renoncement. Là se trouvait la limite que je ne pouvais franchir. Le plébiscite en Autriche a montré combien ce sentiment était fondé. Un ardent témoignage a été rendu alors, tel que le reste du monde ne l'avait certainement pas espéré. Mais nous avons vu déjà que, pour les démocraties, un plébiscite devient inutile et même funeste du moment qu'il ne produit pas le résultat qu'elles espéraient. Néanmoins ce problème a été résolu pour le bonheur du grand peuple allemand tout entier.

« Et maintenant nous avons devant nous le dernier problème qui doit être résolu et qui sera résolu. »

La mer se déchaîna à ses pieds et il resta un moment sans parler à regarder ses vagues énormes. Odette pressa la main contre sa poitrine, ça lui faisait chaque fois sauter le cœur, ces hurlements. Elle se pencha à l'oreille de Jacques qui gardait les sourcils froncés, avec un air d'attention extrême, bien qu'Hitler eût cessé de parler depuis plusieurs secondes. Elle lui demanda, sans grand espoir.

— Qu'est-ce qu'il dit?

Jacques prétendait comprendre l'allemand parce qu'il avait passé trois mois à Hanovre et, depuis dix ans, il écoutait scrupuleusement à la radio tous les orateurs de Berlin, il s'était même abonné à la *Frankfurter Zeitung*, à cause des articles financiers. Mais les renseignements qu'il donnait sur ce qu'il avait lu ou entendu demeuraient toujours très vagues. Il haussa les épaules :

— Toujours la même chose. Il a parlé de sacrifices et du bonheur du peuple allemand.

— Il consent à faire des sacrifices? demanda vivement Odette. Ça veut dire qu'il ferait des concessions?

— Oui, non... Tu sais, c'est resté très en l'air.

Il étendit la main et Karl cessa de crier : c'était un ordre. Il se tourna à droite et à gauche en murmurant : « Écoutez! Écoutez! », il lui semblait que l'ordre muet du Führer le traversait de part en part et prenait corps dans sa bouche. « Écoutez! dit-il. Écoutez! » Il n'était plus qu'un instrument docile, un résonateur : le plaisir le fit trembler de la tête aux pieds. Tout le monde se tut, la salle entière s'abîma dans le silence et dans la nuit; Hess, Gœring et

Gœbbels avaient disparu, il n'y avait plus personne au monde que
Karl et son Führer. Le Führer parlait devant le grand étendard
rouge à la croix gammée, il parlait pour Karl, pour lui seul. Une
voix, une seule voix au monde. Il parle pour moi, il pense pour
moi, il décide pour moi. Mon Führer.

« C'est la dernière revendication territoriale que j'aie à formuler
en Europe, mais c'est une revendication dont je ne m'écarterai pas
et que je réaliserai s'il plaît à Dieu. »

Il fit une pause. Alors Karl comprit qu'il avait la permission de
crier et il cria de toutes ses forces. Tout le monde se mit à crier, la
voix de Karl s'enfla, monta jusqu'aux cintres et fit trembler les
vitres. Il brûlait de joie, il avait dix mille bouches et il se sentait
historique.

— Ta gueule! Ta gueule, cria Mimile dans l'appareil. Il se tourna
vers Robert et lui dit : « Tu te rends compte! Quelle bande de
cons! Ces types-là ne sont contents que quand ils peuvent gueuler
ensemble. Leurs distractions, paraît que c'est la même chose. Ils
ont de grands machins à Berlin, il peut y tenir vingt mille personnes,
ils se réunissent là le dimanche, ils se mettent à chanter en chœur
en buvant de la bière. »

L'appareil mugissait toujours :

— Oh! dis, dit Robert, on lui fait le coup du crochet!

Ils tournèrent le bouton, les voix s'éteignirent et il leur sembla
soudain que la chambre sortait de l'ombre, elle était là, autour d'eux,
petite et calme, la fine était à portée de leurs mains, ils n'avaient eu
qu'à tourner un bouton et toutes ces clameurs de damnés étaient
rentrées dans leur boîte, un beau soir mesuré était venu par la
fenêtre, un soir français; ils étaient entre Français.

« Cet État tchèque a débuté par un grand mensonge. L'auteur de
ce mensonge s'appelait Benès. »

Rafales dans l'appareil.

« Ce M. Benès se présenta à Versailles et il affirma d'abord qu'il
existait une nation tchécoslovaque. »

Hilarité dans l'appareil. La voix reprit, hargneuse :

« Il était obligé d'inventer ce mensonge, afin de donner au maigre
effectif de ses concitoyens une importance un peu plus grande et
par suite un peu plus justifiée. Et les hommes d'État anglo-saxons,
qui n'ont jamais été familiarisés suffisamment avec les questions
ethniques et géographiques, n'ont pas jugé nécessaire alors de véri
fier ces affirmations de M. Benès.

« Comme cet État ne paraissait pas viable, on a simplement pris trois millions et demi d'Allemands, contrairement à leur droit de disposer librement d'eux-mêmes et contrairement à leur volonté de libre disposition. »

L'appareil cria : « Fi! Fi! Fi! » M. Birnenschatz cria : « Menteur! On ne les a pas pris à l'Allemagne ces Allemands! » Ella regardait son père, tout rouge d'indignation, qui fumait un cigare dans son fauteuil, elle regardait sa mère et sa sœur Ivy et elle les haïssait presque : « Comment peuvent-ils écouter ça! »

« Comme cela ne suffisait pas, il fallut encore ajouter un million de Magyars, puis des Russes subcarpathiques, et, enfin, encore quelques centaines de milliers de Polonais.

« Voilà ce qu'est cet État qui s'est plus tard appelé Tchécoslovaquie, contrairement au droit de libre disposition des peuples, contrairement au désir et à la volonté clairement exprimés des nations violentées. En vous parlant ici, je compatis naturellement au destin de tous ces opprimés : je compatis au destin des Slovaques, des Polonais, des Hongrois, des Ukrainiens; mais je ne parle naturellement que de la destinée de mes Allemands. »

Une clameur immense remplit la pièce. Comment peuvent-ils écouter ça? Et ces « Heil! Heil! » ça lui faisait mal au cœur. « Enfin nous sommes des Juifs, pensa-t-elle avec irritation, nous n'avons pas à écouter notre bourreau. Lui, passe encore, je l'ai toujours entendu dire que les Juifs n'existaient pas. Mais elle, pensa-t-elle en regardant sa mère, elle, elle sait qu'elle est Juive, elle le sent et elle reste là. » Mme Birnenschatz, volontiers prophétique, s'était écriée l'avant-veille encore : « C'est la guerre, mes enfants, et la guerre perdue, le peuple juif n'a plus qu'à reprendre sa besace. » A présent, elle somnolait au milieu des clameurs, elle fermait de temps à autre ses yeux peints et sa grosse tête sombre aux cheveux de jais oscillait. La voix reprit, dominant la tempête :

« Et maintenant commence le cynisme. Cet État qui n'est gouverné que par une minorité, oblige ses nationaux à faire une politique qui les forcerait un jour à tirer sur leurs frères. »

Ella se leva. Ces mots rauques, qui s'arrachaient péniblement d'une gorge toujours prête à tousser, c'étaient des coups de couteau. Il a torturé des Juifs : pendant qu'il parle, il y en a des milliers qui agonisent dans les camps de concentration, et on laisse sa voix se pavaner chez nous, dans ce salon où nous avons, hier encore, reçu le cousin Dachauer, avec ses paupières brûlées.

« Benès exige ceci des Allemands : « Si je fais la guerre contre « l'Allemagne, tu devras tirer sur les Allemands. Et si tu refuses tu

« seras un traître et je te ferai fusiller. » Et il demande la même chose aux Hongrois et aux Polonais. »

La voix était là, énorme, la voix de haine; l'homme était contre Ella. La grande plaine d'Allemagne, les montagnes de France s'étaient effondrées, il était tout contre elle, sans distance, il se démenait dans sa boîte, il me regarde, il me voit. Ella se tourna vers sa mère, vers Ivy : mais elles avaient sauté en arrière. Ella pouvait encore les voir, mais non les toucher. Paris aussi avait reculé hors d'atteinte, la lumière qui entrait par les fenêtres tombait morte sur le tapis. Il s'était fait un imperceptible décollement des gens et des choses, elle était seule au monde avec cette voix.

« Le 20 février de cette année, j'ai déclaré au Reichstag qu'il fallait qu'un changement intervînt dans la vie des dix millions d'Allemands qui vivent hors de nos frontières. Or M. Benès a agi autrement. Il a institué une oppression encore plus complète. »

Il lui parlait seul à seule, les yeux dans les yeux, avec une irritation croissante et le désir de lui faire peur, de lui faire mal. Elle restait fascinée, ses yeux ne quittaient pas le mica. Elle n'entendait pas ce qu'il disait, mais sa voix l'écorchait.

« Une terreur encore plus grande... Une époque de dissolutions... »

Elle se détourna brusquement et quitta la pièce. La voix la poursuivit dans le vestibule, indistincte, écrasée, encore vénéneuse; Ella entra vivement dans sa chambre et ferma sa porte à clé. Là-bas, dans le salon, il menaçait encore. Mais elle n'entendait plus qu'un murmure confus. Elle se laissa tomber sur une chaise : il n'y aura donc personne, pas une mère de Juif supplicié, pas une femme de communiste assassiné pour prendre un revolver et pour aller l'abattre? Elle serrait les poings, elle pensait que, si elle était Allemande, elle aurait la force de le tuer.

Mathieu se leva, prit un des cigares de Jacques dans son imperméable et poussa la portière du compartiment.

— Si c'est pour moi, dit la Marseillaise, ne vous gênez pas, mon mari fume la pipe : je suis habituée.

— Je vous remercie, dit Mathieu, mais j'ai envie de me dégourdir un peu les jambes.

Il avait surtout envie de ne plus la voir. Ni la petite, ni le panier. Il fit quelques pas dans le couloir, s'arrêta, alluma son cigare. La mer était bleue et calme, il glissait le long de la mer, il pensait : « Qu'est-ce qui m'arrive? » *Ainsi la réponse de cet homme fut plus que jamais :* « *Fusillons, arrêtons, incarcérons.* » *Et cela pour tous ceux qui d'une manière ou d'une autre ne lui conviennent pas,* il voulait s'appliquer et comprendre. Jamais rien ne lui était arrivé qu'il n'eût compris; c'était sa seule force, son unique défense, sa dernière fierté. Il regardait la mer et il pensait : « Je ne comprends pas *alors arriva ma revendication de Nuremberg. Cette revendication fut complètement nette : pour la premi* il m'arrive que je pars pour la guerre », se dit-il. Ça n'avait pas l'air bien malin et pourtant ce n'était pas clair du tout. En ce qui le concernait personnellement, tout était simple et net : il avait joué et perdu, sa vie était derrière lui, gâchée. Je ne laisse rien, je ne regrette rien, pas même Odette, pas même Ivich, je ne suis personne. Restait l'événement lui-même. *Je déclarai que maintenant le droit de libre disposition devait enfin, vingt ans après les déclarations du président Wilson, entrer en vigueur pour ces trois millions et demi d'hommes* tout ce qui l'avait atteint jusque-là était à sa mesure d'homme, les petits emmerdements et les catastrophes, il les avait vus venir, il les avait regardés en face. Quand il avait été prendre l'argent dans la chambre de Lola, il avait vu les billets, il les avait touchés, il avait respiré le parfum qui flottait dans la chambre; et quand il avait plaqué Marcelle, il la regardait dans les yeux pendant qu'il lui parlait; ses difficultés n'étaient jamais qu'avec lui-même; il pouvait se dire : « J'ai eu raison, j'ai eu tort »; il pouvait se juger. A présent c'était devenu impossible *et de nouveau M. Benès a donné sa réponse : de nouveaux morts, de nouvelles incarnations, de nouveaux.* Il pensa : « Je pars pour la guerre » et cela ne signifiait rien. Quelque chose lui était arrivé qui le dépassait. La guerre le dépassait. « Ça n'est pas tant qu'elle me dépasse, c'est qu'elle n'est pas là. Où est-elle? Partout : elle prend naissance de partout, le train fonce dans la guerre, Gomez atterrit dans la guerre, ces estivants en toile blanche se promènent dans la guerre, il n'est pas un battement de cœur qui ne l'alimente, pas une conscience qui n'en soit traversée. Et pourtant, elle est comme la voix d'Hitler, qui remplit ce train et que je ne peux pas entendre : *J'ai déclaré nettement à M. Chamberlain ce que nous considérons maintenant comme la seule possibilité de solution;* de temps en temps on croit qu'on va la toucher, sur n'importe quoi, dans la sauce d'un tournedos, on avance la main, elle n'est plus là : il ne reste qu'un bout de viande dans de la sauce. Ah! pensa-t-il, il faudrait être partout à la fois. »

Mon Führer, mon Führer, tu parles et je suis changé en pierre, je ne pense plus, je ne veux plus rien, je ne suis que ta voix, je l'attendrais à la sortie, je le viserais au cœur, mais je suis en premier lieu le porte-parole des Allemands et c'est pour ces Allemands que j'ai parlé, assurant que je ne suis plus disposé à rester spectateur inactif

et calme alors que ce dément de Prague croit pouvoir, je serai ce
martyr, je ne suis pas parti pour la Suisse, à présent je ne peux plus
rien faire qu'endurer ce martyre, je jure d'être ce martyr, je jure,
je jure, je jure, chut, dit Gomez, nous écoutons le discours du pantin.

« Ici Radio-Paris, ne quittez pas l'écoute : dans un instant nous
vous transmettrons la traduction française de la première partie du
discours du chancelier Hitler. »

— Ah! tu vois! dit Germain Chabot, tu vois! Ça n'était pas la
peine de descendre et de courir deux heures après *l'Intran*. Je te
l'ai dit : ils font toujours ça.

Mme Chabot posa son tricot dans la corbeille à ouvrage et rapprocha son fauteuil.

— On va savoir ce qu'il a dit. Je n'aime pas ça, dit-elle. Ça me
fait comme un creux dans l'estomac. Ça ne te fait pas ça?

— Si, dit Germain Chabot.

L'appareil ronflait, il émit deux ou trois borborygmes et Chabot
saisit le bras de sa femme.

— Écoute, lui dit-il.

Ils se penchèrent un peu, l'oreille tendue, et quelqu'un se mit à
chanter la *Cucaracha*.

— Tu es sûr que tu es sur Radio-Paris ? demanda Mme Chabot.

— Sûr.

— Alors, c'est pour nous faire prendre patience.

La voix chanta trois couplets, puis le disque s'arrêta.

— Nous y voilà, dit Chabot.

Il y eut un léger grésillement et un orchestre hawaïen se mit à
jouer *Honey Moon*.

Il faudrait être partout. Il considéra tristement le bout de son
cigare : partout, sans ça on est refait. « Je suis refait. Je suis un soldat
qui part pour la guerre. Voilà ce qu'il faudrait voir : la guerre et le
soldat. Un bout de cigare, des villas blanches au bord de l'eau, le
glissement monotone des wagons sur les rails et ce voyageur trop
connu, Fez, Marrakech, Madrid, Pérouse, Sienne, Rome, Prague,
Londres, qui fume pour la millième fois dans le couloir d'un wagon
de troisième classe. Pas de guerre, pas de soldat : il faudrait être
partout, il faudrait me voir de partout, de Berlin comme un trois mil-
lionième de l'armée française, avec les yeux de Gomez, comme un de
ces chiens de Français qu'on pousse à coups de pied vers la bataille,
avec les yeux d'Odette. Il faudrait me voir avec les yeux de la guerre.
Mais où sont les yeux de la guerre? Je suis ici, devant mes yeux
glissent de grandes surfaces claires, je suis clairvoyant, je vois —

et pourtant je m'oriente à tâtons, à l'aveuglette et chacun de mes mouvements allume une ampoule ou déclenche une sonnerie dans un monde que je ne vois pas. » Zézette avait fermé les volets mais le jour finissant entrait encore par les fentes, elle se sentait lasse et morte, elle jeta sa combinaison sur une chaise et se glissa nue dans le lit, je dors toujours si bien quand j'ai du chagrin; mais, quand elle fut dans les draps, c'était dans ce lit-là que Momo l'avait caressée l'avant-veille, dès qu'elle s'abandonnait, il venait sur elle, il l'écrasait et si elle rouvrait les yeux, il n'était plus là, il dormait là-bas, dans sa caserne et puis il y avait cette sacrée radio qui gueulait en langue étrangère, c'était le poste des Heinemann, les Allemands réfugiés du premier, une voix rauque et vipérine qui vous râpait les nerfs, ça ne finira donc pas, ça ne va donc pas finir! Mathieu envia Gomez et puis il se dit : « Gomez n'en voit pas plus que moi, il se débat contre des invisibles — et il cessa de l'envier. Qu'est-ce qu'il voit : des murs, un téléphone sur son bureau, le visage de son officier d'ordonnance. Il fait la guerre, il ne la voit pas. Et alors, ça, pour la faire, nous la faisons tous; je lève la main, je tire sur ce cigare et je fais la guerre; Sarah maudit la folie des hommes, elle serre Pablo dans ses bras : elle fait la guerre. Odette fait la guerre quand elle enveloppe dans du papier des sandwiches au jambon. La guerre prend tout, ramasse tout, elle ne laisse rien perdre, pas une pensée, pas un geste et personne ne peut la voir, pas même Hitler. Personne. » Il répéta : « Personne » — et tout à coup il l'entrevit. C'était un drôle de corps, proprement impensable.

« Ici Radio-Paris, ne quittez pas l'écoute : dans un instant nous vous transmettrons la traduction française de la première partie du discours du chancelier Hitler. »

Ils ne bougèrent pas. Ils se regardèrent du coin de l'œil et, quand Rina Ketty se mit à chanter *J'attendrai*, ils se sourirent. Mais, à la fin du premier couplet, Mme Chabot éclata de rire :

— J'attendrai! dit-elle. Ça, c'est trouvé! Ils se paient notre tête.

Un corps énorme, une planète, dans un espace à cent millions de dimensions; les êtres à trois dimensions ne pouvaient même pas l'imaginer. Et pourtant chaque dimension était une conscience autonome. Si on essayait de regarder la planète en face, elle s'effondrait en miettes, il ne restait plus que des consciences. Cent millions de consciences libres dont chacune voyait des murs, un bout de cigare rougeoyant, des visages familiers, et construisait sa destinée sous sa propre responsabilité. Et pourtant, si l'on était une de ces consciences on s'apercevait à d'imperceptibles effleurements, à d'insensibles

changements, qu'on était solidaire d'un gigantesque et invisible
polypier. La guerre : chacun est libre et pourtant les jeux sont faits.
Elle est là, elle est partout, c'est la totalité de toutes mes pensées,
de toutes les paroles d'Hitler, de tous les actes de Gomez : mais
personne n'est là pour faire le total. Elle n'existe que pour Dieu.
Mais Dieu n'existe pas. Et pourtant la guerre existe.

— Et je n'ai laissé aucun doute sur le fait que, désormais, la
patience allemande a tout de même un terme. Je n'ai laissé aucun
doute sur le fait qu'il est, certes, dans le caractère de notre mentalité
allemande de témoigner d'une longue patience, mais que, lorsque le
moment est venu, il faut en finir.

— Qu'est-ce qu'il dit? Qu'est-ce qu'il dit? demanda Chomis.

Boris expliqua :

— Il dit que la patience allemande a des limites.

— La nôtre aussi, dit Charlier.

Tout le monde se mit à gueuler dans l'appareil et Herrera entra
dans la pièce.

— Ah! Salut! dit-il en voyant Gomez. Eh bien? Bonne perm?

— Couci, couça, dit Gomez.

— Toujours... prudents, les Français?

— Ha! Vous n'imaginez même pas. Mais je crois qu'ils vont l'avoir
dans le cul! Il désigna le poste de T. S. F. : « Le pantin de Berlin
est déchaîné.

— Sans blague? » Les yeux de Herrera étincelèrent : « Mais dites
donc, c'est que ça changerait bien des choses!

— Je pense bien », dit Gomez.

Ils se regardèrent un instant en souriant; Tilquin, qui était à la
fenêtre, revint vers eux :

— Baissez le poste, j'entends quelque chose.

Gomez tourna le bouton et les rumeurs s'affaiblirent.

— Vous entendez? Vous entendez?

Gomez prêta l'oreille; il perçut un ronronnement sourd.

— Ça y est, dit Herrera. Une alerte. La quatrième depuis ce
matin.

— La quatrième! dit Gomez.

— Oui, dit Herrera. Ah! vous allez trouver du changement.

Hitler parlait de nouveau; ils se penchèrent sur le poste. Gomez
écoutait le discours d'une oreille; de l'autre il suivait le ronronnement des avions. Il y eut une explosion sourde dans le lointain.

— Que fait-il? Il n'a pas cédé le territoire, il expulse maintenant
les Allemands! M. Benès avait à peine parlé que ses mesures mili-

taires d'oppression reprirent, encore accentuées. Nous constatons ces chiffres effroyables : en un jour 10.000 personnes en fuite, le jour suivant 20.000...

Le ronronnement décrut puis augmenta tout à coup, il y eut deux longues détonations.

— C'est le port qui prend, chuchota Tilquin.

— ... Le surlendemain 37.000, deux jours après 41.000, puis 62.000, puis 78.000; maintenant c'est 90.000, 107.000, 137.000. Et aujourd'hui 214.000. Des régions entières sont dépeuplées, des localités sont incendiées, c'est avec des obus et des gaz que l'on essaie de se défaire des Allemands. M. Benès, lui, est installé à Prague, et il se dit : « Il ne peut rien arriver, j'ai finalement derrière moi l'Angleterre et la France. »

Herrera pinça le bras de Gomez :

— Attention, dit-il, attention : il va leur casser le morceau!

Son visage s'était coloré et il regardait l'appareil avec sympathie. La voix jaillit, tonitruante et rocailleuse :

— Et maintenant, mes compatriotes, je crois que l'heure est venue où il est nécessaire de dire les choses carrément.

Un chapelet d'explosions qui se rapprochaient couvrit le bruit des applaudissements. Mais Gomez y fit à peine attention : il fixait son regard sur l'appareil, il écoutait cette voix menaçante et il sentit renaître en lui un sentiment depuis longtemps enseveli, quelque chose qui ressemblait à de l'espoir.

Vous, qui passez sans me voir
Sans même dire bonsoir
Donnez-moi un peu d'espoir
Ce soir
J'ai tant de peine.

— J'ai compris, dit Germain Chabot. Cette fois j'ai compris.

— Qu'est-ce que c'est? dit sa femme.

— Eh bien! c'est une combine avec la presse du soir. Ils ne veulent pas radiodiffuser la traduction avant que les journaux l'aient publiée.

Il se leva et prit son chapeau :

— Je descends, dit-il. Je trouverai bien un *Intran* sur le boulevard Barbès.

C'était le moment. Il sortit les deux jambes du lit, il pensa : « C'est le moment. » Elle trouverait l'oiseau envolé et un billet de mille francs épinglé sur la couverture, si j'ai le temps j'y joindrai un poème d'adieu. Il avait la tête lourde mais elle ne lui faisait plus mal. Il se passa les mains sur la figure et les abaissa avec dégoût : elles sentaient la négresse. Sur la tablette de verre, au-dessus du lavabo, il y avait un savon rose, à côté d'un vaporisateur, et une éponge de caoutchouc. Il prit l'éponge mais une nausée lui remonta à la bouche et il alla chercher, dans la mallette, son gant de toilette et son savon. Il se lava de la tête aux pieds, l'eau coulait sur le plancher, mais ça n'avait aucune importance. Il se peigna, tira une chemise propre de la mallette et la revêtit. La chemise du martyr. Il était triste et ferme. Il y avait une brosse sur le guéridon, il brossa son veston avec soin. « Mais où ai-je pu fourrer mon pantalon ? » se demanda-t-il. Il regarda sous le lit et même entre les draps : pas de pantalon ; il se dit : « Fallait-il que je sois saoul. » Il ouvrit l'armoire à glace, il commençait à être inquiet : le pantalon ne s'y trouvait pas. Il demeura un moment au milieu de la pièce, en chemise, à se gratter le crâne en regardant autour de lui, et puis la colère le prit parce que c'était une situation parfaitement ridicule pour un futur martyr que de rester ainsi planté, en chaussettes dans la chambre à coucher d'une grue, avec les pannets de sa bannière qui lui battaient les genoux. A ce moment il aperçut, sur sa droite, un placard encastré dans le mur. Il y courut mais la clé n'était pas dans la serrure ; il essaya de l'ouvrir avec ses ongles et puis avec des ciseaux qu'il trouva sur la table, mais il n'y parvint pas. Il jeta les ciseaux et se mit à frapper du pied en murmurant d'une voix furieuse : « La sacrée putain, la garce ! Elle a enfermé mon pantalon pour m'empêcher de sortir. »

— Et là, je ne puis maintenant dire qu'une chose : deux hommes sont en face l'un de l'autre : là, M. Benès ! et ici, moi !

La foule entière se mit à hurler. Anna regardait Milan avec inquiétude. Il s'était approché du poste et le considérait, les mains dans ses poches. Son visage avait noirci et il y avait quelque chose qui remuait dans sa joue.

— Milan, dit Anna.

— Nous sommes deux hommes de genre différent. Lorsque M. Benès, au temps de la grande lutte des peuples, allait et venait dans le monde, se tenant à l'écart du danger, j'ai, en tant que loyal soldat allemand, accompli mon devoir. Et aujourd'hui, me voici debout en face de cet homme comme soldat de mon peuple.

Ils applaudirent de nouveau. Anna se leva et posa la main sur le bras de Milan : son biceps était contracté, tout son corps était de pierre. « Il va tomber », pensa-t-elle. Il dit en bégayant :

— Salaud !

Elle lui serra le bras de toutes ses forces mais il la repoussa. Il avait du sang dans les yeux.

— Benès et moi! bégaya-t-il. Benès et moi! Parce que tu as soixante-quinze millions d'hommes derrière toi.

Il fit un pas en avant; elle pensa : « Qu'est-ce qu'il va faire? » et s'élança; mais déjà il avait, par deux fois, craché sur l'appareil.

La voix continuait :

« Je n'ai que peu de choses à déclarer : je suis reconnaissant à M. Chamberlain de tous ses efforts. Je lui ai assuré que le peuple allemand ne veut rien d'autre que la paix : mais je lui ai aussi déclaré que je ne puis reculer les limites de notre patience. Je lui ai en outre assuré, et je le répète ici, que — une fois ce problème résolu — il n'y a plus pour l'Allemagne en Europe de problème territorial! Je lui ai en outre assuré que du moment où la Tchécoslovaquie aura résolu ces problèmes, c'est-à-dire où les Tchèques se seront expliqués avec leurs autres minorités, non pas par l'oppression, mais pacifiquement, qu'alors je n'aurai plus à m'intéresser à l'État tchèque. Et cela, je le lui garantis! Nous ne voulons pas du tout de Tchèques. Mais de même, je veux maintenant déclarer devant le peuple allemand, qu'en ce qui concerne le problème des Sudètes, ma patience est à bout. J'ai fait à M. Benès une offre qui n'est pas autre chose que la réalisation de ce qu'il a lui-même déjà assuré. Il a maintenant la décision en sa main : paix ou guerre. Ou bien il acceptera ces propositions et il donnera maintenant aux Allemands la liberté ou bien nous irons la prendre nous-mêmes. »

Herrera releva la tête, il exultait :

— Nom de Dieu! dit-il. Nom de Dieu de nom de Dieu! Vous avez entendu ça? C'est la guerre.

— Oui, dit Gomez. Benès est un dur; il ne cédera pas : c'est la guerre.

— Nom de Dieu, dit Tilquin. Si ça pouvait être ça! Si seulement ça pouvait être ça!

— Qu'est-ce que c'est? demanda Chamberlain.

— La suite, dit Woodehouse.

Chamberlain prit les feuillets et se mit à lire. Woodehouse scrutait son visage avec anxiété. Au bout d'un moment le premier ministre releva la tête et lui sourit avec affabilité.

— Eh bien, dit-il, rien de nouveau.

Woodehouse le regarda avec surprise.

— Le chancelier Hitler s'est exprimé avec beaucoup de violence, fit-il observer.

— Bah! Bah! dit M. Chamberlain. Il y était bien obligé.

« Aujourd'hui, je marche devant mon peuple comme son premier soldat; et derrière moi, que le monde le sache bien, marche maintenant un peuple, un peuple qui est autre que celui de 1918. En cette heure, tout le peuple allemand s'unira à moi. Il ressentira ma volonté comme sa volonté, de même que je considère son avenir et son destin comme le moteur de mon action! Et nous voulons renforcer cette volonté commune, telle que nous l'avions au temps du combat, au temps où je partis comme simple soldat inconnu pour conquérir un Reich, ne doutant jamais du succès et de la victoire définitive. Autour de moi s'est serrée une troupe d'hommes braves et de femmes braves, ils ont marché avec moi. Et maintenant, mon peuple allemand, je te demande ceci : « Marche après moi, homme après homme, « femme après femme. A cette heure, nous voulons tous avoir une « volonté commune. Cette volonté doit être plus forte que toute « détresse et que tout danger; et si cette volonté est plus forte que « la détresse et le danger, elle viendra à bout de la détresse et « du danger. » Nous sommes résolus! M. Benès a maintenant à choisir. »

Boris se tourna vers les autres et leur dit :

— C'est fini.

Ils ne réagirent pas tout de suite : ils fumaient, d'un air attentif. Au bout d'un instant le patron demanda :

— Alors? on lui tord le cou?

— Vous pouvez y aller.

Le patron se pencha au-dessus des bouteilles et tourna le bouton : pendant un moment Boris se sentit mal à l'aise : ça faisait comme un grand vide. Un peu de vent et de nuit entrait par la porte ouverte.

— Alors qu'est-ce qu'il a dit? demanda le Marseillais.

— Eh bien, pour finir, il a dit : « Tout mon peuple est derrière moi, je suis prêt à la guerre. A M. Benès de choisir. »

— Funérailles! dit le Marseillais. Alors c'est la guerre?

Boris haussa les épaules.

— Eh bien, dit le Marseillais, moi qu'il y a six mois que je n'ai pas vu ma femme ni mes deux filles, je m'en vais rentrer à Marseille et bonsoir : un petit salut de la main et je pars à la caserne.

— Moi, je n'aurai peut-être même pas le temps de voir ma mère, dit Chomis. Il expliqua : « Je suis du Nord.

— Ah! comme ça! » dit le Marseillais en hochant la tête.

Ils se turent. Charlier vida sa pipe contre son talon. Le patron dit :

— Vous reprenez quelque chose? Puisque c'est la guerre, j'offre la tournée.

— Va pour une tournée.

L'air du dehors était frais et noir, on entendait la musique lointaine du Casino : c'était peut-être Lola qui chantait.

— J'y ai été, moi, en Tchécoslovaquie, dit le type du Nord. Et je suis content d'y avoir été : comme ça, on sait pour quoi on se bat.

— Vous y êtes resté longtemps? demanda Boris.

— Six mois. Pour des coupes de bois. Je m'entendais bien avec les Tchèques. Ils sont travailleurs.

— Pour ça, dit le barman, les Allemands aussi sont travailleurs.

— Oui, mais ils font chier le monde. Tandis que les Tchèques sont tranquilles.

— A la bonne vôtre, dit Charlier.

— A la bonne vôtre.

Ils trinquèrent et le Marseillais dit :

— Il commence à faire frais.

Mathieu se réveilla en sursaut :

— Qu'est-ce que c'est? demanda-t-il en se frottant les yeux.

— C'est Marseille, la gare Saint-Charles : tout le monde descend.

— Bon, dit Mathieu. Bon, bon.

Il décrocha son imperméable et prit sa valise dans le filet. Il se sentait vague. « Hitler doit avoir fini son discours », pensa-t-il avec soulagement.

— Je les ai vus partir, les gars de 14, dit le type du Nord. J'avais dix ans. C'était autre chose que maintenant.

— Ils en voulaient?

— Ha! s'ils en voulaient! Ça braillait! Ça chantait! Ça gesticulait!

— Faut dire qu'ils ne se rendaient pas compte, dit le Marseillais.

— Ben non.

— Nous, on se rend compte, dit Boris.

Il y eut un silence. Le type du Nord regardait droit devant lui. Il dit :

— Je les ai vus de près, les Fritz. Quatre ans qu'on a été occupés. Qu'est-ce qu'on a pris! Le village a été rasé, on se cachait des semaines entières dans des carrières. Alors vous comprenez, quand je pense qu'il faut remettre ça... Il ajouta : « Ça ne veut pas dire que je ne ferai pas comme les autres.

— Moi, ce qu'il y a, dit le patron en souriant, c'est que j'ai la frousse de la mort. Depuis tout petit. Seulement je me suis fait une raison, ces derniers temps. Je me suis dit : « Ce qui est moche, c'est de mourir. Mais que ce soit de la grippe espagnole ou d'un éclat d'obus... »

Boris riait aux anges : il les trouvait sympathiques; il pensa : « J'aime mieux les hommes que les bonnes femmes. » La guerre avait ça de bon qu'elle se faisait entre hommes. Pendant trois ans, pendant cinq ans, il ne verrait que des hommes. « Et je céderai mon tour de permission aux pères de famille. »

— Ce qui compte, dit Chomis, c'est de pouvoir se dire qu'on a vécu. Moi, j'ai trente-six ans, j'ai toujours rigolé. Il y a eu des hauts et des bas. Mais j'ai vécu. Ils peuvent me couper en petits morceaux, ils n'empêcheront pas ça. Il se tourna vers Boris : « Pour un jeune gars comme vous, ça doit être plus dur.

— Oh! dit Boris vivement, depuis le temps qu'on me répète qu'il va y avoir la guerre! »

Il rougit un peu et ajouta : « C'est quand on est marié qu'on doit l'avoir mauvaise.

— Oui, dit le Marseillais en soupirant. Ma femme est courageuse et puis elle a un métier : elle est coiffeuse. Ça m'embêterait plutôt à cause des petites : c'est quand même mieux d'avoir un père, non? Mais dites donc, c'est pas parce qu'on y va qu'on y claque forcément.

— Ben non », dit Boris.

La musique s'était éteinte. Un couple entra dans le bar. La femme était rousse avec une robe verte très longue et très décolletée. Ils s'assirent à une table du fond.

— Quand même! dit Charlier. Ce que c'est con, la guerre. Je ne connais rien de plus con.

— Moi non plus, dit le patron.

— Moi non plus, dit Chomis.

— Alors, dit le Marseillais, qu'est-ce que je vous dois? Il y a une tournée pour moi.

— Et une pour moi, dit Boris.

Ils payèrent. Chomis et le Marseillais sortirent en se donnant le bras. Charlier hésita un moment, tourna sur ses talons et alla s'asseoir en emportant son verre de fine. Boris était demeuré devant le zinc, il pensa : « Comme ils sont sympathiques » et il se réjouit. Il y en aurait comme ça, dans les tranchées, des milliers et des milliers, tout aussi sympathiques. Et Boris vivrait avec eux et il ne les quitterait ni jour ni nuit; il aurait de quoi faire. Il pensa : « J'ai de la chance »; quand il se comparait aux pauvres types de son âge qui avaient été écrasés ou qui étaient morts du choléra, il était bien obligé de convenir qu'il avait de la chance. On ne l'avait pas pris en traître; il ne s'agissait pas d'une de ces guerres qui bouleversent sans préparation la vie d'un homme, comme un simple accident : celle-là s'était annoncée six ou sept ans à l'avance, on avait eu le temps de la voir venir. Personnellement Boris n'avait jamais douté qu'elle ne finisse par éclater; il l'avait attendue comme un prince héritier qui sait, dès son enfance, qu'il est né pour régner. Ils l'avaient mis au monde pour cette guerre, ils l'avaient élevé pour elle, ils l'avaient envoyé au lycée, à la Sorbonne, ils lui avaient donné une culture. Ils disaient que c'était pour qu'il devînt professeur, mais ça lui avait toujours semblé louche; à présent il savait qu'ils voulaient faire de lui un officier de réserve; ils n'avaient rien épargné pour qu'il fît un beau mort tout neuf et bien sain. « Le plus marrant, pensa-t-il, c'est que je ne suis pas né en France, je suis seulement naturalisé. » Mais finalement, ça n'avait pas tellement d'importance; s'il était resté en Russie ou si ses parents s'étaient réfugiés à Berlin ou à Budapest, ç'aurait été pareil : ça n'est pas une question de nationalité, c'est une question d'âge; les jeunes Allemands, les jeunes Hongrois, les jeunes Anglais, les jeunes Grecs étaient promis à la même guerre, au même destin. En Russie, il y avait eu d'abord la génération de la Révolution, puis celle du plan quinquennal et, à présent, celle du conflit mondial : à chacune son lot. Finalement on naît pour la guerre ou pour la paix, comme on naît ouvrier ou bourgeois, il n'y a rien à y faire, tout le monde n'a pas la chance d'être Suisse. « Un type qui aurait le droit de protester, pensa-t-il, c'est Mathieu : il est sûrement né pour la paix, lui; il a cru pour de bon qu'il mourrait de vieillesse et il a déjà ses petites habitudes; à son âge on n'en change plus. Tandis que moi, c'est ma guerre. C'est elle qui m'a fait, c'est moi qui la ferai; nous sommes inséparables; je ne peux même pas m'imaginer ce que je serais si elle n'avait pas dû éclater. » Il pensa à sa vie et il ne lui parut plus qu'elle était trop courte : « Les vies ne sont ni courtes ni longues. C'était une vie, voilà tout. Avec la guerre au bout. » Il se sentit tout à coup revêtu d'une dignité nouvelle, parce qu'il avait une fonction dans la société et aussi parce qu'il allait périr de mort violente et il fut gêné dans sa modestie. Il était sûrement l'heure d'aller chercher Lola. Il sourit au patron et sortit rapidement.

Le ciel était nuageux; par-ci par-là, on voyait des étoiles; le vent soufflait de la mer. Pendant un moment, il y eut un brouillard dans la tête de Boris et puis il pensa : « Ma guerre », et fut étonné, parce

qu'il n'avait pas l'habitude de penser longtemps aux mêmes choses.
« Ce que j'aurai peur! se dit-il. Ah! là! là! ce que j'aurai les jetons. »
Et il se mit à rire de scandale et d'aise à l'idée de cette frousse
gigantesque. Mais il s'arrêta de rire au bout de quelques pas sous
le coup d'une inquiétude subite : c'est qu'il ne faudrait pas avoir
trop peur. Il ne ferait pas de vieux os, d'accord, mais ce n'était pas
une raison pour rater sa vie et se permettre n'importe quoi. On
l'avait voué dès sa naissance mais on lui avait laissé toute sa chance,
sa guerre était une vocation plutôt qu'une destinée. Évidemment il
aurait pu en souhaiter une autre : celle de grand philosophe, par
exemple, ou de Don Juan ou de grand financier. Mais on ne choisit
pas sa vocation : on la réussit ou on la rate, c'est tout; et le plus
vache, dans la sienne, c'est qu'il n'était pas permis de reprendre
son coup. Il y avait des vies qui ressemblaient au baccalauréat : on
devait remettre plusieurs copies et si on loupait la physique, on
pouvait se rattraper avec les sciences nat. ou la philo. La sienne
faisait plutôt penser au certificat de philosophie générale où vous
êtes jugé sur une seule épreuve; c'était terriblement intimidant.
Mais, de toute façon, c'était cette épreuve-là qu'il devait réussir,
pas une autre — et il aurait du coton. Il fallait se conduire proprement, bien sûr, mais ça ne suffisait pas. Il fallait surtout s'installer
dans la guerre, y faire son trou et tâcher de bien profiter de tout.
Il fallait se dire que, d'un certain point de vue, tout se vaut : une
attaque en Argonne, ça vaut une promenade en gondole, le jus qu'on
boit dans les tranchées, au petit matin, ça vaut le café des gares
espagnoles à l'aube. Et puis il y a les copains, la vie au grand air,
les colis et surtout le spectacle; un bombardement, ça ne doit pas
être sale. Seulement il ne fallait pas avoir peur. « Si j'ai peur, je me
laisse voler ma vie, je suis le têtard. Je n'aurai pas peur », décida-
t-il.

Les lumières du Casino le tirèrent de son rêve, des bouffées de
musique passaient par les fenêtres ouvertes, une auto noire vint se
ranger silencieusement devant le perron. « Encore un an à tirer »,
pensa-t-il avec agacement.

Il était plus de minuit, le Sportpalast était obscur et désert, chaises
renversées, bouts de cigare écrasés, M. Chamberlain parlait à la radio,
Mathieu errait sur le quai du Vieux-Port, en pensant : « C'est une
maladie, tout juste une maladie; elle est tombée sur moi par hasard,
elle ne me concerne pas, il faut la traiter par le stoïcisme comme la
goutte ou les maux de dents. » M. Chamberlain dit :
« J'espère que le chancelier ne rejettera pas cette proposition qui

est faite dans le même esprit d'amitié avec lequel j'ai été accueilli
en Allemagne, et qui, si elle est acceptée, satisfera le désir allemand
de l'union des Sudètes avec le Reich, sans verser de sang en aucune
partie de l'Europe. »

Il fit un geste de la main pour indiquer qu'il avait terminé et
s'éloigna du micro. Zézette, qui ne pouvait s'endormir, s'était mise
à la fenêtre et regardait les étoiles au-dessus des toits, Germain Chabot ôtait son pantalon dans le cabinet de toilette. Boris attendait
Lola dans le hall du Casino; partout, dans les airs, inécoutée ou
presque, une fleur sombre tentait d'éclore : *If the moon turns green*,
interprété par le jazz de l'hôtel Astoria et retransmis par Daventry.

MARDI 27 SEPTEMBRE

22 h. 30. « Monsieur Delarue! dit la concierge. En voilà une surprise! Je ne vous attendais que dans huit jours. »

Mathieu lui sourit. Il aurait préféré passer inaperçu : mais il fallait
bien demander les clés.

— Vous n'êtes pas mobilisé, au moins?

— Moi? dit Mathieu. Non.

— Ah! dit-elle. Alors tant mieux! tant mieux! Ça viendra toujours assez tôt. Oh! ces événements, dites! Il s'en est passé, depuis
que vous êtes parti. Et vous croyez que c'est la guerre?

— Je ne sais pas, madame Garinet, dit Mathieu. Il ajouta vivement : « Y a-t-il du courrier?

— Eh bien, je vous ai tout envoyé, dit Mme Garinet. Hier encore,
j'ai fait suivre un imprimé à Juan-les-Pins : si seulement vous
m'aviez prévenue de votre retour. Et puis, ah! ce matin, il est arrivé
ça pour vous. »

Elle lui tendit une longue enveloppe grise; Mathieu reconnut
l'écriture de Daniel. Il prit la lettre et la mit dans sa poche sans
l'ouvrir.

— Vous voulez les clés? dit la concierge. Ah! c'est bête que vous
n'ayez pas pu prévenir : j'aurais eu le temps de nettoyer. Tandis
qu'à présent... Les volets ne sont pas même ouverts.

— Ça ne fait rien du tout, dit Mathieu en prenant les clés. Rien
du tout. Bonsoir, madame Garinet.

La maison était encore déserte. Du dehors, Mathieu avait vu toutes
les persiennes closes. On avait ôté, pour l'été, le tapis de l'escalier.
Il passa lentement devant l'appartement du premier étage. Des
enfants y criaient autrefois et Mathieu s'était souvent agité dans
les draps, les oreilles percées par les hurlements du dernier-né. A

présent les chambres étaient noires et désertes, derrière les volets clos. Les vacances. Mais il pensait au fond de lui-même : « La guerre. » C'était la guerre, ces vacances stupéfiées, écourtées pour les uns, prolongées pour les autres. Au second habitait une femme entretenue : souvent, son parfum fusait sous la porte et se répandait jusque sur le palier. Elle devait être à Biarritz, dans un grand hôtel accablé par la chaleur et le marasme des affaires. Il arriva au troisième et tourna la clé dans la serrure. Au-dessous de lui, au-dessus de lui, des pierres, la nuit, le silence. Il entra dans le noir, posa dans le noir sa valise et son imperméable : l'antichambre sentait la poussière. Il demeura immobile, les bras collés au corps, enseveli dans l'ombre, puis, brusquement, tourna le commutateur et traversa les unes après les autres les pièces de son appartement, en laissant toutes les portes ouvertes; il fit la lumière dans le bureau, dans la cuisine, dans les cabinets, dans sa chambre. Toutes les lampes brillaient, un courant de lumière continu circulait entre les pièces. Il s'arrêta au bord de son lit.

Quelqu'un avait couché là. Les couvertures se tordaient en corde, la taie d'oreiller était sale et froissée, des miettes de croissant jonchaient le drap. Quelqu'un : « Moi. » Il pensait : « C'est moi qui ai couché là. Moi, le 15 juillet, pour la dernière fois. » Mais il regardait le lit avec dégoût : son ancien sommeil s'était refroidi dans les draps, à présent c'était le sommeil d'un autre. « Je ne dormirai pas ici. »

Il se détourna et pénétra dans le bureau : son dégoût persista. Un verre sale sur la cheminée. Sur la table, près du crabe de bronze, une cigarette brisée : un foisonnement de crins secs s'en échappait. « Quand est-ce que j'ai cassé cette cigarette? » Il lui pressa sur le ventre et sentit sous ses doigts un crissement de feuilles mortes. Les livres. Un volume d'Arbelet, un autre de Martineau, Lamiel, Lucien Leuwen, les souvenirs d'Égotisme. Quelqu'un avait projeté d'écrire un article sur Stendhal. Les livres restaient là et le projet, pétrifié, était devenu une chose. Mai 38 : il n'était pas encore absurde d'écrire sur Stendhal. Une chose. Une chose comme leurs couvertures grises, comme la poussière qui s'était déposée sur leurs dos. Une chose opaque, passive, une présence impénétrable. *Mon projet.*

Son projet de boire, qui s'était déposé par plaques ternes sur la transparence du verre, son projet de fumer, son projet d'écrire, l'homme avait accroché ses projets partout. Il y avait ce fauteuil de cuir vert où l'homme s'asseyait, le soir. C'était le soir : Mathieu regarda le fauteuil et s'assit sur le bord d'une chaise. « *Tes fauteuils sont corrupteurs.* » Une voix avait dit, ici même : « Tes fauteuils sont corrupteurs. » Sur le divan, une fille blonde avait secoué ses boucles avec colère. En ce temps-là l'homme voyait à peine les boucles, entendait à peine les voix : il voyait, il entendait son avenir au travers. A présent l'homme était parti, emportant son vieil avenir menteur; les présences s'étaient refroidies, elles demeuraient là, une pellicule de graisse figée sur les meubles, les voix flottaient à hauteur des yeux : elles étaient montées jusqu'au plafond et puis elles étaient retombées, elles flottaient. Mathieu se sentit indiscret, il alla à la fenêtre et poussa les persiennes. Il restait un peu de jour au ciel, une clarté anonyme : il respira.

La lettre de Daniel. Il étendit la main pour la prendre et puis il laissa sa main retomber sur la barre d'appui. Daniel était parti par cette rue, un soir de juin, il avait passé sous ce réverbère : l'homme s'était mis à la fenêtre et l'avait suivi des yeux. C'était à cet homme-là que Daniel avait écrit. Mathieu n'avait pas envie de lire sa lettre. Il se retourna brusquement, il parcourut son bureau du regard, avec une joie sèche. Ils étaient tous là, enfermés, morts, Marcelle, Ivich, Brunet, Boris, Daniel. Ils y étaient venus, ils s'y étaient pris, ils y resteraient. Les colères d'Ivich, les remontrances de Brunet, Mathieu s'en souvenait déjà comme de la mort de Louis XVI, avec la même impartialité. Elles appartenaient au passé du monde, pas au sien : il n'avait plus de passé.

Il referma les volets, traversa la pièce, hésita et, à la réflexion, laissa la lampe allumée. Demain matin, je viendrai reprendre mes valises. Il referma la porte d'entrée sur eux tous et descendit l'escalier. Léger. Vide et léger. Là-haut, derrière lui, les cierges électriques éclaireraient toute la nuit sa vie morte.

— A quoi tu penses? demanda Lola.

— A rien, dit Boris.

Ils étaient assis sur la plage. Lola ne chantait pas ce soir-là, parce qu'il y avait un gala au casino. Un couple venait de passer devant eux et puis un soldat. Boris pensait au soldat.

— Sois gentil, dit Lola d'une voix pressante, dis-moi à quoi tu penses.

Boris haussa les épaules :

— Je pensais au soldat qui vient de passer.

— Ah! dit Lola, surprise. Et qu'est-ce que tu en pensais?

— Qu'est-ce que tu veux qu'on pense d'un soldat?

— Boris, gémit Lola, qu'est-ce que tu as? Tu étais si doux, si tendre. Et voilà que tout recommence comme autrefois. Tu ne m'as presque pas parlé de la journée.

Boris ne répondit pas, il pensait au soldat. Il pensait : « Il a de la chance; moi, j'ai encore un an à tirer. » Un an : il rentrerait à Paris, il se promènerait sur le boulevard Montparnasse, sur le boulevard Saint-Michel, qu'il connaissait par cœur, il irait au Dôme, à la Coupole, il coucherait chez Lola tous les jours. « Si je pouvais voir Mathieu, ça irait à la rigueur, mais Mathieu sera mobilisé. Et mon diplôme! » pensa-t-il tout à coup. Car il y aurait, par-dessus le marché, cette mauvaise plaisanterie : le diplôme d'études supérieures. Son père exigerait sûrement qu'il s'y présentât et Boris serait obligé de remettre un mémoire sur l'Imagination chez Renouvier ou sur l'Habitude chez Maine de Biran. « Pourquoi jouent-ils tous la comédie? » pensa-t-il avec irritation. Ils l'avaient élevé pour la guerre, c'était leur droit, mais à présent ils voulaient le contraindre à passer son diplôme, comme s'il avait toute une vie de paix devant lui. Ça serait gai : pendant un an, il irait dans les bibliothèques, il ferait semblant de lire les *Œuvres complètes* de Maine de Biran dans l'édition Tisserand, il ferait semblant de prendre des notes, il ferait semblant de préparer son examen et il ne cesserait pas de penser à la véritable épreuve qui l'attendait, il ne cesserait pas de se demander s'il aurait peur ou s'il pourrait tenir le coup. « S'il n'y avait pas celle-là, pensa-t-il en jetant un regard malveillant sur Lola, je m'engagerais sur-le-champ, ce serait une bonne farce à leur faire. »

— Boris! s'écria Lola effrayée, comme tu me regardes! Est-ce que tu ne m'aimes plus?

— Au contraire, dit Boris les dents serrées. Tu ne peux pas savoir comme je t'aime. Tu ne t'en doutes même pas.

Ivich avait allumé sa lampe de chevet et s'était étendue sur le lit, toute nue. Elle avait laissé la porte ouverte et surveillait le corridor. Il y avait un rond de lumière au plafond et tout le reste de la chambre était bleu. Une brume bleue flottait au-dessus de la table, ça sentait le citron, le thé et la cigarette.

Elle entendit un frôlement dans le couloir et une masse énorme passa silencieusement devant la porte.

— Hep! cria-t-elle.

Son père tourna la tête et la regarda d'un air de blâme.

— Ivich, je t'ai déjà priée : il faut fermer la porte ou t'habiller.

Il avait un peu rougi et sa voix était plus chantante qu'à l'ordinaire.

— A cause de la bonne.

— La bonne est couchée, dit Ivich sans s'émouvoir. Elle ajouta : « Je te guettais. Tu fais si peu de bruit quand tu passes : j'avais peur de te manquer. Retourne-toi. »

M. Serguine se retourna, elle se leva et mit sa robe de chambre. Son père se tenait très raide, de dos, dans l'encadrement de la porte. Elle regarda sa nuque, ses épaules athlétiques et se mit à rire sans bruit.

— Tu peux regarder.

Il était de face à présent. Il renifla deux ou trois fois et dit :

— Tu fumes trop.

— C'est par nervosité, dit-elle.

Il se tut. La lampe éclairait son gros visage rocheux. Ivich le trouva beau. Beau comme une montagne; comme les chutes du Niagara. Il finit par dire :

— Je vais me coucher.

— Non, dit Ivich suppliante. Non, papa : je voudrais écouter la radio.

— Qu'est-ce que c'est? s'écria M. Serguine. A cette heure?

Ivich ne se laissa pas prendre à cette indignation : elle savait qu'il ressortait de sa chambre tous les soirs vers onze heures et qu'il allait entendre les nouvelles, en sourdine, dans son bureau. Il était sournois et léger comme un elfe, malgré ses quatre-vingt-dix kilos.

— Vas-y seule, dit-il. Moi je me lève tôt demain.

— Mais papa, dit piteusement Ivich, tu sais bien que je ne sais pas faire marcher le poste.

M. Serguine se mit à rire.

— Ha! Ha! dit-il. Ha! Ha!

— Tu veux écouter la musique? demanda-t-il en reprenant son sérieux. Mais ta pauvre mère dort.

— Mais non, papa, dit Ivich furieuse. Je ne veux pas écouter la musique. Je veux savoir où ils en sont avec leur guerre.

— Alors, viens.

Elle le suivit au bureau, pieds nus, et il se pencha sur le poste. Ses longues et fortes mains maniaient si doucement les boutons qu'Ivich en eut le cœur remué et regretta leur intimité passée. Quand elle avait quinze ans, ils étaient toujours ensemble, Mme Serguine était jalouse; quand M. Serguine emmenait Ivich au restaurant, il la faisait asseoir en face de lui, sur la banquette, elle composait elle-même son menu; les garçons l'appelaient madame, elle en riait d'aise et il était tout fier, il avait l'air d'être en bonne fortune. On entendit les dernières mesures d'une marche militaire et puis un Allemand se mit à parler d'une voix irritée.

— Papa, dit-elle avec reproche, je ne sais pas l'allemand.

Il la regarda d'un air naïf. « Il l'a fait exprès », pensa-t-elle.

— A cette heure-ci, ce sont les meilleures informations.

Ivich écouta avec attention pour voir si elle reconnaîtrait au passage le mot « Krieg » dont elle savait le sens. L'Allemand se tut et l'orchestre attaqua une nouvelle marche; Ivich en avait les oreilles écorchées mais M. Serguine écouta jusqu'au bout : il ne détestait pas la musique militaire.

— Hé bien? demanda Ivich, avec angoisse.

— Ça va très mal, déclara M. Serguine. Mais il n'avait pas l'air trop affecté.

— Ah! dit-elle, la gorge sèche. Toujours à cause de ces Tchèques?

— Oui.

— Comme je les hais, dit-elle passionnément. Elle ajouta au bout d'un moment : « Mais si un pays refusait de faire la guerre, on ne pourrait pas l'y forcer?

— Ivich, dit sévèrement M. Serguine, tu es une enfant.

— Ah? dit Ivich. Ah oui, évidemment. »

Elle soupçonnait son père de ne pas s'y connaître mieux qu'elle.

— C'est tout ce qu'il y a comme information?

M. Serguine hésita.

— Papa!

« Il est furieux que je sois venue, je lui gâche sa petite fête. » M. Serguine aimait les secrets, il avait six valises cadenassées, deux malles verrouillées, il les ouvrait parfois quand il était seul. Ivich le contempla avec attendrissement, il était si sympathique qu'elle faillit lui faire part de son angoisse.

— Dans un moment, dit-il à regret, nous entendrons les Français.

Il baissa sur elle ses yeux pâles et elle sentit qu'il ne pouvait rien pour elle. Elle demanda seulement :

— Comment ce serait, s'il y avait la guerre?

— Les Français seraient battus.

— Pfui! Est-ce que les Allemands entreraient en France?

— Naturellement.

— Ils viendraient à Laon?

— Je suppose. Je suppose qu'ils descendraient sur Paris.

« Il n'en sait rien du tout, pensa Ivich. C'est un polichinelle. » Mais son cœur sautait dans sa poitrine.

— Ils prendraient Paris mais ils ne le détruiraient pas?

Elle se repentit d'avoir posé la question. Depuis que les bolchevistes avaient mis le feu à ses châteaux, son père avait acquis le goût des catastrophes. Il hocha la tête en fermant à demi les yeux :

— Hé! dit-il. Hé! Hé!

23 h. 30. C'était une rue morte, l'ombre la noyait; de loin en loin un fanal. Une rue de nulle part, bordée de grands mausolées anonymes. Toutes persiennes closes, pas une fente de lumière. « Ce fut la rue Delambre. » Mathieu avait traversé la rue Cels, la rue Froidevaux, suivi l'avenue du Maine et même la rue de la Gaîté; elles se ressemblaient toutes : encore tièdes, déjà méconnaissables, déjà des rues de guerre. Quelque chose s'était perdu. Paris n'était déjà plus qu'un grand cimetière de rues.

Mathieu entra au Dôme parce que le Dôme se trouvait là. Un garçon s'empressa autour de lui avec un sourire gentil : c'était un petit gars à lunettes, malingre et plein de bonne volonté. Un nouveau : ses anciens faisaient attendre leurs clients pendant une heure, puis s'amenaient nonchalamment et prenaient la commande sans sourire.

— Où est Henri?

— Henri? demanda le garçon.

— Un gros brun avec des yeux qui lui sortaient de la tête.

— Ah! Eh bien, il est mobilisé.

— Et Jean?

— Le blond? Il est mobilisé aussi. C'est moi qui le remplace.

— Donnez-moi une fine, dit Mathieu.

Le garçon partit en courant. Mathieu cligna des yeux puis il considéra la salle avec étonnement. En juillet le Dôme n'avait pas de limites précises, il coulait dans la nuit, à travers ses vitres et sa porte-tambour, il s'épandait sur la chaussée, les passants baignaient dans ce petit lait qui tremblait encore sur les mains et sur la moitié gauche du visage des chauffeurs stationnés au milieu du boulevard Montparnasse. Un pas de plus, on plongeait dans le rouge, le profil droit des chauffeurs était rouge : c'était la Rotonde. A présent les ténèbres du dehors se poussaient contre les vitres, le Dôme était réduit à lui-même : une collection de tables, de banquettes, de verres, secs, rétractés, privés de cette luminosité diffuse qui était leur ombre de nuit. Disparus, les émigrés allemands, le pianiste hongrois, la vieille Américaine alcoolique. Partis, tous ces couples charmants qui se tenaient les mains sous la table et parlaient d'amour jusqu'au matin, les yeux roses de sommeil. Un commandant, à sa gauche, soupait avec sa femme. En face, une petite grue annamite rêvait devant un café-crème et, à la table voisine, un capitaine mangeait une choucroute. A droite, un garçon en uniforme serrait une femme contre lui. Mathieu le connaissait de vue, c'était un élève des Beaux-

Arts, long, pâle et perplexe; l'uniforme lui donnait l'air féroce. Le capitaine leva la tête et son regard traversa la muraille; Mathieu suivit ce regard : au bout il y avait une gare, des feux, des reflets sur des rails, des hommes au visage terreux, les yeux agrandis par l'insomnie, assis tout raides dans des wagons, les mains sur les genoux. En juillet nous étions assis en rond sous les lampes, nous ne nous quittions pas des yeux, pas un de nos regards ne se perdait. A présent ils se perdent, ils filent vers Wissembourg, vers Montmédy; il y a beaucoup de vide et beaucoup de noir entre les personnes. Ils ont mobilisé le Dôme, ils en ont fait un ustensile de première nécessité : un buffet. « Ah! pensa-t-il joyeusement, je ne reconnais rien, je ne regrette rien, je ne laisse rien derrière moi. »

La petite Indochinoise lui sourit. Elle était mignarde, avec des mains minuscules; il y avait deux ans que Mathieu se promettait de passer une nuit avec elle. Ce serait le moment. Je promènerais ma bouche sur sa peau froide, je respirerais son odeur d'insecte et de coffret; je serais nu et quelconque sous ses doigts professionnels; il y a en moi quelques vieilleries qui en mourraient. Il suffisait de lui rendre son sourire.

— Garçon.

Le garçon accourut :

— C'est dix francs.

Mathieu paya et sortit. Je la connais encore trop.

Il faisait noir. Première nuit de guerre. Non, pas tout à fait. Il restait encore beaucoup de lumières accrochées au flanc des maisons. Dans un mois, dans quinze jours, la première alerte les soufflerait; pour l'instant ce n'était qu'une répétition générale. Mais Paris avait tout de même perdu son plafond de coton rose. Pour la première fois, Mathieu voyait une grande buée sombre en suspens au-dessus de la ville : le ciel. Celui de Juan-les-Pins, de Toulouse, de Dijon, d'Amiens, un même ciel pour la campagne et pour la ville, pour toute la France. Mathieu s'arrêta, leva la tête et le regarda. Un ciel de n'importe où, sans privilèges. Et moi sous cette grande équivalence : quelconque. Quelconque, n'importe où : c'est la guerre. Il fixait les yeux sur une flaque de lumière, il se répéta, pour voir : « Paris, boulevard Raspail. » Mais on les avait mobilisés aussi, ces noms de luxe, ils avaient l'air de sortir d'une carte d'état-major ou d'un communiqué. Il ne restait plus rien du boulevard Raspail. Des routes, rien que des routes, qui filaient du sud au nord, de l'ouest à l'est; des routes numérotées. De temps en temps on les pavait sur un kilomètre ou deux, des trottoirs et des maisons surgissaient de terre, ça s'appelait rue, avenue, boulevard. Mais ce n'était jamais qu'un morceau de route; Mathieu marchait, la face tournée vers la frontière belge, sur un tronçon de route départementale issu de la Nationale 14. Il tourna dans la longue voie droite et carrossable qui prolongeait les voies ferrées de la compagnie de l'Ouest, anciennement la rue de Rennes. Une flamme l'enveloppa, fit sauter hors de l'ombre un réverbère, s'éteignit : un taxi passait, roulant vers les gares de la rive droite. Une auto noire suivit, remplie d'officiers, puis tout retomba dans le silence. Au bord du chemin, sous ce ciel indifférencié, les maisons s'étaient réduites à leur fonction la plus fruste : c'étaient des immeubles de rapport. Des dortoirs-réfectoires pour les mobilisables, pour les familles de mobilisés. Déjà l'on pressentait leur destination ultime : elles deviendraient des « points stratégiques » et, pour finir, des cibles. Après cela, on pouvait bien détruire Paris : il était déjà mort. Un nouveau monde était en train de naître : le monde austère et pratique des ustensiles.

Un rayon de lumière passait entre les rideaux du café des Deux-Magots. Mathieu s'assit à la terrasse. Derrière lui, des gens chuchotaient dans l'ombre : les derniers clients. Il commençait à faire frais.

— Un demi, dit Mathieu.

— Il va être minuit, dit le garçon. On ne sert plus à la terrasse.

— Rien qu'un demi.

— Alors, en vitesse.

Dans son dos, une femme se mit à rire. C'était le premier rire qu'il entendît depuis son retour : il en fut presque choqué. Pourtant il ne se sentait pas triste; mais il n'avait pas envie de rire. Au ciel, une nuée se déchira et deux étoiles parurent. Mathieu pensa : « C'est la guerre. »

— Si ça ne vous fait rien de me payer tout de suite : après, je vous laisserai tranquille.

Mathieu paya, le garçon rentra dans la salle. Un couple d'ombres se leva, glissa entre les tables et s'en fut. Mathieu restait seul à la terrasse. Il leva la tête et vit, de l'autre côté de la place, une belle église toute neuve, blanche dans le ciel noir. Une église de village. Hier s'élevait sur son emplacement un édifice bien parisien : l'église Saint-Germain-des-Prés, monument historique, souvent Mathieu donnait rendez-vous à Ivich devant son porche. Demain peut-être, il ne resterait en face des Deux-Magots qu'un ustensile cassé, sur lequel cent canons s'obstineraient à tirer. Mais aujourd'hui... aujourd'hui Ivich était à Laon, Paris était mort, on venait d'enterrer la Paix, la guerre n'était pas encore déclarée. Il n'y avait qu'une grande forme blanche posée sur une place, les écailles blanches de la nuit. Une église de village. Elle était neuve, elle était belle; elle ne servait à rien. Un vent léger se leva; une auto passa, tous feux éteints, puis un cycliste, puis deux camions qui firent trembler le sol. L'image de pierre se troubla un instant, puis le vent tomba, le silence se fit et elle se reforma, blanche, inutile, inhumaine, dressant au milieu de tous ces outils verticaux, au bord de la route de l'Est, l'avenir impassible et nu du rocher. Éternelle. Il suffirait d'un tout petit point noir au ciel pour la faire éclater en poudre et cependant elle était éternelle. Un homme tout seul, oublié, mangé par l'ombre en face de cette éternité périssable. Il frissonna et pensa : « Moi aussi, je suis éternel. »

Cela s'était fait sans douleur. Il y avait eu un homme tendre et timoré qui aimait Paris et qui s'y promenait. L'homme était mort. Aussi mort que Waldeck-Rousseau, que Thureau-Dangin; il s'était enfoncé dans le passé du monde, avec la Paix, sa vie avait été versée dans les archives de la Troisième République; ses dépenses quotidiennes alimenteraient les statistiques concernant le niveau de vie des classes moyennes après 1918, ses lettres serviraient de documents à l'histoire de la bourgeoisie entre les deux guerres, ses inquiétudes, ses hésitations, ses hontes et ses remords seraient fort précieux pour l'étude des mœurs françaises après la chute du Second Empire. Cet homme s'était taillé un avenir à sa mesure, culotté, boucané, résigné, surchargé de signes, de rendez-vous, de projets. Un petit avenir historique et mortel : la guerre était tombée dessus de tout son poids et l'avait écrasé. Pourtant, jusqu'à cette minute, il restait encore quelque chose qui pouvait s'appeler Mathieu, quelque chose à quoi il se cramponnait de toutes ses forces. Il n'aurait su dire ce que c'était. Peut-être quelque habitude très ancienne, peut-être une certaine manière de choisir ses pensées à son image, de se choisir au jour le jour à l'image de ses pensées, de choisir ses aliments, ses habits, les arbres et les maisons qu'il voyait. Il ouvrit les mains et lâcha prise; cela se passait très loin au fond de lui, dans une région où les mots n'ont plus de sens. Il lâcha prise, il ne resta plus qu'un regard. Un regard tout neuf, sans passion, une simple transparence. « J'ai perdu mon âme », pensa-t-il avec joie. Une femme traversa cette transparence. Elle se hâtait, ses talons clapotaient sur le trottoir. Elle glissa dans le regard immobile, soucieuse, mortelle, temporelle, dévorée de mille projets menus, elle passa la main sur son front, tout en marchant, pour rejeter une mèche en arrière. J'étais comme elle; une ruche de projets. Sa vie est ma vie; sous ce regard, sous le ciel indifférent, toutes les vies s'équivalaient. L'ombre la prit, ses talons claquaient dans la rue Bonaparte; toutes les vies humaines se fondirent dans l'ombre, le clapotement s'éteignit.

Mon regard. Il regardait la blancheur étouffée du clocher. Tout est mort. Mon regard et ces pierres. Éternel et minéral, comme elle. Dans mon vieil avenir des hommes et des femmes m'attendaient le 20 juin 1940, le 16 septembre 1942, le 8 février 1944, ils me faisaient des signes. A présent c'est mon regard seul qui s'attend dans l'avenir, à perte de vue, comme ces pierres s'attendent, s'attendent pierres, demain, après-demain, toujours. Un regard et une joie énorme comme la mer; c'était une fête. Il posa ses mains sur ses genoux, il voulait être calme : qui me prouve que je ne redeviendrai pas demain ce que j'étais hier? Mais il n'avait pas peur. L'église peut crouler, je peux choir dans un trou d'obus, retomber dans ma vie : rien ne peut m'ôter ce moment éternel. Rien : il y aurait eu, pour toujours, cet éclair sec enflammant des pierres sous le ciel noir; l'absolu, pour toujours; l'absolu, sans cause, sans raison, sans but, sans autre passé, sans autre avenir que la permanence, gratuit, fortuit, magnifique. « Je suis libre », se dit-il soudain. Et sa joie se mua sur-le-champ en une écrasante angoisse.

Irène s'ennuyait. Il ne se passait rien, sinon que l'orchestre jouait *Music Maestro please* et que Marc la regardait avec des yeux de phoque. Il ne se passait jamais rien, d'ailleurs, ou alors, si quelque chose arrivait, par hasard, on ne s'en apercevait pas sur le moment. Elle suivait des yeux une Scandinave, une grande blonde qui dansait depuis plus d'une heure sans même s'asseoir entre les danses, elle pensa avec impartialité : « Cette femme est bien habillée. » Marc aussi était bien habillé; tout le monde était bien habillé sauf Irène qui se sentait sale dans sa robe grenat, elle s'en fichait, je sais bien que je n'ai pas de goût pour choisir mes toilettes et puis où est-ce que je prendrais l'argent pour les renouveler, seulement, à tant faire que d'aller chez les riches, il faut trouver le moyen de ne pas se faire remarquer. Il y avait déjà une demi-douzaine de types qui la regardaient : une robe de quatre sous un peu luisante, ça vous les mettait en appétit, ils se sentaient moins intimidés. Marc était à son aise parce qu'il était riche; il aimait l'emmener chez les riches parce que ça la mettait en état d'infériorité et, qu'il croyait, de moindre résistance.

— Pourquoi ne voulez-vous pas? demanda-t-il.

Irène sursauta.

— Qu'est-ce que je ne veux pas? Ah! oui...

Elle sourit sans répondre.

— A quoi pensiez-vous?

— Je pensais que mon verre était vide. Commandez-moi un autre Cherry Gobler.

Marc commanda un autre Cherry Gobler. C'était un peu marrant de le faire payer parce qu'il inscrivait ses dépenses au jour le jour sur un carnet. Ce soir, il mettrait : Sortie avec Irène, un gin-fizz, deux Cherry Gobler : cent soixante-quinze francs. Elle s'aperçut qu'il lui caressait l'avant-bras du bout de l'index, ça devait faire un bon moment qu'il s'amusait à ça.

— Dites, Irène, dites. Pourquoi?

— Mais, comme ça, dit-elle en bâillant. Je ne sais pas.

— Eh bien, alors, justement : si vraiment vous ne savez pas...

— Ah! mais non! C'est le contraire : quand je couche avec quelqu'un, je veux savoir pourquoi. C'est pour ses yeux ou pour une phrase qu'il a dite ou parce qu'il est beau.

— Je suis beau, dit Marc à voix basse.

Irène se mit à rire et il rougit.

— Enfin, dit-il vivement, vous comprenez ce que je veux dire.

— Très bien, dit-elle, très bien.

Il la saisit par le poignet :

— Irène, bon Dieu! qu'est-ce qu'il faut que je fasse?

Il se penchait sur elle avec une humilité hargneuse, l'émotion troublait son haleine. « Ce que je m'ennuie », pensa-t-elle.

— Rien. Il n'y a rien à faire.

— Ha! fit-il.

Il la lâcha et rejeta la tête en arrière, en découvrant les dents. Elle se voyait dans la glace, une petite souillon avec de beaux yeux et elle pensait : « Mon Dieu! Que d'histoires pour ça! » Elle en avait honte pour lui et pour elle et tout était si fade et si ennuyeux; elle ne comprenait même plus pourquoi elle se refusait : je fais beaucoup d'embarras; il vaudrait mieux lui dire : « Vous le voulez? Eh bien, allons-y : une demi-heure dans une chambre d'hôtel, une passe, quoi! Une petite cochonnerie entre deux draps et puis après on reviendra ici finir la soirée et vous me laisserez tranquille. » Mais il fallait croire qu'elle attachait encore trop d'importance à son pauvre corps : elle sentait bien qu'elle ne céderait pas.

— Je vous trouve drôle! dit-il.

Il roulait avec égarement de gros beaux yeux méchants, il va essayer de me faire mal, c'est régulier, et puis après il me demandera pardon.

— Comme vous vous défendez! reprit-il avec ironie. Si je ne vous

connaissais pas depuis quatre ans je pourrais croire que vous êtes
une vertu.

Elle le regarda avec un intérêt soudain et se mit à penser. Quand
elle pensait, elle s'ennuyait beaucoup moins.

— Vous avez raison, dit-elle, c'est très drôle : je suis facile, c'est
un fait, et pourtant je me ferais plutôt hacher que de coucher avec
vous. Allez donc expliquer ça! Elle l'examina impartialement et
conclut : « Je ne peux même pas dire que vous me dégoûtiez vraiment.

— Plus bas! dit-il. Parlez moins fort. » Il ajouta haineusement :
« Vous avez une petite voix claire qui porte loin. »

Ils se turent. Les gens dansaient, l'orchestre jouait *Caravane;*
Marc tournait son verre sur la nappe et les glaçons s'entrechoquaient
dedans. Irène retomba dans son ennui.

— Au fond, dit-il soudain, je vous ai trop laissé voir que je vous
désirais.

Il avait posé les mains à plat sur la table et la lissait avec calme;
il essayait de retrouver sa dignité humaine. Aucune importance, il
la reperdra dans cinq minutes. Elle lui sourit cependant parce qu'il
lui fournissait l'occasion de s'interroger sur elle-même.

— Eh bien, dit-elle, il y a de ça. Il doit y avoir de ça.

Marc lui apparaissait à travers une brume. Une paisible petite
brume d'étonnement qui était montée de son cœur à ses yeux. Elle
adorait se sentir ainsi étonnée, avec toutes les questions qu'on se
pose à perte de vue et qui n'ont jamais de réponse. Elle lui expliqua :

— Quand on a trop envie de moi, ça me scandalise. Voyons, Marc,
je me sens ridicule : demain Hitler nous aura peut-être attaqués et
vous êtes là à vous agiter parce que je ne veux pas coucher avec vous.
Il faut vraiment que vous soyez un pauvre type pour vous mettre
dans des états pareils à propos d'une bonne femme comme moi.

— Ça me regarde, dit-il d'une voix rageuse.

— Ça me regarde aussi : j'ai horreur qu'on me surestime.

Il y eut un silence. On est des bêtes, on met des mots sur un ins-
tinct. Elle le regarda du coin de l'œil : ça y est, il va se dégonfler. Ses
traits s'affaissaient, le moment le plus pénible était encore à venir;
une fois, au « Melody's », il avait pleuré. Il ouvrit la bouche et elle lui
dit vivement :

— Taisez-vous, Marc, je vous en prie : vous allez dire une bêtise
ou une saloperie.

Il ne l'entendit pas; il agitait la tête de droite à gauche, il avait
l'air fatal :

— Irène, dit-il à mi-voix, je vais partir.

— Partir? Où ça?

— Ne faites pas l'idiote. Vous m'avez compris.

— Et alors?

— Je pensais que ça vous ferait tout de même quelque chose.

Elle ne répondit pas : elle le regardait fixement. Au bout d'un instant, il reprit en détournant la tête :

— En 14, beaucoup de femmes se sont données à des types qui les aimaient, simplement parce qu'ils allaient partir.

Elle se tut; les mains de Marc se mirent à trembler.

— Irène, c'est une chose qui compte si peu pour vous, et pour moi, justement, ça aurait tellement d'importance, surtout en ce moment...

— Ça ne prend pas, dit Irène.

Il se retourna violemment sur elle :

— Enfin, sacré nom de Dieu! c'est pour vous que je vais me battre.

— Salaud! dit Irène.

Il se dégonfla aussitôt; ses yeux rougirent.

— Je ne peux pas supporter l'idée que je vais crever sans vous avoir eue.

Irène se leva :

— Venez danser, dit-elle.

Il se leva docilement et ils dansèrent. Il s'était plaqué contre elle; il la fit tourner à grands pas autour de la salle et, tout à coup, elle eut le souffle coupé.

— Qu'est-ce qu'il y a? demanda-t-il.

— Rien du tout.

Elle venait de reconnaître Philippe, sagement assis auprès d'une créole assez belle, mais sur le retour. « Il était là! Il était là pendant qu'on le cherchait partout. » Elle le trouva pâlot, avec des cernes sous les yeux. Elle poussa Marc au milieu de la foule : il ne fallait surtout pas que Philippe la reconnût. L'orchestre cessa de jouer, et ils regagnèrent leur table. Marc se laissa tomber sur la banquette. Irène allait s'asseoir quand elle vit un type qui s'inclinait devant la négresse.

— Asseyez-vous, dit Marc. Je n'aime pas vous voir debout.

— Une minute! dit-elle avec impatience.

La négresse se leva paresseusement et le type l'enlaça. Philippe les regarda un moment d'un air traqué et Irène sentit son cœur sauter dans sa poitrine. Tout d'un coup, il se leva et se coula au dehors.

— Excusez-moi un instant, dit Irène.

— Où allez-vous?

— Aux cabinets. Là, êtes-vous content?

— Vous allez faire semblant d'y aller, et puis vous ficherez le camp.

Elle désigna son sac sur la table :

— Mon sac est resté à ma place.

Marc grommela sans répondre; elle traversa la piste en écartant les danseurs à coup d'épaules.

— Elle est folle, celle-là, dit une femme. Marc s'était levé derrière elle, elle l'entendit crier :

— Irène!

Mais elle était déjà dehors : de toute façon il lui faudra bien cinq minutes pour régler les consommations. La rue était sombre : « C'est idiot, pensa-t-elle, je l'ai perdu. » Mais lorsque ses yeux se furent habitués à la pénombre, elle l'aperçut qui trottait dans la direction de la Trinité, en rasant les murs. Elle se mit à courir : « Tant pis pour mon sac; j'y perds ma boîte à poudre, cent francs et les deux lettres de Maxime. » Elle ne s'ennuyait plus du tout. Ils parcoururent ainsi une centaine de mètres en courant tous les deux et puis Philippe s'arrêta si brusquement qu'Irène pensa le heurter. Elle fit un crochet rapide, le dépassa et, s'approchant de la porte d'un immeuble, sonna deux fois. La porte s'ouvrit comme Philippe passait derrière elle. Elle attendit une seconde puis claqua violemment le battant, comme si elle venait d'entrer dans l'immeuble. Philippe marchait doucement, à présent, c'était un jeu de le suivre. De temps en temps, l'ombre l'engloutissait et puis un peu plus loin, sous la petite pluie lumineuse d'un réverbère, il émergeait de la nuit. « Ce que je m'amuse », pensa-t-elle. Elle adorait suivre les gens; elle pouvait marcher des heures derrière des personnes qu'elle ne connaissait même pas.

Sur les boulevards, il y avait encore beaucoup de monde et il faisait plus clair à cause des cafés et des devantures. Philippe s'arrêta pour la seconde fois, mais Irène ne se laissa pas surprendre; elle se plaça derrière lui, dans un coin sombre, et attendit. « Il a peut-être un rendez-vous. » Il se retourna vers elle, il était blême; tout d'un coup, il se mit à parler et elle crut qu'il l'avait reconnue; pourtant elle était sûre qu'il ne pouvait pas la voir. Il fit un pas en arrière et marmotta quelque chose; il avait l'air terrorisé. « Il est devenu fou », pensa-t-elle.

Deux femmes passèrent, une jeune et une vieille, avec des chapeaux provinciaux. Il se rapprocha d'elles, il avait une tête d'exhibitionniste.

— A bas la guerre, dit-il.

Les femmes pressèrent le pas : elles n'avaient pas dû comprendre. Deux officiers s'avançaient derrière elles; Philippe se tut et les laissa passer. Ils étaient suivis de près par une grue parfumée dont l'odeur frappa Irène en plein nez. Philippe se planta devant elle d'un air mauvais; elle lui souriait déjà mais il lui dit d'une voix étranglée :

— A bas la guerre, à bas Daladier! Vive la paix.

— Espèce d'enflé! dit la femme.

Elle passa. Philippe secoua la tête, il regarda à droite et à gauche d'un air furieux et puis il plongea soudain dans les ténèbres de la rue Richelieu. Irène riait si fort qu'elle faillit se laisser surprendre.

— Encore deux minutes.

Il tracassait le bouton, un air de jazz jaillit, quatre notes de saxophone, une étoile filante.

— Oh! laisse-le, dit Ivich. C'est joli.

M. Serguine tourna le bouton et la plainte du saxophone fut remplacée par un long traînement rocailleux, puis il considéra Ivich avec sévérité :

— Comment peux-tu aimer cette musique de sauvage?

Il méprisait les nègres. De sa vie d'étudiant à Munich, il avait conservé des souvenirs fulgurants, un culte pour Wagner.

— Il est temps, reprit-il.

Une voix fit trembler l'appareil. Une vraie voix française, posée, affable, qui s'appliquait à rendre par des inflexions mélodieuses toutes les sinuosités du discours, une voix pénétrante et persuasive de grand frère. Je déteste les voix françaises. Elle sourit à son père et dit lâchement pour retrouver un peu de leur ancienne complicité :

— Je déteste les voix françaises.

M. Serguine émit un léger gloussement mais il ne répondit pas et, de la main, il lui imposa silence.

« Aujourd'hui, disait la voix, l'envoyé du Premier britannique a été reçu à nouveau par le chancelier du Reich, qui lui a fait savoir que s'il n'avait pas demain, à quatorze heures, une réponse satisfaisante de Prague au sujet de la promesse d'évacuation des régions Sudètes, il se réservait de prendre les mesures nécessaires.

« On estime généralement que le chancelier Hitler a voulu mentionner la mobilisation générale dont l'ordre était attendu pour lundi, lors du discours du chancelier, et qui n'a été sans doute retardé qu'en raison de la lettre du Premier Ministre britannique. »

La voix se tut. Ivich, la gorge sèche, leva les yeux sur son père. Il avait bu ces paroles avec un air de béatitude tout à fait stupide.

— Qu'est-ce que ça signifie au juste, une mobilisation? demanda-t-elle avec détachement.

— Ça signifie la guerre.

— Mais pas nécessairement?

— Bah! Bah!

— Nous ne nous battrons pas, dit-elle violemment. Nous ne pouvons pas nous battre à cause des Tchèques!

M. Serguine sourit avec douceur :

— Tu sais, dit-il, quand on mobilise...

— Mais puisque nous ne voulons pas de la guerre.

— Si nous ne voulions pas de la guerre, nous n'aurions pas mobilisé.

Elle le regarda avec stupeur :

— Nous avons mobilisé? Nous aussi?

— Non, dit-il en rougissant. Je veux dire : les Allemands.

— Ah? Moi je parlais des Français, dit Ivich avec sécheresse.

La voix reprit, calmante et bénigne :

« Dans les cercles étrangers de Berlin, on pense généralement... »

— Chut, dit M. Serguine.

Il se rassit, le visage tourné vers l'appareil. « Je suis orpheline », pensa Ivich. Elle quitta la pièce sur la pointe des pieds, traversa le couloir et s'enferma dans sa chambre. Elle claquait des dents : ils passeront par Laon, ils brûleront Paris, la rue de Seine, la rue de la Gaîté, la rue des Rosiers, le bal de la Montagne-Sainte-Geneviève; si Paris brûle, je me tue. « Oh! pensa-t-elle en se laissant tomber sur son lit, et le Musée Grévin? » Elle n'y avait jamais été, Mathieu avait promis de l'y conduire en octobre et ils allaient le réduire en poudre avec leurs bombes. Et si c'était cette nuit? Son cœur sautait dans sa poitrine, elle avait froid aux avant-bras et aux mains; qu'est-ce qui les en empêche? Peut-être qu'à cette heure même Paris est déjà en cendres et qu'on le cache pour ne pas affoler la population. A moins que ce ne soit défendu par des accords internationaux? Comment savoir? « Oh! pensa-t-elle avec fureur, je suis sûre qu'il y a des gens qui savent; et moi, je n'y comprends rien, on m'a tenue dans l'ignorance, on me faisait étudier le latin et personne ne m'a rien dit et à présent voilà! Mais j'ai le droit de vivre, pensa-t-elle avec égarement, on m'a mise au monde pour que je vive, j'en ai le droit. » Elle se sentait si profondément lésée, qu'elle s'abattit sur son oreiller et fut secouée par cinq ou six sanglots. « C'est trop injuste, murmurait-elle, en mettant les choses au mieux il y en aura pour six ans, pour dix ans, et toutes les femmes s'habilleront comme des infirmières et, quand ce sera fini, je serai vieille. » Mais ses larmes ne coulèrent pas,

elle avait un glaçon dans le cœur. Elle se redressa brusquement :
« *Qui, qui* veut la guerre? » A prendre les gens un à un, ils n'étaient
pas belliqueux, ils ne songeaient qu'à manger, à gagner de l'argent
et à faire des enfants. Même les Allemands. Et pourtant la guerre
était là, Hitler avait mobilisé. « Il ne peut tout de même pas décider
ça tout seul », pensa-t-elle. Et une phrase lui passa par la tête, où
l'avait-elle lue? dans un journal sûrement, à moins qu'elle ne l'ait
entendu prononcer à déjeuner par un client de son père : qui y a-t-il
derrière lui? elle répéta à mi-voix en fronçant les sourcils et en regardant le bout de ses pantoufles : « Qui y a-t-il derrière lui? » et elle
espérait un peu que tout allait s'éclairer, elle passa en revue les noms
de toutes ces grandes puissances obscures qui mènent le monde, la
franc-maçonnerie, les Jésuites, les deux cents familles, les marchands
de canons, les Maîtres de l'or, le Mur d'argent, les trusts américains,
l'Internationale communiste, le Ku-klux-klan; il devait y avoir un
peu de tout ça et puis autre chose encore, peut-être, une association
tout à fait secrète et formidablement puissante dont on ignorait
jusqu'au nom. « Mais que peuvent-ils vouloir? » se demanda-t-elle
pendant que deux larmes de rage lui coulaient sur les joues. Elle
essaya un moment de deviner leurs raisons mais elle se sentait vide
avec un cercle de métal qui tournait sous son crâne. « Si du moins
je savais où est la Tchécoslovaquie! » Elle avait fixé au mur, avec
des punaises, une grande aquarelle bleu et or : c'était l'Europe, elle
s'était amusée à la peindre, l'hiver précédent, d'après un atlas, en
corrigeant un peu les contours; elle avait mis des fleuves partout,
échancré les côtes trop plates et surtout elle s'était bien gardée
d'écrire aucun nom sur la carte : ça faisait savant et prétentieux; pas
de frontière non plus : elle avait horreur des pointillés. Elle s'approcha : la Tchécoslovaquie était là, quelque part, au plus épais des
terres. Là, par exemple, à moins que ce ne fût la Russie. Et l'Allemagne, où est-elle? Elle regardait la grande forme jaune et lisse, cer-
née de bleu, elle pensait : « Toute cette terre! » et elle se sentait perdue. Elle se détourna, laissa tomber sa robe de chambre et se mira
nue dans la glace, d'ordinaire ça la consolait un peu quand elle avait
des ennuis. Mais elle se vit soudain toute petite, un fétu, avec une
peau grumeleuse, parce qu'elle avait la chair de poule, et les pointes
de ses seins qui se dressaient, elle détestait ça, un vrai corps d'hôpital,
fait pour les blessures, on dit qu'ils violeront toutes les femmes, ils
peuvent me couper une jambe. S'ils entraient dans sa chambre, s'ils
la trouvaient toute nue dans ses couvertures : vous avez cinq minutes
pour vous habiller, et ils tourneraient le dos comme pour Marie-

Antoinette, mais ils entendraient tout, le bruit mou des pieds sur la descente de lit et le frôlement des étoffes contre la peau. Elle prit son pantalon et ses bas et les enfila rapidement, on doit attendre le malheur debout et vêtue. Quand elle eut passé sa jupe et son corsage, elle se sentit un peu protégée. Mais, comme elle chaussait ses souliers, une voix de basse se mit à chantonner en allemand, dans le couloir.

Ich hatte einen Kamerade...

Ivich se précipita sur la porte et l'ouvrit; elle se trouva nez à nez avec son père, il avait l'air solennel et guilleret.

— Qu'est-ce que tu chantes? dit-elle furieuse. Qu'est-ce que tu te permets de chanter?

Il la regarda avec un sourire entendu.

— Attends, dit-il, attends un peu, ma petite grenouille : nous la reverrons, notre Sainte Russie.

Elle rentra dans sa chambre en claquant la porte : « Je me moque de la Sainte Russie, je ne veux pas qu'on démolisse Paris et s'ils se permettent quoi que ce soit, tu verras si les avions français n'iront pas lâcher des bombes sur ton Munich! »

Le bruit des pas décrut dans le couloir, tout retomba dans le silence. Ivich se tenait toute raide au milieu de la pièce, en évitant de se regarder dans la glace. Tout à coup, il y eut trois coups de sifflet impérieux, ça venait de la rue, elle frissonna de la tête aux pieds. Dehors. Dans la rue. Tout se passait au dehors : sa chambre était une prison. On décidait de sa vie partout, au Nord, à l'Est, au Sud, partout dans cette nuit empoisonnée, trouée d'éclairs, pleine de chuchotement et de conciliabules, partout sauf ici où elle restait claquemurée et où justement il n'arrivait rien. Ses mains et ses jambes se mirent à trembler, elle prit son sac, passa son peigne dans ses cheveux, ouvrit la porte sans bruit et se glissa au dehors.

Dehors. Tout est dehors : « Les arbres sur le quai, les deux maisons du pont, qui rosissent la nuit, le galop figé d'Henri IV au-dessus de ma tête : tout ce qui pèse. Au dedans, rien, pas même une fumée, il n'y a pas de dedans, il n'y a rien. Moi : rien. Je suis libre », se dit-il, la bouche sèche.

Au milieu du Pont-Neuf, il s'arrêta, il se mit à rire : « Cette liberté, je l'ai cherchée bien loin; elle était si proche que je ne pouvais pas la voir, que je ne peux pas la toucher, elle n'était que moi. Je suis ma liberté. » Il avait espéré qu'un jour il serait comblé de joie, percé de part en part par la foudre. Mais il n'y avait ni foudre ni joie : seulement ce dénuement, ce vide saisi de vertige devant lui-même, cette angoisse que sa propre transparence empêchait à tout jamais

de se voir. Il étendit les mains et les promena lentement sur la pierre
de la balustrade, elle était rugueuse, crevassée, une éponge pétrifiée,
chaude encore du soleil d'après-midi. Elle était là, énorme et massive,
enfermant en soi le silence écrasé, les ténèbres comprimées qui sont
le dedans des choses. Elle était là : une plénitude. Il aurait voulu
s'accrocher à cette pierre, se fondre à elle, se remplir de son opacité,
de son repos. Mais elle ne pouvait lui être d'aucun secours : elle était
dehors, pour toujours. Il y avait ses mains, pourtant, sur la balustrade blanche : quand il les regardait, elles semblaient de bronze.
Mais, justement parce qu'il pouvait les regarder, elles n'étaient plus
à lui, c'étaient les mains d'un autre, dehors, comme les arbres, comme
les reflets qui tremblaient dans la Seine, des mains coupées. Il ferma
les yeux et elles redevinrent siennes : il n'y eut plus contre la pierre
chaude qu'un petit goût acide et familier, un petit goût de fourmi
très négligeable. « Mes mains : l'inappréciable distance qui me révèle
les choses et m'en sépare pour toujours. Je ne suis rien, je n'ai rien.
Aussi inséparable du monde que la lumière et pourtant exilé, comme
la lumière, glissant à la surface des pierres et de l'eau, sans que rien,
jamais, ne m'accroche ou ne m'ensable. Dehors. Dehors. Hors du
monde, hors du passé, hors de moi-même : la liberté c'est l'exil et je
suis condamné à être libre. »

Il fit quelques pas, s'arrêta de nouveau, s'assit sur la balustrade et
regarda couler l'eau. « Et qu'est-ce que je vais faire de toute cette
liberté? Qu'est-ce que je vais faire de moi? » On avait jalonné son
avenir de tâches précises : la gare, le train pour Nancy, la caserne, le
maniement d'armes. Mais ni cet avenir ni ces tâches ne lui appartenaient plus. Rien n'était plus à lui : la guerre labourait la terre, mais
ce n'était pas sa guerre. Il était seul sur ce pont, seul au monde et
personne ne pouvait lui donner d'ordre. « Je suis libre pour rien »,
pensa-t-il avec lassitude. Pas un signe au ciel ni sur la terre, les
objets de ce monde étaient trop absorbés par leur guerre, ils tournaient vers l'Est leurs têtes multiples, Mathieu courait à la surface
des choses et elles ne le sentaient pas. Oublié. Oublié par le pont qui
le supportait avec indifférence, par ces chemins qui filaient vers la
frontière, par cette ville qui se soulevait lentement pour regarder
à l'horizon un incendie qui ne le concernait pas. Oublié, ignoré, tout
seul : un retardataire; tous les mobilisés étaient partis depuis l'avant-
veille, il n'avait plus rien à faire ici. Prendrai-je le train? Aucune
importance. Partir, rester, fuir : ce n'étaient pas ces actes-là qui
mettraient en jeu sa liberté. Et pourtant il fallait la risquer. Il
s'agrippa des deux mains à la pierre et se pencha au-dessus de l'eau.

Il suffirait d'un plongeon, l'eau le dévorerait, sa liberté deviendrait
eau. Le repos. Pourquoi pas? Ce suicide obscur ce serait aussi un
absolu. Toute une loi, tout un choix, toute une morale. Un acte
unique, incomparable qui illuminerait une seconde le pont et la
Seine. Il suffirait de se pencher un peu plus et il se serait choisi pour
l'éternité. Il se pencha, mais ses mains ne lâchaient pas la pierre,
elles supportaient tout le poids de son corps. Pourquoi pas? Il n'avait
pas de raison particulière pour se laisser couler, mais il n'avait pas
non plus de raison pour s'en empêcher. Et l'acte était là, devant lui,
sur l'eau noire, il lui dessinait son avenir. Toutes les amarres étaient
tranchées, rien au monde ne pouvait le retenir : c'était ça l'horrible,
horrible liberté. Tout au fond de lui, il sentait battre son cœur affolé;
un seul geste, des mains qui s'ouvrent et j'aurai été Mathieu. Le
vertige se leva doucement sur le fleuve; le ciel et le pont s'effondrèrent :
il ne resta plus que lui et l'eau; elle montait jusqu'à lui, elle léchait
ses jambes pendantes. L'eau, son avenir. « A présent c'est vrai, je
vais me tuer. » Tout à coup, il décida de ne pas le faire. Il décida :
« Ce ne sera qu'une épreuve. » Il se retrouva debout, en marche,
glissant sur la croûte d'un astre mort. Ce sera pour la prochaine fois.
   Elle courait dans la grande rue, elle entendit encore deux ou trois
coups de sifflet puis plus rien, et voilà que la grande rue aussi était
une prison : il ne s'y passait rien, les façades des maisons étaient
aveugles et plates, tous les volets clos, la guerre était ailleurs. Elle
s'appuya un instant contre une borne-fontaine, elle était anxieuse
et déçue, mais elle ne savait pas ce qu'elle avait espéré : des lumières
peut-être, des magasins ouverts, des gens qui commenteraient les
événements. Il n'y avait rien du tout : les lumières éclairaient, dans
les grandes villes politiques, les ambassades et les palais; elle était
enfermée dans une nuit quotidienne. « Tout se passe toujours
ailleurs », se dit-elle en frappant du pied. Elle entendit un frôlement :
on aurait dit que quelqu'un se glissait derrière elle. Elle retint son
souffle et écouta longtemps; mais le bruit ne se reproduisit pas. Elle
avait froid, la peur lui serrait la gorge : elle se demanda si elle ne
ferait pas mieux de rentrer. Mais elle ne pouvait pas rentrer, sa
chambre lui faisait horreur; ici du moins elle marchait sous le ciel de
tout le monde, elle restait en communication, par le ciel, avec Paris
et Berlin. Elle entendit un grattement prolongé derrière elle et cette
fois elle eut le courage de se retourner. Ce n'était qu'un chat : elle vit
briller ses prunelles et il traversa la chaussée de droite à gauche,
c'était mauvais signe. Elle reprit sa course, tourna dans la rue Thiers
et s'arrêta, hors d'haleine. « Les avions! » Ils grondaient sourdement,

ils devaient être encore très éloignés. Elle prêta l'oreille : ça ne venait pas du ciel. On aurait dit... « Mais oui, pensa-t-elle dépitée : c'est quelqu'un qui ronfle. » C'était Lescat, le notaire, elle reconnut les panonceaux au-dessus de sa tête. Il ronflait, les fenêtres ouvertes, elle ne put s'empêcher de rire et puis tout d'un coup son rire se figea : « Ils dorment tous. Je suis seule dans la rue, entourée de gens qui dorment, personne ne tient compte de moi. »

« Partout sur terre ils dorment ou ils préparent leur guerre dans des bureaux, il n'y en a pas un qui ait mon nom dans la tête. Mais je suis là! pensa-t-elle, scandalisée. Je suis là, je vois, je sens, j'existe autant qu'Hitler! »

Au bout d'un moment, elle reprit sa marche et parvint sur l'esplanade. Au-dessous de Laon, la plaine s'étendait, morne. De loin en loin, on y avait piqué des lumières mais elles ne rassuraient pas; Ivich savait trop bien ce qu'elles éclairaient : des rails, des traverses de bois, des cailloux, des wagons abandonnés sur des voies de garage. Au bout de la plaine, il y avait Paris. Elle respira : « S'il était en flammes, on verrait une clarté à l'horizon. » Le vent faisait claquer sa robe contre ses genoux mais elle ne bougeait pas : « Paris est là-bas, encore ruisselant de lumière et c'est peut-être sa dernière nuit. » Il y avait en ce moment même des gens qui montaient et qui descendaient le boulevard Saint-Michel, d'autres, au Dôme, qui la connaissaient peut-être et qui parlaient entre eux. « La dernière nuit — et je suis là, dans cette eau noire, et quand je serai libre, je ne retrouverai plus qu'un monceau de ruines avec des tentes entre les pierres. Mon Dieu! dit-elle, mon Dieu! faites que je puisse le revoir une dernière fois. » La gare était là juste au-dessous d'elle, ce rougeoiement au bas de l'escalier; le train de nuit partait à trois heures vingt. « J'ai cent francs, pensa-t-elle triomphalement, j'ai cent francs dans mon sac. »

Déjà, elle descendait en courant les marches du raidillon, Philippe descendait en courant la rue Montmartre, dégonfleur, sale dégonfleur, ah! je suis un dégonfleur? Eh bien, ils vont voir. Il déboucha sur une place; une grande bouche sombre et bourdonnante s'ouvrait de l'autre côté de la chaussée, ça sentait le chou et la viande crue. Il s'arrêta devant la grille d'une station de métro, il y avait des cageots vides sur le bord du trottoir; il vit à ses pieds des brins de paille et des feuilles de salade maculées de boue; à droite des ombres passaient et repassaient dans la lumière blanche d'un café. Ivich s'approcha du guichet :

— Une troisième pour Paris.

— Aller et retour? demanda l'employé.

— Aller, répondit-elle fermement.

Philippe s'éclaircit la voix et cria de toutes ses forces :

— A bas la guerre!

Il ne se produisit rien, le va-et-vient des ombres continua devant le café. Il mit ses mains en cornet devant sa bouche :

— A bas la guerre!

Sa voix lui parut un tonnerre. Quelques ombres s'arrêtèrent et il vit des hommes qui venaient vers lui. Ils étaient assez nombreux, la plupart portaient des casquettes. Ils s'avançaient nonchalamment et le regardaient d'un air intéressé.

— A bas la guerre! leur cria-t-il.

Ils étaient tout près de lui; il y avait parmi eux deux femmes et un jeune homme brun de physique agréable. Philippe le regarda avec sympathie et se mit à crier, sans le quitter des yeux :

— A bas Daladier, à bas Chamberlain, vive la paix!

Ils l'entouraient à présent et il se sentait à son aise, pour la première fois depuis quarante-huit heures. Ils le regardaient en levant les sourcils et ils ne disaient rien. Il voulut leur expliquer qu'ils étaient victimes de l'impérialisme capitaliste mais sa voix ne pouvait plus s'arrêter, elle criait : « A bas la guerre! » C'était un hymne triomphal. Il reçut un coup violent sur l'oreille et continua à crier, puis un coup sur la bouche et un coup sur l'œil droit : il tomba sur les genoux et il ne cria plus. Une femme s'était placée devant lui, il voyait ses jambes et ses souliers à talons plats, elle se débattait, elle disait :

— Salauds! Salauds! C'est un gosse, ne le touchez pas.

Mathieu entendit une voix aiguë qui criait : « Salauds! Salauds! C'est un gosse, ne le touchez pas. » Quelqu'un se débattait au milieu d'une dizaine de types en casquette; c'était une petite femme, elle avait les bras en l'air et tous ses cheveux dans la figure. Un jeune homme brun, avec une cicatrice sous l'oreille, la secouait violemment et elle criait :

— Il a raison, vous êtes tous des lâches, vous devriez être à la Concorde, en train de manifester contre la guerre; mais vous préférez taper sur un môme, c'est moins dangereux.

Une grosse maquerelle, devant Mathieu, regardait la scène avec des yeux brillants :

— Foutez-la à poil! dit-elle.

Mathieu se détourna avec ennui : des incidents comme celui-là, il devait s'en produire à tous les carrefours. Veille de guerre, veille d'armes : c'était du pittoresque, ça ne le concernait pas. Tout d'un coup, il décida que ça le concernait. Il écarta la maquerelle d'une bourrade, entra dans le cercle et posa la main sur l'épaule du type brun.

— Police, dit-il. Qu'est-ce qu'il y a?

Le type le regarda avec méfiance.

— C'est le petit qui est par terre. Il a crié : « A bas la guerre! »

— Et tu lui as tapé dessus? dit Mathieu sévèrement. Tu ne pouvais pas appeler un agent?

— Il n'y a pas d'agent, monsieur l'inspecteur, dit la maquerelle.

— Toi, la Carmen, dit Mathieu, tu causeras quand je t'adresserai la parole.

Le type brun avait l'air ennuyé :

— On ne lui a pas fait de mal, dit-il en léchant ses phalanges écorchées. On lui a filé une taloche, pour marquer le coup.

— Qui lui a filé une taloche? demanda Mathieu.

Le type à la cicatrice regarda ses mains en soupirant.

— C'est moi, dit-il.

Les autres avaient reculé d'un pas; Mathieu se tourna vers eux.

— Vous voulez qu'on vous cite comme témoins?

Ils reculèrent un peu plus, sans répondre. La maquerelle avait disparu.

— Circulez, leur dit Mathieu, ou je prends vos noms. Toi, reste.

— Alors, dit le type, à cette heure, on fout les Français en tôle quand ils corrigent un Boche qui fait de la provocation?

— T'occupe pas. On va s'expliquer.

Les badauds s'étaient dispersés. Il y en avait deux ou trois sur le seuil d'un café qui regardaient. Mathieu se pencha sur le môme : ils l'avaient bien arrangé. Il saignait de la bouche et son œil gauche était fermé. De l'œil droit, il regardait Mathieu avec fixité.

— J'ai crié, dit-il fièrement.

— C'est pas ce que tu as fait de mieux, dit Mathieu. Tu peux te lever?

Le môme se mit péniblement sur ses pieds. Il était tombé dans la salade; il avait une feuille de salade au derrière et des brins de paille boueux s'accrochaient à sa veste. La petite femme le brossa du plat de la main.

— Vous le connaissez? lui demanda Mathieu.

Elle hésita :

— N-non.

Le môme se mit à rire.

— Bien sûr qu'elle me connaît. C'est Irène, la secrétaire de Pitteaux.

Irène regarda Mathieu d'un air sombre.

— Vous n'allez pas le mettre au bloc pour ça?

— Je vais me gêner.

Le type à la cicatrice le tira par la manche : il n'avait pas l'air fier.

— Je gagne ma vie, moi, monsieur l'inspecteur, je travaille. Si je vous accompagne au commissariat, je vais perdre ma nuit.

— Tes papiers.

Le type sortit un passeport Nansen, il s'appelait Canaro.

Mathieu se mit à rire.

— Né à Constantinople! dit-il. Ben, dis donc, faut-il que tu aimes la France pour démolir comme ça le premier qui l'attaque.

— C'est ma seconde patrie, dit le type avec dignité.

— Tu vas t'engager, j'espère?

Le type ne répondit pas. Mathieu nota son nom et son adresse sur un carnet.

— Fous-moi le camp, dit-il. On te convoquera. Venez, vous autres.

Ils s'engagèrent tous trois dans la rue Montmartre et firent quelques pas. Mathieu soutenait le petit qui vacillait sur ses jambes. Irène demanda :

— Dites, vous allez le relâchez?

Mathieu ne répondit pas : ils n'étaient pas encore assez éloignés des Halles. Ils marchèrent encore un moment et puis, comme ils arrivaient sous un réverbère, Irène se planta devant Mathieu et le regarda avec haine.

— Sale flic! dit-elle.

Mathieu se mit à rire : son chignon lui avait croulé dans la figure et elle louchait, pour l'apercevoir, entre les mèches qui lui pendaient devant les yeux.

— Je ne suis pas un flic, dit-il.

— Sans blague!

Elle secouait la tête, pour se débarrasser de ses cheveux. Elle finit par les empoigner coléreusement et par les rejeter en arrière. Son visage apparut, mat avec de grands yeux. Elle était très belle; elle ne semblait pas très étonnée.

— Si vous n'êtes pas un flic, vous les avez bien eus, fit-elle observer.

Mathieu ne répondit pas. Cette histoire ne l'amusait plus. L'envie lui était venue tout d'un coup de se promener dans la rue Montorgueil.

— Eh bien, dit-il, je vais vous mettre dans un taxi.

Il y en avait deux ou trois qui stationnaient au milieu de la chaus-

sée. Mathieu s'approcha de l'un d'eux en tirant le môme derrière
lui. Irène les suivit. Elle retenait ses cheveux, de la main droite,
au-dessus de sa tête.

— Entrez là-dedans.

Elle rougit.

— Il faut que je vous dise : j'ai perdu mon sac.

Mathieu poussait le môme dans la voiture : il lui avait plaqué
une main entre les omoplates et de l'autre main il écartait la portière.

— Fouillez dans ma poche de veston, dit-il. Celle de droite.

Irène retira sa main de la poche au bout d'un instant.

— J'ai trouvé cent francs et des sous.

— Gardez les cent francs.

Une dernière poussée et le môme s'affala sur la banquette. Irène
monta derrière lui.

— Quelle est votre adresse? demanda-t-elle.

— Je n'en ai plus, dit Mathieu. Au revoir.

— Hé! cria Irène.

Mais il avait déjà tourné les talons : il voulait revoir la rue Montorgueil. Il voulait la revoir tout de suite. Il marcha pendant une minute
et puis un taxi vint se ranger contre le trottoir, juste à sa hauteur.

La portière s'ouvrit et une femme se pencha; c'était Irène.

— Montez, lui dit-elle. Vite.

Mathieu monta dans le taxi.

— Asseyez-vous sur le strapontin.

Il s'assit.

— Qu'est-ce qu'il y a?

— C'est le petit qui n'a plus sa tête. Il dit qu'il va se constituer
prisonnier; il trafique tout le temps avec la portière et veut se jeter
dehors. Je ne suis pas assez forte pour le tenir.

Le petit se tenait rencoigné sur la banquette, il avait les genoux
plus hauts que la tête.

— Il a le goût du martyre, expliqua Irène.

— Quel âge a-t-il?

— Je ne sais pas : dix-neuf ans.

Mathieu considérait les longues jambes maigres du môme : il avait
l'âge de ses plus vieux élèves.

— S'il a envie de se faire mettre en tôle, dit-il, vous n'avez pas
le droit de l'en empêcher.

— Vous êtes drôle, vous, dit Irène indignée. Vous ne savez pas
ce qu'il risque.

— Il a buté quelqu'un?

— Mais non.

— Qu'est-ce qu'il a fait?

— C'est toute une histoire, dit-elle d'un air morose. Il remarqua qu'elle s'était refait son chignon, tout en haut de son crâne. Ça lui donnait un air comique et têtu, malgré sa belle bouche lasse.

— De toute façon ça le regarde, dit Mathieu. Il est libre.

— Libre! dit-elle. Puisque je vous dis qu'il n'a plus sa tête à lui.

Au mot de « libre » le petit ouvrit son œil unique et marmotta quelque chose que Mathieu ne comprit pas, puis, sans crier gare, il se jeta sur la poignée de la portière et tenta de l'ouvrir. Une auto, au même instant, frôlait le taxi arrêté. Mathieu appuya sa main sur la poitrine du môme et le rejeta dans les coussins.

— Si j'avais envie de me constituer prisonnier, poursuivit-il en se tournant vers Irène, je n'aimerais pas qu'on m'en empêche.

— A bas la guerre! cria le môme.

— Oui, oui, dit Mathieu. T'as raison. Il le maintenait toujours sur la banquette. Il se tourna vers Irène.

— Je crois qu'en effet il n'a plus sa tête à lui.

Le chauffeur ouvrit la glace.

— On part?

— 15, avenue du Parc-Montsouris, dit Irène triomphante.

Le môme griffa la main de Mathieu, puis, quand le taxi eut démarré, il prit le parti de se tenir tranquille. Ils restèrent silencieux un moment; le taxi filait dans des rues noires que Mathieu ne connaissait pas. De temps à autre le visage d'Irène sortait de l'ombre pour y replonger aussitôt.

— Vous êtes Bretonne? demanda Mathieu.

— Moi? Je suis de Metz. Pourquoi me demandez-vous ça?

— A cause de votre chignon.

— Il est moche, hein? C'est une amie qui veut que je me coiffe comme ça.

Elle se tut un instant puis elle demanda :

— Comment ça se fait que vous n'ayez pas d'adresse?

— Je déménage.

— Oui, oui... Vous êtes mobilisé, n'est-ce pas?

— Ben oui. Comme tout le monde.

— Ça vous plaît de faire la guerre?

— Je n'en sais rien : je ne l'ai pas encore faite.

— Moi, je suis contre, dit Irène.

— Je m'en suis aperçu.

Elle se pencha vers lui avec sollicitude.

— Dites, vous avez perdu quelqu'un?

— Non, dit Mathieu. J'ai l'air d'avoir perdu quelqu'un?

— Vous avez l'air drôle, dit-elle. Attention! Attention!

Le gosse avait allongé la main, sournoisement, et il essayait d'ouvrir la portière.

— Veux-tu te tenir tranquille! dit Mathieu en le rejetant dans son coin. Quel lavement! dit-il à Irène.

— C'est le fils d'un général.

— Ah? Eh bien, il ne doit pas être fier de son père.

Le taxi s'était arrêté. Irène descendit la première et puis il fallut faire sortir le petit. Il se cramponnait aux accoudoirs et lançait des coups de pied. Irène se mit à rire :

— Ce qu'il est contrariant : à présent, il ne veut plus sortir.

Mathieu finit par le prendre à bras-le-corps et le porta sur le trottoir.

— Ouf!

— Attendez une seconde, dit Irène. La clé était dans mon sac, il faut que je passe par la fenêtre.

Elle s'approcha d'une maisonnette à un étage dont une fenêtre était entrouverte. Mathieu maintenait le gosse d'une main. De l'autre il fouilla dans sa poche et tendit la monnaie au chauffeur.

— Gardez tout.

— Qu'est-ce qu'il a, le frère? demanda le chauffeur, hilare.

— Il a son compte, dit Mathieu.

Le taxi démarra. Derrière Mathieu une porte s'ouvrit et Irène apparut dans un rectangle de lumière.

— Entrez, dit-elle.

Mathieu entra, en poussant le petit, qui ne disait plus rien du tout. Irène ferma la porte derrière lui.

— C'est à gauche, dit-elle. Le commutateur est à main droite.

Mathieu chercha à tâtons le commutateur et la lumière jaillit. Il vit une chambre poussiéreuse, avec un lit-cage, un pot à eau et une cuvette sur une coiffeuse; une bicyclette sans roue était suspendue au plafond par des ficelles.

— C'est votre chambre?

— Non, dit Irène. C'est la chambre d'amis.

Il la regarda et se mit à rire :

— Vos bas.

Ils étaient blancs de poussière et déchirés aux genoux.

— C'est en montant par la fenêtre, expliqua-t-elle avec insouciance.

Le petit s'était planté au milieu de la pièce, il vacillait d'une manière inquiétante et regardait tout de son œil unique. Mathieu le montra à Irène :

— Qu'est-ce qu'on en fait?

— Otez-lui ses souliers et couchez-le : je vais lui laver la figure.

Le petit se laissa faire sans résistance : il paraissait effondré. Irène revint vers lui avec une cuvette et du coton.

— Là, là, dit-elle. Allons, Philippe, soyez sage.

Elle s'était penchée sur lui et lui promenait maladroitement un tampon d'ouate sur le sourcil. Le gosse se mit à gronder.

— Oui, dit-elle maternellement. Ça pique mais ça fait du bien. Elle alla reposer la cuvette sur la coiffeuse. Mathieu se leva.

— Bon, dit-il. Eh bien je vais me tirer.

— Ah non! dit-elle vivement. Elle ajouta à voix basse :

— S'il voulait repartir, je ne suis pas assez forte pour l'en empêcher.

— Vous ne pensez tout de même pas que je vais le veiller toute la nuit?

— Comme vous êtes peu obligeant! lui dit-elle avec irritation. Elle ajouta au bout d'un instant, sur un ton plus conciliant : « Attendez au moins qu'il s'endorme; ça ne tardera pas. »

Le môme s'agitait sur le lit en bredouillant des paroles confuses.

— Où a-t-il pu traîner pour se mettre dans des états pareils? demanda Irène.

Elle était un peu boulotte avec une chair mate, un peu trop tendre, un peu moite, qui n'avait pas l'air tout à fait propre; on aurait dit qu'elle venait de se lever. Mais la tête était admirable : une toute petite bouche aux commissures lasses, des yeux immenses et de minuscules oreilles roses.

— Eh bien, dit Mathieu, il dort!

— Vous croyez?

Ils sursautèrent : le gosse s'était redressé, il dit d'une voix forte :

— Flossie! Mon pantalon!

— Merde! dit Mathieu.

Irène sourit :

— Vous êtes ici jusqu'au matin.

Mais c'était un petit délire avant-coureur du sommeil : Philippe se laissa retomber en arrière, grogna pendant quelques instants et, presque aussitôt après, se mit à ronfler.

— Venez, dit Irène à voix basse.

Il la suivit dans une grande pièce tapissée de cretonne rose. Elle avait accroché au mur une guitare et un ukulele.

— C'est ma chambre. Je laisse la porte entrouverte pour entendre le petit.

Mathieu vit un grand lit défait, à baldaquin, un pouf, un gramophone et des disques sur une table Henri II. Sur un fauteuil à bascule, on avait jeté pêle-mêle des bas usagés, une culotte de femme, des combinaisons. Irène suivit son regard :

— Je me suis meublée à la foire aux puces.

— Ça n'est pas mal, dit Mathieu. Pas mal du tout.

— Asseyez-vous.

— Où? demanda Mathieu.

— Attendez.

Sur le pouf il y avait un bateau, dans une bouteille. Elle le prit et le posa sur le sol, puis elle débarrassa le fauteuil à bascule de sa lingerie qu'elle porta sur le pouf.

— Voilà. Moi, je me mets sur le lit.

Mathieu s'assit et se mit à se balancer.

— La dernière fois que je me suis assis dans un fauteuil à bascule, c'était à Nîmes, dans le hall de l'hôtel des Arènes. J'avais quinze ans.

Irène ne répondit pas. Mathieu revit le grand hall sombre avec sa porte vitrée étincelante de soleil : ce souvenir-là lui appartenait encore; et il y en avait d'autres, intimes et indistincts, qui tremblaient tout autour : « Je n'ai pas perdu mon enfance. » L'âge mûr, l'âge de raison s'était effondré, mais il restait l'enfance, toute chaude : il n'en avait jamais été si proche. Il repensa au petit garçon couché sur les dunes d'Arcachon, qui exigeait d'être libre : devant ce gamin têtu, Mathieu avait cessé d'avoir honte. Il se leva.

— Vous vous en allez? dit Irène.

— Je vais me promener, dit-il.

— Vous ne voulez pas rester un peu?

Il hésita :

— Franchement, j'avais plutôt envie d'être seul.

Elle lui posa la main sur le bras :

— Vous verrez. Avec moi ce sera comme si vous étiez seul.

Il la regarda : elle avait une drôle de façon de parler, veule et un peu niaise dans sa gravité; elle ouvrait à peine sa petite bouche et secouait un peu la tête pour en faire tomber les mots.

— Je reste, dit-il.

Elle ne manifesta aucune satisfaction. Son visage d'ailleurs semblait peu expressif. Mathieu fit quelques pas dans la chambre, s'approcha de la table et prit quelques disques. Ils étaient usés, quelquesuns fêlés; la plupart avaient perdu leurs enveloppes. Il y avait quelques airs de jazz, un pot-pourri de Maurice Chevalier, le *Concerto pour la main gauche*, le *Quatuor* de Debussy, la *Sérénade* de Toselli et *l'Internationale*, chantée par un chœur russe.

— Vous êtes communiste? lui demanda-t-il.

— Non, dit-elle; je n'ai pas d'opinion. Je pense que je serais communiste si les hommes n'étaient pas des fumiers. Elle ajouta à la réflexion : « Je suis pacifiste.

— Vous êtes marrante, dit Mathieu, si les hommes sont des fumiers ça devrait vous être égal qu'ils meurent à la guerre ou autrement. »

Elle secoua la tête avec une gravité obstinée :

— Justement, dit-elle. Puisqu'ils sont des fumiers, c'est encore plus dégoûtant de faire la guerre avec.

Il y eut un silence. Mathieu regarda une toile d'araignée au plafond et se mit à siffloter.

— Je ne peux rien vous offrir à boire, dit Irène. A moins que vous n'aimiez le sirop d'orgeat. Il en reste un fond de bouteille.

— Hum! dit Mathieu.

— Oui, je m'en doutais. Ah! il y a un cigare sur la cheminée, prenez-le si vous voulez.

— Je veux bien, dit Mathieu.

Il se leva et prit le cigare, qui était sec et brisé.

— Je peux le mettre dans ma pipe?

— Faites-en ce qui vous plaira.

Il se rassit en cassant le cigare entre ses doigts; il sentait le regard d'Irène sur lui.

— Mettez-vous à l'aise, dit-elle. Si vous n'avez pas envie de parler, ne parlez pas.

— C'est bon, dit Mathieu.

Elle demanda, au bout d'un instant :

— Vous ne voulez pas dormir?

— Oh! non.

Il lui semblait qu'il n'aurait plus jamais envie de dormir.

— Où seriez-vous, en ce moment, si vous ne m'aviez pas rencontrée?

— Dans la rue Montorgueil.

— Qu'est-ce que vous y feriez?

— Je m'y promènerais.

— Ça doit vous sembler drôle d'être ici.

— Non.

— C'est vrai, dit-elle avec un vague reproche : vous y êtes si peu.

Il ne répondit pas : il pensait qu'elle avait raison. Ces quatre murs et cette femme sur le lit, c'était un accident sans importance, une des figures inconsistantes de la nuit. Mathieu était partout où s'étendait la nuit, des frontières du Nord à la Côte d'Azur; il ne faisait qu'un avec elle, il regardait Irène avec tous les yeux de la nuit : elle n'était qu'une lumière minuscule, dans le noir. Un cri perçant la fit sursauter.

— Quel poison! Je vais voir ce qu'il y a.

Elle sortit sur la pointe des pieds et Mathieu alluma sa pipe. Il n'avait plus envie d'aller rue Montorgueil : la rue Montorgueil était là, elle traversait la pièce; toutes les routes de France y passaient, toutes les herbes y poussaient. On avait posé quatre cloisons de planche n'importe où. Mathieu était n'importe où. Irène revint s'asseoir : c'était n'importe qui. Ce n'était pas à une Bretonne qu'elle ressemblait. Plutôt à la petite Annamite du Dôme. Elle en avait la peau safranée, le visage inexpressif et la grâce impotente.

— C'est rien, dit-elle. Il a des cauchemars.

Mathieu tira paisiblement sur sa pipe.

— Il a dû en voir de raides, ce môme.

Irène haussa les épaules et son visage changea brusquement :

— Bah! dit-elle.

— Vous êtes bien dure, tout d'un coup, dit Mathieu.

— Ah! c'est que ça m'agace quand on plaint un petit monsieur de son espèce, tout ça c'est des histoires de gosse de riches.

— Ça n'empêche peut-être pas qu'il soit malheureux.

— Vous me faites rigoler. Moi, mon vieux m'a foutue dehors à dix-sept ans : c'est vous dire que je n'étais pas d'accord avec lui. Mais je n'aurais pas été dire que j'étais malheureuse.

Un instant, Mathieu entrevit sous son visage de luxe une face rude et avertie de femme de peine. Sa voix coulait, lente et volumineuse, avec une sorte de monotonie dans l'indignation :

— On est malheureux, dit-elle, quand on a froid ou qu'on est malade ou qu'on n'a pas de quoi manger. Le reste, c'est des vapeurs.

Il se mit à rire : elle fronçait le nez avec application et ouvrait largement sa petite bouche pour vomir les mots. Il l'écoutait à peine : il la voyait. Un regard. Un regard immense, un ciel vide : elle se débattait dans ce regard, comme un insecte dans la lumière d'un phare.

— Non, dit-elle, je veux bien le recueillir, le soigner, l'empêcher de faire des bêtises; mais je ne veux pas qu'on le plaigne. Parce que j'en ai vu, de la misère! Et quand des bourgeois prétendent qu'ils sont malheureux...

Elle le regarda attentivement, en reprenant son souffle.

— C'est vrai que vous êtes un bourgeois, vous.

— Oui, dit Mathieu. Je suis un bourgeois.

Elle me voit. Il lui sembla qu'il durcissait et qu'il rapetissait à toute vitesse. Derrière ces yeux, il y a un ciel sans étoiles, il y a aussi un regard. Elle me voit; comme elle voit la table et le ukulele. Et pour elle je suis : une particule en suspens dans un regard, un bourgeois. C'est vrai que je suis un bourgeois. Et pourtant, il n'arrivait pas à le sentir. Elle le regardait toujours.

— Qu'est-ce que vous faites dans la vie? Non, laissez-moi deviner. Médecin?

— Non.

— Avocat?

— Non.

— Tiens! dit-elle. Vous pourriez être un escroc.

— Je suis professeur, dit Mathieu.

— C'est curieux, dit-elle, un peu déçue. Mais elle ajouta vivement : « Ça n'a pas d'importance. »

Elle me regarde. Il se leva et lui prit le bras, un peu en dessous du coude. La chair douce et tiède s'enfonçait un peu sous les doigts.

— Qu'est-ce qui vous prend? demanda-t-elle.

— J'avais envie de vous toucher. En tout bien tout honneur : parce que vous me regardez.

Elle se laissa aller contre lui et le regard s'embua.

— Vous me plaisez, dit-elle.

— Vous me plaisez aussi.

— Vous avez une femme?

— Je n'ai personne.

Il s'assit près d'elle, sur le lit :

— Et vous? Il y a quelqu'un dans votre vie?

— Il y a... quelques-uns. Elle fit un petit geste navré.

— Je suis facile, dit-elle.

Le regard avait disparu. Il restait une petite poupée chinoise qui sentait l'acajou.

— Facile? Et puis après? dit Mathieu.

Elle ne répondit pas. Elle s'était mis la tête dans les mains et regardait le vide avec gravité. « C'est une pensive », se dit Mathieu.

— Quand une femme est mal fringuée, il faut qu'elle soit facile, dit-elle au bout d'un moment.

Elle se tourna vers Mathieu avec inquiétude.

— Je ne suis pas intimidante, hein?

— Non, dit Mathieu à regret. Ça, on ne peut pas dire.

Mais elle avait l'air si désolé qu'il la prit dans ses bras.

Le café était désert.

— Il est deux heures du matin, n'est-ce pas? demanda Ivich au garçon.

Il essuya ses yeux avec le revers de la main et jeta un coup d'œil à la pendule. Elle marquait huit heures et demie.

— Peut se faire, grogna-t-il.

Ivich se tassa sagement dans un coin, en ramenant sa jupe sur ses genoux. Je serais une orpheline qui va rejoindre sa tante dans la banlieue de Paris. Elle pensa qu'elle avait les yeux trop brillants et fit tomber ses cheveux sur sa figure. Mais son cœur débordait d'une excitation presque joyeuse : une heure à attendre, une rue à traverser et elle sauterait dans le train; je serai vers six heures à la gare du Nord, j'irai d'abord au Dôme, je mangerai deux oranges et puis de là, chez Renata pour la taper de cinq cents francs. Elle avait envie de commander une fine, mais une orpheline ne boit pas d'alcool.

— Voulez-vous me donner un tilleul? demanda-t-elle d'une voix menue.

Le garçon tourna les talons, il était affreux mais il fallait le séduire. Quand il apporta le tilleul elle leva sur lui un doux regard effarouché.

— Merci, soupira-t-elle.

Il se planta devant elle et renifla avec perplexité.

— Où c'est-il que vous allez comme ça?

— A Paris, dit-elle, chez ma tante.

— Vous êtes pas la fille à M. Serguine, celui qui a la scierie, là-haut?

L'imbécile!

— Oh! non, dit-elle. Mon père est mort en 1918. Je suis pupille de la Nation.

Il hocha la tête à plusieurs reprises et s'éloigna : c'était un rustre, un moujik. A Paris, les garçons de café ont des regards de velours et ils croient ce qu'on leur dit. Je vais revoir Paris. Dès la gare du Nord, elle serait reconnue : on l'attendait. Les rues l'attendaient, les devantures, les arbres du cimetière Montparnasse et... et les personnes aussi. Certaines personnes qui ne seraient pas parties — comme Renata — ou qui seraient revenues. Je me retrouverai;

c'est là-bas seulement qu'elle était Ivich, entre l'avenue du Maine
et les quais. Et on me montrera la Tchécoslovaquie sur une carte.
« Ah! pensa-t-elle avec passion, qu'ils bombardent s'ils veulent, nous
mourrons ensemble, il ne restera que Boris pour nous regretter. »

— Éteignez.

Il obéit, la chambre fondit dans la grande nuit de guerre, les deux
regards se diluèrent dans la nuit; il ne restait qu'un rais de lumière,
entre l'embrasure de la porte et son battant entrouvert, un œil
en long qui semblait les voir. Mathieu gêné se dirigea vers la porte.

— Non, dit la voix dans son dos. Laissez ouvert : à cause du petit;
je veux l'entendre.

Il revint sur ses pas en silence, ôta ses souliers et son pantalon.
Le soulier droit fit du bruit en heurtant le plancher.

— Mettez vos vêtements sur le fauteuil.

Il déposa son pantalon et son veston, puis sa chemise sur le fauteuil à bascule qui se balança en grinçant. Il demeura tout nu, les
bras ballants et les orteils crispés, au milieu de la pièce. Il avait
envie de rire.

— Venez.

Il s'étendit sur le lit contre un corps chaud et nu; elle était couchée
sur le dos, elle ne fit pas un geste, ses bras restaient collés le long
de ses flancs. Mais quand il lui embrassa la gorge, un peu en dessous
du cou, il sentit les battements de son cœur, de grands coups de
maillet qui l'ébranlaient de la tête aux pieds. Il resta un long moment
sans bouger, gagné par cette immobilité palpitante : il avait oublié
le visage d'Irène; il allongea la main, il promena ses doigts sur une
chair aveugle. N'importe qui. Des gens passèrent près d'eux, Mathieu
entendit craquer leurs souliers : ils parlaient haut et riaient entre eux.

— Dis donc, Marcel, dit une femme. Si tu étais Hitler, est-ce que
tu pourrais dormir cette nuit?

Ils rirent, leurs pas et leurs rires s'éloignèrent et Mathieu resta seul.

— Si je dois prendre des précautions, dit une voix ensommeillée,
il vaudrait mieux le dire tout de suite.

— Il n'y a pas de précautions à prendre, dit Mathieu. Je ne suis
pas un salaud.

Elle ne répondit pas. Il entendit son souffle fort et régulier. Une
prairie, une prairie dans la nuit; elle respirait comme les herbes,
comme les arbres; il se demanda si elle ne s'était pas endormie.
Mais une main maladroite et à demi fermée lui effleura rapidement
la hanche et la cuisse : cela pouvait, à la rigueur, passer pour une
caresse. Il se souleva doucement et se glissa sur elle.

Boris se retira brusquement, rabattit les draps et se laissa retomber sur le côté. Lola n'avait pas bougé; elle restait étendue sur le dos, les yeux fermés. Boris se recroquevilla pour éviter le plus possible le contact du drap contre son corps en sueur. Lola dit sans ouvrir les yeux :

— Je commence à croire que tu m'aimes.

Il ne répondit pas. Cette nuit, il avait aimé toutes les femmes à travers elle, les duchesses et les autres. Ses mains, qu'une pudeur insurmontable retenait jusque-là sur les épaules et les seins de Lola, il les avait promenées partout; il avait promené partout ses lèvres; le demi-évanouissement où il tombait, d'ordinaire, au milieu du plaisir et qui lui faisait horreur, il l'avait recherché avec rage : il y avait des pensées qu'il voulait fuir. A présent, il se sentait pâteux et souillé, son cœur battait à se rompre; ce n'était pas désagréable : en ce moment, il fallait penser le moins possible. Ivich lui disait toujours : « Tu penses trop » — et elle avait raison. Il vit tout à coup sourdre un peu d'eau au coin des paupières closes de Lola, ça faisait deux petits lacs dont le niveau montait lentement des deux côtés du nez. « Qu'est-ce qu'il y a encore? » se demanda-t-il. Il vivait depuis vingt-quatre heures avec une angoisse sèche au creux de l'estomac, il n'était pas d'humeur à s'attendrir.

— Passe-moi mon mouchoir, dit Lola. Il est sous le traversin.

Elle s'essuya les yeux et les ouvrit. Elle le regardait d'un air méfiant et dur. « Qu'est-ce que j'ai encore fait? » Mais ce n'était pas ce qu'il croyait : elle dit d'une voix éteinte :

— Tu vas partir.

— Où ça? Ah! oui... Eh bien, mais pas tout de suite : dans un an.

— Qu'est-ce que c'est, un an?

Elle le regardait avec insistance; il sortit une main de dessous les draps et rabattit sa mèche sur ses yeux.

— Dans un an, la guerre sera peut-être finie, dit-il prudemment.

— Finie? Ah! je te crois bien : on sait quand une guerre commence, on ne sait jamais quand elle finit.

Son bras blanc jaillit des draps; elle se mit à palper le visage de Boris comme si elle eût été aveugle. Elle lui lissa la tempe et les joues, elle suivit le contour de ses oreilles, elle lui caressa le nez du bout des doigts : il se sentait ridicule.

— Un an, c'est long, dit-il avec amertume. On a le temps d'y penser.

— On voit bien que tu es un môme. Si tu savais ce que ça passe vite, un an, à mon âge.

— Moi, je trouve ça long, dit Boris avec obstination.

— Tu as donc envie de te battre?

— C'est pas ça.

Il avait moins chaud, il se tourna sur le dos et détendit ses jambes qui rencontrèrent un bout d'étoffe au fond du lit, son pantalon de pyjama. Il expliqua, le regard au plafond :

— De toute façon, puisque je dois la faire, cette guerre, autant que ça soit tout de suite et qu'on n'en parle plus.

— Ha! et moi? cria Lola. Elle ajouta d'une voix haletante : « Ça ne te fait rien de me laisser, petite brute?

— Mais puisque je te laisserai de toute façon.

— Ah! le plus tard possible, dit-elle passionnément. J'en crèverais. Surtout que, tel que tu es, tu resteras des trois jours sans m'écrire, par paresse, et moi je te croirai mort. Tu ne sais pas ce que c'est.

— Toi non plus, tu ne le sais pas, dit Boris. Attends d'y être passée pour te casser la tête. »

Il y eut un silence, puis elle dit, d'une voix rauque et hargneuse qu'il connaissait bien :

— Dans tous les cas, ça ne doit pas être tellement difficile de faire planquer quelqu'un. Elle connaît plus de gens que tu ne crois, la vieille.

Il se rejeta vivement sur le côté et la regarda avec fureur.

— Lola, si tu fais ça...

— Eh bien?

— Je ne te revois plus de ma vie.

Elle s'était calmée; elle lui dit, avec un drôle de sourire :

— Je croyais que la guerre te faisait horreur? Tu m'as assez répété que tu étais antimilitariste.

— Je le suis toujours.

— Alors?

— Ça n'est pas la même chose.

Elle avait de nouveau fermé les yeux, elle se tenait toute tranquille, mais elle n'avait plus la même tête : ses deux vieilles rides de fatigue et de détresse venaient d'apparaître au coin de ses lèvres. Boris fit un effort :

— Je suis antimilitariste parce que je ne peux pas blairer les officiers, dit-il sur un ton conciliant. Les grivetons, je les aime bien.

— Mais tu seras officier. Ils vont t'y forcer.

Boris ne répondit pas : c'était trop compliqué; il s'y perdait lui-même. Il détestait les officiers, c'était un fait. Mais d'autre part, puisque c'était sa guerre et qu'on l'avait voué à une brève carrière

militaire, il fallait qu'il fût sous-lieutenant. « Ah! pensa-t-il, si je
pouvais être déjà là-bas et suivre le peloton, par la force des choses,
et ne plus m'embêter avec tout ça. » Il dit brusquement :

— Je me demande si j'aurais peur.

— Peur?

— Ça me tracasse.

Il pensait qu'elle ne comprendrait pas : il aurait mieux valu s'expliquer avec Mathieu ou même avec Ivich. Mais puisqu'elle était là...

— Toute l'année, on va lire dans les journaux : les Français
avancent sous un déluge de fer et de feu, ou des trucs comme ça,
tu vois ce que je veux dire. Et je me demanderai à chaque fois :
« Est-ce que je tiendrais le coup? » Ou bien j'interrogerai des permissionnaires, je leur demanderai : « C'est dur? » et ils me répon-
dront : « Très dur », et je me sentirai drôle. Ça va être joyeux.

Elle se mit à rire et l'imita sans gaieté :

— Attends d'y être passé pour te casser la tête. Et même si tu
avais peur, petit sot! La belle affaire.

Il pensa : « C'est pas la peine de lui expliquer : elle ne comprend
rien. » Il bâilla et demanda :

— On éteint? J'ai sommeil.

— Si tu veux, dit Lola. Embrasse-moi.

Il l'embrassa et éteignit. Il la haïssait, il pensa : « Elle ne m'aime
pas pour moi-même, sans ça elle aurait compris. » Ils étaient tous
les mêmes, ils faisaient semblant d'être aveugles : ils ont fait de moi
un coq de combat, un taureau de ganaderia et à présent ils se
bouchent les yeux, mon père veut que je fasse mon diplôme et
celle-là veut me faire embusquer parce qu'elle a couché autrefois
avec un colonel. Au bout d'un instant il sentit un corps brûlant
et nu qui lui tombait sur le dos. « Toujours ce corps contre moi
pendant un an encore. Elle profite de moi », pensa-t-il et il se sentit dur et fermé. Il se poussa dans la ruelle.

— Où vas-tu? demanda Lola, où vas-tu? Tu vas tomber par terre.

— Tu me tiens chaud.

Elle s'écarta en grognant. Un an. Un an à me demander si je
suis un lâche, pendant un an j'aurai peur d'avoir peur. Il entendait
le souffle égal de Lola, elle dormait; et puis de nouveau le corps
dégringola sur lui; ce n'était pas sa faute, il y avait un creux au
milieu du matelas, mais Boris eut un frisson de rage et de désespoir :
« Elle m'écrasera jusqu'à demain matin. Oh! des hommes, pensa-t-il,
vivre avec des hommes et chacun son lit. » Tout à coup, il fut pris
d'une espèce de vertige, il avait les yeux ouverts et fixes dans le

noir et un frisson glacial parcourut son dos en sueur : il venait de comprendre qu'il avait décidé de s'engager le lendemain.

La porte s'ouvrit et Mme Birnenschatz apparut en chemise de nuit avec un foulard sur la tête.

— Gustave, dit-elle en criant pour couvrir le bruit de la T. S. F., je t'en supplie, viens te coucher.

— Dors, dors, dit M. Birnenschatz, ne t'occupe pas de moi.

— Mais je ne peux pas dormir si tu n'es pas couché.

— Ah! dit-il avec un geste agacé, tu vois bien que j'attends quelque chose.

— Mais qu'est-ce que c'est? dit-elle. Pourquoi tripotes-tu tout le temps cette maudite radio? Les voisins finiront par se plaindre. Qu'est-ce que tu attends?

M. Birnenschatz se tourna vers elle et lui saisit fortement les bras :

— Je parie que c'est du bluff, dit-il. Je te parie qu'il y aura un démenti dans la nuit.

— Mais quoi? demanda-t-elle affolée. De quoi parles-tu?

Il lui fit signe de se taire. Une voix calme et posée s'était mise à parler :

« On dément à Berlin de source autorisée toutes les nouvelles qui ont paru à l'étranger, tant sur un ultimatum qui aurait été adressé à la Tchécoslovaquie par l'Allemagne avec pour dernier délai aujourd'hui à quatorze heures que sur une prétendue mobilisation générale qui devrait être décrétée après ce délai. »

— Écoute, cria M. Birnenschatz, écoute!

« On estime que ces nouvelles ne peuvent que répandre la panique et créer une psychose de guerre.

« On dément également une déclaration qui aurait été faite par le ministre Gœbbels à un journal étranger sur ce même délai, en affirmant que le D^r Gœbbels, depuis des semaines, n'a vu ni reçu aucun journaliste étranger. »

M. Birnenschatz écouta encore un instant, mais la voix s'était tue. Alors il fit faire un tour de valse à Mme Birnenschatz en criant :

— Je te l'avais dit, je te l'avais bien dit, c'est la reculade, c'est la pâle reculade. Nous n'aurons pas la guerre, Catherine, nous n'aurons pas la guerre et les nazis sont foutus.

La lumière. Les quatre murs se dressèrent tout d'un coup entre Mathieu et la nuit. Il se souleva sur les mains et regarda le calme visage d'Irène : la nudité de ce corps de femme était remontée jusqu'au visage, le corps l'avait repris comme la nature reprend les jardins abandonnés; Mathieu ne pouvait plus l'isoler des épaules rondes, des petits seins pointus, ce n'était qu'une fleur de chair, paisible et vague.

— Ça n'a pas été trop ennuyeux? demanda-t-elle.

— Ennuyeux?

— Il y en a qui me trouvent ennuyeuse parce que je ne suis pas très active. Une fois un type s'est tellement embêté avec moi qu'il est parti le matin et qu'il n'est plus jamais revenu.

— Je ne me suis pas embêté, dit Mathieu.

Elle lui passa un doigt léger sur le cou :

— Mais vous savez, il ne faudrait pas croire que je suis froide.

— Je sais, dit Mathieu. Taisez-vous.

Il lui prit la tête à deux mains et se pencha sur ses yeux. C'étaient deux lacs de glacier, transparents et sans fond. Elle me regarde. Derrière ce regard, le corps et le visage avaient disparu. Au fond de ces yeux il y a la nuit. La nuit vierge. Elle m'a fait entrer dans ces yeux; j'existe dans cette nuit : un homme nu. Je la quitterai dans quelques heures et cependant je resterai en elle pour toujours. En elle, dans cette nuit anonyme. Il pensa : « Et elle ne connaît même pas mon nom. » Et tout d'un coup, il se mit à tenir si fort à elle qu'il eut besoin de le lui dire. Mais il se tut : les mots auraient menti; c'était à cette chambre qu'il tenait, autant qu'à elle, à la guitare sur le mur, au gosse qui dormait dans son lit-cage, à cet instant, à toute cette nuit.

Elle lui sourit :

— Vous me regardez mais vous ne me voyez pas.

— Je vous vois.

Elle bâilla :

— Je voudrais dormir un moment.

— Dormez, dit Mathieu. Seulement mettez votre réveil à six heures : il faut que je repasse chez moi, avant d'aller à la gare.

— C'est ce matin que vous partez?

— Ce matin à huit heures.

— Je peux vous accompagner à la gare?

— Si vous voulez.

— Attendez, dit-elle. Il faut que je sorte du lit pour remonter le réveil et pour éteindre. Mais ne regardez pas, j'ai honte à cause de mon derrière, qui est trop gros et trop bas.

Il détourna la tête et il l'entendit aller et venir dans la pièce, puis elle éteignit. Elle lui dit en se recouchant :

— Il m'arrive de me lever en dormant et de me promener dans la chambre. Vous n'aurez qu'à me fiche des gifles.

MERCREDI 28 SEPTEMBRE

6 heures du matin...

Elle était très fière : elle n'avait pas fermé l'œil de la nuit et pourtant elle n'avait pas sommeil. Tout juste une brûlure sèche au fond des orbites, une démangeaison à l'œil gauche, ce tremblotement des paupières et puis de temps en temps des frissons de fatigue qui lui parcouraient le dos, des reins à la nuque. Elle avait voyagé dans un train horriblement désert, la dernière créature vivante qu'elle ait vue, c'était le chef de gare, à Soissons, agitant son drapeau rouge. Et puis, tout à coup, dans le hall de la gare de l'Est, la foule. C'était une foule très laide, bourrée de vieilles femmes et de soldats; mais elle avait tant d'yeux, tant de regards et puis Ivich adorait ce perpétuel petit roulis, ces coups de coude, de reins, ces coups d'épaule et le balancement obstiné des têtes les unes derrière les autres; c'était tellement agréable de n'être plus toute seule à supporter le poids de la guerre. Elle s'arrêta sur le seuil d'une des grandes portes de sortie et contempla religieusement le boulevard de Strasbourg; il fallait s'en remplir les yeux et ramasser en sa mémoire les arbres, les boutiques closes, les autobus, les rails de tramway, les cafés qui commençaient à ouvrir et l'air fumeux du petit matin. Même s'ils lâchaient leurs bombes dans cinq minutes, dans trente secondes, ils ne pourraient pas m'enlever ça. Elle s'assura qu'elle ne laissait rien échapper, même pas la grande affiche Dubo-dubon-dubonnet, sur la gauche et puis, tout à coup, elle fut prise d'une petite frénésie : il fallait qu'elle entrât dans la ville avant qu'ils n'arrivent. Elle bouscula deux Bretonnes qui portaient des cages à oiseaux, elle franchit le seuil, elle posa le pied sur un vrai trottoir de Paris. Il lui sembla qu'elle entrait dans un brasier, c'était exaltant et sinistre. « Tout brûlera, femmes, enfants, vieillards, je périrai dans les flammes. »

Elle n'avait pas peur : « De toute façon, j'aurais eu horreur de vieillir »; seulement la hâte lui desséchait la gorge; il n'y avait pas une minute à perdre : tant de choses à revoir, la Foire aux puces, les Catacombes, Ménilmontant et d'autres qu'elle ne connaissait pas encore, comme le Musée Grévin. « S'ils me laissaient huit jours, s'ils ne venaient pas avant mardi prochain, j'aurais le temps de tout faire. Ah! pensa-t-elle avec passion, huit jours à vivre, je veux m'amuser plus qu'en une année entière, je veux mourir en m'amusant. » Elle s'approcha d'un taxi :

— 12, rue Huyghens.

— Montez.

— Vous passerez par le boulevard Saint-Michel, la rue Auguste-Comte, la rue Vavin, la rue Delambre et puis par la rue de la Gaîté et l'avenue du Maine.

— Ça rallonge, dit le chauffeur.

— Ça ne fait rien.

Elle entra dans la voiture et referma la portière. Elle avait laissé Laon derrière elle, pour toujours. Plus jamais : nous mourrons ici. « Qu'il fait beau, pensa-t-elle, qu'il fait beau! Cet après-midi, nous irons rue des Rosiers et dans l'île Saint-Louis. »

— Vite, vite, cria Irène. Venez!

Mathieu était en bras de chemise, il se peignait devant la glace. Il posa le peigne sur la table, mit son veston sous son bras et entra dans la chambre d'amis.

— Eh bien?

Irène lui montra le lit d'un geste pathétique.

— Il a caleté!

— Sans blague, dit Mathieu, sans blague!

Il considéra un instant le lit défait, en se grattant le crâne, et puis il éclata de rire. Irène le regarda d'un air sérieux et étonné, mais le rire la gagna.

— Il nous a bien eus, dit Mathieu.

Il enfila son veston. Irène riait toujours.

— Rendez-vous au Dôme à sept heures.

— A sept heures, dit-elle.

Il se pencha sur elle et l'embrassa légèrement.

Ivich monta l'escalier en courant et s'arrêta sur le palier du troisième, hors d'haleine. La porte était entrebâillée. Elle se mit à trembler. « A moins que ce ne soit la concierge? » Elle entra : toutes les portes étaient ouvertes, toutes les lampes allumées. Dans l'antichambre, elle vit une grosse valise : « Il est là. »

LE SURSIS   319

— Mathieu!

Personne ne répondit. La cuisine était vide mais, dans la chambre
à coucher, le lit était défait. « Il a passé la nuit là. » Elle entra dans
le bureau, ouvrit les fenêtres et les persiennes. « Ça n'est pas si laid,
pensa-t-elle attendrie, j'étais injuste. » Elle vivrait là, elle lui écrirait quatre fois par semaine; non, cinq fois. Et puis, un beau jour,
il lirait dans les journaux : « Bombardement de Paris » et il ne rece-
vrait plus de lettres du tout. Elle tourna autour du bureau, elle
toucha les livres, le presse-papier en forme de crabe. Il y avait une
cigarette brisée près d'un ouvrage de Martineau sur Stendhal; elle
la prit et la mit dans son sac avec les reliques. Puis elle s'assit sagement sur le divan. Au bout d'un moment, elle entendit des pas
dans l'escalier et son cœur bondit.

C'était lui. Il s'attarda un moment dans l'antichambre, puis il
entra en portant sa valise. Ivich ouvrit les mains et son sac tomba
sur le sol.

— Ivich!

Il n'avait pas l'air étonné. Il posa sa valise, ramassa le sac et le
lui rendit.

— Vous êtes là depuis longtemps?

Elle ne répondit pas; elle lui en voulait un peu parce qu'elle avait
laissé tomber son sac. Il vint s'asseoir près d'elle. Elle ne le voyait
pas. Elle voyait le tapis et le bout de ses souliers.

— J'ai de la chance, dit-il joyeusement. Une heure plus tard, vous
me manquiez : je prends le train de Nancy à huit heures.

— Mais comment? Vous partez tout de suite?

Elle se tut, mécontente d'elle-même et haïssant sa propre voix. Ils
avaient si peu de temps, elle aurait tant voulu être simple, mais
c'était plus fort qu'elle : quand elle était restée longtemps sans voir
les gens, elle ne pouvait pas les retrouver simplement. Elle s'était
laissée envahir par une torpeur cotonneuse qui ressemblait à de la
bouderie. Elle lui dérobait soigneusement son visage mais elle lui
laissait voir son trouble; elle se sentait plus impudique que si elle
l'eût regardé dans les yeux. Deux mains se tendirent vers la valise,
l'ouvrirent, y prirent un réveil et le remontèrent. Mathieu se leva
pour aller poser le réveil sur la table. Ivich haussa un peu les yeux
et le vit, tout noir dans le contre-jour. Il vint se rasseoir; il continuait à se taire mais Ivich reprit un peu de courage. Il la regardait;
elle savait qu'il la regardait. Personne, depuis trois mois, ne l'avait
regardée comme il faisait en ce moment. Elle se sentait précieuse et
fragile : une petite idole muette; c'était doux, agaçant et peu dou-

loureux. Brusquement elle perçut le tic tac du réveil et elle pensa qu'il allait partir. « Je ne veux pas être fragile, je ne veux pas être une idole. » Elle fit un violent effort et parvint à se tourner vers lui. Il n'avait pas le regard qu'elle attendait.

— Vous voilà, Ivich. Vous voilà.

Il n'avait pas l'air de penser à ce qu'il disait. Elle lui sourit tout de même mais elle était glacée de la tête aux pieds. Il ne lui rendit pas son sourire; il dit lentement :

— C'est vous...

Il la considérait avec étonnement.

— Comment êtes-vous venue? reprit-il sur un ton plus animé.

— Par le train.

Elle avait appliqué ses paumes l'une contre l'autre et les serrait fortement, pour faire craquer ses phalanges.

— Je voulais dire : vos parents le savent?

— Non.

— Vous vous êtes sauvée?

— A peu près.

— Oui, dit-il. Oui. Eh bien, c'est parfait : vous habiterez ici. Il ajouta avec intérêt : « Vous vous embêtiez, à Laon? »

Elle ne répondit pas : la voix lui tombait sur la nuque, comme un couperet, froide et paisible :

— Pauvre Ivich!

Elle commença à se tirer les cheveux par poignées. Il reprit :

— Boris est à Biarritz?

— Oui.

Boris s'était levé à tâtons, il enfila son pantalon et sa veste en frissonnant, jeta un coup d'œil sur Lola qui dormait la bouche ouverte, ouvrit la porte sans bruit et sortit dans le couloir, ses souliers à la main.

Ivich jeta un coup d'œil au réveil et vit qu'il était déjà six heures vingt. Elle demanda d'une voix plaintive :

— Quelle heure est-il?

— Six heures vingt, dit-il. Attendez : je vais mettre quelques objets dans ma musette, ce sera vite fait; après, je serai tout à fait libre.

Il s'agenouilla près de la valise. Elle le regardait, inerte. Elle ne sentait plus son corps mais le tic tac du réveil lui cassait les oreilles. Au bout d'un moment, il se releva.

— Tout est prêt.

Il restait debout, devant elle. Elle voyait son pantalon, un peu usé aux genoux.

— Écoutez bien, Ivich, dit-il doucement. Nous allons parler de choses sérieuses : l'appartement est à vous; la clé est pendue au clou, près de la porte, vous habiterez ici jusqu'à la fin de la guerre. Pour mon traitement, je me suis arrangé : j'ai donné une procuration à Jacques, il le touchera et vous l'enverra chaque mois. Il y aura des petites notes à régler de temps en temps : le loyer par exemple et puis les impôts, à moins qu'on en dégrève les soldats — et puis vous m'enverrez bien quelquefois un petit colis. Ce qui restera est pour vous : je crois que vous pourrez vivre.

Elle écoutait avec stupeur cette voix égale et monotone qui ressemblait à celle du speaker de la radio. Comment ose-t-il être si ennuyeux? Elle ne comprenait pas très bien ce qu'il disait mais elle imaginait nettement la tête qu'il devait faire, demi-souriante, avec des paupières lourdes et un air de béatitude posée. Elle le regarda pour mieux le haïr et sa haine tomba : il n'avait pas la tête de sa voix. Est-ce qu'il souffre? Mais non, il ne semblait pas malheureux. C'était un visage qu'elle ne lui connaissait pas, voilà tout.

— Est-ce que vous m'écoutez, Ivich? demanda-t-il en souriant.

— Certainement, dit-elle. Elle se leva : « Mathieu, je voudrais que vous me montriez la Tchécoslovaquie sur une carte.

— C'est que je n'ai pas de cartes, dit-il. Ah, si! je dois avoir un vieil atlas. »

Il alla chercher un album cartonné, dans sa bibliothèque, il le posa sur la table, le feuilleta et l'ouvrit. « Europe centrale. » Les couleurs étaient assommantes : rien que du beige et du violet. Pas de bleu : ni mer ni océan. Ivich regarda attentivement la carte et ne découvrit pas non plus de Tchécoslovaquie.

— Il date d'avant 14, dit Mathieu.

— Et, avant 1914, il n'y avait pas de Tchécoslovaquie?

— Non.

Il prit son stylo et traça au milieu de la carte une courbe irrégulière et fermée.

— C'est à peu près comme ça, dit-il.

Ivich regarda cette large étendue de terre sans eau, aux couleurs tristes, ce trait d'encre noire, si déplacé, si laid auprès des caractères d'imprimerie, elle lut le mot « Bohême » à l'intérieur de la courbe et elle dit :

— Ah, c'est ça! C'est ça la Tchécoslovaquie...

Tout lui parut vain et elle se mit à sangloter.

— Ivich! dit Mathieu.

Elle se trouva brusquement à demi étendue sur le divan; Mathieu la tenait dans ses bras. D'abord elle se raidit : « Je ne veux pas de sa pitié, je suis ridicule », mais au bout d'un moment elle se laissa aller, il n'y eut plus ni guerre, ni Tchécoslovaquie, ni Mathieu; tout juste cette douce et chaude pression autour de ses épaules.

— Avez-vous seulement dormi, cette nuit? demanda-t-il.

— Non, dit-elle entre deux sanglots.

— Ma pauvre petite Ivich! Attendez.

Il se leva et sortit; elle l'entendait aller et venir dans la chambre voisine. Quand il revint, il avait retrouvé un peu de cet air naïf et béat qu'elle aimait :

— J'ai mis des draps propres, dit-il en s'asseyant près d'elle. Le lit est fait, vous pourrez vous coucher dès que je serai parti.

Elle le regarda :

— Je... je ne vous accompagne pas à la gare?

— Je croyais que vous détestiez les adieux sur le quai.

— Oh! dit-elle d'un air conciliant, pour une circonstance si pompeuse...

Mais il secoua la tête :

— J'aime mieux m'en aller seul. Et puis il faut que vous dormiez.

— Ah! dit-elle. Ah, bon!

Elle pensa : « Que j'étais bête! » Et elle se sentit tout d'un coup froide et verrouillée. Elle secoua énergiquement la tête, s'essuya les yeux et sourit.

— Vous avez raison, je suis trop nerveuse. C'est la fatigue : je vais me reposer.

Il la prit par la main et la fit lever :

— Il faut que je vous fasse faire le tour du propriétaire.

Dans sa chambre, il s'arrêta devant une armoire :

— Vous trouverez là six paires de draps, des taies d'oreillers et des couvertures. Il y a aussi un édredon quelque part, mais je ne sais pas où je l'ai mis, la concierge vous le dira.

Il avait ouvert l'armoire et regardait les piles de linge blanc. Il se mit à rire; il n'avait pas l'air bon.

— Qu'est-ce qu'il y a? demanda poliment Ivich.

— Tout ça, c'était à moi. C'est bouffon.

Il se tourna vers elle.

— Je vais vous montrer aussi le garde-manger. Venez.

Ils entrèrent dans la cuisine et il lui montra un placard.

— C'est là. Il reste de l'huile, du sel et du poivre et puis voilà des boîtes de conserve. Il élevait les boîtes cylindriques les unes après les autres à la hauteur de ses yeux et les faisait tourner sous la lampe : « Ça c'est du saumon, ça du cassoulet, voilà trois boîtes de choucroute. Vous mettez ça au bain-marie... » Il s'arrêta et fut repris de son rire mauvais. Mais il n'ajouta rien, il regarda une boîte de petits pois, de ses yeux morts, et puis il la reposa dans le placard.

— Attention au gaz, Ivich. Il faut baisser la manette du compteur, chaque soir, avant de vous coucher.

Ils étaient revenus dans le bureau.

— A propos, dit-il, je préviendrai la concierge, en descendant, que je vous laisse l'appartement. Elle vous enverra demain Mme Balaine. C'est ma femme de ménage, elle n'est pas désagréable.

— Balaine, dit Ivich. Quel drôle de nom.

Elle se mit à rire et Mathieu sourit.

— Jacques ne rentre pas avant le début d'octobre, dit-il. Il faut que je vous donne un peu de sous pour vous permettre de l'attendre.

Il y avait mille francs et deux billets de cent francs dans son portefeuille. Il prit le billet de mille francs et le lui donna.

— Merci beaucoup, dit Ivich.

Elle le prit et le garda dans sa main serrée.

— S'il arrive quoi que ce soit, appelez Jacques. Je lui écrirai que je vous confie à lui.

— Merci, répétait Ivich. Merci. Merci.

— Vous connaissez son adresse?

— Oui, oui. Merci.

— Au revoir. Il s'approcha d'elle : « Au revoir, ma chère Ivich. Je vous écrirai dès que j'aurai une adresse. »

Il la prit par les épaules et l'attira vers lui.

— Ma chère petite Ivich.

Elle lui tendit docilement le front et il l'embrassa. Puis il lui serra la main et sortit. Elle l'entendit claquer la porte de l'antichambre; alors elle défroissa le billet de mille francs et regarda la vignette; puis elle le déchira en huit morceaux qu'elle jeta sur le tapis.

Un vieux colonial à la barbe fauve, une main posée sur l'épaule d'une recrue, lui désignait, de l'autre main, la côte africaine. « Engagez-vous, rengagez-vous dans l'armée coloniale. » La jeune recrue avait l'air tout à fait stupide. Il faudrait évidemment en passer par là : pendant six mois Boris aurait l'air d'une cruche. Mettons pendant trois mois : les années de guerre comptent double. « Ils me couperont ma mèche, pensa-t-il en serrant les dents. Les vaches! » Jamais il ne s'était senti plus farouchement antimilitariste. Il passa près d'une sentinelle, immobile dans une guérite. Boris lui jeta un coup d'œil sournois et le cœur lui manqua tout à coup. « Merde », pensa-t-il. Mais il était décidé, il se sentait méchant de la tête aux pieds : il entra dans la caserne, les jambes molles. Le ciel rutilait, un vent très léger portait jusqu'en ces faubourgs lointains l'odeur de la mer. « Quel dommage, pensa Boris. Quel dommage qu'il fasse si beau. » Un agent faisait les cent pas à la porte du commissariat. Philippe le regardait; il se sentait tout à fait abandonné et il avait froid; sa joue et sa lèvre supérieure lui faisaient mal. Ce sera un martyre sans gloire. Sans gloire et sans joie : le cachot et puis, un matin, le poteau, dans les fossés du donjon de Vincennes; personne ne le saurait : ils l'avaient tous repoussé.

— Le commissaire de police? demanda-t-il.

L'agent le regarda :

— C'est au premier.

Je serai mon propre témoin, je ne dois plus de comptes qu'à moi.

— Le bureau des engagements?

Les deux grivetons échangèrent un coup d'œil et Boris sentit ses joues s'embraser : « J'ai bonne mine », pensa-t-il.

— Le bâtiment au fond de la cour, première porte à gauche.

Boris fit un salut négligent avec deux doigts et traversa la cour d'un pas ferme; mais il pensait : « J'ai l'air d'un con », et il en était péniblement affecté. « Ils doivent se marrer, pensa-t-il. Un type qui vient ici de lui-même, sans y être forcé, ils doivent trouver ça farce. » Philippe était debout, en pleine lumière, il regardait dans les yeux un petit monsieur décoré, à la mâchoire carrée, et pensait à Raskolnikoff.

— Vous êtes le commissaire?

— Je suis son secrétaire, dit le monsieur.

Philippe parlait difficilement, à cause de sa lèvre tuméfiée, mais sa voix était claire. Il avança d'un pas :

— Je suis déserteur, dit-il fermement. Et je fais usage de faux papiers.

Le secrétaire le dévisagea avec attention :

— Asseyez-vous donc, lui dit-il poliment.

Le taxi roulait vers la gare de l'Est.

— Vous allez être en retard, dit Irène.

— Non, dit Mathieu, mais ça sera juste. Il ajouta en guise d'explication : « Il y avait une fille chez moi.

— Une fille?

— Elle venait de Laon pour me voir.

— Elle vous aime?

— Mais non.

— Et vous, vous l'aimez?

— Non : je lui cède mon appartement.

— C'est une bonne fille?

— Non, dit Mathieu. Ce n'est pas une bonne fille. Mais elle n'est pas mauvaise non plus. »

Ils se turent. Le taxi traversait les Halles.

— Là, là, dit soudain Irène. C'était là.

— Oui.

— C'était hier. Bon Dieu! C'est loin...

Elle se rejeta au fond de la voiture pour regarder par le mica.

— Fini, dit-elle en se rasseyant.

Mathieu ne répondit pas. Il pensait à Nancy : il n'y avait jamais été.

— Vous ne causez pas beaucoup, dit Irène. Mais je ne m'ennuie pas avec vous.

— J'ai trop causé autrefois, dit Mathieu avec un rire bref.

Il se tourna vers elle :

— Qu'est-ce que vous allez faire aujourd'hui?

— Rien, dit Irène. Je ne fais jamais rien : mon vieux me sert une pension.

Le taxi s'arrêta. Ils descendirent et Mathieu paya.

— Je n'aime pas les gares, dit Irène. C'est sinistre.

Elle lui glissa tout à coup sa main sous le bras. Elle marchait près de lui, silencieuse et familière : il lui semblait qu'il la connaissait depuis dix ans.

— Il faut que je prenne mon billet.

Ils traversèrent la foule. C'était une foule civile, lente et muette, avec quelques soldats.

— Vous connaissez Nancy?

— Non, dit Mathieu.

— Moi, je connais. Dites-moi où vous allez.

— A la caserne d'aviation d'Essey-lès-Nancy.

— Je connais, dit-elle. Je connais.

Des hommes avec des musettes faisaient la queue devant le guichet.

— Voulez-vous que j'aille vous chercher un journal pendant que vous faites la queue?

— Non, dit-il en lui serrant le bras. Restez près de moi.

Elle lui sourit d'un air content. Ils avancèrent, pas à pas.

— Essey-lès-Nancy.

Il tendit son livret militaire et l'employé lui donna un ticket. Il se retourna vers elle :

— Accompagnez-moi jusqu'au portillon. Mais j'aime mieux que vous ne veniez pas sur le quai.

Ils firent quelques pas et s'arrêtèrent.

— Alors, adieu, dit-elle.

— Adieu, dit Mathieu.

— Ça n'aura duré qu'une nuit.

— Une nuit. Oui, mais vous serez mon seul souvenir de Paris.

Il l'embrassa. Elle lui demanda :

— Est-ce que vous m'écrirez?

— Je ne sais pas, dit Mathieu.

Il la regarda un moment sans parler et puis il s'éloigna.

— Hé! lui dit-elle.

Il se retourna. Elle souriait mais ses lèvres tremblaient un peu.

— Je ne sais même pas votre nom.

— Je m'appelle Mathieu Delarue.

— Entrez.

Il était assis dans son lit, en pyjama, toujours bien peigné, toujours beau, elle se demanda s'il ne mettait pas une résille pour la nuit. Sa chambre sentait l'eau de Cologne. Il la regarda d'un air effaré, prit rapidement ses lunettes sur la table de nuit et les mit sur son nez :

— Ivich!

— Eh bien oui! dit-elle avec bonhomie.

Elle s'assit sur le bord du lit et lui sourit. Le train de Nancy quittait la gare de l'Est; à Berlin, les bombardiers venaient peut-être de s'envoler. « Je veux m'amuser! Je veux m'amuser! » Elle regarda autour d'elle : c'était une chambre d'hôtel, laide et cossue. La bombe traversera le toit et le plancher du sixième : c'est ici que je mourrai.

— Je ne pensais pas vous revoir, dit-il dignement.

— Pourquoi? Parce que vous vous êtes conduit comme un goujat!

— On avait bu, dit-il.

— J'avais bu parce que je venais d'apprendre que j'étais collée au P. C. B. Mais vous, vous n'aviez pas bu : vous vouliez m'emmener dans votre chambre; vous me guettiez.

Il était complètement désorienté.

— Eh bien m'y voilà, dans votre chambre, dit-elle. Alors?

Il devint écarlate :

— Ivich!

Elle lui rit au nez :

— Vous n'avez pas l'air bien redoutable.

Il y eut un long silence et puis une main maladroite effleura sa taille. Les bombardiers avaient franchi la frontière. Elle riait aux larmes : « De toute façon, je ne mourrai pas vierge. »

— Cette place est libre?

— Hon! fit le gros vieillard.

Mathieu posa sa musette dans le filet et s'assit. Le compartiment était plein; Mathieu tenta de regarder ses compagnons de voyage mais il faisait encore sombre. Il demeura immobile un instant et puis il y eut une brusque secousse et le train s'ébranla. Mathieu eut un sursaut de joie : c'était fini. Demain, Nancy, la guerre, la peur, la mort peut-être, la liberté. « Nous allons voir, dit-il. Nous allons voir. » Il mit la main à sa poche pour prendre sa pipe et une enveloppe se froissa sous ses doigts : c'était la lettre de Daniel. Il eut envie de la remettre dans sa poche mais une sorte de pudeur l'en empêcha : il fallait tout de même la lire. Il bourra sa pipe, l'alluma, fit sauter l'enveloppe et en sortit sept feuillets couverts d'une écriture égale et serrée, sans ratures. « Il a fait un brouillon. Qu'elle est longue », pensa-t-il avec ennui. Le train était heureusement sorti de la gare, on y voyait plus clair. Il lut :

« Mon cher Mathieu.

« J'imagine trop bien ta stupeur pour ne pas ressentir profondément à quel point cette lettre est inopportune. Au reste, je ne sais pas bien moi-même pourquoi je m'adresse à toi : il faut supposer que, comme celle du crime, la voie des confidences est une pente savonneuse. Quand je t'ai révélé, en juin dernier, un aspect pittoresque de ma nature, peut-être ai-je fait de toi, à mon insu, mon témoin d'élection. J'en serais au regret, car s'il était vrai que je dusse faire estampiller par toi tous les événements de ma vie, je serais contraint de te vouer une haine active, ce qui ne laisserait pas d'être fatigant pour moi et pour toi nuisible. Tu penses bien que j'écris ceci en riant. Depuis quelques jours, je connais une légèreté de plomb — si cette alliance de mots ne te fait pas peur — et le *Rire* m'a donné comme une grâce supplémentaire. Mais laissons cela, puisque, aussi bien, ce n'est pas l'ordinaire de ma vie que je vais te retracer, mais une aventure extraordinaire. Sans doute ne me semblera-t-elle tout à fait réelle que lorsqu'elle existera aussi pour d'autres. Ce n'est pas que je compte beaucoup sur ta foi, ni même, peut-être, sur ta bonne foi. Le rationalisme qui, depuis plus de dix ans, est ton gagne-pain, si je te demande de le mettre un instant de côté pour me suivre, je doute que tu consentes à t'en

départir. Mais peut-être ai-je justement choisi de communiquer cette
expérience inouïe à celui de mes amis qui fût le moins propre à
l'entendre; peut-être ai-je vu là quelque chose comme une contre-
épreuve. Non que je te demande une réponse : il me serait désagréable que tu te croies obligé de m'écrire ces exhortations au bon
sens que — fais-moi l'honneur de le croire — je n'ai pas manqué
de m'adresser de vive voix. Il faut même que je te l'avoue : c'est
lorsque je pense au bon sens, à la saine raison, aux sciences positives
que, le plus souvent, la manne du rire descend sur moi. J'imagine
d'ailleurs que Marcelle serait peinée si elle trouvait une lettre de toi
dans mon courrier. Elle croirait surprendre une correspondance clan-
destine et peut-être, te connaissant comme elle te connaît, s'imagi-
nerait-elle que tu te mets généreusement à mon service, pour guider
mes premiers pas dans la vie conjugale. Mais voici pourquoi ton
silence peut me servir de contre-épreuve : s'il m'est possible d'imaginer ton « hideux sourire » sans en être troublé et de concevoir
l'ironie inavouée avec laquelle tu envisageras mon « cas » sans abandonner la voie exceptionnelle que j'ai choisie, j'aurai gagné la certitude que je suis dans le droit chemin. J'ajoute, pour éviter tout
malentendu, et en remerciant le fin psychologue de ses bons offices,
que cette fois-ci, c'est au philosophe que je m'adresse, car il convient
de situer le récit que je t'envoie sur le plan métaphysique. Tu juge-
ras sans doute que c'est bien de la prétention puisque je n'ai lu ni
Hegel ni Schopenhauer; mais ne t'en formalise pas : je ne serais
certes pas capable de fixer par des notions les mouvements actuels
de mon esprit et je t'en laisse le soin, puisque c'est ton métier; je
me contenterai de vivre, à l'aveuglette, ce que vous autres, les clair-
voyants, vous concevez. Toutefois, je ne pense pas que tu cèdes si
facilement : ce rire, ces angoisses, ces intuitions fulgurantes, il est
malheureusement bien vraisemblable que tu te croiras obligé de les
classer parmi les « états » psychologiques et de les expliquer par
mon caractère et mes mœurs, en abusant des confidences que je me
suis laissé aller à te faire. Cela ne me regarde pas : ce qui a été dit
reste dit; tu es donc libre de t'en servir à ton gré, même si c'est
pour commettre à mon sujet des erreurs monumentales. Je t'avoue-
rai même que c'est avec un plaisir secret que je me dispose à te donner tous les renseignements nécessaires pour reconstituer la vérité,
tout en sachant que tu les utiliseras pour t'enfoncer délibérément
dans l'erreur.

« Venons aux faits. Ici le rire me fait tomber la plume des mains.
Pleurs de rire! Ce que je n'aborde qu'en tremblant, ce dont je ne me

suis jamais parlé à moi-même, par pudeur autant que par respect,
je vais le monnayer en mots publics et ces mots, c'est à toi que je
les adresse, ils resteront sur ces feuillets bleus et tu pourras encore,
dans dix ans, les relire pour t'égayer. Il me semble que je commets
un sacrilège contre moi-même; et certes c'est le plus inexcusable;
mais j'ai entrevu aussi ceci, que je te livre avec le reste : le sacrilège fait rire. Ce que j'aime le plus ne me serait pas tout à fait cher,
si, une fois au moins, je n'en avais ri. Eh bien, je t'aurai fait rire
de ma foi nouvelle; je porterai en moi une certitude humiliée qui
te dépassera de toute son immensité et qui sera pourtant entre tes
mains tout entière; ce qui m'écrase ici sera rapetissé là-bas à la
mesure de ton indignité. Sache donc, si tu t'égayes à la lecture de
cette lettre, que je t'ai devancé : je ris, Mathieu, je ris; le Dieu fait
homme, dépassant tous les hommes et moqué par tous, pendant à
la croix, la bouche ouverte, verdi, plus muet qu'une carpe sous les
sarcasmes, quoi de plus risible; va, va, tu auras beau faire, les plus
douces larmes de rire ne couleront pas sur tes joues.

« Voyons donc ce que les mots peuvent faire. Me comprendras-tu
d'abord, si je te dis que je n'ai jamais su ce que je suis? Mes vices,
mes vertus, j'ai le nez dessus, je ne puis les voir, ni prendre assez de
recul pour me considérer d'ensemble. Et puis j'ai je ne sais quel
sentiment d'être une matière molle et mouvante où les mots s'en-
lisent; à peine ai-je tenté de me nommer, que déjà celui qui est
nommé s'est confondu avec celui qui nomme et tout est remis en
question. J'ai souvent souhaité me haïr, tu sais que j'avais pour cela
de bonnes raisons. Mais cette haine, dès que je l'essayais sur moi, se
noyait dans mon inconsistance, ce n'était déjà plus qu'un souvenir.
Je ne pouvais pas m'aimer non plus — j'en suis sûr, bien que je ne
l'aie jamais tenté. Mais il fallait éternellement que je me sois; j'étais
mon propre fardeau. Pas assez lourd, Mathieu, jamais assez lourd.
Un instant, en ce soir de juin où il m'a plu de me confesser à toi,
j'ai cru me toucher dans tes yeux effarés. Tu me voyais, dans tes
yeux j'étais solide et prévisible; mes actes et mes humeurs n'étaient
plus que les conséquences d'une essence fixe. Cette essence c'est par
moi que tu la connaissais, je te l'avais décrite avec mes mots, je
t'avais révélé des faits que tu ignorais et qui t'avaient permis de
l'entrevoir. Pourtant c'est toi qui la voyais et moi je te voyais seulement la voir. Un instant tu as été le médiateur entre moi et moi-
même, le plus précieux du monde à mes yeux puisque cet être solide
et dense que j'étais, que je voulais être, tu le percevais aussi simplement, aussi communément que je te percevais. Car enfin, j'existe,

je suis, même si je ne me sens pas être; et c'est un rare supplice
que de trouver en soi une telle certitude sans le moindre fondement,
un tel orgueil sans matière. J'ai compris alors qu'on ne pouvait
s'atteindre que par le jugement d'un autre, par la haine d'un autre.
Par l'amour d'un autre aussi, peut-être; mais il n'en est pas question
ici. De cette révélation, je t'ai gardé une gratitude mitigée. Je ne
sais de quel nom tu appelles aujourd'hui nos rapports. Ce n'est pas
l'amitié, ni tout à fait la haine. Disons qu'il y a un cadavre entre
nous. Mon cadavre.

« J'étais encore dans ces dispositions d'esprit lorsque je partis à
Sauveterre avec Marcelle. Tantôt je voulais te rejoindre et tantôt
je rêvais de te tuer. Mais un beau jour je me suis avisé de la réci-
procité de nos relations. Que serais-tu sans moi, sinon cette même
espèce d'inconsistance que je suis pour moi-même? C'est par mon
intercession que tu peux te deviner parfois — non sans quelque
exaspération — tel que tu es : un rationaliste un peu court, très
assuré en apparence, au fond bien incertain, plein de bonne volonté
pour tout ce qui est naturellement du ressort de ta raison, aveugle
et menteur pour tout le reste; raisonneur par prudence, sentimental
par goût, fort peu sensuel; bref un intellectuel mesuré, modéré, fruit
délicieux de nos classes moyennes. S'il est vrai que je ne puis m'atteindre sans ton intercession, la mienne t'est nécessaire si tu veux
te connaître. Je nous ai vus alors, étayant nos deux néants l'un par
l'autre et pour la première fois j'ai ri de ce rire profond et comblé
qui brûle tout; puis je suis retombé dans une sorte d'indifférence
assez noire, d'autant que le sacrifice que j'avais fait en ce même
mois de juin et qui m'apparaissait alors comme une expiation douloureuse, s'était révélé à la longue comme horriblement supportable.
Mais ici je dois me taire : je ne puis parler de Marcelle sans rire,
et par un souci de décence que tu apprécieras, je ne veux pas rire
d'elle avec toi. C'est alors que m'est échue la chance la plus impro-
bable et la plus folle. Dieu me voit, Mathieu; je le sens, je le sais.
Voilà : tout est dit d'un seul coup; que je voudrais donc être près
de toi et puiser avec certitude plus forte, s'il est possible, dans le
spectacle du rire épais qui va t'agiter pendant un bon moment.

« A présent c'est assez. Nous avons assez ri l'un de l'autre : je
reprends mon récit. Tu as certainement éprouvé, en métro, dans le
foyer d'un théâtre, en wagon, l'impression soudaine et insupportable d'être épié par derrière. Tu te retournes mais déjà le curieux
a plongé le nez dans son livre; tu ne peux arriver à savoir qui t'observait. Tu retournes à ta position première, mais tu sais que l'in-

Elle n'écoutait pas trop ce qu'il lui disait. Elle pensait : « Il a peur, il est méchant, il est seul. » Elle se pencha sur lui et lui caressa les cheveux. « Mon pauvre petit Jacques. »

— Mon cher petit Boris.

Elle lui souriait, elle avait l'air bien honnête, Boris eut le cœur transpercé par les remords, il faudrait tout de même que je le lui dise.

— C'est bête, reprit Lola, je suis énervée, j'ai envie de savoir ce qu'il va nous raconter, mais, tu comprends, ça n'est tout de même pas comme si tu allais partir tout de suite.

Boris regarda ses pieds et se mit à siffloter. Il valait mieux faire semblant de n'avoir pas entendu, sans ça elle l'accuserait d'hypocrisie, par-dessus le marché. De minute en minute, ça devenait plus difficile. Elle prendrait sa pauvre mine effarée, elle lui dirait : « Tu as fait ça! Tu as fait ça et tu ne m'en as pas dit un mot? » « Je ne me vois pas frais », conclut-il.

— Donnez-moi un Martini, dit Lola. Et toi, qu'est-ce que tu prends?

— Pareil.

Il se remit à siffloter. Après l'allocution de Daladier, il se présenterait peut-être une occasion : elle apprendrait que la guerre était déclarée, ça l'étourdirait tout de même un peu; alors Boris foncerait, il lui dirait : « Je me suis engagé! » sans lui laisser le temps de reprendre son souffle. Il y avait des cas où l'excès de malheur provoquait des réactions inattendues : le rire, par exemple; ça serait marrant si elle se mettait à rire. « Je serais tout de même un peu vexé », se dit-il avec objectivité. Tous les clients de l'hôtel étaient réunis dans le hall, même les deux curés. Ils s'enfonçaient dans leurs fauteuils et prenaient des airs confortables parce qu'ils se sentaient observés, mais ils n'en menaient pas large et Boris en avait surpris plus d'un en train de regarder sournoisement la pendule. Ça va! Ça va! vous avez encore une demi-heure à attendre. Boris était mécontent, il n'aimait pas Daladier et ça l'écœurait de penser qu'il y avait comme ça dans toute la France des centaines de milliers de couples, de familles nombreuses et de curés prêts à recueillir comme une manne céleste la parole de ce type qui avait torpillé le Front populaire. « Ça lui donne trop d'importance », pensa-t-il. Et, se tournant vers l'appareil de T. S. F., il bâilla ostensiblement.

Il faisait chaud et soif, il y en avait trois qui dormaient : les deux près du couloir et le petit vieux, mains jointes, qui avait l'air de prier; les quatre autres avaient étalé un mouchoir sur leurs genoux et jouaient aux cartes. Ils étaient jeunes et pas trop laids, ils avaient accroché aux filets leurs vestons qui se balançaient derrière leurs nuques et leur ébouriffaient les cheveux au passage. De temps en temps, Mathieu regardait du coin de l'œil les avant-bras bruns et frisés de son voisin, un petit blond dont les mains aux larges ongles noirs maniaient les cartes avec dextérité. Il était typo; le type, à côté de lui, c'était un serrurier. Des deux autres, sur la banquette d'en face, l'un, le plus proche de Mathieu, était représentant et l'autre jouait du violon dans un café de Bois-Colombes. Le comparti- ment sentait l'homme, le tabac et le vin, la sueur coulait sur leurs durs visages, les modelait et les faisait reluire; sur le menton brin- guebalant du petit vieux, entre les chaumes raides et blancs de ses joues, elle avait l'air plus huileuse et plus âcre : un excrément de la face. De l'autre côté de la fenêtre, sous un mauvais soleil, un champ gris et plat s'étirait.

Le typo n'avait pas de chance; il perdait; il se penchait sur le jeu en arquant les sourcils d'un air surpris et buté :

— Ah mais alors! disait-il.

Le représentant ramassa prestement les cartes et les battit. Le typo les suivait du regard quand elles passaient d'une main à l'autre.

— Je suis pas verni, dit-il avec rancune.

Ils jouèrent en silence. Au bout d'un moment, le typo fit un pli.

— Atout! dit-il d'un air de triomphe. Ah! ça va peut-être changer un petit peu, les enfants! Je vais peut-être m'énerver un petit peu!

Mais déjà le représentant étalait son jeu : « Atout, atout et rata- tout. Pas d'histoires : la reine-mère n'en veut pas. »

Le typo repoussa ses cartes.

— Je ne joue plus : je perds trop.

— T'as raison, dit le serrurier. Et puis on est trop secoué.

Le représentant plia le mouchoir et le mit dans sa poche. C'était un grand et gros homme au teint pâle, avec une tête flasque de gre- nouille, aux mâchoires larges, au crâne étroit. Les trois autres lui disaient « vous », parce qu'il avait de l'instruction et qu'il était ser- gent. Mais il les tutoyait. Il jeta un regard malveillant sur Mathieu et se leva en chancelant :

— Je vais boire un coup.

— Ça, c'est une idée.

Le serrurier et le typo sortirent des bouteilles de leurs musettes; le serrurier but au goulot et tendit son litre au violoniste :

— Un coup de picrate?

— Pas tout de suite.

— Tu ne sais pas ce qui est bon.

Ils se turent, accablés de chaleur. Le serrurier gonfla ses joues et soupira doucement, le représentant alluma une High-life. Mathieu pensait : « Ils ne m'aiment pas, ils me trouvent fier. » Pourtant, il se sentait attiré par eux, même par les dormeurs, même par le représentant : ils bâillaient, ils dormaient, jouaient aux cartes, le roulis ballottait leurs têtes vides mais ils avaient un destin, comme les rois, comme les morts. Un destin écrasant qui se confondait avec la chaleur, la fatigue et le bourdonnement des mouches : le wagon, clos comme une étuve, barricadé par le soleil, par la vitesse, les emportait en cahotant vers la même aventure. Un éclat de lumière ourlait l'oreille écarlate du typo; le lobe, on aurait dit une fraise de sang : « C'est avec ça qu'on fait la guerre », pensa Mathieu. Jusque-là, elle lui était apparue comme un enchevêtrement d'acier tordu, de poutres brisées, de fonte et de pierre. A présent, le sang tremblait dans les rayons du soleil, une clarté rousse avait envahi le wagon : la guerre c'était un destin de sang; on la ferait avec le sang de ces six hommes, avec le sang qui stagnait dans le lobe de leurs oreilles, avec le sang qui courait bleu sous leur peau, avec le sang de leurs lèvres. On les fendrait comme des outres, toutes les ordures sauteraient au dehors; les intestins farceurs du serrurier, qui glougloutaient et parfois lâchaient un pet sourd, ils traîneraient dans la poussière, tragiques comme ceux du cheval éventré dans l'arène.

— Eh ben! je vais me dégourdir les jambes, dit le typo, comme pour lui-même. Mathieu le regarda se lever et gagner le couloir : déjà cette phrase était historique. Un mort l'avait prononcée à mi-voix, un jour d'été, de son vivant. Un mort ou, ce qui revenait au même, un survivant. Des morts — déjà des morts. Voilà pourquoi je n'ai rien à leur dire. Il les regardait avec une sorte de vertige, il aurait voulu être engagé dans leur grande aventure historique, mais il en était exclu. Il croupissait dans leur chaleur, il saignerait sur les mêmes chemins et pourtant il n'était pas avec eux, il n'était qu'un halo pâle et éternel : il n'avait pas de destin.

Le typo qui fumait dans le couloir se tourna tout à coup vers eux.

— Y a des avions.

— Ah?

Le représentant se baissa. Sa poitrine touchait ses grosses cuisses et il relevait la tête et les sourcils.

— Où ça?

— Là, là! Des chiées.

— Je... Ah! Oh!... Oh! dis donc, fit le serrurier.

— Ce sont des Français? demanda le violoniste en levant vers le typo ses beaux yeux égarés.

— Ils sont trop haut, on ne voit pas.

— Bien sûr que ce sont des Français, dit le serrurier. Qu'est-ce que tu veux que ce soit? La guerre n'est pas déclarée.

Le typo se pencha vers eux en se retenant des deux mains à l'encadrement de la portière.

— Qu'est-ce que t'en sais? Voilà onze heures que tu roules. Tu crois peut-être qu'ils attendront que t'arrives pour la déclarer.

Le serrurier parut frappé :

— Merde, dit-il. T'as raison, petit cheval. Dites, les gars, on est peut-être en guerre depuis le matin.

Ils se tournèrent vers le représentant :

— Qu'est-ce que vous en dites? Vous le croyez, vous, qu'on est en guerre?

Le représentant avait l'air paisible. Il haussa superbement les épaules :

— Qu'est-ce que vous imaginez? Qu'on irait se battre pour la Tchécoslovaquie? Vous l'avez regardée sur une carte, la Tchécoslovaquie? Non? Ben moi, je l'ai regardée. Et plus d'un coup. De la merde, que c'est. Et grand comme un mouchoir de poche. Il y a peut-être là-bas deux pauvres millions d'hommes et qui ne parlent même pas la même langue. Vous parlez s'il s'en tamponne le coquillard, Hitler, de la Tchécoslovaquie. Et Daladier? D'abord Daladier, c'est pas Daladier : c'est les deux cents familles. Et elles s'en barbouillent, les deux cents familles, de la Tchécoslovaquie.

Il parcourut du regard son auditoire et conclut :

— La vérité c'est que ça bougeait chez nous et chez eux depuis 36. Alors qu'est-ce qu'ils ont fait les Chamberlain, les Hitler, les Daladier? Ils se sont dit : « On va les boucler, ces gens-là »; et ils ont passé un bon petit traité secret. Hitler, son grand truc, quand les ouvriers rouspètent, c'est de les foutre sous les drapeaux. Comme ça, motus, bouche cousue. Tu rouscailles? Deux heures d'exercice. Tu rouscailles encore? On t'en foutra six. Après ça, les gars sont sur les genoux, ils ne pensent plus qu'à se pieuter. Ben, les autres ministres, ils se sont dit : « On va faire comme lui. » Alors voilà : pas plus de guerre que de beurre aux fesses. Ni pour la Tchécoslovaquie ni pour le Grand Turc. Seulement nous, on est mobilisés, on va tirer trois ans, quatre ans et pendant ce temps-là, à l'arrière, ils casseront les reins du prolétariat.

Ils le regardaient d'un air incertain; ils n'étaient pas convaincus ou peut-être qu'ils n'avaient pas compris. Le serrurier dit d'un air vague :

— Ce qui est sûr, c'est que c'est les gros qui cassent les verres et que c'est les petits qui les payent.

Le violoniste hocha la tête d'un air approbateur et ils retombèrent dans le silence, le typo se retourna et colla son front à une des grandes glaces du couloir. « Évidemment, se dit Mathieu, ils ne sont pas très chauds pour se battre. » Il pensait aux types de 14, avec leurs grandes gueules ouvertes et leurs fusils fleuris. Et puis après? Ce sont ceux-là qui ont raison. Ils parlent par proverbe mais les mots les trahissent, il y a quelque chose dans leur tête qui ne peut s'exprimer par les mots. Leurs pères ont fait un massacre absurde et voilà vingt ans qu'on leur explique que la guerre ne paie pas. Après ça, est-ce qu'on voudrait qu'ils crient : « A Berlin! » D'ailleurs tout ce qu'ils disaient, tout ce qu'ils pensaient n'avait aucune importance : de petits scintillements furtifs en marge de leur destin. On dirait bientôt : les soldats de 38 — comme on disait : les soldats de l'an II, les poilus de 14. Ils creuseraient leurs trous comme les autres, ni mieux ni plus mal, et puis ils se coucheraient dedans, parce que c'était leur lot. « Et toi? pensa-t-il brusquement. Toi qui te fais leur témoin, sans que personne te le demande, qui es-tu? Que feras-tu? Et si tu en réchappes, qui seras-tu? »

Le typo cogna au carreau.

— Ils sont toujours là.

— Qui? demanda le violoniste en sursautant.

— Les avions. Ils tournent autour du train.

— Ils tournent? T'es pas sinocque?

— Je ne les vois pas, non?

— Mais dites donc! dit le serrurier. Mais dites donc!

Le petit vieux s'était réveillé :

— Qu'est-ce qu'il y a? demanda-t-il, en mettant sa main en cornet devant son oreille.

— Des avions.

— Ah! des avions!

Il sourit aux anges et se rendormit.

— Venez donc! dit le typo. Venez donc! Ils sont peut-être trente. J'en avais jamais tant vu depuis Villacoublay.

Le serrurier et le représentant s'étaient levés. Mathieu les suivit dans le couloir. Il vit une vingtaine de petites bêtes transparentes, des crevettes dans l'eau du ciel. Elles semblaient exister par intermittence : quand elles n'étaient pas dans le soleil, elles s'effaçaient.

— Si c'étaient des Frisés?

— Parle pas de malheur. On serait bons. Tu parles d'une cible.

Il y avait une vingtaine de types dans le couloir à présent, le nez en l'air.

— Ça m'a l'air sérieux, dit le représentant.

Ils avaient l'air nerveux. Un type tambourinait contre la glace; il y en avait un autre qui battait la mesure avec son pied. L'escadrille prit un virage aigu et disparut au-dessus du train.

— Ouf, dit une voix.

— Attendez, dit le typo. Attendez! Ils ont déjà fait le coup, je vous dis qu'ils tournent au-dessus du train.

— Les v'là! Les v'là!

Un grand gaillard moustachu avait baissé une glace et se penchait à la renverse, par la portière. Les avions avaient réapparu, il y en avait un qui laissait derrière lui un sillage blanc.

— Ce sont des Fridolins, dit le moustachu en se redressant.

— Il y a des chances.

Derrière Mathieu, le violoniste se dressa brusquement; il se mit à secouer les deux dormeurs.

— Ce qu'il a fait? demanda l'un d'eux pâteusement, en entrouvrant des yeux roses.

— La guerre est déclarée, dit le violoniste. Ça va péter : il y a des avions boches au-dessus du train.

Lola serra nerveusement le poignet de Boris.

— Écoute, lui dit-elle, écoute.

Jacques était devenu tout pâle :

— Écoute, dit-il, il va parler.

C'était une voix lente, basse et sourde, qui nasillait un peu :

« J'avais annoncé que je ferais ce soir une communication au pays sur la situation internationale, mais j'ai été saisi, au début de cet après-midi, d'une invitation du gouvernement allemand à rencontrer demain à Munich le chancelier Hitler, MM. Mussolini et Chamberlain. J'ai accepté cette invitation.

« Vous comprendrez qu'à la veille d'une négociation aussi importante, j'ai le devoir d'ajourner les explications que je voulais vous donner. Mais avant mon départ, je tiens à adresser au peuple de France mes remerciements pour son attitude pleine de courage et de dignité.

« Je tiens à remercier surtout les Français qui ont été rappelés sous les drapeaux pour le sang-froid et la résolution dont ils ont donné une preuve nouvelle.

« Ma tâche est rude. Depuis le début des difficultés que nous traversons, je n'ai pas cessé de travailler de toutes mes forces à la sauvegarde de la paix et des intérêts vitaux de la France. Je continuerai demain cet effort avec la pensée que je suis en plein accord avec la nation entière. »

— Boris! dit Lola, Boris!

Il ne répondit pas. Elle lui dit :

— Réveille-toi, mon chéri, qu'est-ce que tu as? C'est la paix : il va y avoir une conférence internationale.

Elle se tournait vers lui, rouge et excitée. Il jura doucement entre ses dents :

— Nom de Dieu! Nom de Dieu de nom de Dieu de bordel de merde.

La joie de Lola tomba :

— Mais qu'est-ce que tu as, mon chéri : tu es vert.

— Je me suis engagé pour trois ans, dit Boris.

Le train filait, les avions tournaient.

— Le mécanicien est fou, cria un type. Qu'est-ce qu'il attend pour arrêter? S'ils se mettent à lâcher des bombes, on va crever comme des bêtes.

Le typo était blême et tout tranquille; il gardait la tête levée et ne cessait pas d'épier les avions.

— Faudrait sauter, dit-il entre ses dents.

— Ben merde, dit le représentant. Sauter à cette vitesse, je ne m'en sens pas. Il sortit son mouchoir et s'épongea le front : « Il vaudrait mieux tirer le signal d'alarme. »

Le serrurier et le typo se regardèrent :

— Fais-le, toi, dit le typo.

— Dis : et si c'étaient des Français? Qu'est-ce qu'on se ferait mettre!

Mathieu reçut un choc dans le dos : un gros homme courait vers l'avant en criant :

— Il ralentit : tous aux portières!

Le typo se tourna vers le représentant; il avait de drôles de gestes lents et mal assurés, avec un petit sourire qui découvrait ses dents.

— Vous voyez; le dur ralentit : c'est des Frisés. C'est de la frime, c'est de la frime! dit-il en imitant le représentant. Eh ben, regardez, si c'est de la frime.

— J'ai pas dit ça, dit l'autre mollement, j'ai dit...

Le typo lui tourna le dos et se dirigea vers l'avant du train. De tous les compartiments, des hommes sortaient, ils se pressaient dans le couloir, pour être les premiers à sauter dans les champs. Quelqu'un toucha le bras de Mathieu, c'était le petit vieillard, il levait la tête vers lui et le considérait avec perplexité.

— Qu'est-ce qu'il y a? Mais qu'est-ce qu'il y a?

— Rien, dit Mathieu, agacé. Dormez.

Il se pencha à la fenêtre. Deux types étaient descendus sur le marchepied du wagon. L'un d'eux sauta en criant, toucha le sol, fit deux pas de côté, emporté par sa vitesse, heurta de l'épaule un poteau télégraphique et boula sur le talus, la tête en avant. Déjà le train l'avait dépassé. Mathieu tourna la tête et le vit se redresser, tout petit, lever les bras en l'air et courir à travers champs. L'autre hésitait, penché en avant, et se retenait d'une main à la barre de cuivre.

— Ne poussez pas, bon Dieu, fit une voix étranglée. On étouffe.

Le train ralentit encore. Il y avait des têtes à toutes les fenêtres et, autour des marchepieds, des hommes qui se préparaient à sauter. Au tournant, une gare apparut, elle était à trois cents mètres; Mathieu aperçut une petite ville dans le lointain. Deux hommes sautèrent encore et enjambèrent un passage à niveau. Déjà le train entrait dans la gare. « C'est avec ça, pensa Mathieu, qu'on va faire des héros. »

Un énorme bourdonnement s'échappait de la gare, des robes claires étincelaient au soleil, des mains se levaient, gantées de fil blanc, de grandes filles avec des chapeaux de paille agitaient leurs mouchoirs, des enfants couraient en riant et en criant le long du quai. Le violoniste repoussa violemment Mathieu et se pencha jusqu'au ventre par la fenêtre. Il mit ses mains en porte-voix autour de sa bouche.

— Barrez-vous! cria-t-il à la foule. Les avions! Les gens de la gare le regardaient sans comprendre, en souriant et en criant. Il leva le bras, au-dessus de sa tête, et indiqua le ciel du doigt. Une grande clameur lui répondit. D'abord Mathieu n'entendait pas bien et puis il comprit tout à coup :

— La paix! C'est la paix, les gars.

Le train tout entier gronda :

— Les avions! Les avions!

— Hurrah! criaient les filles, hurrah!

Elles finirent par regarder en l'air et, levant les bras, agitèrent leurs mouchoirs vers le ciel, pour saluer les avions. Le représentant se rongeait nerveusement les ongles.

— Je comprends pas, murmura-t-il, je comprends pas.

Après deux ou trois craquements le train s'arrêta tout à fait. Un employé de la gare monta sur un banc, son drapeau rouge sous le bras; il cria :

— La paix! Conférence à Munich. Daladier part ce soir.

Le train demeurait silencieux, immobile, incompréhensif. Et puis tout d'un coup, il se mit à hurler :

— Hurrah! Vive Daladier, vive la paix.

Les robes de taffetas bleu et rose disparurent dans une marée de vestons bruns et noirs; la foule s'agita et bruissa, comme un feuillage, des éclats de soleil scintillaient partout, les casquettes et les chapeaux de paille tournaient, tournaient, c'était une valse, Jacques fit valser Odette au milieu du salon, Mme Birnenschatz serrait Ella sur sa poitrine et gémissait :

— Je suis heureuse, Ella, ma fille, mon petit, je suis heureuse. Sous la fenêtre, un jeune gars, tout rouge et riant comme un fou, sauta sur une paysanne et l'embrassa sur les deux joues. Elle riait aussi, toute décoiffée, son chapeau de paille rejeté en arrière, et elle criait : « Hurrah! » sous les baisers. Jacques embrassa Odette sur l'oreille, il exultait :

— La paix. Et tu penses bien qu'ils ne se borneront pas à régler la question des Sudètes. Le pacte à quatre. C'est par là qu'il aurait fallu commencer.

La bonne entrebâilla la porte :

— Madame, est-ce que je peux servir?

— Servez, dit Jacques, servez! Et puis vous irez chercher à la cave une bouteille de champagne et une bouteille de chambertin.

Un grand vieillard à lunettes noires avait escaladé un banc, il levait d'une main une bouteille de rouge et de l'autre un gobelet.

— Un verre de pinard, les gars, un verre de pinard à la santé de la paix.

— Ici, cria le serrurier, ici! Vive la paix!

— Ah! monsieur l'abbé, je vous embrasse!

Le curé recula mais la vieille le prit de vitesse et elle fit comme elle avait dit, Gressier plongea la louche dans la soupière : « Ah! mes enfants, mes enfants. C'est la fin d'un cauchemar. » Zézette ouvrit la porte : « Alors, c'est vrai, madame Isidore? — Oui, ma petite enfant, c'est vrai, je l'ai entendu, la radio l'a dit, il reviendra votre Momo, je vous l'avais bien dit que le bon Dieu ne voulait pas de ça. » Il dansait sur place, dégonflé, dégonflé, Hitler a dégonflé; moi, je crois plutôt que c'est nous qu'on a dégonflé mais comment que je m'en balance du moment qu'on ne se bat pas, mais non, mais non, j'étais prévenu, à deux heures j'ai tout racheté, c'est un coup de deux cents billets, écoutez-moi bien, mon ami, c'est une circonstance ex-cep-tion-nelle, pour la première fois une guerre qui paraissait inévitable a été conjurée par la volonté de quatre chefs d'État, l'importance de leur décision dépasse de loin l'heure présente : maintenant la guerre n'est plus possible, Munich c'est la première déclaration de paix. Mon Dieu, mon Dieu, j'ai prié, j'ai prié, j'ai dit : « Mon Dieu, prenez mon cœur, prenez ma vie » et vous m'avez exaucée, mon Dieu, vous êtes le plus grand, vous êtes le plus sage, vous êtes le plus tendre, l'abbé se dégagea : Mais je vous l'ai toujours dit, madame : Dieu est épatant. Et merde pour les Tchèques, qu'ils se débrouillent tout seuls. Zézette marchait dans la rue, Zézette chantait, tous les oiseaux dans mon cœur, les gens avaient de bonnes têtes souriantes, ils se disaient bonjour du coin de i'œil même s'ils ne se connaissaient pas. Ils savaient, elle savait, ils savaient qu'elle savait, tout le monde avait la même pensée, tout le monde était heureux, il n'y avait qu'à faire comme tout le monde; le beau soir, cette femme qui passe, je lis jusqu'au fond de son cœur, et ce bon vieux lit dans le mien, tout ouverte à tous, on ne fait qu'un, elle se mit à pleurer, tout le monde s'aimait, tout le monde était heureux, tout le monde était comme tout le monde et Momo, là-bas, il devait être content tout de même, elle pleurait, tout le monde la regardait et ça lui faisait chaud dans le dos et à la poitrine tous ces regards, plus on la regardait plus elle pleurait, elle se sentait fière et publique comme une mère qui allaite son enfant.

— Eh bien, dit Jacques, mais tu bois sec!

Odette riait toute seule. Elle dit :

— Je pense qu'ils vont démobiliser bientôt les réservistes?

— D'ici quinze jours, un mois, dit Jacques.

Elle rit encore et but une gorgée de vin. Et puis tout d'un coup le sang lui monta aux joues.

— Qu'est-ce que tu as? demanda Jacques. Tu es devenue toute rouge.

— Ce n'est rien, dit-elle, j'ai un peu trop bu, voilà tout.

Je ne l'aurais jamais embrassé si j'avais su qu'il reviendrait si vite.

— Montez! Montez!

Le train s'ébranlait lentement. Les types se mirent à courir, en criant et riant; ils s'accrochaient par grappes aux marchepieds. La face en sueur du serrurier apparut à la fenêtre, il se cramponnait au rebord, des deux mains.

— Nom de Dieu, dit-il, aidez-moi vite, je vais lâcher.

NUIT DU 29 AU 30 SEPTEMBRE

1 h. 30.

MM. Hubert Masaryk et Mastny, membres de la délégation tchécoslovaque, attendaient dans la chambre de sir Horace Wilson en
compagnie de M. Ashton-Gwatkin. Mastny était pâle et transpirait,
il avait des cernes noirs sous les yeux. Hubert Masaryk marchait de
long en large; M. Ashton-Gwatkin était assis sur le lit; Ivich s'était
rencoignée au fond du lit, elle ne le sentait pas mais elle sentait sa
chaleur et elle entendait son souffle; elle ne pouvait pas dormir et
elle savait qu'il ne dormait pas non plus. Des décharges électriques
lui parcouraient les jambes et les cuisses, elle mourait d'envie de se
retourner sur le dos, mais si elle bougeait, elle le touchait; tant qu'il
croirait qu'elle dormait, il la laisserait tranquille. Mastny se tourna
vers Ashton-Gwatkin et dit :

— C'est long.

M. Ashton-Gwatkin eut un geste d'excuse et d'indifférence. Le
sang monta au visage de Masaryk.

— Les accusés attendent le verdict, dit-il d'une voix sourde.

M. Ashton-Gwatkin ne parut pas entendre. Ivich pensa : « La nuit
ne finira donc pas? » Elle sentit soudain une chair trop douce contre
sa hanche, il profitait de son sommeil pour la frôler, il ne faut pas
bouger, sans ça, il s'apercevra que je suis éveillée. La chair glissa
lentement le long de ses reins, elle était brûlante et molle, c'était
une jambe. Elle se mordit violemment la lèvre inférieure et Masaryk
poursuivit :

— Pour que la ressemblance soit complète, on nous a fait recevoir
par la police.

— Mais comment? dit M. Ashton-Gwatkin en prenant une mine
étonnée.

— Nous avons été conduits à l'hôtel Régina dans une voiture de la police, expliqua Mastny.

— Tss, tss, tss, fit M. Ashton-Gwatkin avec blâme.

C'était une main, à présent; elle descendait le long de ses flancs, légère et comme distraite; les doigts lui effleurèrent le ventre. «Ce n'est rien, pensa-t-elle, c'est une bête. Je dors. Je dors. Je rêve; je ne bougerai pas. » Masaryk prit la carte que sir Horace Wilson lui avait remise. Les territoires qui devaient être occupés immédiatement par l'armée allemande étaient marqués en bleu. Il la regarda un moment, puis la rejeta sur la table avec colère.

— Je... je ne comprends toujours pas, dit-il en regardant M. Ashton-Gwatkin dans les yeux. Sommes-nous encore une nation souveraine?

M. Ashton-Gwatkin haussa les épaules; il paraissait vouloir dire qu'il n'était pour rien dans l'affaire; mais Masaryk pensa qu'il était plus ému qu'il ne voulait le montrer.

— Ces négociations avec Hitler sont très difficiles, fit-il observer. Tenez compte de cela.

— Tout dépendait de la fermeté des grandes puissances, répondit violemment Masaryk.

L'Anglais rougit légèrement. Il se redressa et dit sur un ton solennel :

— Si vous n'acceptez pas cet accord, il faudra vous arranger seuls avec l'Allemagne. Il se racla la gorge et ajouta plus doucement : « Peut-être les Français vous le diront-ils avec plus de formes. Mais, croyez-moi, ils sont de notre avis; en cas de refus ils se désintéresseront de vous. »

Masaryk eut un rire désagréable et ils se turent. Une voix chuchota :

— Tu dors?

Elle ne répondit pas, mais aussitôt elle sentit une bouche contre son oreille et puis tout un corps pesant contre le sien.

— Ivich! murmura-t-il. Ivich!

Il ne fallait pas crier, ni se débattre; je ne suis pas une fille qu'on viole. Elle se retourna sur le dos et dit d'une voix claire :

— Non, je ne dors pas. Après?

— Je t'aime, dit-il.

Une bombe! Une bombe qui tomberait de cinq mille mètres et qui les tuerait net! Une porte s'ouvrit et sir Horace Wilson entra; il avait les yeux baissés; depuis leur arrivée, il baissait les yeux, il leur parlait en regardant le parquet. De temps à autre, il devait s'en rendre compte : il levait brusquement la tête et leur plongeait dans les yeux un regard vide.

— Messieurs, on vous attend.

Les trois hommes le suivirent. Ils traversèrent de longs couloirs déserts. Un garçon d'étage dormait sur une chaise; l'hôtel semblait mort; son corps était brûlant, il appliqua sa poitrine contre les seins d'Ivich et elle entendit un bruit mou de ventouse, elle était inondée de leurs sueurs.

— Si vous m'aimez, dit-elle, écartez-vous, j'ai trop chaud.

— C'est là, dit sir Horace Wilson en s'effaçant. Il ne s'écartait pas, d'une main il arracha les couvertures, de l'autre il lui tenait fermement l'épaule, il était couché sur elle à présent, il lui pétrissait les épaules et les bras de ces mains violentes, de ces mains de proie, pendant que sa voix enfantine et suppliante murmurait :

— Je t'aime, Ivich, mon amour, je t'aime.

C'était une petite salle basse et vivement éclairée. MM. Chamberlain, Daladier et Léger se tenaient debout derrière une table chargée de papiers. Les cendriers étaient pleins de bouts de cigarettes mais personne ne fumait plus. Chamberlain posa les deux mains sur la table. Il avait l'air fatigué.

— Messieurs, dit-il avec un sourire affable.

Masaryk et Mastny s'inclinèrent sans parler. Ashton-Gwatkin s'écarta vivement d'eux, comme s'il ne pouvait plus supporter leur compagnie et il alla se placer derrière M. Chamberlain avec sir Horace Wilson. A présent les deux Tchèques avaient cinq hommes devant eux, de l'autre côté de la table. Derrière eux, il y avait la porte et les couloirs déserts de l'hôtel. Il y eut un instant de silence lourd. Masaryk les regarda tour à tour et puis il chercha le regard de Léger. Mais Léger rangeait des documents dans une serviette.

— Voulez-vous vous asseoir, messieurs, dit M. Chamberlain.

Les Français et les Tchèques s'assirent mais M. Chamberlain demeura debout.

— Eh bien... dit M. Chamberlain. Il avait les yeux roses de sommeil. Il considéra ses mains d'un air incertain, puis se redressa brusquement et dit :

— La France et la Grande-Bretagne viennent de signer un accord concernant les revendications allemandes au sujet des Sudètes. Cet accord, grâce à la bonne volonté de tous, peut être considéré comme réalisant un progrès certain sur le mémorandum de Godesberg.

Il toussa et se tut. Masaryk se tenait très raide dans son fauteuil,

il attendait. M. Chamberlain parut vouloir continuer, mais il se ravisa
et tendit une feuille de papier à Mastny :

— Voulez-vous prendre connaissance de cet accord? Le mieux
serait peut-être que vous le lisiez à haute voix.

Mastny prit la feuille; quelqu'un passa dans le corridor, à pas
légers. Puis les pas décrurent et une horloge, quelque part dans la
ville, sonna deux coups. Mastny commença à lire. Il avait un accent
nasillard et monotone; il lisait lentement, comme s'il réfléchissait
entre chaque phrase, et la feuille tremblait dans ses mains :

« Les quatre puissances : Allemagne, Royaume-Uni, France, Italie, tenant compte de l'arrangement déjà réalisé en principe pour la
cession à l'Allemagne des territoires des Allemands des Sudètes, sont
convenues des dispositions et conditions suivantes réglementant
ladite cession et les mesures qu'elle comporte. Chacune d'elles, par
cet accord, s'engage à accomplir les demandes nécessaires pour en
assurer l'exécution.

« 1º L'évacuation commencera le 1er octobre;

« 2º Le Royaume-Uni, la France et l'Italie conviennent que l'évacuation du territoire en question devra être achevée le 10 octobre,
sans qu'aucune des installations existantes ait été détruite. Le gouvernement tchécoslovaque aura la responsabilité d'effectuer cette
évacuation sans qu'il en résulte aucun dommage aux dites installations;

« 3º Les conditions de cette évacuation seront déterminées dans le
détail par une commission internationale composée de représentants
de l'Allemagne, du Royaume-Uni, de la France, de l'Italie et de la
Tchécoslovaquie;

« 4º L'occupation progressive par les troupes du Reich des territoires de prédominance allemande commencera le 1er octobre. Les
quatre zones indiquées sur la carte ci-jointe seront occupées par les
troupes allemandes dans l'ordre suivant :

« La zone 1, les 1er et 2 octobre.

« La zone 2, les 2 et 3 octobre.

« La zone 3, les 3, 4 et 5 octobre.

« La zone 4, les 6 et 7 octobre.

« Les autres territoires à prépondérance allemande seront déterminés par la commission internationale et occupés par les troupes
allemandes d'ici au 10 octobre. »

La voix monotone s'élevait dans le silence, au milieu de la ville
endormie. Elle butait, elle s'arrêtait, elle repartait impitoyablement,
un peu chevrotante et des millions d'Allemands dormaient à perte

de vue autour d'elle, pendant qu'elle exposait minutieusement les modalités d'un assassinat historique. La voix suppliante et chuchotante, mon amour, mon désir, j'aime tes seins, j'aime ton odeur, est-ce que tu m'aimes, montait dans la nuit et les mains, sous son corps brûlant, assassinaient.

— Je voudrais poser une question, dit Masaryk. Que faut-il entendre par « territoire à prépondérance allemande »?

Il s'était adressé à Chamberlain. Mais Chamberlain le considéra sans répondre, d'un air légèrement hébété. Visiblement il n'avait pas écouté la lecture. Léger prit la parole, dans le dos de Masaryk. Masaryk imprima un mouvement de rotation à son fauteuil et vit Léger de profil :

— Il s'agit, dit Léger, de majorités calculées selon les propositions acceptées par vous.

Mastny tira son mouchoir et s'épongea le front, puis il reprit sa lecture :

« 5º La commission internationale mentionnée au paragraphe 3 déterminera les territoires où doit être effectué le plébiscite.

« Ces territoires seront occupés par des contingents internationaux jusqu'à l'achèvement du plébiscite... »

Il s'interrompit et demanda :

— Ces contingents seront-ils effectivement internationaux ou n'y aura-t-il que des troupes anglaises?

M. Chamberlain bâilla derrière sa main et une larme roula sur sa joue. Il retira sa main :

— Cette question n'est pas encore entièrement mise au point. On envisage aussi la participation de soldats belges et italiens.

« Cette commission, reprit Mastny, fixera également les conditions dans lesquelles le plébiscite doit être institué en prenant pour base les conditions du plébiscite de la Sarre. Elle fixera en outre, pour l'ouverture du plébiscite, une date qui ne pourra être postérieure à la fin novembre. »

Il s'arrêta encore et demanda à Chamberlain avec une douceur ironique :

— Le membre tchécoslovaque de cette commission aura-t-il le même droit de vote que les autres membres?

— Naturellement, dit M. Chamberlain avec bienveillance.

Un trouble gluant comme du sang poissait les cuisses et le ventre d'Ivich, il se glissa dans son sang, je ne suis pas une fille qu'on viole, elle s'ouvrit, elle se laissa poignarder, mais pendant que des frissons de glace et de feu montaient jusqu'à sa poitrine, sa tête

restait froide, elle avait sauvé sa tête et elle lui criait, dans sa tête :
« Je te hais! »

« 6º La fixation finale des frontières sera établie par la commission internationale. Cette commission aura aussi compétence pour recommander aux quatre puissances : Allemagne, Royaume-Uni, France et Italie, dans certains cas exceptionnels, des modifications de portée restreinte à la détermination strictement ethnologique des zones transférables sans plébiscite. »

— Devons-nous, demanda Masaryk, considérer cet article comme une clause assurant la protection de nos intérêts vitaux?

Il s'était tourné vers Daladier et le regardait avec insistance. Mais Daladier ne répondit pas; il avait l'air vieux et accablé. Masaryk remarqua qu'il avait gardé, au coin de la bouche, un mégot éteint.

— Cette clause nous a été promise, dit Masaryk fortement.

— En un sens, dit Léger, cet article peut être considéré comme faisant fonction de la clause dont vous parlez. Mais il faut être modeste, pour commencer. La question des garanties de vos frontières sera de la compétence de la commission internationale.

Masaryk eut un rire bref et se croisa les bras :

— Même pas une garantie! dit-il en secouant la tête.

« 7º, lut Mastny, il y aura un droit d'option permettant d'être inclus dans les territoires transférés ou d'en être exclu.

« Cette option s'exercera dans un délai de six mois à partir de la date du présent accord.

« 8º Le gouvernement tchécoslovaque libérera, dans un délai de quatre semaines à partir de la conclusion du présent accord, tous les Allemands des Sudètes qui le désireront des formations militaires ou de la police auxquelles ils appartiennent.

« Dans le même délai, le gouvernement tchécoslovaque libérera les prisonniers allemands des Sudètes qui accomplissent des peines de prison pour délits politiques.

« Munich, le 29 septembre 1938. »

— Voilà, dit-il, voilà.

Il regardait la feuille, comme s'il n'avait pas fini de lire. M. Chamberlain bâilla largement, puis il se mit à tapoter sur la table.

— Voilà, dit encore Mastny.

C'était fini, la Tchécoslovaquie de 1918 avait cessé d'exister. Masaryk suivit des yeux la feuille blanche, que Mastny allait reposer sur la table; puis il se tourna vers Daladier et Léger et les regarda fixement. Daladier était affaissé dans son fauteuil, le menton sur sa poitrine. Il tira une cigarette de sa poche, la considéra un instant et la remit dans son paquet. Léger était un peu rouge, il avait l'air impatienté.

— Attendez-vous, dit Masaryk à Daladier, une déclaration ou une réponse de mon gouvernement?

Daladier ne répondit pas. Léger baissa la tête et dit très vite :

— M. Mussolini doit regagner l'Italie dès ce matin; nous ne disposons pas de beaucoup de temps.

Masaryk regardait toujours Daladier. Il dit : « Même pas de réponse? Dois-je comprendre que nous sommes obligés d'accepter? »

Daladier eut un geste las et Léger répondit derrière lui :

— Que pouvez-vous faire d'autre?

Elle pleurait, le visage tourné contre le mur; elle pleurait en silence et les sanglots secouaient ses épaules.

— Pourquoi ris-tu? demanda-t-il d'une voix incertaine.

— Parce que je vous hais, répondit-elle.

Masaryk se leva, Mastny se leva aussi. M. Chamberlain bâillait à se décrocher la mâchoire.

VENDREDI 30 SEPTEMBRE

Le petit soldat vint vers Gros-Louis en agitant un journal.

— C'est la paix! dit-il.

Gros-Louis posa son seau :

— Qu'est-ce que tu dis, mon gars?

— Je te dis que c'est la paix.

Gros-Louis le regarda avec soupçon.

— Ça ne peut pas être la paix puisqu'on n'a pas fait la guerre.

— Ils ont signé, mon gros. Tu n'as qu'à regarder le journal.

Il le lui tendit mais Gros-Louis le repoussa de la main.

— Je ne sais pas lire.

— Ah! pochetée, dit le petit gars avec pitié. Ben, regarde la photo!

Gros-Louis prit le journal avec répugnance, s'approcha de la fenêtre de l'écurie et regarda la photo. Il reconnut Daladier, Hitler et Mussolini qui souriaient : ils avaient l'air bons amis.

— Eh ben! dit-il. Eh ben!

Il regarda le petit gars en fronçant les sourcils, puis il s'égaya soudain :

— Les voilà réconciliés maintenant! dit-il en riant. Et je ne sais même pas pourquoi ils se disputaient.

Le soldat se mit à rire et Gros-Louis rit aussi.

— Salut, ma vieille! dit le soldat.

Il s'éloigna. Gros-Louis s'approcha de la jument noire et se mit à lui caresser la croupe.

— Là, là, ma belle! dit-il. Là, là!

Il se sentait vague. Il dit :

— Ben qu'est-ce que je vais faire, à présent? Qu'est-ce que je vais faire?

M. Birnenschatz se dissimulait derrière son journal; on voyait monter une petite fumée droite au-dessus des feuilles déployées; Mme Birnenschatz s'agitait dans son fauteuil.

— Il faut que je voie Rose pour cette histoire d'aspirateur.

C'était la troisième fois qu'elle parlait de l'aspirateur, mais elle ne s'en allait pas. Ella la considérait sans sympathie : elle aurait voulu rester seule avec son père.

— Tu crois qu'ils vont me le reprendre? demanda Mme Birnenschatz en se tournant vers sa fille.

— Tu me demandes ça tout le temps. Mais je ne sais pas, maman.

Hier Mme Birnenschatz avait pleuré de bonheur, en serrant sa fille et ses nièces sur sa poitrine. Aujourd'hui elle ne savait déjà plus que faire de sa joie; c'était une grosse joie flasque comme elle, qui tournerait bientôt à la prophétie, à moins qu'elle ne parvînt à la faire partager.

Elle se tourna vers son mari :

— Gustave, murmura-t-elle.

M. Birnenschatz ne répondit pas.

— Tu ne fais guère de bruit, aujourd'hui.

— Non! fit M. Birnenschatz.

Il baissa tout de même son journal et la regarda par-dessus ses lunettes. Il avait l'air las et vieilli : Ella sentit son cœur se serrer; elle avait envie de l'embrasser mais il valait mieux ne pas commencer les effusions devant Mme Birnenschatz qui n'y était que trop disposée.

— Es-tu content au moins? demanda Mme Birnenschatz.

— Content de quoi? demanda-t-il sèchement.

— Mais voyons, dit-elle déjà gémissante, tu m'as dit cent fois que tu n'en voulais pas, de cette guerre, que ce serait une catastrophe, qu'il fallait traiter avec les Allemands, je croyais que tu serais content.

M. Birnenschatz haussa les épaules et reprit son journal. Mme Birnenschatz fixa un moment son regard plein de surprise et de reproche sur ce rempart de papier, sa lèvre inférieure tremblait. Puis elle soupira, se leva avec difficulté et se dirigea vers la porte.

— Je ne comprends plus ni mon mari ni ma fille, dit-elle en sortant.

Ella s'approcha de son père et l'embrassa doucement sur le crâne.

— Qu'est-ce qu'il y a, papa?

M. Birnenschatz posa ses lunettes et leva la tête vers elle :

— Je n'ai rien à dire. Cette guerre, je n'étais plus d'âge à la faire, n'est-ce pas? Alors, on se tait.

Il plia méticuleusement son journal : il grommelait, comme pour lui-même.

— J'étais pour la paix...

— Alors?

— Alors?...

Il inclina la tête à droite et leva l'épaule droite, par un drôle de mouvement enfantin.

— J'ai honte, dit-il d'une voix sombre.

Gros-Louis vida son seau dans les chiottes, exprima soigneusement toute l'eau de l'éponge, puis il mit l'éponge dans le seau et les reporta à l'écurie. Il ferma la porte de l'écurie, traversa la cour et entra dans le bâtiment B. La chambrée était déserte. « Ils ne sont guère pressés de partir, dit Gros-Louis, faut croire qu'ils se plaisent ici. » Il tira de dessous le lit son pantalon et son veston civils. « Moi, je ne me plais pas », dit-il en commençant à se déshabiller. Il n'osait pas encore se réjouir, il dit : « Voilà huit jours qu'on m'emmerde. » Il enfila son pantalon et disposa soigneusement sur son lit ses effets militaires. Il ne savait pas si le patron le reprendrait. « Et qui c'est qui garde ses moutons, maintenant! » Il prit sa musette et sortit. Il y avait quatre types devant le lavoir qui le regardèrent en rigolant. Gros-Louis les salua de la main et traversa la cour. Il n'avait plus un sou mais il rentrerait à pied. « Je leur donnerai un coup de main, dans les fermes, ils me laisseront bien casser la croûte. » Tout d'un coup, il revit le ciel, bleu pâle au-dessus des bruyères du Canigou, il revit les petits culs culbuteurs des moutons et il comprit qu'il était libre.

— Vous là-bas! Où allez-vous?

Gros-Louis se retourna : c'était l'adjudant Peltier, un gros. Il accourait, hors d'haleine.

— Eh bien! disait-il en courant. Eh bien ça, alors!

Il s'arrêta à deux pas de Gros-Louis, cramoisi de fureur et d'essoufflement.

— Où allez-vous? répéta-t-il.

— Je m'en vais, dit Gros-Louis.

— Vous vous en allez! dit l'adjudant en se croisant les bras. Vous vous en allez!... Mais où vous en allez-vous? demanda-t-il avec une indignation désespérée.

— Chez moi! dit Gros-Louis.

— Chez lui! dit l'adjudant. Il s'en va chez lui! Sans doute que le menu ne lui plaît pas ou alors c'est le sommier qui grince. Il reprit un sérieux menaçant et dit : « Vous allez me faire le plaisir de faire demi-tour, et au trot! Et je vais vous soigner, moi, mon garçon. »

« Il ne sait pas qu'ils sont réconciliés », pensa Gros-Louis. Il dit :

— La paix est signée, mon adjudant.

L'adjudant paraissait n'en pas croire ses oreilles.

— Est-ce que vous jouez au con ou est-ce que vous voulez m'acheter?

Gros-Louis ne voulait pas se fâcher. Il se détourna et reprit sa marche. Mais le gros type courut derrière lui, le tira par la manche et vint se placer devant lui. Il le touchait avec son ventre et criait :

— Si vous n'obéissez pas immédiatement, ça sera le Conseil de guerre.

Gros-Louis s'arrêta et se gratta le crâne. Il pensa à Marseille et il eut mal à la tête.

— Voilà huit jours qu'on m'emmerde, dit-il avec douceur.

L'adjudant le secouait par sa veste en hurlant :

— Qu'est-ce que vous dites?

— Voilà huit jours qu'on m'emmerde! cria Gros-Louis d'une voix de tonnerre.

Il prit l'adjudant par l'épaule et lui tapa sur le visage. Au bout d'un moment, il fut obligé de lui passer un bras sous l'aisselle pour le soutenir et il continua de taper; il se sentit ceinturé par derrière et puis on lui prit les bras et on les tordit. Il lâcha l'adjudant Peltier qui tomba sur le sol sans faire ouf et il se mit à secouer tous ces types accrochés à lui, mais quelqu'un lui donna un croc-en-jambe et il tomba sur le dos. Ils commencèrent à lui cogner dessus et il tournait la tête à droite et à gauche pour éviter les coups, il disait en haletant :

— Laissez-moi partir, les gars, laissez-moi partir, puisque je vous dis que c'est la paix.

Gomez racla le fond de sa poche avec ses ongles et il en sortit quelques brins de tabac mélangés à de la poussière et à des bouts de fil. Il mit le tout dans sa pipe et l'alluma. La fumée avait un goût âcre et suffocant.

— Déjà finie, la provision de tabac? demanda Garcin.

— Depuis hier soir, dit Gomez. Si j'avais su, j'en aurais rapporté davantage.

Lopez entra, il apportait les journaux. Gomez le regarda et puis il baissa les yeux sur sa pipe. Il avait compris. Il vit le mot de Munich en grosses lettres sur la première page du journal.

— Alors? demanda Garcin.

On entendait au loin la canonnade.

— Alors nous sommes foutus, dit Lopez.

Gomez serra les dents sur le tuyau de sa pipe. Il entendait le canon et il pensait à la calme nuit de Juan-les-Pins, au jazz au bord de l'eau : Mathieu aurait encore beaucoup de soirs semblables.

— Les salauds, murmura-t-il.

Mathieu resta un instant sur le seuil de la cantine, puis il sortit dans la cour et ferma la porte. Il avait gardé ses vêtements civils : il ne restait plus une veste militaire au magasin d'habillement. Les soldats se promenaient par petits groupes, ils avaient l'air ahuris et inquiets. Deux jeunes gens qui venaient vers lui se mirent à bâiller en même temps.

— Eh bien! vous rigolez, vous, leur dit Mathieu.

Le plus jeune ferma la bouche et dit d'un air d'excuse :

— On sait pas quoi foutre.

— Salut, dit quelqu'un derrière Mathieu.

Il se retourna. C'était un certain Georges, son voisin de lit, qui avait une bonne tête lunaire et mélancolique. Il lui souriait.

— Alors? dit Mathieu. Ça va?

— Ça va, dit l'autre. Ça va comme ça.

— Plains-toi, dit Mathieu. Tu ne devrais pas être ici, à cette heure. Tu devrais être au boum-boum.

— Ben oui, dit l'autre. Il haussa les épaules : « Qu'on soit là ou ailleurs.

— Oui, dit Mathieu.

— Je suis content parce que je vais revoir ma petite, dit-il. Sans ça... Je vais retrouver le bureau; je ne m'entends pas très bien avec ma femme... On lira les journaux, on se fera du souci à propos de Dantzig : ça recommencera comme l'année dernière. » Il bâilla et dit : « La vie, c'est partout pareil, n'est-ce pas?

— C'est partout pareil. »

Ils se sourirent mollement. Ils n'avaient plus rien à se dire.

— A tout à l'heure, dit Georges.

— A tout à l'heure.

De l'autre côté de la grille, quelqu'un jouait de l'accordéon. De l'autre côté de la grille, c'était Nancy, c'était Paris, quatorze heures de cours par semaine, Ivich, Boris, Irène peut-être. La vie, c'est partout pareil, c'est toujours pareil. Il se dirigea à pas lents vers la grille.

— Fais gaffe!

Des soldats lui faisaient signe de s'écarter : ils avaient tracé une ligne sur le sol et ils jouaient aux sous, sans grande conviction.

Mathieu s'arrêta un instant : il vit rouler des sous, et puis d'autres et puis d'autres. De temps à autre une pièce tournait sur elle-même comme une toupie, trébuchait et tombait sur une autre pièce qu'elle recouvrait à moitié. Alors ils se redressaient et poussaient des cris. Mathieu reprit sa marche. Tant de trains et de camions sillonnant la France, tant de peine, tant d'argent, tant de pleurs, tant de cris dans toutes les radios du monde, tant de menaces et de défis dans toutes les langues, tant de conciliabules pour en venir à tourner en rond dans une cour ou à jeter des sous dans la poussière. Tous ces hommes s'étaient fait violence pour partir les yeux secs, tous avaient soudain vu la mort en face et tous, après beaucoup d'embarras ou modestement, s'étaient déterminés à mourir. A présent ils restaient hébétés, les bras ballants, empêtrés de cette vie qui avait reflué sur eux, qu'on leur laissait encore pour un moment, pour un petit moment et dont ils ne savaient plus que faire. « C'est la journée des dupes », pensa-t-il. Il saisit à pleines mains les barreaux de la grille et regarda au dehors : le soleil sur la rue vide. Dans les rues commerçantes des villes, depuis vingt-quatre heures, c'était la paix. Mais autour des casernes et des forts il restait une vague brume de guerre qui achevait de se dissiper. L'accordéon invisible jouait *la Madelon;* un petit vent tiède souleva sur la route un tourbillon de poussière. « Et ma vie à moi, qu'est-ce que je vais en faire? » C'était tout simple : il y avait à Paris, rue Huyghens, un appartement qui l'attendait, deux pièces, chauffage central, eau, gaz, électricité, avec des fauteuils verts et un crabe de bronze sur la table. Il rentrerait chez lui, il mettrait la clé dans la serrure; il reprendrait sa chaire au lycée Buffon. Et rien ne se serait passé. Rien du tout. Sa vie l'attendait, familière, il l'avait laissée dans son bureau, dans sa chambre à coucher; il se coulerait dedans sans faire d'histoires — personne ne ferait d'histoires, personne ne ferait allusion à l'entrevue de Munich, dans un mois tout serait oublié — il ne resterait plus qu'une petite cicatrice invisible dans la continuité de sa vie, une petite cassure : le souvenir d'une nuit où il avait cru partir à la guerre.

« Je ne veux pas, pensa-t-il en serrant les barreaux de toutes ses forces. Je ne veux pas! Cela ne sera pas! » Il se retourna brusquement, il regarda en souriant les fenêtres étincelantes de soleil. Il se sentait fort; il y avait au fond de lui une petite angoisse qu'il commençait à connaître, une petite angoisse qui lui donnait confiance. N'importe qui; n'importe où. Il ne possédait plus rien, il n'était plus rien. La nuit sombre de l'avant-veille ne serait pas perdue;

cet énorme remue-ménage ne serait pas tout à fait inutile. « Qu'ils rengainent leur sabre, s'ils veulent; qu'ils fassent leur guerre, qu'ils ne la fassent pas, je m'en moque; je ne suis pas dupe. » L'accordéon s'était tu. Mathieu reprit sa marche autour de la cour. « Je resterai libre », pensa-t-il.

L'avion décrivait de larges cercles au-dessus du Bourget, une poix noire et ondulante recouvrait la moitié du terrain d'atterrissage. Léger se pencha vers Daladier et cria en la montrant :

— Quelle foule!

Daladier regarda à son tour; il parla pour la première fois depuis leur départ de Munich :

— Ils sont venus me casser la gueule.

Léger ne protesta pas. Daladier haussa les épaules :

— Je les comprends.

— Tout dépend du service d'ordre, dit Léger en soupirant.

Il entra dans la chambre, il tenait des journaux; Ivich était assise sur le lit, elle baissait la tête.

— Ça y est! Ils ont signé cette nuit.

Elle leva les yeux, il avait l'air heureux mais il se tut, brusquement gêné par le regard qu'elle fixait sur lui :

— Vous voulez dire qu'il n'y aura pas de guerre? lui demanda-t-elle.

— Mais oui.

Pas de guerre; pas d'avions sur Paris; les plafonds ne crèveraient pas sous les bombes : il allait falloir vivre.

— Pas de guerre, dit-elle en sanglotant, pas de guerre, et vous avez l'air content!

Milan s'approcha d'Anna. Il titubait et ses yeux étaient roses. Il lui toucha le ventre et dit :

— En voilà un qui n'aura pas de chance.

— Quoi?

— Le môme. Je dis qu'il n'aura pas de chance.

Il gagna la table en boitant et se versa un verre d'alcool. C'était le cinquième depuis le matin.

— Tu te souviens, dit-il, quand tu es tombée dans l'escalier? J'ai bien cru que tu allais faire une fausse couche.

— Eh bien? dit-elle sèchement.

Il s'était tourné vers elle, le verre en main; il avait l'air de porter un toast.

— Ça aurait mieux valu, dit-il en ricanant.

Elle le regarda : il élevait le verre à sa bouche, d'une main qui tremblait un peu.

— Peut-être, dit-elle. Peut-être que ça aurait mieux valu.

L'avion s'était posé. Daladier sortit péniblement de la carlingue et mit le pied sur l'échelle; il était blême. Il y eut une clameur énorme et les gens se mirent à courir, crevant le cordon de police, emportant les barrières; Milan but et dit en riant : « A la France! A l'Angleterre! A nos glorieux alliés! » Puis il jeta de toutes ses forces le verre contre le mur; ils criaient : « Vive la France! Vive l'Angleterre! Vive la paix! », ils portaient des drapeaux et des bouquets. Daladier s'était arrêté sur le premier échelon; il les regardait avec stupeur. Il se tourna vers Léger et dit entre ses dents :

— Les cons!

ŒUVRES DE J.-P. SARTRE

Romans :

LA NAUSÉE.
LES CHEMINS DE LA LIBERTÉ.
  I. L'Age de raison.
  II. Le Sursis.
  III. La Mort dans l'âme.

Nouvelles :

LE MUR (Le Mur - La Chambre - Érostrate - Intimité - L'Enfance d'un chef).

Théâtre :

LES MOUCHES.
LES MAINS SALES.
HUIS CLOS.
LE DIABLE ET LE BON DIEU.
THÉATRE, I : Les Mouches - Huis Clos - Mort sans Sépulture - La Putain respectueuse.
KEAN (d'après Alexandre Dumas).
NEKRASSOV.
LES SEQUESTRÉS D'ALTONA.

Littérature :

SITUATIONS, I, II, III.
SAINT GENET, COMÉDIEN ET MARTYR (tome I des Œuvres complètes de Jean Genet).
BAUDELAIRE.

Philosophie :

L'IMAGINAIRE (Psychologie phénoménologique de l'Imagination)
L'ÊTRE ET LE NÉANT (Essai d'Ontologie phénoménologique).
CRITIQUE DE LA RAISON DIALECTIQUE.

Essais politiques :

RÉFLEXIONS SUR LA QUESTION JUIVE.
L'AFFAIRE HENRI MARTIN (Textes commentés par J.-P. Sartre)
    J.-P. Sartre - David Rousset - Gérard Rosenthal :

ENTRETIENS SUR LA POLITIQUE.

Édition de luxe illustrée :

LE MUR (36 gravures à l'eau-forte, en couleurs, par Mario Prassinos).